D0411506

DE PRINS VAN SANSEVERO

NATHAN GELB

DE PRINS VAN SANSEVERO

UITGEVERIJ LUITINGH

Oorspronkelijke titel: *Il Quadro dei Delitti*
Vertaling: Saskia Peterzon-Kotte
Omslagontwerp: Wouter van der Struys/Twizter.nl
Omslagfotografie: Brooklyn Museum/Corbis

ISBN 978 90 245 2253 8
NUR 305

www.boekenwereld.com

Voor Charlotte.
Onze zielen lijken wel twee polen van een kompas: al liggen ze ver uiteen, toch leidt dat niet tot een breuk, maar juist tot expansie, als goud dat wordt geslagen en langzaamaan een steeds groter oppervlak bestrijkt.

Waar we openhartig hebben gesproken,
hebben we niets gezegd.
Maar daar waar we iets met behulp van raadselen en
symbolen hebben uitgedrukt, hebben we de waarheid
aan het licht gebracht.

— GEBER

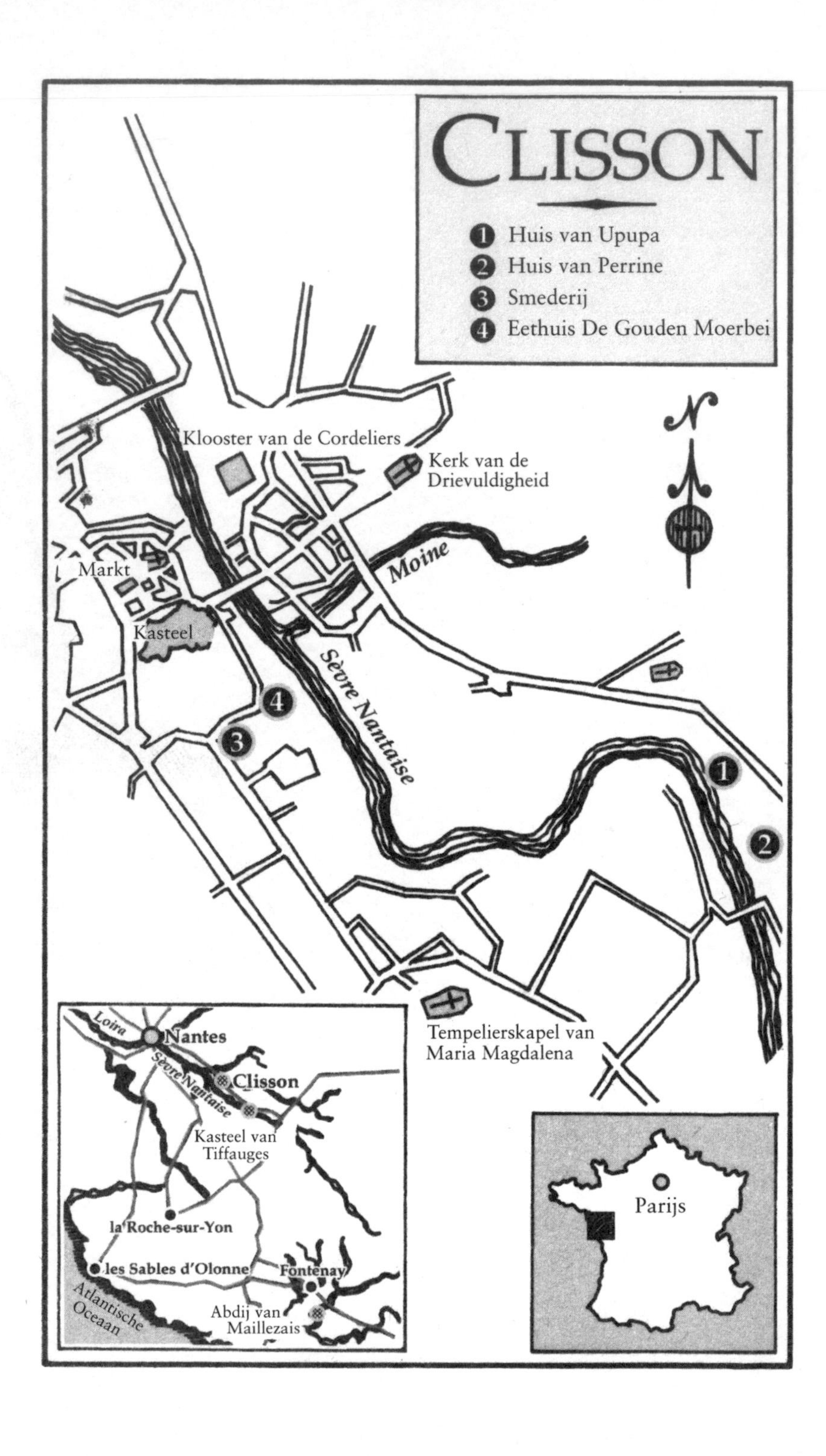

Clisson
1 Huis van Upupa
2 Huis van Perrine
3 Smederij
4 Eethuis De Gouden Moerbei
N
Klooster van de Cordeliers
Kerk van de Drievuldigheid
Markt
Kasteel
Moine
Sèvre Nantaise
Tempelierskapel van Maria Magdalena
Loira
Nantes
Sèvre Nantaise
Clisson
Kasteel van Tiffauges
la Roche-sur-Yon
les Sables d'Olonne
Fontenay
Abdij van Maillezais
Atlantische Oceaan
Parijs

HOOFDPERSONEN

Jeroen van Aken, bijgenaamd Hiëronymus Bosch, Brabants schilder

Napels

Raimondo de Sangro, prins van Sansevero, de *detector*-alchemist
Vincenzo Fantoni, de lijfknecht van de prins
Gualtiero Gualtieri, nuntius te Napels

Rome

Zijne Heiligheid Benedictus XIV

Clisson (Haute-Bretagne)

Upupa, meester en gids van de Broederschap van de Roos en de Vogels
Fluiter, Patrijs, Sperling, Ral, Nachtegaal, Papegaai, Feniks, Buizerd, Merel, Reiger, Kolibrie, Zwaan: 'de Vogels'
Urbain Boutier, leerling van Upupa
Bernabé de Grâce, de voortvluchtige
Beppe Talla, smid
Perrine Martin, zijn vrouw
Raphaël Choumien, waard, eigenaar van De Gouden Moerbei
Pater Sébastien, pastoor van de kerk van de Drievuldigheid
Hilarion Thenau, koster
Henriette Labbé, verloofde van Bernabé
Jeanne, haar nicht
Mathias Badeau, burgemeester en vertegenwoordiger van de rechterlijke macht

Tiffauges (dorp van Rais)

Rosario, hoofd van het genootschap van de tempeliers van de Dauw
Gilles Francesco Maria Prelati, hogepriester van het genootschap
Bagoa, de eenogige

Maillezais (Bas-Poitou)

Guillaume de Fresne, prior van de benedictijner abdij
Joseph Didier, brigadier van de militaire politie

Parijs

Lodewijk xv, koning van Frankrijk
Charles de Soubise, hertog van Rohan, heer van Clisson
Hertog van Penthièvre en Rambouillet, groot-admiraal van Frankrijk

TER VERDUIDELIJKING

Al sinds Bijbelse tijden staat de geschiedenis bol van misdrijven en onderzoeken. En sinds het ontstaan van de misdaadverhalen heeft de wereld heel wat detectives leren kennen. Maar nu verschijnt er voor het eerst een *detector* op het toneel.

Dit is de bijnaam die Benedictus XIV bedacht voor Raimondo de Sangro, die in allerijl naar Rome werd ontboden. De paus laat de veelzijdige prins van Sansevero een complex en urgent onderzoek uitvoeren: het oplossen van het mysterie achter de vreemde sterfgevallen die halverwege de achttiende eeuw een deel van Frankrijk met bloed bevlekken.

De woorden 'detective' en 'detector' staan in het Engelse woordenboek. Beide zijn afkomstig uit het Latijn. 'Detector' maakte bovendien oorspronkelijk deel uit van het oude Romeinse idioom. De stam komt van het werkwoord *detegere*, dat 'ontbloten, ontdekken, aan het licht brengen, onthullen' betekent. Een verhelderend, toepasselijk werkwoord. Volmaakt voor het beschrijven van het zware werk van de onfeilbare speurder.

WAT VOORAFGING

Noord-Brabant (Nederlanden),
's-Hertogenbosch, 5 augustus 1516
De dood hoort een sluier te hebben, het graf hoort kuis te zijn.

Maar hier, in het atelier van de schilder, zijn er geen kuisheid en geen sluier te bekennen.

De torenklok luidt het uur van de sexten en de moord is een feit.

Het lijk van de oude kunstenaar is een belediging voor de dood zelf. Hij zit erbij als een verslagen koning – zijn hoofd vol doornen die in zijn schedel gestoken zijn, als een *ecce homo*. Op zijn gele kamerjas, die gescheurd is door de dolk waarmee zijn hart is doorboord, verspreidt zich een vuurrode vlek. Zijn handen zijn vastgespijkerd boven op de gammele tafel, naast twee lege flesjes die besmeurd zijn met het bloed dat uit het vlees van zijn doorstoken handpalmen sijpelt. Dieppurperen pareltjes druppelen over zijn voorhoofd en kleuren zijn grijze haar, zijn volle wenkbrauwen en zijn bleke wangen. De gestolde druppels op de plek waar zijn ogen hebben gezeten, zijn net tranen.

Een laatste schreeuw lijkt nog na te galmen in zijn opengesperde mond.

Op de hoge houten stoel waarop hij zit hebben ze in allerijl streken olieverf aangebracht, een regenboogkleurig kladwerk dat de spot drijft met de gefolterde kunstenaar.

Door de ijle lucht stijgen dunne dampkringeltjes op uit het bloed, bijna als een smeulend votiefoffer.

Over de felle zon die door het raam filtert, schuiven twee wolken – medeplichtigen van de misdadigers – als een ondoorzichtig doek.

Een van de beulen spuwt hem op zijn toegetakelde gezicht en stort een scheldkanonnade over hem uit. 'Monster dat je bent, jammerend, grommend en kruipend tussen de verachtelijke beestenbende van die kunstwerken van je, dit is je verdiende loon!'

De tweede voegt daar met vertrokken mond aan toe: 'Je hebt het gewaagd om met je ketterse penselen de geheimen te vereeuwigen van Hem die ooit de wind, de zee en de storm heeft tegengehouden!

Godslasteraar, je bent net koning Midas, de slechtste alchemist die er is!'

'Zo is het maar net!' Een andere stem doorklieft de lucht met woorden vol zinderende haat. 'Rust nu maar lekker in de armen van Satan Trismegistus. Je bent een fraai portret zo, meester Van Aken! Alleen de lijst ontbreekt nog. Degene die je verrotte lichaam vindt, zal de moord toeschrijven aan de joden. De perfecte misdaad, ja, waar dat stelletje gevoelloze godsmoordenaars voor zal opdraaien.'

'Hou op,' kapt de eerste beul hem af. 'Laten we het doek pakken en ervandoor gaan. Dan laten we deze zwijnenstal aan onze prachtige dode.' Hij maakt een onterende buiging en spuwt nog een klodder speeksel op het beklagenswaardige restant van de man, zonder sluier, zonder kiesheid. Met een mengeling van marteling, afschuw en provocatie.

Drie kwartier eerder was meester Jeroen naar zijn privéatelier gegaan, een gebouw van baksteen en donker cipressenhout, gepleisterd om het vocht te weren.

Terwijl de kunstenaar door de overdekte gang tussen zijn woning en het atelier liep, draaide hij zich om en keek over zijn schouder. Waarom bekroop hem vandaag toch steeds het verontrustende gevoel dat hij werd gevolgd en bespied?

Hij was niet bang voor de confrontatie met de 'transcendente aanwezigheid', waar hij inmiddels aan gewend was en die nu al zes dagen duurde. Integendeel. Het idee dat hij was uitverkoren en dat hem grootse geheimen vol imposante energie werden toevertrouwd, gaf hem juist een bijzonder gevoel.

De hele situatie leek wel een verzinsel en grensde aan het onwaarschijnlijke. De enige met wie hij erover gepraat had, was zijn vrouw, en daarna had hij het gevoel gehad dat ze de draak met hem stak, alsof hij niet goed bij zijn hoofd was. Alsof hij het slachtoffer was van de heksenzalf waarmee hij zich drogeerde om in het hout duivelse taferelen tot leven te wekken die – zo beweerde zij – voortkwamen uit een onbeteugeld seksueel genoegen. Maar vandaag was mevrouw Aleyt er niet. Ze was op bezoek bij familie in Roedeken, bij Oirschot. Daarom kon ze ook niet haar gebruikelijke litanie op hem afvuren: 'Jeroen van Aken, echtgenoot van me, het enige wat jij kunt schilderen zijn lelijke gedrochten...'

'Dat heb ik je altijd al gezegd. Anderen beelden mensen af zoals ze er vanbuiten uitzien. Maar ik laat ze van de binnenkant zien, zoals ze echt zijn.'

'Het zal wel, maar hoe dan ook, je bent geobsedeerd door de duivel. Die ligt in jouw kunstwerken altijd op de loer.'

'Vrouw, de duivel zit op een springveer. De fout die mensen maken, is dat ze hem te vaak uit het doosje laten komen.'

De schilder haalde zijn schouders op, alsof hij de knagende onrust van zich af wilde schudden...

Hij deed de deur open en draaide zich nogmaals om. Niets. Niemand. Hij schudde zijn hoofd en verklaarde zichzelf voor gek. Hij was alleen. Hij liep naar het raam. Daarnaast, in een hoek, stonden twee ezels naast elkaar. De ene was leeg, op de andere stond een doek waarop het eerste wonder uit de evangeliën was afgebeeld.

Jeroen keurde het geen blik waardig en liep er langs. Hij maakte de notenhouten dekenkist open, haalde er een bijna voltooid doek uit en zette het op de lege ezel. Het stelde hetzelfde religieuze thema voor, de bruiloft in Kana. Dit exemplaar was identiek aan het andere, op wat opvallende kenmerken na.

'U hebt me deze aanpassingen opgedragen, Wezen zonder Stoffelijk Omhulsel... Maar hoe kan ik ervoor zorgen dat al deze cryptische boodschappen Charles de Montpensier bereiken? Het belang ervan voert terug naar een ingewikkeld plan dat bijna vijftienhonderd jaar geleden in gang is gezet...'

Mompelend opende hij de geheime bergruimte in de kast. Op de plank stonden bakjes verf, opgesteld als soldaten. Jeroen pakte een heupflesje.

'Hier is hij dan, de *kyphi*! Dit verdovende middel heb ik altijd met mate gebruikt sinds ik het uit dat vermaledijde dorp Arras heb gekregen. Maar ik moet toegeven dat het ontzettend sterk spul is, vergeleken met de heksenzalf. Trouwens, mijn "gast" wil dat ik er drie lepels van inneem, zodat het fenomeen zich voordoet.'

Hij mat het drankje af, slikte het door en wachtte op de kleine hallucinatiedood, met zijn ogen op de gotische klokkentoren van de Sint-Jan gericht. Met doordringende valkenogen, al half in hoger sferen, hijgend.

En ja... tussen de droombeelden, monsters en heksen die aan zijn obsessieve fantasie ontsproten, zag hij uiteindelijk de vertrouwde tempelridder. Hij was in het wit gekleed met een rood kruis op de borst, hield een goudkleurige pelikaan in zijn rechterhand en reed op een sneeuwwitte eenhoorn.

De ridder zette zijn beugelbril op en bekeek het schilderij achter de schilder.

'Heel goed, meester Jeroen van Aken. Ik ben uitermate tevreden.

U bent beter dan Giotto! U weet krachtige, originele beelden te scheppen. Dankzij de juiste foefjes zullen de ingewijden de symboliek van de knaap wel begrijpen.'

'Dank u, excellentie. Ik heb op het doek de aanpassingen doorgevoerd waar u voor de nieuwe versie om had gevraagd. Het dienblad, de flesjes met het kostbare poeder, de M achter de rugleuning van de troon... De uitverkorenen kunnen de kunst van de alchemistische transmutatie in de praktijk brengen...' voegde hij er met stemverheffing aan toe.

'Sstt!' zei de monnik vermanend, en hij verdraaide zijn stem. 'Voorzichtig, pas op! Denk erom! Ons schilderij, met alle geheimen die het bevat, kan ook uw dood worden!'

Met een gezicht dat alleen leek te bestaan uit enorme ogen, ogen die opengesperd waren door de waanzin, vroeg de kunstenaar: 'Heer, wilt u nu suggereren dat ik gevaar loop?'

'Hebt u iemand in vertrouwen genomen?' vroeg de ander met ingehouden adem.

'Tja, ach. Ik heb tegen een zeer betrouwbaar persoon iets losgelaten over onze ontmoeting, of eigenlijk over onze "communicatie"...'

'Vervloekte Van Aken! Beseft u wel wat u gedaan hebt? U hebt hier een afbeelding gemaakt van Hem die als eerste het uiterst krachtige poeder in zijn bezit had! En dat gaat u dan allemaal respectloos rondbazuinen... Ondanks mijn waarschuwingen...'

'Maar heer, ik heb het alleen over u gehad! U moet begrijpen dat het niet voor iedereen is weggelegd om met iemand te spreken die twee eeuwen geleden op de brandstapel is gegooid... Maar toch kan ik u zien, door toedoen van de kyphi.'

Toen, terwijl hij zich verontschuldigde, zag hij plotseling niet meer de tempelier voor zich, maar een droog, dor, kalkachtig landschap. Door zijn fantasie en zijn delirium wist hij niet meer wat nu werkelijkheid was en wat een visioen. Het onderscheid was verdwenen. Hij wreef zijn ogen uit en zijn oren vingen een boodschap op: 'Alleen een gek vertelt zijn geheim/ aan zijn vrouw of aan wie dan ook./ De enorm sterke Samson moest door iets soortgelijks/ zijn ogen en zijn haren verliezen...'

De schilder viel op zijn stoel neer, uitgeput.

Voor zijn pupillen flitsten de gebruikelijke beelden die aan zijn geheel eigen talent ontsproten. Een harp op mensenvoeten bood hem een bramenkroon aan. En een wild zwijn met paddenpoten en een trechter op zijn kop bedreigde hem met een slagersmes.

Fantasie, ja... of nee, werkelijkheid... Nu pas kreeg Jeroen iets in de gaten. Hij werd echter meteen tegengehouden door een derde figuur, een kip met de ogen en armen van een aap. Die greep hem vast terwijl de andere twee rondom de ezels gingen staan. De kunstenaar probeerde zich los te wringen en wist op te staan, maar het effect van het geestverruimende middel vertroebelde zijn geest weer met de gebruikelijke symbolische monsters in de stijl van zijn imposante schilderijen. De drie sujetten sloegen hem echter werkelijk in elkaar en mepten hem met duizelingwekkende kracht heen en weer, als een voddenbaal.

'Ouwe ketterse gek, wat dacht je?' ging een van hen als een inquisiteur tekeer. 'Dat je ons tam gemaakte volk kon wakker schudden en kon bezoedelen met onthullingen die ruim duizend jaar verborgen zijn gehouden?'

De ander stak hem in zijn been en bulderde: 'Ellendeling! Het geloof dat door de Kerk verzekerd is, mag niet omvergeworpen worden. Schaamteloze onbezonnene die je bent, idiote gedrogeerde kladschilder, je hebt de komedie van de zielendood opgevoerd! De mens moet een ezel van Buridan blijven en altijd schipperen tussen de hel en de hemel.'

'We zijn net op tijd om je tegen te houden!' zei de derde berispend. 'Een geheim tussen twee is een geheim van God. Een geheim tussen drie is een geheim van iedereen... Dat kunnen we maar beter nu meteen afkappen!' En hij stak een dolk diep in zijn borst.

Jeroen mompelde iets, maar voelde hoe zijn hart in brand stond. Een ondraaglijke pijn reet hem vanbinnen uiteen. Hij viel achterover op de vloer, met zijn blik op de twee ezels gericht.

De drie furiën grepen de kopie, die kostbaarder was dan het origineel, en rolden haar zorgvuldig op, waarbij ze ook nog eens het flesje kyphi meegristen. Voordat ze het atelier verlieten, voerden ze hun redeloze mise-en-scène uit. Als roofvogels sloegen ze hun klauwen in de stervende, bogen zich over hun prooi, dwongen hem op de hoge, houten stoel en maakten er zo een laag-bij-de-grondse parodie op de Kruisiging van Golgota van.

Korte tijd later, tijdens hun vlucht, stapten de beulen met het geroofde schilderij op een vrachtschuit die de rivier de Aa doorkliefde.

Precies zoals de tempelridder uit de hallucinatie al dreigend had gezegd, was het schilderij – het duplicaat van *Bruiloft in Kana* – begonnen met doden. Te beginnen met zijn schepper, Van Aken, bijgenaamd Bosch.

Bruiloft in Kana, dus... Een graf zonder lijk? Of een lijk zonder graf?

1

Het hart van Napels. Steen. Tufsteen, marmer en lava. Hier en daar een streepje tuin. Getekend door lelijke littekens, met steegjes vol kletterend lawaai, ruikend naar schimmel en ondefinieerbare geuren. Het hart van Napels. Leeg labyrint van vulkanische grotten. In de diepte kabbelend water en duistere afgronden. Oprispingen en lymfvocht van het meer van Averno, de gapende mond van de onderwereld. Aan de oppervlakte wedijveren oude gebouwen met kerken en kloosters om pracht en praal, waar begripvolle heiligen zichzelf bloed afnemen en wonderen beloven. Het hart van Napels. Mysterieus voorportaal van geheimzinnige verschijningen. Vruchtbare schoot van geheimen, zoals de Cappella Sansevero, de graftempel van de familie de Sangro, die verfraaid is met bijzonder vreemde, onrustbarende standbeelden die bijna gebeeldhouwd lijken om verdenkingen en legendes te voeden.

Tegenwoordig al net zozeer als vroeger...

2

Rijk van de Twee Siciliën, Napels
12 januari 1753
Daar in de kapel las prins Raimondo op die regenachtige vrijdag nog eens wat er op zijn eigen grafsteen, met al zijn hoogdravende adellijke titels, geschreven stond...

Raimondo de Sangro, Prins van Sansevero, Hertog van Torremaggiore, Markies van Castelnuovo, Grootmeester van Spanje, Edelman van de Kamer van Koning Karel van Bourbon, Bevelhebber van de Ridderorde van Sint-Januarius...

In zijn groenfluwelen pak met een jabot met horizontale blauwe en gouden strepen die ook op zijn wapenschild stonden, bekeek don Raimondo voldaan de tekst die al tijden geleden was opgesteld. Om hem heen, roerloos in witmarmer, leken de standbeelden van zijn voorouders hem met een welwillende blik te volgen. Maar wat het koele marmer verzweeg, wat er tussen die postume lofprijzingen ontbrak, was een levendiger beschrijving van de prins, een scherpzinnig psychofysisch portret zoals geschetst door de Florentijnse monseigneur Giovanni Bottari:

> Voor de figuur Raimondo de Sangro, prins van Sansevero, heeft de natuur de meest verleidelijke kleuren en karaktertrekken verzameld om te laten contrasteren. Klein van stuk als hij is, zou men hem van veraf voor een jongetje aanzien.

> Maar van dichtbij niet. Al ziet hij er jonger uit dan zijn drieënveertig jaar. Zijn gezicht, dat omlijst wordt door donkerblond, fijn haar, benadrukt zijn aristocratische komaf. Zijn brede voorhoofd duidt op intuïtieve intelligentie en zijn frons getuigt van de levendigheid van een genie, terwijl de rechte neus met de brede rug wijst op zeldzaam superieure kwaliteiten. Hij heeft lange, gewelfde wenkbrauwen en groenbruine, goudgeel omrande ogen. Ze zijn groot en uitpuilend, rusteloos en onrustwekkend, onderzoekend en indringend, ver in de

> toekomst gericht. Zijn gezicht, bolrond met uitstekende jukbeenderen, loopt uit in een puntige kin met een kuiltje erin, wat hem een ietwat spottende uitstraling verleent. Zijn bovenlip, die iets opgetrokken is, accentueert zijn rechthoekige snijtanden die hij af en toe met het puntje van zijn tong bevochtigt.
> Zijn tred, stevig en zelfverzekerd, duidt op zelfbeheersing. Aan zijn harde en gebiedende stem is te horen dat hij een geboren leider is. Rijk, machtig, uit een adellijk geslacht, afstammeling van Karel de Grote. Een bewonderenswaardig man, gemaakt voor alle grootse en geweldige zaken.
> Hij is een groot kenner van de mysteries van de natuur, een oermedicus, wetenschapper, uitvinder, alchemist, machtig vrijmetselaar, geletterd, filosoof, zijn eigen uitgever... Hij heeft weinig vrienden van goede komaf. De massa vreest hem en laat zich boosaardig, afgunstig en kwaadsprekend uit over zijn capaciteiten. Welbeschouwd is hij een gelukkig man. Uniek. Solitair, maar gelukkig. Hij bezit magische kennis over het menselijke en het bovenmenselijke tezamen. Ongrijpbaar, hij kan niet tegen enige vorm van censuur of intellectuele verplichting. Papenvreter...

Nadat hij stil was blijven staan voor zijn toekomstige sacellum, talmde de prins voor het laatste beeldhouwwerk dat hij had geschapen. *De gesluierde Christus*. Met zijn ogen gericht op de deugdzame, uiterst transparante sluier die het dode lichaam van de Verlosser omhulde, dacht hij weer aan de ingenieuze techniek die hij had uitgedokterd om iets voor elkaar te krijgen wat met een beitel nooit gelukt zou zijn.

'Ja, het is me gelukt! Ik hoefde alleen maar gebruik te maken van natuur- en scheikunde en de lijkwade, gemaakt van kostbare stof, met een calciumoplossing te overgieten. Natuurlijk, het was een lastige klus om hem over het beeld te leggen, dat met behulp van lieren in een betegeld bassin was gehangen en overgoten was met vloeistof. Maar toen uit de kap van de steenkooloven de dampen van mijn verbinding werden uitgestoten, is de ragdunne sluier in marmer veranderd en één geworden met het standbeeld. Niemand zal dat geheim begrijpen. Opzien baren is mijn motto!' Tevreden wreef hij zich in zijn handen. Omdat hij een beeldhouwwerk had verkregen door middel van zo'n truc, of omdat hij verheugd was dat hij kunstenaars en critici om de tuin had geleid? Wie zal het zeggen... Zo zat hij in elkaar, don Raimondo: hij prikkelde met uiterlijke schijn, met optische illusies. Dat alles hulde hem in mysterieuze nevelen, waardoor het onmogelijk was hem te zien en gevaarlijk om hem te bekijken.

Hij amuseerde zich met zijn fantastische ontwikkelingen, waarbij hij de materie naar zijn hand zette en buiten de gebaande paden trad. Welbeschouwd zou hij de maker van het christusbeeld, Giuseppe Sammartino, beroemd maken. Hem, die zelf nooit van zijn leven een dergelijk werk zou kunnen creëren.

Op dat moment gebeurde het, voor zijn eigen ogen... een vluchtig beeld schoof over de Christus en verwijderde de sluier... een afgematte vrouw, een ontwrichte pop, een gulp bloed, een spoor van bloed, donker, de muffe lucht van vocht... elders...

'Waar? Wie...' De prins hief een hand op, als om het visioen vast te houden, maar zijn groenbruine irissen zagen nog slechts het bewonderenswaardige beeldhouwwerk...

Toch hadden ze ook iets anders gezien... Zijn verontruste geest zocht verwoed naar hypothesen, formuleerde vragen en zocht antwoorden, zonder deze te vinden. Don Raimondo glimlachte. Nooit overhaasten! 'Op een dag zal ik het weten... Laten we nu naar het heden terugkeren...' En hij begon met grote passen de lengte van de tempel te meten.

3

'Excellentie...'

Felice Autiero, de knecht, vol ijver om zijn opdracht te volbrengen, sprak met zwakke stem, want hij voelde de woede-uitbarsting van zijn meester al aankomen.

'Voor de drommel! Staart van Lucifer! Wat moet je? Zie je niet dat ik stappen aan het tellen ben?' antwoordde de prins fronsend.

'Heer, frater Adalberto is er, van de basiliek hiertegenover...'

Don Raimondo voelde zich ernstig verstoord. Hij vond het maar niets als zijn gedachten werden onderbroken. Nooit, maar zeker niet als hij een idee aan het uitbroeden was.

'Prins,' begon de dominicaan, die voorzichtig dichterbij kwam. 'Er zijn twee manieren om onbereikbaar te zijn: heel hoog staan en heel laag staan. Ik bevind me, helaas, in de laatste positie.'

'Waarom? Waarom komt u me hier in de kapel storen?' vroeg de prins met een stem die bijna knarste.

'De nuntius, zijne eminentie Gualtiero Gualtieri, verwacht u in het koor van de San Domenico Maggiore.'

'Wat wil die bemoeial? Ik hoop dat hij niet van plan is voorbarig een oordeel te vellen over mijn graftempel en hem als heidens te bestempelen. Ik heb mijn buik vol van alle kritiek.'

De monnik keek hem smekend aan. 'Prins, ik doe een beroep op u... Als u niet met me meekomt, zal de nuntius...' Hij sloeg een kruis. 'Begrijpt u? Het is niet eerlijk de boodschapper te verwijten dat hij slecht nieuws brengt.'

Snuivend pakte Raimondo zijn bruine *justaucorps*, die hij over de Christus had gelegd, trok hem zo goed en zo kwaad als het ging aan en volgde frater Adalberto naar de basiliek.

Het koor was echter leeg. Hij keek om zich heen. Niemand. Gualtieri's stem klonk vanuit een zijkapel: 'Zeer eerwaardige Sansevero, ik verwacht u in de biechtstoel.'

'Op dit moment heb ik slechts kleine zonden, eminentie. Niet de moeite waard. Als het me zwaar te moede wordt, zal ik mijn geest zuiveren,' wimpelde de aristocraat hem af.

De nuntius kneep zich hard in de pols om niet in woede uit te barsten. Het kwam hem niet uit om die nukkige edelman tegen zich in het harnas te jagen. Op honingzoete toon deed hij een beroep op de trots van de ander: 'We hebben elkaar vorig jaar op 20 januari ontmoet, toen de eerste steen werd gelegd van het nieuwe paleis van Caserta. Herinnert u zich dat nog?'

'Ik neem aan dat u hier niet bent om het verleden te bespreken. Nostalgie is niets voor geestelijken. Kom ter zake, eminentie!'

Gualtieri voelde zijn huid hevig prikken, daar op die ijskoude plek in de kerk. Hij trok zijn schouders op en antwoordde zonder kwaad te worden: 'Prins, ik doe een beroep op uw gezond verstand. Ik ben hier niet *mea sponte*. Ik ben gestuurd door iemand daarboven. Heel hoog daarboven...'

Zijn zwakke plek was geraakt. Ja, hoor! De nieuwsgierigheid, zijn zoete en heerszuchtige geliefde, verteerde zijn geest. Raimondo knielde neer. De prelaat doorkliefde de lucht met zijn vingers in een benedictijns gebaar en hervatte: 'U, excellentie, staat oneindig in de gunst bij de paus. Zijne Heiligheid Benedictus XIV heeft u al uit de nesten geholpen vanwege uw kabbalistische werken, omdat u van over de Alpen de vrijmetselarij naar deze hoofdstad hebt gehaald. Nu wil onze geliefde paus dat u naar de Sint-Pieter komt...'

'Waarom niet naar het Quirinaal?'

De aartsbisschop deed met een stalen gezicht alsof hij van niets wist en begon zachter te praten, op samenzweerderige toon: 'Hij zei dat hij u daar wil hebben vanwege een delicate kwestie. Daarvoor is uiterste discretie noodzakelijk, evenals uw kennis van de mysterieuze wetenschap. Kort gezegd is het iets wat te maken heeft met distilleerkolven, alambieken, smeltkroezen en alle onbegrijpelijke zaken waar u genoegen in schept...'

'Hij zal toch geen lood in goud willen veranderen? Is de pauselijke schat soms tanende?' luidde het spottende antwoord.

De ander vervolgde stoïcijns, zonder een spier te vertrekken: 'Meer kan ik er niet over zeggen, omdat ik het niet weet. En als ik het zou weten, zou ik het u niet vertellen. U moet in het geheim naar Rome vertrekken, en snel ook! Het ontbreekt u niet aan middelen, gelegenheid en tijd om dit bevel op te volgen. Maar zegt u eens eerlijk: zou iemand u kunnen volgen?'

Een vlammende blik, een ijskoud antwoord. 'Spionnen en informanten van uw curie, in dienst van aartsbisschop Spinelli.'

'Maar Spinelli verblijft in Rome wegens frictie met het Bourbonse hof...'

'Neem me niet kwalijk, maar hij heeft zijn zetel nog steeds hier in Napels.'

'Hebt u de koning soms tegen hem opgestookt?'

'Hij denkt van wel. Hij laat me in de gaten houden om me op een vergissing te betrappen. Weet u, met mijn vrijmetselaarsantecedenten en mijn vermeende betwisting van het wonder van Sint-Januarius...'

'Beweeg hemel en aarde om alle achtervolgers te ontwijken.'

De prins, die zijn bravoure had laten varen, begon te peinzen en werd verscheurd door twijfel. Waarom al die geheimzinnigheid? Nog meer ellende voor hem?

Nee. In dat soort zaken kon, mocht, wílde Zijne Heiligheid niet op deze manier handelen, maar zou hij het per briefwisseling oplossen.

Hij ging weer staan. Hoofd omlaag, handen achter zijn rug, de linker- in de rechter-, de vingers gespreid. Er ging hem een licht op. Hij had het begrepen. Benedictus XIV was echt naar hem op zoek. Maar waardoor viel hem deze eer, dit plotselinge verzoek van het pauselijk empyreum te beurt?

Voor de biechtstoel knielde de prins opnieuw. Hij drukte een vluchtige kus op de ring van de aartsbisschop en antwoordde eerbiedig: 'Het komt in orde. Ik gehoorzaam de wil van de Heilige Vader.'

Het gebeurde opnieuw buiten de basiliek; het 'andere' schoof over het heden. Op het verlaten kerkplein, in het regenachtige daglicht. Gekrijs in de lucht; en don Raimondo sloeg zijn ogen op, net op tijd om te zien hoe een valk een doodsbange duif achternazette, hem met zijn klauwen beetgreep en...

'Ik voel me net een leeuwerik, wanneer die ziet dat een wouw boven hem zijn dodelijke cirkels steeds kleiner maakt...' zei een stem achter hem, een antwoord op het visioen. Een trage, vermoeide, doorleefde stem, de stem van een hart dat het kwaad onderging en ernaar snakte dat te bestrijden... De prins draaide zich met een ruk om.

Een uitgemergelde grijsaard, gekleed in een hagelwitte pij, met zijn handen op zijn gezicht. Achter hem nog meer pijen, melkachtige, vage schaduwen, schreeuwend rondom een levenloos lichaam dat opgezwollen was door water. In de lucht, een onbekende lucht, droop er bloed uit wolken die zwaar waren van afschuw. En in die scharlakenrode stroompjes vervloog het visioen.

'Wel allemachtig...!' riep de prins uit. Toen ging hem een licht op. Plotseling begreep hij de redenen dat ze hem naar Rome ontboden. 'Ach, nuntius, wie wilt u voor de gek houden? Er zal niet over alchemie gesproken worden, of in elk geval niet alleen daarover... Ik zie mysteries, ik zie de dood...' Bang? Nee. Verontrust misschien. Deze sombere en sinistere beelden leken als voorgevoelens in hem op te komen...

4

Don Raimondo kwam zijn schitterende, nog in verbouwing zijnde paleis op het Piazza San Domenica Maggiore bijna binnenhollen.

'Laat de twee met goudfluweel beklede koetsen in gereedheid brengen...' beval hij de oudste bediende, Gennaro Tibet. 'En laat je zoon Emanuele een van mijn edelmanskostuums aantrekken. Hij wordt mijn dubbelganger...'

'Is er iets gebeurd? Moet u weg?'

'Ja. Zeg tegen iedereen – en ik bedoel *iedereen* – die naar me vraagt, dat ik in Apulië ben om wat financiële problemen op te lossen in verband met de verkoop van olijven. Zeg niet hoelang ik wegblijf, maar wel dat je verwacht dat het een hele tijd zal zijn. Ik kan niemand gedag zeggen. Geef daarom maar gewoon door wat ik je zojuist verteld heb.'

'Wat doen we dan met uw dochter Carlotta?' drong Tibet bezorgd aan.

Daar dacht de prins even over na. Hij opende het geheime kastje van notenhout, ingelegd met lapis lazuli, en haalde er een miniatuurschilderijtje uit met zijn eigen jeugdportret. Hij legde het op het tafeltje van roze marmer. Toen doopte hij zijn pen in de inktpot en schreef op de achterkant: '*Combineer het hoge met het lage en de chaos. Ik hou van chaos. Alles begint en eindigt met chaos.*'

'Neem me niet kwalijk, excellentie,' vervolgde de bediende, die zich er niet zomaar bij neer kon leggen. 'Weet u zeker dat ze dat zal begrijpen? En wat moet mijn zoon doen, verkleed als u?'

'Staart van Lucifer! Dit is een gecodeerde boodschap voor mijn oudste dochter. Carlotta mag dan pas tien zijn, ze is behoorlijk vroegrijp. Ze snapt de verborgen boodschap wel. Wat Emanuale betreft, zie dat maar als een rolverwisseling in het theater. De twee koetsen vertrekken gelijktijdig, maar slaan ieder een andere weg in. Ik ga in de aangepaste zitten. Hij niet; zijn profiel zal juist duidelijk te zien zijn achter het raampje. Zo zullen eventuele lieden met verkeerde bedoelingen de koets volgen waarvan ze denken dat ik erin zit. Eens kijken, laat hem maar via de weg naar Platamonia gaan. Gennaro, het is gewoon een kwestie van uiterlijke schijn. Mensen zien wat ze denken te zien, geloof me.'

Toen hij uitgesproken was, stak hij de gang over, waar een aantal vreemde portretten hing, die in gekleurde was waren vervaardigd. Niccolò, een van de bedienden, hing een religieus olieverfschilderij aan de muur, dat de huisbaas recentelijk had aangeschaft. De prins bleef even staan om het te bewonderen. 'Uitmuntende kopie, vervaardigd in Antwerpen. Misschien is het dan toch waar wat mijn medebroeder, vrijmetselaar Radcliffe, me vertelde over het bestaan van een tweede versie van het originele werk...'

Verontrust wreef hij over zijn kin. *Een plotselinge sensatie, reden voor ontzetting. Het jongetje dat van achteren was afgebeeld had zich omgedraaid om hem een knipoog te geven... En het schilderij leek aan de rechterkant groter...* Sansevero sloot zijn ogen en masseerde zijn slapen. 'Staart van Lucifer! Wat een rotstreken lever je me op deze bijzondere dag.' Hij wreef zijn ogen uit.

'Als dat andere schilderij bestaat, zou dat de zaak meer dan aanlokkelijk maken. Ik zou zelfs durven zeggen: gevaarlijk voor de geest van mensen die niet gehard zijn tegen bepaalde onthullingen. Een risicovol werk dus!'

Hij ging de bibliotheek in en opende de deuren van de kast die was afgedekt tegen het stof dat de werklui lieten opdwarrelen. Terwijl hij haastig een stuk of tien perkamenten manuscripten en drie boekdelen pakte, stootte hij een glazen buis om, die op de schrijftafel stond, en uitte een verwensing. Uiteindelijk daalde hij via een wenteltrap af naar de bijkeuken, waar de dienstmeid, Giuseppina Catena, sokken aan het stoppen was, en beval haar twee kostuums klaar te leggen.

5

De volgende ochtend, toen de hemel oplichtte in de vermiljoenkleurige nevel van de zon, die opkwam aan de horizon, namen Raimondo de Sangro en de kersverse edelman Emanuele Tibet plaats in hun respectieve rijtuigen. De prins stapte op de treeplank en legde zijn driekantige steek boven de gele zitting. Toen draaide hij zich om, nam plaats op de zitbank ertegenover, tilde de plank daarvan op en glipte de gevoerde bergruimte in, waar door een paar goed verborgen gaten lucht kon binnenkomen. Verdwenen.

Gennaro Tibet, die de paarden van de twee koetsen bij de teugels vasthield, floot op twee vingers, en de moren sprongen naar voren, waardoor Emanuele met zo veel geweld tegen de wand van het rijtuig terechtkwam dat zijn steek erdoor geplet werd.

Om De Sangro ondanks de schokken en de onstuimigheid van die plotselinge rukbeweging voor botsingen te behoeden, was de aangepaste zitbank met rode zijde bekleed. In die krappe positie voelde de prins zich net een chocolaatje in een bonbondoos, en tevreden bedacht hij hardop wat een voordeel hij ondervond van zijn geringe lengte. 'Ik ben een klein mannetje en dat komt me goed van pas. Heiligheid, u kunt op me rekenen. Ik heb het geregeld, de ellende! U hebt me een keer gezegd dat mijn hart twee gezichten had; een dat van licht hield, en een dat de duisternis beminde. Welke van de twee hebt u nodig? Na wat ik gisteren heb gezien, meen ik het al te weten...'

Hij bleef een uur lang opgevouwen in het bankje zitten. Terwijl hij nadacht over de dag van vertrek, zaterdag 13 januari 1753, dwaalden zijn gedachten af naar de zonderlinge arts en kabbalist Gerolamo Cardano, die wantrouwen koesterde jegens deze maand, maar de dertiende juist als een gunstige dag beschouwde.

In deze positie leek niets hem bemoedigender dan de berekeningen van de bizarre Gerolamo. Toch werd hij herhaaldelijk heen en weer geslingerd tussen verschillende gedachten en leek het hem ook niet meer voldoende dat hij klein van postuur was...

'Nu ik erover nadenk, was het beter geweest als ik er uit had gezien als een gnoom, Staart van Lucifer,' mopperde hij. 'Wat blijft er hierbinnen nog over? Het hangt alleen van mij af. Trouwens, in deze duisternis kan ik mijn ogen wel opensperren!' zei hij bij wijze van troost. 'Misschien fonkelen ze wel als karbonkels. O, god! Mijn strik is losgeraakt en mijn haar kriebelt op mijn gezicht en mijn hals... Wat moet het voor een vrouw toch lastig zijn om een vrouw te zijn! Wat een hoop ongerief...'

Uiteindelijk rukte hij geïrriteerd zijn jabot af. De koets bleef snel doorrijden en rolde bijna over de weg, toen de tabaksdoos van zijn grootvader, prins Paolo, uit zijn broekzak op de grond viel. Wat hadden ze veel van elkaar gehouden! Hij had alles aan hem te danken: genegenheid, onderwijs, zijn adellijke titels, het leengoed. Zijn grootvader had hem opgevoed, zijn eerste vlieger voor hem gemaakt... Wat was hij hem dankbaar! En zijn vader? In het geheel niet.

Raimondo had zijn moeder verloren toen hij één was, waarna zijn vader hem uit laksheid aan zijn lot had overgelaten. Terwijl er een zoute druppel langs zijn linkerwang omlaag rolde, hoorde Sansevero zichzelf kreunen: 'Waarom, grootvader, ben ik hierbeneden en jij daarboven?'

Instinctief tilde hij de klep omhoog en kwam uit de geheime holte tevoorschijn, op zoek naar het licht dat door de gordijntjes filterde. Terwijl hij zijn haar fatsoeneerde en zich uitrekte, voelde hij zich verscheurd door emoties en verdriet. Wat gebeurden er toch wonderbaarlijke dingen in zijn geest en in zijn hart... Zijne excellentie don Raimondo, prins van Sansevero, die spottend, onbuigzaam en een tikkeltje arrogant was, smolt als een ijsje door de warme nostalgie naar zijn opa van vaders kant? Had de tand des tijds die herinnering niet vervaagd? Als een van zijn vijanden hem had gezien, dacht

hij, was hij zijn reputatie als magiër kwijtgeraakt.
En toch was die golf van genegenheid in hem opgeweld in de warme duisternis van de geprepareerde zitbank.
Trouwens, de vage omtrek van de geest kent geen grenzen, bedacht hij. Het duel tussen mijn aardse en mijn hemelse kant heeft in het meest duistere gedeelte van mijzelf plaatsgevonden. En wel zo diep dat ik me er vaag van bewust ben. In een soort chaos. Ik hou van chaos, concludeerde hij met een glimlach.
En eindelijk ging hij, als een normaal mens, op de gele bank zitten.
Het was dus werkelijk een gunstige dag, deze zaterdag de dertiende januari. Maar wiens verdienste was dat? Van de bizarre Cardano of van de briljante, eclectische paus Benedictus XIV, Prospero Lambertini uit Bologna?

6

Het viel zoals gewoonlijk niet mee om vanuit Napels in Rome te komen. Op de lange, moeilijk begaanbare postweg waren maar weinig stations om paarden te kunnen wisselen, maar na enkele dagen reed de koets bij het vallen van de avond dan toch Rome binnen. En opnieuw was er, bij de ingang van de stad, op een pleintje waar een schreeuwende menigte volksliedenen samendromde, iets waardoor de prins werd afgeleid van zijn overpeinzingen over de bedoelingen van de paus. Er was een wagen tegen de kraam van twee straatventers aangebotst en die twee koelden hun woede op de dronken bestuurder. Door de schok had de wagen een wiel verloren en stond hij nu scheef tussen de koopwaar, die verspreid op de grond lag...
En toen was het niet meer de omgevallen wagen, maar een rijtuig dat in een waanzinnige vaart door paarden werd voortgesleurd tot het uiteenviel, terwijl er een lijk uit werd gesmeten. Naakt, afgeslacht, met verminkte genitaliën, een dolk in het hart gestoken. Zwart haar, een gefolterd gezicht, onherkenbaar, vuil van het bloed en het zand van een armzalige binnenplaats van een armzalig huis dat was omringd door een nog armzaliger moestuin... Een afschuwelijk, niet te bevatten tafereel waarvan hij zijn ogen echter onmogelijk kon afhouden. De prins bleef naar het macabere schouwspel kijken totdat de omtrekken van het pleintje om hem

heen weer opleefden in het Romeinse schemerlicht. Gescheld, geschreeuw, de omgevallen wagen...

Het heden. 'De bloedige tekenen nemen toe...' betoogde Sansevero. 'Zal de Heilige Vader ze morgen voor me ophelderen of verborgen houden?' Daarna wachtte hij, net als alle anderen op het pleintje, gelaten tot het handgemeen was afgelopen en de straat weer werd vrijgemaakt.

De volgende ochtend klom de Napolitaan het rijtuig weer in. Met een stil gebaar gaf hij de koetsier het teken om te gaan. In zijn blauwe kostuum, dat versierd was met goud geborduurde bloemen, leek hij onaangedaan, maar een nauwelijks waarneembare trilling van zijn linkeroog verried een zekere spanning. Het was een nacht geweest waarin zijn slaap steeds verstoord werd door vreemde boodschappen, die in zijn droom waren opgerezen vanuit hetzelfde mysterieuze landschap als dat in zijn visioenen. *Een 'haast je, Bernabé!', geschreeuwd door een angstige meisjesstem. Een 'eenmaal Vogels geworden, zijn het... nieuwe mannen!', met verontwaardigde woede gescandeerd door dezelfde grijsaard die in Napels op het plein van de basiliek was verschenen, en kort daarop, bijna als antwoord, een andere stem, hees, ijzingwekkend, onderkoeld, die hoonde: 'Miserabele mislukte monnik... Ik ben geboren onder een zodanig gesternte dat niemand op de wereld...' Ten slotte, bij het glinsteren van de ivoren dageraad, had slechts een wanhopig gereutel geklonken: 'Ik zou nu niet graag in Gods schoenen staan...' en vanaf dat moment was er geen sprake meer geweest van slaap, noch van rust...*

Toen hij voet zette op de hoofdbinnenplaats van het pauselijk paleis, gingen twee Zwitserse gardisten hem voor naar de derde verdieping. Ze waren minstens even groot als hun hellebaarden en staken bijna twee koppen boven de kleine prins uit. Don Raimondo zette met een zwierig, elegant gebaar zijn driekante steek op en wreef over de knop van zijn trouwe degenstok, waarna hij zijn escorte dociel volgde tot ze voor een deur stonden. De twee wachters keken hem nog eenmaal aan. Sansevero nam hen van onder tot boven op, trok zijn justaucorps recht en ging naar binnen.

7

Pauselijke paleizen, Rome
18 januari 1753
Wat schitterend, de Kaartengalerij!

Van raam tot raam, aan twee kanten, was op elke muur een Italiaanse streek of stad afgebeeld. De atlas van een reus, met kaarten zo groot als de wanden.

Sansevero bleef precies in het midden van de zaal lopen. Zijn nieuwe schoenen, met een glimmend zilveren gesp, klakten op het glanzende marmer, dat blonk als een spiegel. In de algehele stilte weerkaatsten zijn zware stappen tegen het met fresco's beschilderde gewelf.

Ongeveer tien meter bij hem vandaan stond de paus met de rug naar hem toe, in een nostalgische houding, met zijn armen tegen de muur geleund, voorovergebogen voor het fresco van Bologna, waar hij geboren was. Hij leek vol aandacht iets heel belangrijks te zoeken en leek zich niet eens bewust te zijn van zijn komst. Hoewel hij over de zeventig was, was Prospero Lambertini nog een krachtige en stevig gebouwde man. En ondanks de zorgen die een staatshoofd nu eenmaal heeft, de theologische onenigheden en de eeuwige samenzweerdershouding van de Romeinse curie, had hij de hem zo kenmerkende instelling en goedmoedigheid niet verloren.

De prins overwoog wat hij zou doen: als eerste groeten of in stilte wachten? Toen leek de oude rug van de paus te spreken.

'*Ach, vroeger in Bologna heb ik heel wat kwalijke eigenschappen/ van de duivel horen opsommen, onder andere/ dat hij een leugenaar is en de vader van alle bedrog...*' declameerde hij met heldere, serene stem, met zijn ogen nog steeds op het fresco gericht.

Satanische verzen, dacht don Raimondo. Hij repliceerde onmiddellijk: '*Vraag me niet, lezer, hoe het kwam/ dat ik op dat moment geheel verkilde en geen woord meer kon uitbrengen:/ iedere poging om het op te schrijven zou op een of andere manier schipbreuk lijden./ Ik ging niet dood en ik bleef niet leven...*'*

'*Tananàn minghéña*, kijk eens aan... je hebt het over de hel en prins Sansevero verschijnt,' antwoordde Benedictus XIV, die zich om-

* Beide citaten zijn overgenomen uit *De Hel*, Dante Alighieri, vertaald door Frans van Doorn, 1987/2000, Ambo-Anthos, Amsterdam, eerste citaat uit Canto XXIII, tweede citaat uit Canto XXXIV

draaide met een joviale uitdrukking en een brede glimlach op zijn gezicht.

De ander knielde. 'Soms is de duivel een edelman. Het kan altijd van pas komen, ook voor de paus, om er een te kennen.' De aristocraat kuste hem eerbiedig de hand. 'Staat u deze trouwe verwarde man echter toe een vraag te stellen,' voegde hij eraan toe, terwijl hij opstond. 'Werd vader Dante niet verbannen en verboden omdat hij een ketter was?'

'*Pustarabîr!* Allemachtig! U bent wel brutaal!' mopperde de paus brommend, maar geamuseerd. 'Help ons er maar niet aan herinneren dat mijn voormalige collega-inquisiteurs zich ook voor uw boeken interesseerden, anders krijgen we er nog spijt van dat we u hebben laten komen.'

'Ik houd mijn mond al, Heilige Vader.'

'Maar we zijn barmhartig en vergeven u,' voegde de paus eraan toe en klopte vaderlijk met zijn hand op de rug van de prins. Nu liepen de twee mannen langzaam naast elkaar. '*Dî bän só!* Vertel me nu eens... Kunnen uw impertinente opmerkingen ons, na een kwarteeuw bij de Inquisitie gezeten te hebben alvorens op onwaardige wijze de pauselijke zetel te bestijgen, nog angst aanjagen, don Raimondo de Sangro? U bent schaamteloos, dat is waar, maar dat is niet uw schuld.'

'O nee?' vroeg de prins, die het spelletje meespeelde, verbaasd. 'Eerlijk gezegd beschouw ik mezelf als de enige verantwoordelijke voor mijn hersens en hun inhoud.'

'*Azidóll!* U vergist u, verdorie! In uw geval zou u de schuld af moeten schuiven op die jezuïeten door wie u bent opgevoed. Ze hebben bepaalde ideeën in uw kop geplant zonder u te leren dat de Kerk nooit openlijk bekritiseerd hoort te worden. In elk geval niet in het huis van de stedehouder van Christus!'

'Heiligheid, les één was dat je de regels goed moest leren om ze daarna op de juiste manier te kunnen schenden.'

'Dan hadden we dus gelijk. Ze hebben u voor eeuwig verpest. Maar... *däl melfâti a in vén anc ai râgn!* Ook spinnen maken fouten! En toch zijn ze goed in weven...' bulderde de paus in zijn dialect en barstte in lachen uit.

8

Benedictus xiv liep naar het raam dat uitkeek over de Vaticaanse tuinen en haalde diep adem. Langzaam, alsof hij in zijn hoofd al aan het afdraaien was wat hij op zijn hart had.

'We hebben u vaak uit de nesten gehaald, Raimondo di Sansevero,' hervatte hij met gefronst voorhoofd. 'Vergeet niet dat we u hebben behoed voor excommunicatie wegens vrijmetselarij en alchemie. *Dî bän só*... Nu, prins, is de tijd gekomen om ons een tegengunst te verlenen.'

'Ik onderwerp me aan uw bevelen, Pontifex Maximus.'

'Goed, we vragen u gebruik te maken van werkelijk alle duistere zaken waar uw kennis zich zovele lange jaren aan gelaafd heeft.'

'Heiligheid, kunt u iets duidelijker zijn?'

'Enkele dagen geleden heeft de bisschop van Nantes ons geschreven. Pierre Mauclerc de la Muzanchère smeekt ons om hulp vanwege een reeks misdaden met een alchemistisch en wellicht seksueel karakter, die het rustige stadje Clisson teisteren. Ziehier zijn droeve en wanhopige depêche.'

Hij haalde acht in vieren gevouwen velletjes uit zijn zak en liet hem die zien. 'De situatie lijkt ernstig, maar ook behoorlijk ingewikkeld,' zei hij, terwijl hij ermee op zijn handpalmen sloeg.

'Heiligheid, wat wilt u dat ik doe?'

'*Pustarabîr!* prins, u moet naar Clisson gaan. Stel namens ons een onderzoek in. Voor zover we hebben kunnen achterhalen, lijkt het om moorden te gaan die door Lucifer in eigen persoon gepleegd zijn. Alsof iemand is opgesprongen uit de onderwereld met als afschuwelijk doel het afkappen van menselijke levens.'

'Heiligheid, vindt u mij nu werkelijk de geschiktste persoon om een bovennatuurlijk gevaar te trotseren?' reageerde de ander en keek hem met een intense blik aan.

'Begrijp ons goed, Sansevero. Wij aanvaarden niet *sempliciter* hemelse wonderen en duivelse bezetenheid. Voor dergelijke feiten zijn bewijzen vereist, kortom: de nodige onderzoeken...'

'Naar engelen en demonen... Maar voor misdadigers is er de koninklijke politie!' protesteerde Sansevero.

'Eerst moeten we weten of het iets is wat van belang is voor de Kerk.'

'Dan kunt u uw geheim agenten van de Inquisitie toch discreet aan de slag laten gaan...'

'Die kunnen, willen en mogen we daar niet mee belasten,' antwoordde de paus ferm. '*Mo andän, dånca!* Kom op, we hebben iemand nodig die we volkomen vertrouwen en die evenmin iets te maken heeft met ons als met hen... Ziet u, mijnheer, het is onduidelijk wat de huidige situatie op Frans grondgebied is. De verhoudingen met dat hof zijn wat gespannen. Bovenal zijn enkele van onze prelaten verwikkeld in geschillen. Dus laten we het maar niet hebben over wat er zou kunnen gebeuren als we de aandacht zouden vestigen op de onfortuinlijke gebeurtenissen in Clisson. De autoriteiten hebben blijkbaar nog niets ontdekt, of misschien nemen ze wel iemand in bescherming. Stel dat er achter deze rampzalige feiten iets religieus schuilgaat? *Tananàn minghéña!* Dat zou een vreselijk schandaal zijn...'

'Hebt u aan de andere kant van de Alpen geen vertrouwelingen?'

'In Frankrijk is de verwarring binnen de Kerk zo mogelijk nog groter. De jansenisten zijn altijd op hun hoede en staan klaar om een schisma uit te lokken met hun oplichterij over voorbestemming en goddelijke gratie... Nee, we vertrouwen hiervoor niemand anders... *Dî bän só*, u bent degene, don Raimondo, die we hebben uitverkoren.'

'Om wat te doen?'

'U moet de detector zijn, om het op zijn Latijn te zeggen. Cicero, die verstand had van onderzoeken en lijken, zou het zo gedefinieerd hebben.'

Sansevero leek te aarzelen. 'In het Latijn wekt het woord "detector" de indruk dat het, om mysteries op te lossen, noodzakelijk is om het dak op te klimmen en alles overhoop te halen...'

'Hebt u last van duizeligheid?'

'Geenszins.'

'Ga dat dak dan op, prins. En trek het eraf! Breng alles aan het licht wat nu schuilgaat in de schaduw van de waanzin. *Al månnd l'é una ghèbia ed mât!* We leven in een wereld vol gekken. Heer, heb medelijden met de wereld...'

9

De paus nam don Raimondo bij de arm.

Samen verlieten ze, onder geleide van acht geel-rood-blauwe uniformen, de Kaartengalerij en liepen ze door vele verlaten zalen. Toen ze aan het eind kwamen, bij de laatste deur die openzwaaide zodra ze eraan kwamen, vervaagden in het hoofd van de prins alle andere gedachten en bedenkingen. Wat hij zag, benam hem letterlijk de adem: de immense zaal van de Apostolische Bibliotheek van het Vaticaan. Hij bewonderde de grote houten kasten langs de wanden, waarin onvindbare boeken, verluchte bestiaria en manuscripten in alle talen van het universum werden bewaard. Om ze allemaal te bestuderen, zou één leven niet genoeg zijn! Bij deze schat aan verboden wijsheid verbleekte elke openbare of privébibliotheek die hij ooit had bezocht.

Op de schrijftafel lagen, goed in het zicht, vier boekdelen in folio. Daarnaast legde de paus de depêche die hij uit Clisson had ontvangen.

'Stel u op de hoogte van onze Franse zaak. We zijn hier niet voor niets, hè?'

Maar Raimondo streelde het met goud gemerkte perkament van de boeken. Hij herkende *De Servorum Dei Beatificatione*, dat de paus geschreven had toen hij nog deel uitmaakte van de Curie van Bologna. Hij sloeg een van de boeken open. Hij zocht een bladzijde, een kolom, een alinea. Die vond hij. Hij ging met het werk om alsof hij er bekend mee was.

'Kent u het, Sansevero?' vroeg kardinaal Lambertini.

'Ja, Heiligheid. Ik raadpleeg vaak deze *mare magnum* van wijsheid met betrekking tot heiligen, zaligen en wonderen. Dan zoek ik naar verheldering bij ingewikkelde onderwerpen.'

De paus ging op een hoge houten stoel zitten. 'Kom op, doe mijn boeken dicht, prins, en lees in de depêche welke verwerpelijkheden en schanddaden Clisson sinds twee jaar bezoedelen.'

Don Raimondo liep naar de tafel toe, pakte de depêche en vouwde hem open.

'Kijk of er geen bloed en afgrijzen uit het verhaal sijpelen, en of er geen vloek over u wordt uitgesproken... De duivel zelf zou nog niet eens weten wat hij met zoveel duivelse zaken aan moest!'

De detector nam plaats op de stoel naast zijn eerbiedwaardige gesprekspartner en begon de depêche, die hij uit het Frans vertaalde, te lezen: 'Zeer eminente bisschop, helaas danst de dood...'

Zeer eminente bisschop, helaas danst de dood hier in dit dorp op het ritme van een stompzinnig wijsje, *Bon, bon, bon*... dat wijn en liefde verheerlijkt, dat wel... Maar ik zal proberen de bloedige gebeurtenissen vanaf het begin te vertellen en zo veel mogelijk de juiste volgorde aan te houden...

10

Haute-Bretagne (Frankrijk)
Clisson, 14 april 1751

Een smartelijke gil, bijna niet menselijk. Hij wrong zich tussen de stengels van het zilverachtige gras, die metalig en scherp onder de eerste zonnestralen stonden. Een te hoge kreet, niet waarneembaar voor zijn oor. Dus hoorde hij hem niet.

Hij bleef achter de witte meidoornhaag liggen. Zijn hoofd, dat schuilging onder bladeren, bloemen en blonde krullen, was half verborgen onder een verstelde grijze deken. Naast hem, in kleine voren, werd de armetierige moestuin gevuld door blauwige kolen en feloranje wortelen. Slakken gleden langzaam voort en lieten glanzende strepen achter. De gil, die tussen rode tuinklokjes en piepkleine gele bonen kronkelde, had aan kracht verloren en vervaagde. Als vuurwerk.

Nu pas werd hij, Bernabé, weer wakker.

Met nog zware ogen ademde hij diep in, in een poging zijn verwarde gedachten te herordenen. Hij vulde zijn longen met frisse lucht. Hij glimlachte onder de helderblauwe lucht, waaraan geen wolkje te bekennen was. Hij zweefde half, verloren in een overvloed aan hersenschimmen, los van enige vorm van leven.

Bernabé de Grâce was enkele dagen eerder gevlucht uit de benedictijnse abdij van Maillezais, waarbij hij een ponton van het klooster had gestolen. Op die boot, die het stilstaande Marais-Poitevin stilletjes doorkliefde, was hij de groene kanalen van het grote moeras doorgevaren. Tot aan de droogste stukken land en zijn nieuwe heden.

Een vlucht uit het verleden. Een vaarwel aan het vertrouwde, het bekende, om een vreemde te worden te midden van vreemde levende wezens en zielloze dingen. Alles nam, in de ogen van de jongeling, het vermetele profiel van Eden aan.

'En als Eden Eva was,' siste hij tussen zijn tanden door, 'is Eva de aardse voedster, de vleselijke moeder, de heilige schoot van de generaties. Nu ik herboren ben, word ik als een pasgeborene in haar armen gewiegd.'

Hij richtte zich, liggend op zijn rug, op. Hij boog zijn hoofd, drukte zijn vingers tegen zijn slapen en stortte zich in het verleden. Nu kon hij het doen; zijn geest werd er niet meer door verscheurd.

Hoe hij in Clisson, dat dorpje in het noordwesten van Frankrijk op de grens van de Anjou, Bretagne en de Poitou, was aanbeland, kon hij zich niet herinneren. Het interesseerde hem ook niet dat het dorp een sinistere, verlaten indruk maakte. Eindelijk vrij! Vrij om te gaan en staan waar hij wilde, vrij om te leven, vrij tussen de mensen... op die veertiende april 1751. Hij zou het nooit vergeten.

Zijn familie daarentegen...

Aan zijn vader Antoine, een winkelier die altijd vol zat met vlekken van voedsel dat in rokerijen of zout water nieuw leven ingeblazen had gekregen, bewaarde Bernabé slechts een angstige herinnering. Zonder dankbaarheid en zonder genegenheid. Zijn moeder had hij nooit gekend. Gestorven toen ze hem op de wereld zette, hadden ze hem verteld toen hij groot genoeg was om het te begrijpen. Maar die indringster was een ander verhaal. Van de schaamteloze minnares van zijn vader, van díé vrouw herinnerde hij zich alles, behalve haar naam. Hij herinnerde zich de plooien in haar slappe vlees, en haar ogen, die een troebele, verdorven blauwe kleur hadden.

Voor hem vertegenwoordigde ze een onzuivere wond, omdat juist zij aanstuurde op zijn veroordeling tot het leven in afzondering in een benedictijns klooster. Antoine de Grâce gaf daar gehoor aan, waarmee hij zijn zoon, die pas tien was, te gronde richtte.

Genoeg herinneringen! Bernabé deed zijn ogen open. Door die mentale gratie verdwenen zijn haat en verachting als sneeuw voor de zon. Alleen al door adem te halen voelde hij een bijna magische vreugde die hij nooit eerder ervaren had.

Terwijl hij in die nieuwe geestesgesteldheid de intensiteit van zijn gevoelens ervoer, hoorde hij nu wél drie gutturale kreten. Ze versmolten tot één lange schreeuw. Afkomstig uit vele monden, alsof de hele aarde schreeuwde.

Toen voelde hij de trilling van een menselijk gekerm vlak naast hem. Bernabé kreeg er de rillingen van en klom van angst als een lynx een populier in. Orgiastisch doorgebogen hing de boom boven de met gras begroeide open plek en een laag huis van middeleeuwse makelij. De jongen hurkte zo goed en zo kwaad als het ging neer op een tak, met kuiten die nog stram waren van de afmattende vlucht uit Maillezais. Glurend door het gebladerte zag en hoorde hij wat er onder hem gebeurde.

Drie haveloze snuiters in strak zittende vodden stonden voor een deur die op een kier stond en schreeuwden: 'Madame Perrine is dood! Kom snel, kom snel!'

'Wat een vreselijk ongeluk! De trap is kapot... de vrouw van de smid is naar beneden gevallen... Ze ligt op de grond, helemaal onder het bloed...'

Het koude zweet brak Bernabé uit. Hij merkte dat hij niet bepaald dapper was, maar misschien beefde hij zo omdat hij niet ontdekt wilde worden. Hij riep Sint-Benedictus aan en drukte zich nog steviger tegen de tak aan. En terwijl zijn geest en ledematen het bijna niet meer uithielden, hoorde hij gehinnik. Toen hij zijn ogen toekneep om beter te kunnen zien, ontwaarde hij een vreemde, heel vreemde figuur en huiverde, alsof iemand hem met een kartelmes over zijn rug krabde.

Bernabés ogen gleden van het witte haar, met hier en daar grijze plukken, naar de sandalen. De man ging gekleed in een witte pij, net als predikers. Hij steeg van zijn paard, gooide de teugels over een hooivork die in een voeg tussen de kinderhoofdjes gestoken was en liep tussen de meidoornstruiken door. Naast hem liep een slanke jongeman met ravenzwart haar, een olijfkleurige huid en naar achteren getrokken schouders, in een uitdagende houding.

Bernabé boog zich nieuwsgierig voorover en zag dat op de schouder van de oude man een gouden kruis met een rode vlam erdoorheen geborduurd was.

'Waarom schreeuwen jullie zo?' vroeg de zonderlinge figuur met een donkere blik.

'Snel, meester Upupa!' antwoordde een van de sjofele bedelaars. 'De houten trap is ingestort en madame Perrine is gevallen...'

De man met het witte haar vertrok zijn gezicht tot een trieste grimas. Wit weggetrokken versnelde hij zijn pas en ging het huis binnen, gevolgd door de jongeman en de bedelaars.

Het groepje liep de kamer door en ging naar het souterrain. Hoewel het halfduister was, zagen ze al vanaf de balustrade het lichaam van de vrouw liggen, onder aan de trap, die deels uit zijn voegen was gerukt en scheef op de linkerleuning hing.

Niemand verroerde zich. Alleen Étienne, de meest kordate bedelaar, ging de tuin in om een ladder te pakken, die hij vlak bij de scheef hangende trap zette.

Upupa daalde langzaam de ladder af, achter de jonge Urbain Boutier aan, die de lamp vasthield. Langs de wand zag hij meteen de plank waarop enkele lantaarns stonden. Het luik van het enige raampje was gesloten en liet weinig licht door. De vloer leek bezaaid met hooi.

Naast de bedompte, vochtige lucht bespeurde de man in de witte pij ook een ondefinieerbare sfeer van beklemming, die in het zwakke licht bijna een spookachtige vorm aannam. Toen hij voor de gammele trap stond, boog hij zich over het lichaam van Perrine Martin. De vrouw had haar benen iets gespreid en hield haar armen uitgestoken, haast alsof ze iets wilde vastgrijpen. Haar gezicht lag tegen de vloer gedrukt en in haar halsslagader stak een halvemaanvormig stukje glas. Haar hals zat dan ook vol gestold bloed. Links van haar lag een klein *caciotta*-kaasje in een rode, inmiddels geronnen plas.

De adamsappel van de oude man ging op en neer onder zijn rimpelige vel. Dat gebeurde altijd als hij zich druk maakte. Bedroefd liet hij zijn armen omlaag hangen en beval Urbain: 'Neem mijn paard. Rij naar het dorp en haal Beppe Talla, de echtgenoot van deze arme vrouw, en de burgemeester.'

Toen pakte hij hem de lamp uit zijn handen en die verlichtte bungelend het gevlekte plafond, waardoor de macabere, beklemmende sfeer van de ruimte direct verergerde.

Upupa begon het lijk te onderzoeken, onder de verschrikte blik van de bedelaars.

'Meester, deze oude trap is ingestort,' merkte Étienne met glazige ogen op. 'Kijk maar, daarboven is nog maar één ijzeren staaf over om het linkerdeel te ondersteunen. De andere slingert als de pest!'

Terwijl hij het zei, boog hij zich voorover om de andere roestige staven en de grote schroeven te pakken, waarna hij ze aan Upupa overhandigde, die in gedachten verzonken vroeg: 'Zou de arme Perrine hem ontwricht hebben toen ze de trap afrolde... of was het andersom?'

'Hoe bedoelt u?'

'Kijk eens naar de treden. Open! En ertussenin zit een leegte. Daar kun je gemakkelijk achter blijven haken.'

Toen bekeek hij de ijzeren staven. 'Deze zijn helemaal roestig, maar niet afgebroken.'

Upupa ging bij het lijk staan en voelde dat er iets onder zijn voet zat, onder zijn rechtersandaal. Het was een moer. Hij pakte hem en draaide hem aandachtig tussen zijn vingers, alsof een verward beeld hem langzaamaan duidelijk begon te worden. Zijn gedachtestroom was zo intens dat zelfs zijn gezichtsuitdrukking erdoor veranderde.

'Werkelijk interessant...' bromde hij hoofdschuddend.

'Hoezo interessant?'

'Bekijk het roest op de buitenste facetten eens,' antwoordde hij, terwijl hij hem de moer overhandigde.

'Ik zie het, maar er zitten streepjes en deukjes op.'

'Dank je, Étienne. Jij zegt het.'

'Had ik het niet moeten zeggen, meester?' vroeg de ander bezorgd.

Op het gezicht van de oude man brak een wrange glimlach door. 'Hoe lang zijn jullie drieën hier al?'

Zijn stem weerkaatste vreemd tegen de muren, met een resonerende echo.

Het antwoord luidde in koor: 'Ongeveer een uur. Maar toen was madame Perrine al dood. We zagen de deur openstaan, net als die van de bergruimte. Toen zijn we naar binnen gegaan.'

'Riepen jullie haar?'

'Jazeker. U kent ons: we mogen dan wel schooiers zijn, maar we tonen wel respect,' antwoordde Étienne. 'Net als u, meester, deed ook zij heel aardig tegen ons. Ze had altijd wel een snee brood of een stuk kaas voor ons. En Beppe zelf heeft ons een paar keer uitgenodigd om mee te eten.'

'Arme smid,' mompelde Upupa. 'Een harde werker en een genereuze man. Die twee zijn laat getrouwd, maar wel uit liefde.'

De oude man boog zich nogmaals over het lijk, terwijl de zwervers hem bijlichtten.

'Wat vreemd...'

'Wat?' vroeg Étienne.

'Het stuk glas dat in de halsslagader zit. Het is een lange scherf.'

De arme sloeber keek om zich heen. 'Hij komt uit de lantaarn hier, naast het lichaam,' concludeerde hij toen tevreden. 'Die zal wel gebroken zijn toen madame op de grond viel, en toen is er een scherf in haar hals terechtgekomen.'

11

Op dat moment verscheen Beppe Talla op de drempel. Zijn gezicht was niet zomaar bleek, maar nog witter dan het lijk. Achter hem stonden Urbain Boutier en burgemeester Mathias Badeau, met wie de kanselier twee bewakers had meegestuurd.

De smid snoot zijn neus en huilde dikke tranen, als smeltend ijs. Een plotselinge, onbeheersbare snik maakte hem het praten onmogelijk. Met machteloze woede trok hij aan de weinige haren die hij nog had, tot het snikken eindelijk minder werd en hij schreeuwde: 'Die vermaledijde trap! Ik heb haar al zo vaak gewaarschuwd dat ze voorzichtig moest zijn als ze eraf ging!'

'Zeker, het is niet bepaald een verfijnd en veilig model,' zei Upupa. 'Maar als ik u was, Beppe, zou ik dat schuldgevoel laten varen.'

'Hoezo? Ben ik soms niet verantwoordelijk?'

'Luister, eerst...'

Intussen stak Badeau, een kleurloos mannetje, zo zachtzinnig als een stapel bakstenen die tegen een straatlantaarn wordt gegooid, van wal: 'Goed! Onze vriend Talla is door een doodgewoon ongeluk weduwnaar geworden.'

Van Mathias Badeau had niemand een hoge pet op. Hij had zijn baan te danken aan talloze kruiwagens aan het hof van Lodewijk xv. Met een onuitstaanbaar vertoon van autoriteit had de koninklijke commissie hem voor drie jaar tot burgemeester benoemd en hem vervolgens tot subgedelegeerde. Hij zou regelmatig aan de intendant van de rechtbank in Rennes moeten rapporteren wat er in Clisson gebeurde. Maar in dat vredelievende dorpje gebeurde weinig tot niets, dus gingen zijn depêches en verbalen gewoonlijk over het stelen van kippen, het illegaal betreden van wijngaarden, oplichting of andere stompzinnigheden. Voor hem was de dood van mevrouw Martin dus 'goed!' en moest deze als een toevalligheid worden beschouwd.

Upupa, die intelligent, scherpzinnig en zeldzaam opmerkzaam was, dacht daar echter anders over. 'Mijnheer, ze is niet per ongeluk gevallen.'

'Wat zegt u?' vroeg Mathias op verontruste toon en met een donkere blik.

'Dat het geen ongeluk was. Ik geloof dat ze vermoord is, mijnheer.'

Door dat antwoord voelde Badeau zich publiekelijk tegengesproken en verviel hij in zijn nerveuze tic, waarbij hij zijn tong tegen de binnenkant van zijn wang duwde en die liet opbollen. Zijn pruik wiebelde op zijn hoofd als een peer aan een tak, terwijl hij met slepende tred naar het levenloze lichaam liep. Toen hij opnieuw het woord nam, hijgde hij. 'Wat? Een overduidelijk ongeluk... De krakkemikkige, uit zijn ijzers gerukte, neerhangende trap... En met al dat bewijsmateriaal durft u het woord moord in de mond te nemen?'

'Ja, mijnheer,' hield Upupa vol.

'Hoe dat zo?'

De burgemeester sperde zijn glanzend zwarte ogen wijd open.

'Inderdaad, ze is naar beneden gevallen. Maar ze leefde nog. Kijk maar naar de lont van de lantaarn die madame Perrine bij zich had: die is droog, nieuw nog. Daarbeneden is het pikdonker; je ziet er geen hand voor ogen. Daar is uit af te leiden dat de vrouw samen met iemand anders naar beneden is gegaan. Iemand die met de andere lamp voor haar op de trap scheen. En die iemand heeft haar daarna vermoord.'

'En hoe zou die vermeende moord zich dan hebben toegedragen?'

'Laten we de treden eens bekijken. Ze zijn van verschillende lagen populierenhout over elkaar heen, maar hebben geen richeltje, zoals die van de ladder. De ruimte tussen de ene tree en de andere is nogal flexibel, ziet u? Als je in het midden duwt... zo... kun je ze doorbuigen om ze dichter bij elkaar te brengen. Ziet u wel? Op die manier komen ze tegen elkaar aan.'

Beppe Talla, die zich tot dan toe afzijdig had gehouden, ging onder de trap staan en probeerde met zijn handen te doen wat Upupa had beschreven. Iedereen volgde zijn bewegingen en moest toegeven dat de oude man gelijk had.

'Geef me eens een natgemaakte spons, Beppe,' vroeg Upupa, en nadat hij die gekregen had, veegde hij het bloed van de hals van madame Perrine af.

'Hier, ellendige misdadiger,' zei hij met opeengeklemde tanden, 'heb je nóg een vergissing gemaakt. Het bloed had op de grond moeten druppelen en niet in haar nek... Je moet een of andere doek gebruikt hebben om haar naar beneden te dragen... Kijk, mijnheer Badeau. In haar zij zijn stukjes hout van de trap blijven hangen. De rode kring hier duidt erop dat de nek door de buigzame treden is geduwd.'

'En daarmee...?' vroeg de kanselier onnozel, terwijl hij zich aan zijn oor krabde.

'Daarmee toon ik u aan dat mevrouw Martin niet door een ongeluk haar nek heeft gebroken.'

'Ik zie niet in wat dat aan de zaak verandert. De vrouw is hoe dan ook dood,' riep de burgemeester bits.

'Dat is ons allemaal wel duidelijk, Badeau. Maar laat me mijn reconstructie afmaken. Perrine en haar gast zijn dus naar beneden gegaan. Daar heeft ze deze lantaarn, die aan de plank hangt, aangestoken,' zei hij, en liet het aan iedereen zien. 'Terwijl de onbekende met zijn lamp terugging naar boven, om haar op te wachten.'

'Wat ging ze daarbeneden doen?' vroeg Beppe verbijsterd.

'Misschien die kaas halen...'

'Ze wilde iemands honger stillen...' antwoordde de smid.

'Dat kan ik niet uitsluiten. Madame Perrine kwam met de kaas in haar handen weer naar boven, maar struikelde en gleed met haar lichaam over de treden, terwijl de kaas naast haar rolde. Op dat ogenblik heeft de moordenaar drie dingen gedaan: ten eerste heeft hij haar een schop tegen haar hoofd gegeven, ten tweede heeft hij haar hoofd tussen twee treden geduwd en ten derde is hij op de tree boven haar hals gesprongen om zo haar nek te breken.'

Upupa keek, bestudeerd langzaam, de aanwezigen een voor een aan.

'Volgens mij is het moord met voorbedachten rade. Ik geloof echter dat de uitvoering ervan geïnspireerd is door de omstandigheden van het moment.'

'Wat bent u lang van stof!' merkte Badeau betweterig op. 'Ziet u dan niet dat de trap uit zijn ijzers is gerukt en helemaal naar die kant helt? Onweerlegbaar bewijs!'

'Precies wat ik wilde horen, Badeau. Talla, is er ergens in huis een gereedschapskist?'

'Jazeker, op de bovenste verdieping.'

'Wilt u nagaan of alles er nog in zit?'

De smid strompelde moeizaam weer naar boven, langs de noodlottige trap. Toen hij terugkwam, meldde hij met schorre stem: 'De tang is weg...' Hij viel zichzelf in de rede, keek naar zijn voeten en omhoog naar de overloop, en voegde eraan toe: 'Meester, hij ligt hier... Maar ik weet niet wanneer ik hem heb gepakt, geloof me... Ook de hennepmat om gaten mee te dichten is verdwenen. Misschien is mijn hoofd niet helemaal helder... Ik ben vannacht in de werkplaats geweest om het hek voor pater Sébastien af te maken.'

'Rustig maar,' antwoordde Upupa. 'Niet u, maar de moordenaar heeft ze gepakt.'

'U weet niet van ophouden, hè? Ouwe stijfkop! Met die moord en alle duivelse streken die u zich in uw hoofd haalt...' foeterde de burgemeester. 'Laten we er eens van uitgaan dat u gelijk hebt: dan snap ik niet waarom die moordenaar van u het lichaam niet daar, bekneld tussen de trap, heeft laten liggen.'

'Uiterlijke schijn, hooggeachte burgemeester. Onze man heeft ons op het verkeerde been willen zetten. Vervolgens heeft die malloot de treden heel ver uit elkaar getrokken, haar hoofd bevrijd en het lichaam onder aan de trap gelegd. Ten slotte heeft hij de lantaarn die Perrine had aangestoken weer uitgedaan, een andere van de plank gepakt, die gebroken en er een lange glasscherf uit gehaald waarmee hij haar halsslagader heeft doorboord. Opdat het bloed de eventuele sporen van wurging zou verhullen.'

Niemand deed zijn mond open.

'Hoe zou dat glas anders in haar ader terecht zijn gekomen?' vervolgde Upupa. 'Door toverij? De kapotte lantaarn ligt daar, te ver van het lichaam af. Die scherf moet wel een heel rare bocht hebben gemaakt om haar in zo'n vitaal lichaamsdeel te raken. Bovendien, denk eens na: als ze nog geleefd had, zou haar bloed rijkelijk hebben gevloeid. Met andere woorden: dan zouden we het lichaam in een grote plas bloed hebben aangetroffen. Wat niet het geval is. Dus pas een minuut of tien nadat ze door verwurging om het leven is gekomen, is haar halsslagader doorboord.'

'En de trap, hoe is die van de overloop losgeraakt?' vroeg de smid, die abnormaal rood werd.

'Dat is het magistrale, theatrale tintje dat de moordenaar eraan gegeven heeft. Je zou hem bijna een kunstenaar noemen...'

'Ik snap het niet,' klaagde Beppe.

'Probeer me te volgen, mijn vriend,' ging Upupa verder. 'Nadat hij Perrine heeft omgebracht, zoals we gezegd hebben, perfectioneert de moordenaar de mise-en-scène van het ongeluk. Hij beklimt de treden weer en pakt de tang uit uw gereedschapskist. Hij gaat met zijn hoofd omlaag op de overloop liggen en draait de moeren los waarmee de schroeven aan de dwarsbalken zaten: die in het midden en aan de linkerkant.'

Hij liet het zien.

'Loop naar de duivel, Upupa! Wat wilt u aantonen?' schreeuwde Badeau gepikeerd.

De ander reageerde, met een stem die trilde van enerzijds retorische kracht en anderzijds afgrijzen: 'Boven de facetten zijn kortgeleden krassen in het roest gemaakt. Ze vertonen streepjes en wat recente deukjes, die – zoals we al gezien hebben – gemaakt zijn met een tamelijk verfijnd stuk gereedschap. Door de twee moeren los te draaien, heeft de moordenaar de ijzeren staven los laten raken, waardoor we de trap helemaal naar rechts hellend hebben aangetroffen. Op die manier heeft hij zijn werk als beul een sluier van uiterlijke schijn gegeven, of gedacht dat hij dat deed.'

'We zullen zien, we zullen zien... Talla, kijk intussen eens of er iets in het huis ontbreekt,' snauwde de burgemeester onbehouwen. Hij deed stuurs en was zichtbaar ontstemd over de complicaties die Upupa creëerde, want als hij de versie van de doodgewone val had kunnen aanhouden, had hij de hele zaak meteen kunnen afsluiten. Maar die ouwe stijfkop was bezig met een ingewikkelde reconstructie van een moord zonder motief en zonder geïdentificeerde dader, en daardoor werd alles anders. Badeau voelde de verantwoordelijkheid van dit alles zwaar op zijn schouders drukken. Hij moest een onderzoek instellen, mensen verhoren, de politie mobiliseren en eventuele meldingen doorgeven aan de hoogste autoriteiten. Maar bovenal moest hij er rekening mee houden dat er in het dorp een moordenaar vrij rondliep.

Even later kwam de smid terug. 'Het enige wat ontbreekt is het ronde speeldoosje dat mijn arme Perrine zo dierbaar was. Ik heb ernaar gezocht, maar kan het nergens meer vinden.'

'Kanselier, maak aantekeningen. Talla, kunt u me vertellen of iemand een hekel aan haar had?'

'U kent ons, we zijn rustige en godvrezende mensen. Mijn vrouw had geen vijanden.'

'En weet u toevallig of ze een minnaar had?'

Beppe barstte als een kind in huilen uit.

'Mijnheer Badeau, zoiets belachelijks kan toch alleen een ezel vragen?' Door de onherstelbare, onverbeterlijke lompheid van de burgemeester verloor de anders zo lankmoedige Upupa zijn geduld. 'Beseft u wel dat die arme man een zwaar verlies heeft geleden? Dat zijn vrouw dood is, en ook nog op een gewelddadige manier is gestorven? En dan durft u hier, vlak voor het stoffelijk overschot, te insinueren dat er sprake is van overspel!'

'Houd u erbuiten, mijnheer!' diende Mathias hem van repliek, met zijn magere lijf en smalle ogen. 'Weet u wel wie u voor u hebt?'

'Dát weten we allemaal maar al te goed,' reageerde de ander ironisch, terwijl hij om zich heen keek.

'Dan zult u ook wel weten dat ik niet wens dat ook maar iemand mij de les lest, en u al helemaal niet, Upupa. U bent niet in de positie om dat te doen. Althans niet hier in het dorp.'

Hij zweeg, en zijn gebruikelijke, hatelijke glimlachje verscheen op zijn gezicht. Toen hij weer begon te spreken, deed hij dat op geringschattende toon. 'U en die gemaskerde adepten van u... de Broederschap van de Roos en de Vogels! Onder het mom van zogenaamd filantropisch werk praktiseren jullie alchemie met de geur van zwavel. Maar daar laten jullie mij niet van proeven...'

'Badeau, u hebt het recht niet om zo te spreken.'

'Nog niet... Als de heer van Soubise u gunsten verleent, wie ben ik dan om me daartegen te verzetten? Maar neem deze raad van me aan: bid voor de goede gezondheid van uw beschermer. Of maak een elixer voor hem, waarmee hij zijn leven kan verlengen. Want als Charles de Soubise ooit een beroerte krijgt, schop ik jullie dezelfde dag nog deze stad uit. Dat zweer ik.'

'Rustig, heren, alstublieft!' mengde Beppe zich bedroefd in het gesprek. 'Helpt u me liever om die vermaledijde trap weer in elkaar te zetten. We moeten Perrine naar boven dragen en op bed leggen.'

12

De arme stakker zocht nieuwe moeren en andere schroeven. Met hulp van de bewakers zette hij de ijzeren staven weer vast in hun oorspronkelijke positie, waarna hij samen met de drie bedelaars en de jonge Boutier de dode, die met haar gezicht omhoog op haar rug lag, omdraaide. Met zijn allen tilden ze haar op, waarbij haar hoofd omlaag bungelde, en verdeelden haar gewicht.

Toen ze eenmaal op de verkreukelde dekens en het kussen lag, leek de vierenzeventigjarige Perrine in de ogen van haar man eindelijk haar lichamelijke omhulsel verlaten te hebben. Haar slaphangende ledematen gaven hem het gevoel dat haar mollige figuur in gewicht was toegenomen nu het in de matras wegzakte. Beppe huilde en huilde. Boven haar verminkte gezicht. Boven dat gebroken standbeeld.

Maar het verdriet overmande hen allemaal. Zelfs Badeau hield zijn scherpe tong in bedwang. Upupa, aan wie niets ontging, ging naast de overledene zitten. De vingers van haar rechterhand waren op verdachte wijze naar haar handpalm gericht en met een beetje kracht lukte het hem ze uit elkaar te duwen. In haar vuist hield ze een platgedrukt, opgevouwen briefje. Hij vouwde het voorzichtig open en las hardop, uiterst geconcentreerd, voor wat erop stond, terwijl er een diepe frons op zijn voorhoofd verscheen:

> Aangaande de tedere en wellustige vrouw onder u; haar oog zal kwaad zijn tegen den man haars schoots, en tegen haar zoon, en tegen hare dochter;
> En dat om hare nageboorte, die van tussen hare voeten uitgegaan zal zijn, en om hare zonen, die zij gebaard zal hebben; want zij zal hen eten in het verborgene, vermits gebrek van alles...

'Maar dat is een vervloeking! Wie zegt er zoiets?' foeterde Badeau, die voor het eerst oprecht geschokt was.

'De Hemelse Vader,' antwoordde Upupa droog. 'Oude Testament, Deuteronomium, hoofdstuk 28, verzen 56-57. Via Mozes maakt de Heer bekend wat de straf zal zijn als iemand de door hem opgestelde geboden niet naleeft.'

Beppe Talla verborg zijn gezicht in zijn handen.

'En wat heeft dat met Perrine te maken?' vroeg hij tussen twee snikken door.

'Beppe, geef eens antwoord: wanneer hebt u uw vrouw leren kennen?'

'Meester Upupa, dat was toen ik van Italië naar Clisson ben verhuisd, zo'n zeven jaar geleden. In die tijd was ze borduurster. We zijn vijf jaar geleden getrouwd en we zijn gelukkig, ook al zijn er geen kinderen gekomen... Vanwaar die vervloeking?'

'Kon uw vrouw schrijven?'

'Ja.'

'Herkent u haar handschrift op het briefje?'

Op dat moment gierde er een windvlaag onder de gesloten voordeur door, terwijl het de smid maar niet lukte de tekst scherp te zien. Badeau, die nu eerder geschrokken dan dikdoenerig leek, leende hem zijn bril.

'Nee,' antwoordde Beppe. 'Ze had een ronder handschrift. Niet zoals dat van geschoolde mensen, maar wel beter dan dit.'

'Stel dat degene die het briefje heeft geschreven die zinnen pas heeft neergekrabbeld nadat de misdaad al gepleegd was, dan zou hij in paniek geraakt kunnen zijn,' merkte Upupa bitter op. 'Als hij tenminste niet moedwillig zijn eigen handschrift heeft verdraaid.'

'Ik zie duisternis, een en al duisternis in alles wat er gebeurd is. Wat een obscuriteit!' mompelde mijnheer Mathias hoofdschuddend. De kanselier knikte en sloeg zijn notitieboeken weer dicht.

'O, God!'

In die twee lettergrepen, afkomstig van Urbain Boutier, die tot dat moment zijn mond had gehouden, kwamen het ongeloof, de afschuw en de ontreddering tot een uitbarsting.

De meester legde een hand op zijn schouder. 'Ga maar vast naar buiten, wij komen eraan. We moeten trouwens de pastoor van de Drievuldigheid laten komen om het stoffelijk overschot te zegenen.'

13

De tien mannen stonden weer buiten, in de zon, die zijn hete pijlen dwars door de struiken, de wijngaard en de takken van de populier afvuurde. Toen ze het huis uit kwamen, het zwarte hol van de moord, zat Bernabé de Grâce nog steeds ongemakkelijk in de boom geklemd. Zijn lendenen waren gebroken, zijn armen en benen sliepen en zijn voeten brandden doordat al zijn bloed ernaartoe stroomde. O nee, die veertiende april 1751 zou hij nooit meer vergeten...

Hij hoorde die mannen over de moord praten, over de arme, gewurgde Perrine, over een moordenaar die gezocht moest worden. Er liep een rilling over zijn rug en een ijskoude nevel steeg op uit zijn hersenpan. Elk menselijk bestaan is onheilspellend en zinloos, bedacht hij. Wat is de mens? Een afgrond. Je wordt geboren en in een oogwenk stort je weer in het niets...

Door de wirwar van zijn gedachten merkte hij niet dat het groepje kleiner geworden was. Urbain en Beppe waren namelijk in de calèche naar het dorp gesneld om pater Sébastien te halen.

Bernabé bewoog zich in een poging een gemakkelijkere houding aan te nemen, en zijn pet viel precies voor de voeten van het groepje onder hem. De jongen bleef roerloos zitten, als een kakkerlak die plotseling wordt opgeschrikt door het licht.

'Hé, jongeman!' beet Upupa hem op snijdende toon toe. 'Er is hier een misdaad gepleegd. Een vrouw is dood. Wil jij soms achter haar aan, dwars door de hemelse sferen, door op de grond te vallen? Kom die boom uit, maar wees voorzichtig en...'

'... en je zult moeten uitleggen wat je daar doet,' interrumpeerde Badeau hem autoritair, en zachtjes voegde hij eraan toe: 'Wie weet, misschien hebben we de moordenaar al te pakken!'

Bernabé buitelde op de grond, in een samenraapsel van kleren. In zijn broek, die waarschijnlijk gescheurd was door een tak, zat een fraaie winkelhaak. Zijn overhemd, dat vast ooit wit was geweest, vertoonde nu een vaalgrijze waas. Zijn Pruisisch blauwe justaucorps vloekte met zijn bruine broek.

Toch raakten de drie bedelaars, Mathias en de vrome Upupa betoverd door zijn gezicht, dat opvallend vriendelijk was. De regelmatige boogjes van zijn smalle wenkbrauwen accentueerden zijn donkere, ver uit elkaar staande ogen. Zijn neus was recht en kort. Om zijn volle, bezielde lippen krulde een Leonardo-da-Vinci-achtige glimlach. Zijn gelijkmatige nek leek bedolven te worden onder een massa blonde krullen. Aan zijn slanke, maar atletisch gebouwde lichaam was te zien dat hij graag gymnastische oefeningen deed.

'Heren,' begon hij nadrukkelijk, terwijl hij een buiging maakte, 'mijn naam is Bernabé de Grâce. Ik ben tweeëntwintig, kom uit Maillezais en ben net vanochtend in Clisson aangekomen, een uur na zonsopgang.'

'Nog een zwerver!' bromde de kanselier. 'En wat zoek je hier?'

'Ik ben op weg naar Nantes. Maar ik heb al heel lang gelopen en ik was moe. Neem me niet kwalijk, maar de pijn in mijn voeten is niet te harden, dus ben ik gaan liggen in deze tuin.'

'Kende je Perrine Martin?' vroeg Badeau.

'Hoe voor de duivel zou hij haar nu moeten kennen als hij van buiten komt?' onderbrak Upupa hem. 'Kom op, burgemeester! Laten we hem liever vragen of hij in de buurt van het huis iets heeft gehoord of iemand heeft gezien.'

'Vader prior,' begon Bernabé tegen hem, in de veronderstelling dat hij monnik was.

'Ik ben geen prior.'

'Neemt u me niet kwalijk. Goed dan, mijnheer, ik was bij de heg wat ingedommeld. Maar op een gegeven moment meende ik te horen dat er in de verte een liedje werd gefloten.'

'Wat voor liedje?' vroeg Badeau.

'U weet wel, het gaat van *Bon, bon, bon/ Le bon vin m'endort/ L'amour me réveille/ Le bon vin m'endort/ L'amour me réveille encore...*'

'Krijg nou wat, dat is waar!' interrumpeerden Étienne en zijn maten. 'Dat hebben wij ook gehoord. Het kwam ergens achter uit de tuin.'

'Het heet: *Passant par Paris...*' preciseerde de kanselier.

'Verdorie, waarom zeggen jullie dat nu pas?' vroeg de burgemeester geërgerd.

'Neem ons niet kwalijk, maar we denken er pas weer aan dankzij deze jongeman, die we nu pas voor het eerst zien.'

'En jij, De Grâce, heb jij deze drie mannen eerder gezien?'

Bernabé sloeg zijn ogen naar de hemel op en zei plechtig en uiterst serieus: 'Ik zag ze toen ze schreeuwden.'

'En waarom ben je dan al die tijd op je hurken in die boom blijven zitten?' vroeg Upupa.

'Omdat ik bang was dat ik betrapt zou worden in deze tuin, die privéterrein is, en dat ik ervan beschuldigd zou worden wat fruit te hebben gestolen en hier weggejaagd zou worden, mijnheer. En dan zal ik jullie nog eens iets vertellen: ik heb een ontzettende honger. Geef me alstublieft iets om mijn maag te vullen, want die rommelt verschrikkelijk.'

Door de oprechtheid van de jongen voelde Upupa zich geroepen te beloven hem iets te eten te geven zodra Urbain terug zou zijn. Toen wendde hij zich tot Badeau en fluisterde: 'De informatie die hij ons heeft gegeven, lijkt me heel belangrijk, vindt u ook niet? Waarom laat u de tuin niet doorzoeken?'

De burgemeester, die zich tot dan toe alleen maar had beziggehouden met diefstal en kwesties omtrent grenzen tussen boerenerven, hervond een sprankje energie. 'Kom op, kom op, laten we snel aan de slag gaan,' zei hij op bazige toon en ademde diep in. 'Bewakers, begin met zoeken. Laten we iets vinden dat wat licht werpt op deze gênante duisternis. En de anderen: help ons eens een handje...'

'Ongetwijfeld zijn mijn voetafdrukken te zien,' merkte Bernabé eerder nonchalant dan bezorgd op, terwijl hij zich bij de anderen voegde.

Ze verspreidden zich tussen de struiken en bogen zich voorover, met hun ogen op de grond gericht. Een zwerfhond met een ruwe vacht kwam naderbij, snuffelde aan de aarde en daarna aan de meidoorn, en tilde een poot op. De urinestraal liep in een diep spoor, vlak voor Badeau, die een gezicht trok alsof hij misselijk werd. Hij stond op het punt het beest weg te jagen, toen iets hem ertoe aanzette triomfantelijk te roepen: 'Allemachtig! Ik heb het gevonden!'

De anderen sprongen naar hem toe.

'Kijk hier eens,' zei hij opgewonden. 'Er zijn hier nog andere voetafdrukken dan alleen die van de vreemdeling. Ze zijn verschillend van vorm; de ene is dieper dan de andere. Duidelijk sporen van een manke. We zijn er, we zijn er!'

In die gehurkte houding leek het net alsof hij zat te bedelen. De groep constateerde dat de burgemeester het dit keer niet bij het verkeerde eind had. Toch keek Upupa de functionaris schuins aan, terwijl er triomflichtjes schitterden in de ogen van Mathias.

‘Kanselier, we hebben hem in onze zak!’ brulde hij. ‘Het is zonder twijfel een kreupele. En welke kreupele kennen wij?’

‘De koster, Hilarion Thenau,’ luidde het antwoord.

Upupa barstte in lachen uit. ‘Dat menen jullie toch niet serieus, kom op! Dat zou ik nog niet eens geloven als ik hem haar vlak voor mijn neus had zien vermoorden.’

‘We hebben niet naar uw mening gevraagd,’ antwoordde de burgemeester wrokkig.

‘Dat is waar ook, Hilarion. En die bespeelt ook nog de herdersfluit,’ voegde Étienne eraan toe.

14

Badeau, die volledig in vervoering was geraakt, bleef maar druk gebaren vanwege zijn ontdekking. Upupa woonde aan de overkant, vlak bij het huis van het slachtoffer. In afwachting van nieuwe ontwikkelingen liep hij samen met Bernabé naar zijn huis, om hem eten te geven, zoals hij beloofd had. De jongeman ging aan de keukentafel ging zitten en de oude man maakte een uitgebreid ontbijt voor hem klaar.

Kort daarna kwam Urbain terug.

‘Meester, pater Sébastien is er. Hij heeft het stoffelijk overschot gezegend, maar is van de kaart omdat de burgemeester ervan overtuigd is dat Hilarion de moordenaar is. Ze willen allemaal terug naar het dorp en vragen of u ook komt.’

‘Die man is gek,’ barstte de oude man los. ‘Hij kan zo’n absurd misdrijf niet zomaar in de schoenen schuiven van een arme, stotterende idioot als de koster!’ Daarna fluisterde hij de jongen in het oor: ‘Blijf jij hier bij Bernabé in de keuken. En denk erom, laat hem niet in de kamers rondsnuffelen.’

Upupa ging terug naar het huisje waar de misdaad gepleegd was en stapte met de anderen in de koets van de burgemeester, richting de kerk van de Drievuldigheid. In zijn onstuitbare waan van almachtigheid besteeg Badeau de bok, greep de teugels en sloeg het paard met de zweep, waardoor het dier met een schok vooruitsprong.

Door het onregelmatige plaveisel begon het rijtuig te slingeren en botsten de passagiers steeds weer als kegels tegen elkaar aan, totdat ze uiteindelijk beurs en met hier en daar wat rode plekken bij de parochiekerk aankwamen.

Pater Sébastien riep Hilarion. Die kwam langzaam en vermoeid aangelopen. Het was te zien dat hij niet goed bij zijn hoofd was. Zijn linkervoet hing in een schoen die door zijn dikke zool wel een opstapje leek. Hij was heel lang, had een bruine huid, was bijna kaal, en stelde zich met een welwillende glimlach en starende ogen, als van een slaapwandelaar, voor aan de burgemeester, die hem zonder omwegen vroeg: 'Was jij vanochtend heel vroeg bij Perrine Martin?'

'N-nee, niet bij madame. Wel in de t-tuin.'

'Wat deed je daar?'

'N-naar de vogels fluiten. D-dat d-doe ik altijd.'

'Wat fluit je dan, Hilarion?'

De stakker diepte wankelend zijn herdersfluit uit zijn broekzak op en begon erop te spelen. De tonen van *Passant par Paris* weerklonken.

'Bravo!' zei Mathias. De pastoor streek bezorgd met zijn handen door zijn haar. De koster, die zich een hele piet voelde door die loftuiting, voelde zich geroepen zijn optreden nog even voort te zetten en probeerde een vreugdesprongetje te maken, maar hij dreigde zijn evenwicht te verliezen en bleef in een scheve houding staan. Daardoor viel er uit zijn andere zak een rond, bont beschilderd doosje op de grond.

'Ah! Je hebt ook nog een snoepdoosje!' merkte de functionaris sarcastisch op.

De smid herkende in dat opvallende voorwerp het speeldoosje dat Perrine zo dierbaar was geweest en dat hij thuis niet meer kon vinden. Door dat onweerlegbare bewijs werd Hilarion voor de ogen van iedereen in het nauw gedreven.

Mathias Badeau ging vlak voor de arme invalide staan, griste het speeldoosje uit zijn handen en beval, hem nijdig aankijkend: 'Beken maar. Dit heb je vanochtend van Perrine Martin gestolen, nadat je haar hebt vermoord. Waar of niet?'

'Ik, ik heb niets ged-daan,' stotterde de arme stakker angstig. 'Ik heb het do-do-doosje dat muziek maakt in de t-tuin gevonden. D-dat weet ook Sint-Michaël. G-geef het terug, alstublieft. Ik b-bewaar alles.'

'Waar bewaar je de dingen die je bij elkaar scharrelt?'

'In d-de sacristie, in de b-bidstoel.'

'Breng me erheen!'

Trillend ging Hilarion hem voor naar de koude ruimte waarin het kerkgeraad werd bewaard. Toen ze bij een bidstoel stonden, tilde hij de klep op en liet zijn verzameling zien: strengetjes draad, religieuze plaatjes, stompjes kaars... en een zakbijbeltje.

Tussen dat allegaartje van spullen werd Badeaus aandacht getrokken door het boekje, dat hij pakte. Toen nodigde hij de koster op opzettelijk insinuerende toon uit om voor te lezen. En de koster las. Beroerd, maar hij las. Vervolgens spoorde de burgemeester hem aan om te schrijven, nadat hij de pastoor om papier, een ganzenveer en inkt had gevraagd. En Hilarion schreef. Moeizaam, maar hij schreef.

In de algehele chaos, te midden van het onthutste tumult van iedereen die wel had willen schreeuwen tegen die kerel, die al even dom als verdorven was, had de scheldkanonnade van Upupa tegen Mathias Badeau de felheid van een bliksemflits.

'U!' brulde hij met trillende, opgeheven wijsvinger. 'U kijkt niet verder dan uw neus lang is! U ziet onomstotelijk bewijs in discutabele feiten. Hoe kunt u geloven dat deze ongelukkige man, die zowel lichamelijk als geestelijk een stakker is, zo'n gekunstelde misdaad heeft kunnen uitdenken? We hebben te maken met een moord die op zijn zachtst gezegd geniaal is: voortgekomen uit een brein dat gewend is aan drogredenen en hersenbrekers, niet aan kinderachtig geleuter. Begrijp me goed, Badeau. Ik zeg dit niet om u in verlegenheid te brengen. Ik zou alleen niet willen dat u een onschuldig man in de gevangenis zet.'

Overtuigd van zijn gelijk gaf de burgemeester geen duimbreed toe.

'Onschuldig, Hilarion? Fabeltjes! Híj heeft dat briefje geschreven dat Perrine in haar hand had... En dat liedje, wat moeten we daarvan denken? En het speeldoosje? Moet ik soms echt geloven dat hij dat toevallig in de tuin gevonden heeft?'

'Ja, mijnheer de burgemeester.'

Die woorden sprak hij met doordringende, overtuigde nadruk uit.

'Helaas, Upupa, ik heb inmiddels geen twijfels meer,' riep Badeau uit, terwijl hij het voorwerp teruggaf aan de smid. Daarna riep hij de kanselier en liet hem de feiten opschrijven voor de intendant in Rennes, die instructies zou moeten geven met betrekking tot het proces. Een pure formaliteit, want op basis van zijn onderzoek leek het vonnis al geveld. Zo veroordeelde de burgemeester de koster al ter dood.

Terwijl hij met zijn tong zijn wang liet opbollen, riep hij nadrukkelijk: 'Eindelijk, mijn eerste grote onderzoek... Mijn superieuren zullen trots op me zijn!'

'Dat is zo,' gaf Upupa toe. 'Misschien had uw carrière wel een veroordeling tot de strop nodig. Maar voor u zal het een ondraaglijke last zijn. Stel dat het niet zo is gegaan als u denkt?'

15

Vaticaanse Bibliotheek, 1753

Sansevero neuriede het refrein van het liedje dat in de tekst geciteerd werd.

'Ik ben stomverbaasd om te merken dat u ook van muziek houdt!' merkte de paus op.

'Heiligheid, bij de jezuïeten heb ik alles geleerd. Zelfs vioolspelen.'

'Het lijkt me toch dat dit *Bon, bon, bon* niets voor verfijnde snaarinstrumenten is.'

'Ah!' riep Raimondo met zijn vinger halverwege de bladzijde uit, terwijl hij met zijn rechterhand een glas optilde. 'Uw wijn is absoluut verrukkelijke nectar, vergelijkbaar met de klank van een orgel...'

'Wat?' interrumpeerde de oude paus. 'U durft wijn met muziek te vergelijken?'

'Waarom niet? En ook alle andere alcoholische dranken. Een drupje likeur brengt bijvoorbeeld sensaties teweeg die gelijk zijn aan die waarmee muziek het oor overspoelt.'

'Dus? Waar doet *Bon, bon, bon* u aan denken?'

'De eerste indruk die mijn gehemelte krijgt, is de smaak van de groene likeur die de benedictijnen bereiden.'

'Kom op, prins. Door een liedje?'

'U zult het zien, Heiligheid. Het heeft hoge en lage tonen op de momenten waarop u die het minst verwacht. De schakeringen, de contrasten nemen toe en wie weet...'

'Wat een fantasie! Lees maar verder,' en hij gaf hem een klopje op zijn schouders.

De edelman keek zijn gesprekspartner met zijn groenbruine ogen doordringend aan en er speelde een geamuseerd glimlachje om zijn mond.

'Ja hoor, laten we de partituur van deze begrafenismars maar volgen!'

In het dorp is de Broederschap van de Roos en de Vogels actief. Ze doen liefdadigheidswerk, bidden en bestuderen de alchemie en de kabbala. Zeker, hun leider, meester Upupa, houdt er af en toe vreemde ideeën op na, zoals het denkbeeld dat ook getallen een geslacht hebben... maar hij staat altijd klaar om iemand in nood te helpen en is royaal met giften aan onze kerk... Nu heeft hij een losgeslagen jongeman in huis genomen die uit het klooster van Maillezais is gevlucht en die...

16

Clisson, 1751

Bernabé en Urbain, die alleen in de keuken waren achtergebleven, keken elkaar lange tijd vorsend aan, zich beiden bewust van de grote afstand die hen scheidde. Nadat hij de versleten kleren van de nieuwkomer had bekeken, bood Boutier hem wat kleding van hemzelf aan, maar die weigerde Bernabé. 'Vanwaar die belangstelling voor mij?' vroeg hij

'Mijn meester heeft me geleerd de behoeftigen te helpen.'

'Ik heb er een hekel aan om voor een bedelaar te worden aangezien. Mijn kleren zijn in die boom gescheurd.'

'Mooi is dat. Maar zeg eens: heb je gezien dat de moord gepleegd werd?'

'Ik heb daarnet de waarheid gesproken,' antwoordde de ander ontdaan.

'Waar kom je vandaan?'

'Maillezais.'

Hun gedrag was voor hen allebei geforceerd. Urbain pufte en Bernabé geeuwde met een zuigend geluid, dat eindigde in een soort gemauw. Op dat moment sprong de rode kat, Cassandra, op zijn rug en gaf hem kopjes tegen zijn kin. Blij droeg de jongeman met tedere stem voor: '*Er wandelt, tussen mijn twee oren/ als was mijn brein zijn onderdak/ een fraaie kat, lief, zacht, nooit zwak./ Zijn mauwen is haast niet te horen./ Wreedst kwaad wordt in de wieg gesmoord/ door hem, ver-*

*rukking houdt hij binnen;/ zelfs in de allerlangste zinnen/ rept hij niet met het minste woord...'**

Urbain hield zijn zenuwachtige, vierkante kaak in bedwang en liet, terwijl hij zijn trots opzijzette, een mooie rij tanden zien. Tweeëndertig witte amandelen, keurig naast elkaar.

'Bravo! Zijn die versregels van jou?'

'Zeker, ik heb er zoveel neergepend als ik niet met mijn hoofd in de Bijbel zat en werd overspoeld door bloederige taferelen. Maar ik heb al mijn schrijfsels in het klooster achtergelaten. Wie weet, misschien schrijft iemand ze op een dag wel over en doet of ze van hem zijn!'

'Je bent wel verwaand, zeg. Je beschouwt jezelf als dichter en ziet al voor je dat weet ik wie je zal oplichten,' beet Urbain hem geërgerd toe.

De ander keerde hem zijn bleke, vertrokken gezicht toe, waarin grote, vochtige ogen blonken met daaronder blauwe kringen; op zijn neus zaten wat sproetjes.

'Na ruim een decennium bij de benedictijnen doorgebracht te hebben, die mijn geest hebben uitgezogen en me het slechte voorbeeld hebben gegeven, zal ik toch zeker wel aan hen mogen twijfelen...'

'Wat, ben je monnik?'

'Ik ben er voor de gelofte vandoor gegaan. Zonder roeping kon ik me niet aan God wijden.'

'Zo, beste broeder de dichter, dus je hebt je gelaafd aan de retoriek van het spreekgestoelte...'

'En jij en die oude man met de witte pij dan, zijn jullie soms een parodie op geestelijken? Wat willen jullie eigenlijk zeggen door je zo uit te dossen?'

'Wij zijn de stem van de vogels. Maar laat me eens peilen hoezeer je bent bevrijd van de zwakke lessen van de Kerk.'

'Brand maar los, Urbain.'

'Laten we beginnen bij God. Hoe stel je je die voor?'

'Zover reikt mijn geest niet; ik kan God geen gestalte geven.'

'Een voor de hand liggend antwoord. Toch moet je het wél doen! Wijzen als Plutarchus hebben de waarachtige kern van de Schepper aangetoond.'

'Hoe dan?' vroeg Bernabé verbijsterd.

'Als je Hem vermenselijkt, kun je je voorstellen dat er een bewegende activiteit is, die in tegenstelling tot de geest en de goddelijke

* Uit: Charles Baudelaire, *De kat*, vertaling Petrus Hoosemans

rede gehuld is in het onzichtbare en het bovenzinnelijke.'

'Wat zijn jullie toch voor types? Jullie doen je voor als woordvoerder van de vogels en lasteren God door hem gestalte te geven...'

'Zie je wel, zie je wel, Bernabé? Je kraamt de gebruikelijke onzin uit. Als meester Upupa je hier onderdak verleent – wat ik eerlijk gezegd betwijfel – kom je binnen in zijn "volière"en kun je de taal van de vogels leren. En die dragen, omdat ze tussen de hemel en de aarde vliegen, de stem van de schepping in zich, de goddelijke mysteries die niet voor iedereen te zien zijn. Want hun vleugels zijn de sluier van de allegorie, hun gekwetter is de kennis. Je kunt leren hoe God zowel mannelijk als vrouwelijk is...'

Verbluft schudde De Grâce zijn hoofd en stond spinnijdig op van tafel. Hij liep op een gesloten deur af. 'Wat is daarachter?' vroeg hij.

'Blijf staan!' gilde Boutier hem toe. 'Op bevel van de meester is de rest van dit huis verboden toegang voor jou.'

'Hoezo?' vroeg hij verbijsterd.

'Het gebouw is al net zo bijzonder als zijn eigenaar. Sommige ruimtes zijn ingericht als alchemistisch laboratorium.'

De ander staarde met stijgende verbazing naar de jongeman met het bruine haar en hield een oog dichtgeknepen, terwijl het andere leek te rollen, bijna alsof hij uit de onmetelijke, schemerige ruimtes van zijn geest mysterieuze klanken en onaardse kleuren opriep. Uiteindelijk merkte Bernabé raadselachtig op: 'O, dus daarom voer je van die vreemde gesprekken: jullie zijn filosofen en alchemisten. Dat verklaart alles... Maar is de alchemie niet, net zoals de astrologie, verbannen door de Kerk?'

Hij kreeg geen antwoord, want er weerklonken zware voetstappen. In het rokerige, schommelende licht van de lantaarn kwam Upupa terug.

'Hoe ging het, meester?'

'We hebben te maken met een zeer ernstige situatie. De koster is gearresteerd. Hij had het voorwerp dat van Perrine Martin is gestolen, in zijn zak verborgen. Bovendien floot uitgerekend hij het wijsje dat de drie zwervers en deze jongeman hebben gehoord. Toch geloof ik absoluut niet dat hij schuldig is.'

'Aan zoveel bewijzen kan Hilarion niet tornen. En misschien is hij wel echt schuldig!' constateerde Urbain.

'Je bent dom, Urbain, al even dom als Badeau!' brieste de oude man. Toen schudde hij peinzend zijn hoofd. 'Er rest mij niets anders dan naar de hertog van Soubise te gaan. Dat is de oplossing.'

'Maar als die nog steeds in Parijs is...'

'Ik vind hem wel, en hij zal me moeten helpen. Anders staat het leven van die arme drommel op het spel...' antwoordde hij en hief zijn vuist in de lucht. Ten slotte haalde hij een rond voorwerp uit zijn zak en zette dat op de dis.

'Een snoepdoosje,' zei Urbain.

'Een speeldoosje,' verbeterde De Grâce.

'Bravo, Bernabé,' zei de wijze man bewonderend. 'Je hebt het geraden. Dit is het voorwerp dat Thenau gestolen heeft. De smid heeft het me gegeven, ter herinnering aan zijn vrouw. Maar hoe komt het dat je de ware aard van dit doosje kent? Iedereen denkt dat het een snoepdoosje is.'

'Mijn vader had er net zo een. Als kind vond ik het leuk om het open te maken en naar de muziek te luisteren.'

Upupa draaide het tussen zijn handen en bekeek aandachtig de achterkant, alsof hij las. Toen voegde hij er met vermoeide stem aan toe: 'Je bent intelligent, Bernabé. Ja, ik kan je onderdak verlenen.'

De twee jongelingen wisselden een vluchtige blik.

De oude man vervolgde met een handgebaar: 'Voorlopig kun je in die kamer daar slapen, maar op één voorwaarde: je mag er pas uit komen als je geroepen wordt. Je vindt er een hemd, een kom met water en een po.'

'Moet ik mezelf als gevangene beschouwen, mijnheer?'

'Nee, als gast. Als je gedrag er aanleiding toe geeft, krijg je meer vrijheid...'

'Meester,' viel Urbain hem in de rede, 'we moeten oppassen. Die jongen kan je wel bestelen. In feite kennen we hem niet...'

'Zwijg! O, wat heb je toch een scherpe tong, het lijkt wel een zeis! Je zou hem goed kunnen gebruiken om in discussies en gesprekken met de juiste antwoorden aan te komen zetten. Maar je gebruikt hem altijd voor domme dingen,' foeterde Upupa, terwijl de ander zijn armen over elkaar heen sloeg en zijn hoofd boog.

Bernabé groette hen en ging de kamer binnen. Hij trok zijn gerafelde kleren uit en waste zich snel. Toen, nadat hij het hemd had aangetrokken, ging hij op de matras liggen, waarbij hij de rode baldakijn en het *cabinet* met de twee deurtjes, dat tegen de rechtermuur naast het raam stond, vastzette. Hij viel meteen in slaap. Door de vermoeidheid en de emoties van die dag vielen zijn ogen zachtjes dicht. Zijn droom voerde hem terug in de tijd.

17

Hij was tien. Hoewel hij onschuldig van geest was en het nog lang zou duren eer zijn zinnen gewekt zouden worden, adoreerde hij een jongetje van zijn eigen leeftijd. Alle andere kinderen lieten hem koud. Alleen in de buurt van zijn favoriet, met diens ravenzwarte haren en aangename gezang, voelde hij tederheid en rusteloosheid. Hij raakte zachtjes vervuld van een verward, intens genoegen. Met hem vond hij het heerlijk om over de vruchtbare, zonovergoten akkers te lopen. Alleen bij hem ervoer hij vreemde sensaties wanneer ze door de bossen van het Marais-Poitevin wandelden of op hooischoven sprongen.

Uiteindelijk, op een dag werd hun spel uiteindelijk verbroken. Rusteloosheid op beide gezichten. De kleine Bernabé keek onderzoekend naar zijn vriendje, wiens hazelnootbruine ogen en rood geworden wangen een vreemde emotie uitstraalden. Hij voelde een verlangen naar iets wat hij zelf niet begreep, terwijl zijn fantasie al zonder scrupules van de roes genoot. Zijn hoofd gloeide al. Hij stond voor een ondoorgrondelijk mysterie. Hij kreeg kippenvel en werd overspoeld door opwinding.

Zijn vriendje merkte het en stak zijn hand uit voor een trage, langdurige streling. Hij kuste hem op zijn wang, daarna op zijn mond. Zachtjes beroerde hij zijn lippen, eenmaal, tweemaal, driemaal...

'Bernabé,' fluisterde Gérard koortsachtig. 'Ik doe alles voor je!'

En hij trok met vlugge bewegingen zijn kleren uit. De Grâces ledematen trilden bij het zien van zijn olijfkleurige huid, de omtrek van zijn billen, zijn gladde buik en zijn ontblote geslacht. Kristallen tranen, van onaangetaste onschuld, welden in zijn ogen op.

De ander ging op zijn buik op het gras liggen en leek net een standbeeld van een jonge god. Bernabé streelde de zachte rondingen van zijn lichaam, de fijne lijnen van zijn ribben, zijn nerveuze dijen. De jongen glimlachte naar hem en trok hem met beminnelijke gratie naar zich toe.

Een schreeuw verbrak hun wederzijdse vervoering: 'Vuilak, wat doe je daar? Je zondigt tegen de natuur! Doe die stinkende pik van je weer in je broek, smerige bok.'

Het was zijn stiefmoeder. Als een bezetene bestookte ze hen met stompen, schoppen en beledigingen. Ze liet hem zich niet eens weer aankleden. Ze sleurde hem aan een oor de akkers over, het huis in.

Boven het raam had zijn vader zijn scheermes laten liggen. De mollige, ziedende vrouw sloeg hem met haar vlezige, druk gebarende handen in zijn gezicht.

'Dus je wilt een pik?' schreeuwde ze. 'Kijk hier maar, hier zit hij verstopt.' En ze wees naar het blad van het scheermes. 'Pak het!'

De jongen pakte het en het leek bijna alsof het lemmet uit zichzelf naar hem toe kwam. Zijn stiefmoeder draaide zijn arm om, zodat hij hem naar zijn keel bracht.

Maar de deur ging open. Zijn vader, Antoine, stormde de kamer in en zag de afschuwelijke scène tussen zijn zoon en zijn geliefde. 'Bernabé, Miou, alsjeblieft, hou op!'

'Zie je hem, zie je hem, die zoon van je?' raasde de vrouw. 'Ik heb hem betrapt toen hij de bok uithing met een vriendje, die smeerlap. Hij is onverbeterlijk, Antoine, ik heb het je altijd al gezegd! Je moet hem in een klooster stoppen, dat stuk ongeluk. De broeders zullen hem wel aanpakken...' hoonde het ordinaire wijf.

'Maar ik... maar jullie... Vader, ik wist niet dat het een zonde was...' jankte Bernabé wanhopig. 'Het is de eerste keer dat ik...'

'De eerste en de laatste keer, ellendeling. Miou heeft gelijk!' Zijn vader gaf hem zo'n draai om zijn oren dat hij om zijn as tolde. Bernabé rook de gebruikelijke stank van bokking op zijn gezicht. 'Morgen breng ik je naar de kostschool van de benedictijner broeders. Dan is het afgelopen met die fratsen en zul je op het juiste pad geraken. Ik heb het altijd gezegd: als je arme moeder, die je hebt vermoord toen je ter wereld kwam, er nog was, zou je niet zo rebels zijn!'

Met die woorden stortte zijn wereld in. Er brak iets in hem. Hij had willen huilen, maar keerde zich naar binnen, verloren, ontroostbaar en alleen.

Die nacht kon hij de slaap niet vatten; hij keek uit het raam en vroeg om hulp aan wie hem in de hemel ook maar kon helpen. Maar hij stuitte op de onverschilligheid van de sterren en legde zich neer bij zijn lotsbestemming.

De dag daarop werd hij opgesloten in het benedictijnerklooster in Maillezais. Toen de ontzagwekkende poort tussen hem en de wereld achter hem dichtsloeg, sloegen de klokken op het ritme van de treurigheid.

18

Bernabé werd klam en koud wakker, badend in het zweet. Hij moest moeite doen niet in snikken uit te barsten. O, genadige God! Een droom van zo lang geleden, en zo waarachtig... maar nu was hij om de een of andere reden haarscherp aan de oppervlakte gekomen.

Hij wreef zijn ogen uit en ging midden op het bed zitten. Het moest al ochtend zijn. Het witachtige licht priemde door de gordijnen. Hij keek om zich heen. Aan de muren van de kamer zag hij, op verschillende hoogtes, twaalf gobelins hangen. Ze varieerden in grootte en thema en er stonden landschappen, oude landkaarten, personages en vreemde voorwerpen op. Zijn nieuwsgierigheid werd op morbide wijze gewekt door de gevel van een stokoud kasteel waar de kunstenaar sinistere boodschappen in had geweven. Tenminste, zo leek het. Hij geeuwde. Niet uit verveling, maar omdat hij verdoofd en van zijn stuk gebracht was door de moord en de zonderlinge ontmoetingen van de vorige dag.

De stem van de meester deed hem opschrikken. Hij liep naar de deur, gluurde door het sleutelgat en zag Upupa samen met Urbain op zijn hurken zitten. Hij merkte op dat de wijze man door zijn adelaarsprofiel iets wilds uitstraalde, wat een contrast vormde met zijn lippen, die juist een welbespraakte en wijze indruk maakten. Verbijsterd keek hij toe, want de meester begon in die houding les te geven. Nieuwsgierig bleef hij staan luisteren...

'Urbain, wat zijn na het getal één de eerste even en oneven cijfers?'

'De twee en de drie.'

'Goed! Wat voor geslacht hebben ze?'

Het geslacht van getallen? vroeg De Grâce zich af. Is die ouwe soms gek? Voor zover ik weet hebben alleen mensen en dieren geslachtsorganen... En bloemen, zo je wilt, maar getallen absoluut niet!

Het antwoord deed hem versteld staan: 'Zoals Pythagoras leert, vormt het getal het fundament van alle dingen, van de wezens en van de goddelijke en menselijke principes. De even getallen zijn dan ook vrouwelijk en de oneven mannelijk. Kijk...' Urbain boog zich voorover en telde wat steentjes. 'Kijk, laten we deze zes kiezeltjes verdelen: drie zijn er voor u, meester, en drie voor mij.'

'Dus wat blijft er over?' vroeg de oude man door, terwijl hij de zijne verzamelde.

'Niets.'

Precies nul, dacht De Grâce.

'Niet echt. Je kunt beter zeggen: een soort leegte. Bijna een holte, zoals de vagina van de vrouw. Boutier, als we nu een oneven aantal steentjes verdelen, blijft er een over. Dat is de bevruchter, net zoals het mannelijke lid. Daarom werd het getal vijf door de pythagoreeërs 'huwelijk' genoemd, omdat het voortkomt uit de verbintenis tussen de vrouwelijke twee en de mannelijke drie. Zeg nu eens, Urbain: als de vijf de basis van alles en het plasma van het universum is, en als dat zowel het mannelijke als het vrouwelijke in zich heeft, welk kenmerk heeft God dan?'

'Het androgyne,' luidde het antwoord vlot. 'Dus als de mens dichter bij God wil komen, moet hij de kenmerken van de andere sekse verwerven om zo tweeslachtig te worden; dat moet hij echter overstijgen als hij de paradijselijke geslachtelijkheid wil bereiken.'

'En welk bijzondere metaal heeft de kenmerken die we tot dusver genoemd hebben?'

'Mercurius!'

Terwijl Bernabé de Grâce zichzelf ervan probeerde te overtuigen dat zijn onverdraagzaamheid wellicht te wijten was aan zijn onvermogen om de metafoor die in deze les schuilging te begrijpen, deed Upupa de deur open en blies: 'Ah, ik wist het wel. Ook afluisterend leert men.'

Hij streek over het voorhoofd van de jongen, wiens wangen rood werden. Zo rood als een klaproos.

Hij nodigde hem uit voor het ontbijt: brood met boter en heerlijk zoete perzik- en appeljam. Zelfs aan tafel bij de broeders, die toch goed voor zichzelf zorgden, had Bernabé nog nooit zo'n overvloed gezien.

'Zeg Maestro, ook mijn vader deed in zekere zin aan alchemie,' vertelde Bernabé om zich een houding te geven, terwijl hij zijn tanden in een stuk brood zette.

'Wat zeg je me daar?' antwoordde de oude wijze verbaasd.

'Echt. Voordat hij winkelier werd, had hij een eethuis. Hij verhulde de geur van bedorven vis door kolenstof met wijn te vermengen; ook maakte hij met melasse het vlees mooier...'

'Een rechtschapen man, die vader van jou,' protesteerde Boutier sardonisch. 'Het verbaast me niets dat hij je in het klooster heeft laten opsluiten.'

'Wat weet jij daarvan?' stamelde de ander en liet het stuk brood vallen.

'Dat weten we omdat jij in je slaap praat,' voegde Upupa eraan toe. Hij hield een kan in zijn hand en zijn gezicht straalde welwillendheid uit. 'En dus hoef jij geen verslag meer uit te brengen van je leven...'

Bernabé zonk weg in een onbeschrijflijke geestesgesteldheid.

19

Vaticaanse Bibliotheek, 1753

'*Al månnd l'é una ghèbia ed måt!* Don Raimondo, neem me niet kwalijk, maar is dat gedoe met het geslacht van getallen normaal? Lijkt die Upupa u niet een beetje gek?' vroeg de paus, die zijn korte witte mantel afschudde.

Sansevero broedde op andere vragen die hij in zijn hoofd had. Maar die oude man met de witte pij had hij al eens gezien. Ja, in zijn visioen. Zelfs de naam Bernabé...

Benedictus XIV zag zijn afwezige blik en greep hem bij de arm.

'Prins,' herhaalde hij, 'is Upupa gek?'

'Nee, Heiligheid. Het gaat hier om hermetische filosofie. Die huist in een ander gebouw dan dat van het geloof. Nee, vooralsnog vertoont de oude wijze man geen tekenen van krankzinnigheid, als u zich daar zorgen om maakt,' antwoordde hij ernstig.

Al even ernstig reageerde de vrome man: 'Het zal wel. Maar God behoede ons voor de kabbala! Die zet ons steeds op het verkeerde been... Laten we die maar aan de rabbijnen overlaten.'

De Sangro glimlachte en likte met zijn tong langs zijn boventanden. 'Ik heb enorm te doen met de jonge De Grâce. De deur gewezen door zijn ouders en gedwongen om tien jaar in een klooster te leven. Vindt u ook niet?'

Benedictus, die op het punt leek te staan in te storten bij het lezen van de sombere depêche, schrok op: 'U hebt met hem te doen? Een jongeman in wie de wellust van Sodom al van kleins af aan is ontkiemd, roept geen enkele genegenheid op. Laten we hopen dat de broeders hem werkelijk hebben weten weg te houden bij die verderfelijke afgrond waar hij in gestort zou zijn!'

'Pontifex Maximus, uw onverzoenlijke oordeel verbaast me. U wilt toch niet beweren dat Bernabé op zijn tiende het verdrag over onthouding van Véranc de Gévaudan al had gelezen!' lachte De Sangro.

'U overdrijft weer eens, don Raimondo. Wees toch minder warrig en schaamteloos. Bewaar uw venijnigheid maar voor al die priesters die uw werken hebben bestempeld als ketterij!'

In werkelijkheid was de paus, hoe oud hij ook was, helemaal niet de vleesgeworden figuur van de oude, gebogen man, oftewel het verval van het leven. Door zijn welbespraaktheid en zijn nog jonge geest was hij een goede schipper op de Pietersboot en prima opgewassen tegen de turbulentie van Sansevero. Per slot van rekening had hij hem uitgenodigd. Júíst vanwege zijn kwaliteiten, vermengd met het soort onbeheerstheid waardoor hij beroemd was geworden en die hem de bijnaam 'de orkaan' had bezorgd. Dus terwijl hij zijn gedachten afwoog, spoorde hij hem aan: 'Kom prins, lees. Help ons te ontdekken wie de doodgraver is die zich in Clisson heeft verstopt.'

Bovenal wordt de oude Upupa, die in zijn luxueuze en toch mysterieuze onderkomen onderdak verleent aan de leden van de Broederschap, beschermd door de heer van ons dorp, de machtige hertog van Rohan-Soubise... Over hem ben ik toevallig iets aan de weet gekomen in verband met een oude schuldkwestie, opgehangen doden en een zeker schilderij...

20

Clisson, 1751

Het onderkomen van Upupa, met zijn bloedrode muren en zijn witte dak, leek heimelijk en stil. Een oud gebouw, blijkbaar verbouwd volgens de zonderlinge smaak van de eigenaar. De ruiten van de tweelingvensters weerspiegelden de groene wijngaarden en de tuin, waarin onbekende heesters pal naast rododendrons waren geplant en de seringen zij aan zij naast een beuk stonden. Hier en daar fungeerden meidoornstruiken als stille wachters. Een verzameling gratie en schoonheid, soldateske discipline en wijs isolement.

De notenhouten deur met de dubbele deurklopper stond wagenwijd open. Bernabé bleef op de drempel staan, met Upupa aan zijn zij, en bekeek het voorhof met de mozaïekvloer. Het stelde een enorme dobbelsteen voor, die hem net een hallucinatie toescheen. Hij liep er langzaam naartoe, maar zijn voetstappen weerklonken op de vloer en echoden tegen het plafond. Dat geluid bezorgde hem bijna een schuldgevoel, zoals hem in het klooster soms ook was overkomen. Hij kwam uit in een kamer met cassetteplafond, met donkere wandpanelen en zware gordijnen. In een hoek stonden twee elegante stoelen met handgeborduurde bekleding. De volgende ruimte, die groter was, was tot aan het plafond toe gevuld met boeken; doordrenkt met die geur van antieke dingen waar een man alleen de hele dag van zou genieten.

Bergère-fauteuils met een rechte rug en dichte armleuningen stonden voor een open haard en droegen bij aan dezelfde sfeer als die van de boeken met hun schimmellucht. De geur van een stille kerk waar geen diensten worden gehouden en die uitnodigt tot rust en meditatie. De jongeman keek discreet naar rechts en naar links en zag nu eens een middeleeuws harnas aan de muur hangen en dan weer gobelins, die echt een fixatie moesten zijn van de rijke heer des huizes. Hij liep een kleine gang door, waarbij zijn voetstappen werden gedempt door een dik tapijt, en bevond zich toen voor twee smalle trappen. Hij nam de trap die omhoog leidde en kwam uit op de overloop. Daar bevonden zich achter zes eikenhouten deuren even zovele kamers: in elk ervan leken twee bedden met rode baldakijnen te wachten op onzichtbare gasten. Jong en ontspoord, net als hij en Urbain?

Toen ging hij naar binnen in wat de kamer van de meester moest zijn. Na een vlugge blik op de bidstoel die dienstdeed als nachtkastje, bleef hij voor een bijzondere, diagonaal geweven gobelin staan, die boven een met verguld brons ingelegde secretaire hing. Onder het heraldische, hemelse behang lag een immens afgehakt Merovingisch hoofd op een schaal: het was onder een verguld schild gezet en ingelegd met meer dan vijftig mahoniekleurige 'Jacinto de Compostela' kwartsstenen. Bij het zien ervan liepen de rillingen hem over de rug. Uit de afschuwelijke compositie die de kunstenaar gemaakt had, lekte bloed en het leek bijna of er een vloek door werd uitgesproken.

Upupa, die bij hem was, legde een hand op zijn schouder en zei: 'Bernabé, raak niet van streek en denk na! Zijn er in kerken niet veel ergere dingen te zien? Denk maar aan het schilderij van de Kruisiging, waarop het menselijk lijden van het doek spat, handen en voeten aan het hout zijn gespijkerd, een borstkas bloederig wordt opengereten door de lans van Longinus...'

'U hebt gelijk, meester,' mompelde de jongeling, die het zweet van zijn voorhoofd wiste. 'U hebt gelijk. Maar ik begrijp de betekenis niet, net zomin als die van het ingeweven kasteel...'

'O ja, ja. Dat hangt in jouw kamer. Wie weet, misschien, op een dag, wellicht...' zei hij vaag en nodigde De Grâce uit om naar de begane grond te gaan. Toen hij aanstalten maakte om de trap naar het souterrain af te dalen, zei de oude man op vreemde toon: 'Hier is de kelderverdieping, waar het laboratorium voor de alchemistische praktijken zich bevindt. Er zijn daar smeltkroezen, een oven, distilleerkolven, alambieken, spiraalbuisjes en andere voorwerpen; het heeft geen zin je die te laten zien.'

Bernabé voelde de dieper liggende betekenis achter die woorden aan: de meester dacht dat hij nog niet opgewassen was tegen de grote mysteries die in het huis schuilgingen. Toen vroeg hij, bijna met de nieuwsgierigheid van een schooljongen: 'Mag ik dan tenminste de bibliotheek zien?'

'Natuurlijk! Maar je zult zien dat het een labyrint vol onbegrijpelijke zaken is.'

Een museum, die bibliotheek... Tegenover een schitterende, met blauwe stof beklede canapé stond een prachtig spinet. Bernabés ogen gleden over de titels van een aantal boeken: *Satyricon* van Petronius Arbiter, *De cultu foeminarum* van Tertullianus, *Psychomachia* van Prudentius, *Eucharisticon* van Paulinus van Pella...

Op een andere plank stonden lastigere titels. *De samenspreking der vogels* van Farid Ud-Din Attar, *Vexilla Regis* van Fortunatus, *Hortulus* van Walafried Strabo, *De viribus herbarum* van Macer Floridus, *Mutus Liber* van Altus, *De occulta philosophia* van Agrippa, *Rosarium Philosophorum* van een onbekende schrijver, *Liber de nimphis, sylphis, pygmaeis et salamandris* van Paracelsus, *Liber supra lapide philosophico* van Thomas van Aquino...

Hier hield Bernabé op, omdat hij op morbide wijze werd gefascineerd door een horizontaal, geheel zwart deurtje ergens tussen de kasten, met de sleutel erin. Hij draaide hem zonder aarzelen om, waardoor de klep omlaag kwam. Hij zag nog net enkele vreemde boeken voordat de meester voor hem ging staan, zijn blauwe ogen in Bernabés zwarte priemde en hem de mantel uitveegde met een stem die verrassend snel van toon wisselde: van monotoon naar bars, onverhoeds.

'Pas op, Bernabé! In deze zeven boeken ligt alle kennis besloten, en die is niet voor iedereen bedoeld. Daar getuigen hun omslagen wel van.'

'Ik zie het,' zei zijn gast, die bang werd van de ogen die hem niet loslieten. 'Ze zijn niet gemaakt van perkament of boomschors, maar van metalen platen.'

'Inderdaad! Tin, ijzer, goud, koper, zilver... De voorlaatste tekst is echter gemaakt van transparante kristallen platen, waarin druppels kwik zijn geperst. Maar dit laatste deel hier,' en hij liet het hem heel voorzichtig zien, 'is gemaakt van lood en wordt afgesloten met een hangslot.'

Op het omslag las De Grâce snel het raadselachtige vraagstuk: QUIS EST MATER QUAE PARIT FILIUM QUI PARIT MATREM EAM NECANDO? Wie is de moeder die de zoon baart die de moeder baart door haar te doden? Toen zag hij hoe origineel het slotje was, dat vermomd was als horloge en waarop de wijzers van de uren en de minuten handmatig moesten worden verzet.

'Je moet de sleutel kennen om het te kunnen openen,' benadrukte Upupa voldaan. 'Dat heb ik bedacht: er zijn wel tweehonderdachtentachtig combinaties mogelijk. Het horloge geeft de tijd in het algemeen weer. In dit geval de onbepaalde tijd die de leerling die het verdient nodig heeft om achter de in het boek verborgen geheimen te komen.'

'Maar is het dan echt zo gevaarlijk dat er zulke voorzorgsmaatregelen getroffen moeten worden, meester Upupa?' vroeg de jongeman.

'Uiterst gevaarlijk, jongen. Dit boek bevat de verwoestende demon van het lood. Zijn naam is Antimimos en hij kan iemand tot waanzin drijven...'

Weer voelde Bernabé zich een stommeling, want zijn gulle gastheer had zijn woorden met zorg gekozen, om daarna het effect ervan op zijn gezicht te bestuderen.

21

Na de begrafenis van Perrine Martin was Upupa nog steeds met stomheid geslagen. Hij kon dat afgeslachte lichaam (niet het werk van barbaren, maar uitgevoerd volgens een ingewikkeld moordschema) niet rijmen met de kinderlijke geest van de koster. Een onmogelijke combinatie; de veel te simplistische conclusies van de burgemeester waren onlogisch en bizar.

Die afwegingen hadden hem er onmiddellijk toe gedreven om schriftelijk contact op te nemen met Charles de Soubise, de hertog van Rouen. Deze intieme vriend van de koning had tijdig ingegrepen en de informatie van onderafgevaardigde Badeau naar zich toe getrokken, waarna hij deze bij de intendant van justitie van Bretagne had neergelegd. Bovendien had hij een stokje gestoken voor het appel bij het tribunaal van de hoge raad, dat voor de rechtbank in Nantes zou dienen. Op die manier werd het proces in de kiem gesmoord, evenals de hoogstwaarschijnlijke terdoodveroordeling van de arme Hilarion Thenau – een opschorting voor onbepaalde tijd, in de hoop dat de zaak vroeg of laat heropend zou worden na het vinden van de ware schuldige. In ruil zou Upupa de kost en inwoning van Hilarion tijdens diens detentie voor zijn rekening nemen. Volgens de wet kwamen die kosten namelijk op het bord van de gevangene terecht. Meer had hij er niet uit kunnen halen. Maar hij vond het allang best.

Ondertussen ging de wijze man door met zijn onderricht aan Urbain. Op een dag nam Upupa hem mee naar het 'Feniksnest'. Dat eivormige gebouw had hij zelf laten bouwen op het heuveltje op enkele tientallen meters van het huis. Onderweg had Bernabé zich te paard bij Upupa en Boutier gevoegd. Hij werd prompt door de meester tegengehouden.

'Nee, jongen. Deze plek is absoluut verboden voor jou. Denk ervan wat je wilt, gebruik je fantasie, maar blijf hier ver uit de buurt. Ga nu maar even in de velden wandelen.'

De jongen trok een lip op, knikte instemmend, trok aan de teugels en maakte rechtsomkeert.

22

Het gebouw leek een ovale, verhoogde crypte, goed beschermd door zijn stevige smeedijzeren hek. Upupa, die zich in een kleine rotsspleet wrong, pakte aan de linkerkant een metalen doosje. Nadat hij het deksel had opgetild, haalde hij er drie sleutels uit. Boutiers hart ging tekeer, want de leerling was bang dat hij op een moeilijk te verdragen mysterie zou stuiten.

De oude wijze stak een sleutel in het slot en opende de eerste vier grendels van het hek, die zachtjes knarsten in hun beugels. Toen hij ze allemaal had opengemaakt, begreep Boutier waar de twaalf grendels voor dienden: als bescherming. Om indringers, of zoals de meester vaak zei: onbevoegden, te weren. Nadat Upupa de eerste paar stappen in die in nevelen gehulde ruimte had gezet, wachtte Urbain een nog grotere verrassing: hij zag het gewelf van het gebouw opengaan en het zonlicht fel op een afschuwelijk, maar tegelijkertijd fascinerend beeldhouwwerk schijnen. Een wezen dat was ontsproten aan de meest fantasierijke of perverse menselijke geest. Gestut door gouddraden van verschillende grootte, kwam er een skelet van een ondefinieerbaar schepsel met drie benen tevoorschijn.

'Niet bang zijn!' stelde de meester hem stralend gerust. Zijn stem weerklonk door de lucht en zweefde de hoogte in. 'Als je de passies die je opslokken de baas kunt blijven, als je het smachtende vlees weet te beheersen, zul je erin slagen het geheim en de verborgen betekenis van deze allegorische sculptuur te doorgronden. Ik wilde het vervaardigen met zijde van gouddraad en gekleurde was.'

'Waarom ben je zo blij, meester? Is het een van je eigen creaties? Heb jij het gemaakt?'

'Ja, grotendeels wel. Maar kijk goed, jongen. En vertel me wat je kunt onderscheiden.'

'Ik zie twee menselijke lichamen die verenigd zijn in een kus, met drie benen. Het linker is van een vrouw, met de welving van haar borsten en opgerichte tepels. Maar toch... toch... hoe is dat mogelijk? Ik zie dat ze ook een penis heeft...'

'Niet ophouden, ga door.'

'Rechts zie ik de man, die zijn linkerarm om haar schouders heeft gelegd. Maar hij, hij heeft geen mannelijk geslachtsorgaan... maar een vulva!'

'Goed, mijn beste Urbain, dit is nu het zinnebeeld van een hermafrodiet. Dit is het androgyne, het kwik, de Rebis. Dit is de belangrijkste materie voor ons alchemisten, maar ook de bekroning van het Grote Werk.'

'Dus als jij het hebt over zwavel, kwik en zout, mannelijk en vrouwelijk, en je me uitnodigt om die in mijn geest met elkaar te vermengen, dan zinspeel je altijd op dit beeld?'

'Jazeker, zo is het.'

'Hoe heb je het gemaakt?'

'Met mijn hele individuele geest, het vitale principe en... met behulp van deskundige vrienden,' besloot Upupa.

Het hoofd van de Vogels liep met een geconcentreerd, plechtig, bijna voornaam gezicht naar de achterkant van het beeld. Hij maakte een luikje open en was druk in de weer met een minuscuul tangetje. Er kwam iets in beweging, wat bij de dubbele mechanische gestalte indrukwekkende schommelbewegingen teweegbracht. Uit de vloer klonk orgelmuziek. Mysterieuze klanken, als de getijden, drongen door tot diep in de geest en werden overspoeld door opeenvolgende golven. Aangedreven door de bewegingskracht van sifons en katrollen, en tot bedaren gebracht door tegenwichten en spiralen, danste het vreemde schepsel dat door de alchemisten werd aanbeden.

Plotseling daalde er vanuit een blok steen, dat in de lucht hing aan een stang die aan weerszijden aan de muur was bevestigd, een gouden gewaad af, dat het lichaam als een kostbare lijkwade omhulde. Tot slot viel het kostbare kleed, dat zichzelf oprolde, op bijna magische wijze op de grond. Aan de voeten van de man-vrouw nam het de vorm van een slang aan, kronkelde tot hij zichzelf in zijn staart beet, en vormde een volmaakte cirkel die wervelend ronddraaide.

'De *ouroboros*, de cirkel van het leven!' riep Urbain als in trance uit en hij klapte in zijn handen. 'De cyclus van vuur, lucht, aarde en water, waarin alles van één uitgaat en weer in één terugkeert, om te sterven en opnieuw geboren te worden, zoals de feniks.'

'En wat wil dat zeggen?'

'Dat de hermafrodiet twee in één is!'

'In essentie is de hermafrodiet drieledig. Maar wat je gezegd hebt, is nog niet alles. Je moet ook de betekenis ervan doorgronden, wanneer je bedenkt dat die zich in de blaadjes van de roos, de goddelijke bloem, bevindt.'

Urbain Boutier voelde dat hem nog andere mysteries zouden worden onthuld. Daarom vroeg hij, ietwat weifelend omdat de vraag hem al tijden kwelde: 'Meester, ga je me ook uitleggen hoe je goud maakt met de steen der wijzen?'

'Als de tijd rijp is, op de juiste plek,' antwoordde Upupa droog en keek hem doordringend aan. 'En als je het waard bent,' voegde hij er met gesloten ogen aan toe.

23

Woedend mopperde Bernabé de Grâce, zittend op zijn paard, bij zichzelf: 'Upupa heeft me weggejaagd. Hij heeft zich met Urbain teruggetrokken in dat geheime gebouw en wie weet wat voor absurde mysteries hij daar onthult.'

Hij sloeg de kronkelende, nauwe en slecht onderhouden weg voor hem in. Om een lange tak te ontwijken, moest hij zijn hoofd buigen. Het heimelijke, geniepige struikgewas, donker en overheersend, leek lange vingers te hebben die er klaar voor waren hem te krabben. De bomen leunden tegen elkaar, hun takken verstrengeld in vreemde omhelzingen, en vormden op een bepaald punt een gewelf boven zijn hoofd, als een boog in een ontheiligde kerk. Her en der verspreid in die woeste natuur stonden hem onbekende struiken, als skeletachtige klauwen.

Verderop, nu eens naar rechts buigend en dan weer naar links, soms naar het oosten en soms naar het westen, slingerde een pad, een miezerig restant van wat ooit een uitnodigende laan moest zijn geweest. Daar stond, voor een omgevallen boomstam, die deels aan het oog was onttrokken in een grote modderpoel die was blijven liggen na de regen van de afgelopen tijd, een man te paard. Zowel de man als zijn rijdier droeg een inktzwarte uitdossing.

Bernabé bleef staan. Zijn hart bonkte in zijn keel en zijn ogen brandden van nog niet vergoten tranen. Stel dat die man de moordenaar van die arme Perrine Martin was? Het was een oude, aftandse man, wiens gezicht door zijn uitstekende jukbeenderen en grote, ingevallen ogen net een doodshoofd leek. Hij had witte plukjes haar; sommige waren lang en hingen over zijn voorhoofd, andere waren kort en groeiden op zijn schrale wangen en op zijn kin. Een perkamentkleurig doodshoofd dat op een opgesmukt skelet was gezet.

De man kwam op Bernabé af, richtte zijn wijsvinger op hem en beet hem, terwijl hij zijn lippen vertrok van verachting, met een keelstem toe: 'Arme sukkel, je weet niets van het leven! Zeg maar tegen je baas, Upupa, dat ik, Gilles Francesco Maria Prelati, nog steeds wacht op die genadige daad van hem, waar ik hem al tijden geleden om gevraagd heb.' Wrang benadrukte hij het woord 'genadige'.

Bernabé wist niet wat hij moest doen of zeggen. Die archaïsche woorden, die zo geringschattend waren uitgesproken, leken hem verboden woorden. Woorden die de onbekende al heel lang in zijn hoofd had, totdat hij zich niet meer had kunnen inhouden.

De omfloerste ogen bleven op de jongen gericht en keken hem aan met een opmerkelijke mengeling van medelijden en minachting. Of was het kwaadaardigheid?

Bernabé speelde met de teugels en gaf duidelijk blijk van de angst en achterdocht die deze doodskopfiguur hem aanjoeg. Toen voegde de man eraan toe: 'Denk aan die daad van genade. Let op, jongen! Ik verwacht je hulp! In ruil kan ik je wat vertellen over de moord die gepleegd is...'

Nadat hij dat gezegd had, verdween hij. Opgeslokt door het sinistere bos.

Toen ze elkaar weer troffen, vertelde Bernabé Upupa wat er gebeurd was. Van zijn stuk gebracht, verbleekte de meester, en de rimpels op zijn gezicht leken dieper. Zijn antwoord klonk bruusk: 'Jongen, het zal wel een hallucinatie zijn geweest, een zintuiglijke illusie. Het dichte, sinistere bos kan lelijke grappen met je uithalen als je er niet vertrouwd mee bent. Ik ken deze meneer Prelati niet en heb ook nooit van hem gehoord. Dus maak je niet druk en ga even naar je kamer om uit te rusten.'

Later, toen hij met zijn handen in zijn nek op zijn bed lag, zag de jongen de bleekblauwe, waterige ogen van dat perkamentkleurige doodshoofd weer voor zich. Deemoedig vroeg hij zich af: ben *ík* soms degene die gek is?

24

Wie zou hem vanuit Clisson kunnen schrijven? Nieuwsgierig bekeek Charles de Rohan-Soubise de onverwachte missive die door een bediende op zijn bureau was gelegd, naast het gebruikelijke glaasje chartreuse dat hij 's middags altijd dronk.

> ... en voor die erkentelijkheid, waarvoor u mij uw erewoord als edelman hebt gegeven, vraag ik nu tastbaar bewijs. Helpt u me te voorkomen dat voornoemde Hilarion Thenau, koster in de kerk van de Drievuldigheid, tot de strop wordt veroordeeld, door hem tijdelijk te laten opnemen in de gevangenis van Clisson. Totdat ik de

ware schuldige heb gevonden. Kost en inwoning neem ik voor mijn rekening. Hoogachtend, uw Upupa.

Waarvoor was de edele heer van Clisson dankbaarheid verschuldigd aan het hoofd van de Broederschap van de Roos en de Vogels?

Vanwege zijn reputatie.

Achttien jaar eerder was de nog net geen twintigjarige Charles de Rohan-Soubise de wanhoop nabij geweest door een even tijdelijke als onverwachte financiële klap ten gevolge van zijn gokschulden. Hij had hulp kunnen vragen aan zijn grootvader, die prins, hertog en pair van Frankrijk was. Maar Hercule Mériadec de Rohan, sinds ruim zes jaar gezaghebbend kapitein-luitenant van de Garde, gouverneur en luitenant-generaal van Champagne en Brie, was een onkreukbaar man. Hoeveel hij ook van hem hield, hij zou de zwakheid van zijn kleinzoon nooit kunnen begrijpen en niet af kunnen wijken van zijn rechtlijnige moraal.

Charles slaagde erin uitstel voor zijn schuld te krijgen, terwijl hij erover peinsde hoe hij hem kon aflossen. Hij had lef en de juiste instelling, en bovendien kon hij het zich in zijn positie niet veroorloven een slappeling te zijn die door zijn crediteuren werd verpletterd en uitgewrongen.

Op een dag hoorde hij in een goktent iemand praten over de arrestatie van Gabriel Mondain, de dief die jarenlang in half Europa talloze juweliers en adellijke dames had bestolen zonder ooit gepakt te worden en wel, zo werd gezegd, voor een waarde van meer dan vijfduizend louis aan goud en edelstenen. Uiteindelijk werd de ongrijpbare Mondain gesnapt en nu werd hij in Nantes berecht.

Het proces had heel wat stof doen opwaaien vanwege de aanmatigende houding van Mondain, die voor de rechter de spot had gedreven met God en de mensen. Guy, de eigenaar van de goktent, had de slotzitting bijgewoond en vertelde Charles de Rohan over de dramatische afloop. Mondain, gekleed in een wijdvallend jasje dat vreemd contrasteerde met de verfijndheid die hij voorwendde, had zonder een spier te vertrekken de gruwelijke straf aangehoord die de rechter hem voorschreef voor zijn misdrijven, maar ook voor zijn onbeschofte gedrag tegenover het hof.

'Ik zou u moeten veroordelen tot onthoofding vanwege de edele houding die u beweert te hebben ten aanzien van de goede smaak. Al wordt dat wel gelogenstraft door het ouderwetse jasje dat u aanhebt... Ik zou u naar het rad moeten sturen, want het is een afgrijselijk misdrijf om de mooiste vrouwen van Frankrijk van hun juwelen te beroven en hen aan het huilen te maken. U drijft de spot met religie en daarom verdient u de brandstapel, en omdat u ons, vertegenwoordigers van de staat, in de maling hebt genomen, zou u gevierendeeld moeten worden...'

Na een lange, theatrale pauze had de rechter hem de klap toegediend.

'Maar u krijgt voor uw begerigheid de straf die u verdient, want ondanks uw maniertjes en uw gekunstelde uiterlijk bent u niet sluwer dan een plattelander. Daarom veroordeel ik u tot de strop, die eigenlijk is voorbehouden aan de boeren... en...'

Nog een pauze, nog een klap, in het verbijsterde geroezemoes van de kleine menigte die het proces volgde.

'En... we geven de beul opdracht niet de moeite te nemen u te begraven. Zo sturen we u naar de galg in de Rue de la Croix! Gegeven het feit dat u niet in de heilige religie gelooft en ook uw eigen verdorven geest niet veel waard acht, zijn we er zeker van dat u onze beslissing waardeert!'

Met een donkere, vuurspuwende blik was Gabriel Mondain, zonder nog loze woorden uit te kramen, roerloos blijven zitten totdat de bewakers hem hadden meegenomen.

Die verhalen en de figuur Mondain hadden de jonge hertog op het idee gebracht een dwaas project tot uitvoering te brengen: het bijwonen van de executie van de dief.

Het gerucht ging namelijk dat vele juwelen die Mondain gestolen had, ondanks de inspanningen van de gerechtelijk onderzoekers waren verdwenen. Misschien had hij ze al verhandeld, of misschien lag de buit nog ergens verborgen. O, als hij die schuilplaats toch eens zou kunnen ontdekken! Gedreven door weer een van zijn absurde, koppige overtuigingen, of door wanhoop, was Charles vastbesloten de hand te leggen op de buit, in de veronderstelling dat die weliswaar aan de aandacht van de politie was ontsnapt, maar dat hij hem met zijn onderzoekende blik vast wel zou kunnen vinden.

Daarvoor moest hij echter weg uit Parijs en onder valse voorwendselen naar Nantes gaan. Wie zou hem die voorwendselen beter kunnen verschaffen dan de koning? Tijdens een receptie aan het hof was Lodewijk xv heel vriendelijk tegen hem geweest. Charles kende zijn zwakke plekken en wist waar hij hem kon treffen. Dus had hij zich, toen het gesprek zoals gewoonlijk weer eens op eten kwam, laten ontvallen dat hij een fantastische kok had ontdekt in Nantes. Die bereidde werkelijk heel bijzondere oesters en sint-jakobsschelpen uit de baai van Quiberon, zei hij, afgeblust met een uitstekende droge, fruitige muscadet. De hertogin van Mailly, de grillige minnares van dat moment, sloeg haar handen al ineen, alsof die lekkernijen daar al op tafel stonden en ze absoluut alles wilde proeven. Daarop vroeg de vorst zijn vriend hem de gunst te bewijzen zo snel mogelijk naar Bretagne af te reizen en terug te komen met de chef, nadat hij op zijn naam de beste fruits de mer en witte wijn had gekocht. Aan een bevel van Lodewijk xv kun je je niet onttrekken. Dus vertrok hertog Charles voor zijn speciale missie.

25

Op woensdag arriveerde hij in Nantes.

De ophanging van de beruchte Mondain zou de volgende dag plaatsvinden. Charles de Soubise meldde zich bij de *lieutenant criminel* en vroeg hem of hij erbij aanwezig mocht zijn. De man voelde zich vereerd omdat hij een jonge aristocraat uit de hoofdstad van dienst kon zijn, en nog wel een vriend van de koning. Donderdag kwam de hertog op de plek van de executie in de Rue de la Croix. De Straat van het Kruis; zo hadden ze deze plek, de moderne lijdensweg van misdadigers en volksvijanden, gedoopt.

Eigenlijk werd de galg elke keer op een van de hoofdpleinen gezet. Zo boden de autoriteiten het massale, nieuwsgierige publiek de mogelijkheid het feest bij te wonen. Er werd gebouwd en gefeest vanwege de macht van de staat en de triomf van de menselijke gerechtigheid. Op dat moment kon het gebruikelijke podium, om redenen die te maken hadden met de openbare orde, echter niet op de gebruikelijke plaats worden opgebouwd. Voor de verhangingen was daarom een geïsoleerde plek uitgekozen, die slechts voor een beperkt aantal toeschouwers toegankelijk was en ver van het centrum lag, achter een politiegebouw dat op een put stond. Dat was misschien een oude, in onbruik geraakte Romeinse cisterne die door de smerissen op hun eigen wijze werd gebruikt en nu fungeerde als openbare begraafplaats. De veroordeelden werden naar de eerste verdieping van het gebouw gebracht en op een balkon gezet, waaraan drie planken in de muur verankerd waren. Nadat de strop om hun nek was gedaan, sprongen ze daarvan af in het luchtledige, zodat hun nekwervels braken. De snelle, schokkerige spasmen duurden ongeveer een minuut, waarna de zwaartekracht ervoor zorgde dat ze stikten: hun ogen puilden uit hun kassen...

Na deze doodsgreep werd het touw gewoon doorgesneden. De gehangenen vielen zo direct in de afgrond, boven op de andere veroordeelden die er 'begraven' lagen.

Op die donderdag, de zeventiende september 1733, werd ook Gabriel Mondain naar de Rue de la Croix vervoerd. Hij neuriede rustig voor zich uit, alsof hij daar toevallig moest zijn. Alsof de beul iemand anders moest doden in plaats van hem en drie andere schurken, die trilden en alle heiligen aanriepen. Charles stond daar in een hoekje van de galerij en zag hem voor zich uit lopen.

De stervende keek hem strak en indringend aan, bijna alsof hij hem een impliciet, samenzweerderig teken wilde geven. Soubise voelde hoe zijn nekharen overeind gingen staan. Het leek wel of Mondain hem had verwacht. Was dat mogelijk? Hij deed zijn uiterste best de geest van de dief te doorgronden om die laatste, zwijgende boodschap te begrijpen. Ja, het was zoals hij had gedacht... de verstopte gestolen waar van de boef was niet meer gevonden. En de veroordeelde zou zijn geheim meenemen in de put die gapend voor hem stond, onder het platform boven de leegte.

Een flits. Mondain deed plotseling een stap opzij. Hij gaf de beul een duw en ging, met zijn handen achter zijn rug gebonden, tegen de muur staan. Hij leek ten prooi te vallen aan een hevige angstaanval. Misschien was hij verlamd van duizeligheid en zocht hij bescherming bij de wand. Om niet omlaag te hoeven kijken, dacht Charles.

Maar intussen was de scherprechter bekomen van de verrassing en overmeesterde hij Mondain, waarna hij hem onschadelijk maakte. Hij controleerde de boeien om zijn polsen. Hij deed de strop om zijn hals. Hij duwde hem omlaag. Hij keek hoe het touw zich tot het uiterste straktrok en ging een andere veroordeelde halen.

De dief gaf geen kik. Terwijl hij in de lucht bungelde, reserveerde hij zijn laatste blik uitdagend voor de jonge Rohan-Soubise. Toen blies hij, hortend en stotend door het trillen en schokken, zijn laatste adem uit. Op dat moment sneed de beul het touw door en liet hem in het graf vallen.

Die nacht begon er zo'n typische septemberregen irritant en onophoudelijk op Nantes neer te kletteren. Stukje bij beetje werd de grafkuil van de veroordeelden gevuld met water, waardoor het avondmaal van de rattenfamilie die het werk van de beul afmaakte, werd onderbroken.

Een schaduw in een scharlakenrood pak met een driekante steek schuifelde voorzichtig rond in het gebouw in de Rue de la Croix en ging naar de bovenverdieping. Hij liep naar het strafbalkon, maar ontsnapte niet aan de aandacht van de dienstdoende cipier, die hem wantrouwend volgde.

Charles de Rohan-Soubise doorzocht de wanden van het balkon met een lantaarntje, op de plek waar Mondain ten prooi was gevallen aan angst. Met zijn hand voelde hij een steen met gaatjes erin en toen hij erop scheen, zag hij een strak opgerold stuk perkament. Hij pakte het, keek om zich heen en begon te lezen.

Een paar minuten later bevestigde hij een touw aan de balustrade en probeerde met enkele rukken of het stevig genoeg zat. Ten slotte nam hij een besluit en liet zich in de smerige put zakken, een poel des verderfs vol muizen, vergeven van de luizen en andere insecten. Op zijn knieën schond hij Mondains lijk. Hij trok het te wijde jasje uit, scheurde de voering, waarin een beschilderd doek en een rinkelend zakje genaaid zaten, en eigende zich beide met een snelle beweging toe. Geen idee hoe die de onderzoekers waren ontgaan...

Op dat moment hoorde de jonge hertog de cipier lachen en draaide zich abrupt om.

'Dus zo verrijken bepaalde edellieden zich over de rug van arme duvels en misdadigers! Dus daarom heeft Gabriel Mondain de juwelen bij zich gehouden! Om ze niet aan u te hoeven geven...'

'Dat is niet waar,' interrumpeerde Charles hem bang. 'Ik kan het uitleggen...'

De snuiter stond waarschijnlijk op het punt hem te beledigen, toen een andere stem zich ermee bemoeide. 'Jongens, vrede zij met jullie.'

Degene die sprak, was een monnik in een wit habijt, dat helemaal onder de modder zat omdat hij in de diepte was afgedaald.

'Wie bent u?' schreeuwde de cipier boos.

'Broeder Upupa. Ik heb de veroordeelde een paar dagen geleden de biecht afgenomen. En als ik me niet vergis, hebt u zelf de gevangenisdeur voor me opengemaakt. Maar u was een beetje dronken, net als nu.'

'Ik herinner het me nog goed, eerwaarde,' bromde de ander. 'Maar wat doet u ook hier, bij deze fraaie nachtelijke bijeenkomst van doodgravers?'

'Ik heb de wilsbeschikking van de schuldige doorgegeven aan de hertog van Rohan, die hier aanwezig is. Hij is nu bezig de edelstenen te pakken, die gebruikt zullen worden voor het stichten van een nieuw klooster voor mijn orde.'

De broeder doorkliefde de lucht met zijn handen om de zegen te geven en pakte toen het zakje uit de handen van de edelman, waarna hij het in zijn pij liet verdwijnen. Vervolgens klommen ze alle drie moeizaam omhoog naar de rand van de put.

De cipier mocht dan lomp zijn, hij was wel godvrezend en werd bang door de resolute uitspraken van de monnik. Daarom bood hij de edelman zijn excuses aan en kuste de hand van de vrome man, waarna hij zich terugtrok.

Charles de Rohan-Soubise wist, met benen die wiebelden alsof er met touwtjes aan werd getrokken en een koude buik die in een ijzige greep werd gehouden, hijgend en zwakjes uit te brengen: 'Dank u wel, u bent door God gezonden, frater Upupa!'

'Ik ben geen frater,' antwoordde de man in de witte pij. 'En het was niet God die me gezonden heeft, maar uw grootvader, bij wie de familie-eer hoog in het vaandel staat.'

De ander trok wit weg. 'Dus hij weet alles...'

'Ook dat u regelmatig een bezoek brengt aan mensen die slecht bekendstaan, zoals die Guy van wie u de ophanging van Gabriel Mondain mocht bijwonen. Ik geef u de juwelen terug. Het zou voor iedereen moeilijk zijn de herkomst te achterhalen en de rechtmatige eigenaars op te sporen. Hier is voldoende geld om uw schulden te vereffenen. Maar vertel eens: hoe bent u achter de schuilplaats van die kostbaarheden gekomen?'

'Ik heb dit raadsel opgelost, dat de veroordeelde zelf heeft gemaakt. Het lijkt erop dat hij redelijk ontwikkeld was, buiten het feit dat hij wel van een uitdaging hield,' antwoordde Soubise en overhandigde hem het opgerolde stukje perkament.

Upupa rolde het bij het licht van zijn lantaarn uit, wierp er een blik op en las zachtjes voor:

Toen het vuur bewaakt werd
richtten hun haren zich op als slangen.
Hij predikte te veel en werd levend verbrand
zodat hij in plaats van zoiets een kabouter werd.
Levend daalde hij voor de liefde af naar de onderwereld.
en werd de eerste drinkebroer op aarde.

'Ziet u, mijnheer,' verklaarde de jonge edelman, 'ik ben dol op raadsels, maar heb alleen de eerste regel geïnterpreteerd. Voor de rest begreep ik er niks van... Het is een onsamenhangend geheel, dat rijmpje...'

'Verzen, geen gedicht,' weerlegde Upupa. 'Dus uit de eerste versregel hebt u Vesta gehaald, dat u hebt herleid tot "vest", en daaruit leidde u weer af dat de buit in het jasje verborgen zat. Dat kwam goed uit. De geschiedenis van het maken van raadsels is zo oud als de wereld. Plutarchus en Gellius maakten er al gebruik van... De sleutel hier is het bekijken van elke regel op zich, want de bedenker heeft net gedaan alsof er sprake was van een logische opeenvolging. Hij probeerde de lezer tot het einde toe in de maling te nemen. Maar luistert u nu eens naar me: *Toen het vuur bewaakt werd*... Aan welke godin uit de oudheid werd het heilige vuur toegedicht?'

'Aan Vesta,' antwoordde de hertog prompt.

'Omdat ik denk dat we te maken hebben met een acrostichon, neem ik de eerste letter van elk antwoord. In dit geval de v. Als hij schrijft: *richtten hun haren zich op als slangen*, verwijst hij naar de Erinyen, dus de e. *Hij predikte te veel en werd levend verbrand*, daarmee doelt hij op Savonarola, dus de s. *Zodat hij in plaats van zoiets een kabouter werd*: het tegenovergestelde van een kabouter is een reus, of een Titaan. Dat is de t. *Levend daalde hij voor de liefde af naar de onderwereld*, dat is Orpheus, die zijn geliefde Eurydice ging halen, dus zetten we daar de o. *En werd de eerste drinkebroer op aarde*, dat is Noach, de n. Dan krijgen we uiteindelijk dus *veston*, jasje. Ik zei het al, u hebt geluk gehad, hertog!'

De edelman stak allebei zijn handen uit alsof hij ze tegen Upupa's borst wilde drukken, en zei: 'Dubbel geluk zelfs! Ik sta bij u in het krijt voor het redden van mijn reputatie. U hebt me uit een vreselijk beschamende en zeer compromitterende situatie gehaald.' Toen slaakte hij een diepe zucht. 'Vertel me, hoe kan ik u mijn erkentelijkheid betonen, mijn vriend? Mag ik weten wie u werkelijk bent?'

'Ik ben alchemist, filantroop, een beetje wijs en volgens velen gek. Ik werk in Clisson en ben van plan een broederschap op te richten om de kunst van de alchemie te beoefenen. Ik vertrouw erop dat hertog Charles de Rohan-Soubise me, mocht ik ooit in moeilijkheden verkeren, een touw zal toewerpen om me uit de afgrond te trekken. En me geen strop om de hals zal doen om me in die vervloekte put te gooien.'

'U staat onder mijn bescherming. Maar neem als bezegeling van deze nieuwe vriendschap dan toch minstens het schilderij aan. Dat heb ik in hetzelfde jasje gevonden. Ik weet niet wat erop staat. Maar ik neem aan dat een erudiet man als u er wel belangstelling voor heeft, ongeacht wie het gemaakt heeft.'

De alchemist bekeek het doek, dat Nederlands leek, en was verbijsterd. Want het schilderij, dat een evangelisch tafereel uitbeeldde, bevatte geheime boodschappen die bijna de grenzen van het denken overschreden. Het steeg hem naar het hoofd, als een te sterke eau de vie, en het kostte hem moeite zich uit die plotselinge morbide staat los te rukken, maar uiteindelijk aanvaardde hij het.

Nu, achttien jaar later, vroeg de wijze Upupa hem om hulp. De hertog beschouwde de belofte niet als een onvermijdelijke eer, maar erkende haar wel. En hij bewees Upupa die eer door alle pionnen te verplaatsen, opdat koster Hilarion Thenau in de kerkers van het kasteel van Clisson zou blijven, onder zijn jurisdictie.

26

Vaticaanse Bibliotheek, 1753

'Staart van Lucifer!'

Raimondo de Sangro fronste zijn voorhoofd. 'De hertog van Rohan... Misschien was zijn grootvader een vriend van de mijne. Ja, volgens mij is dat echt zo...'

De paus keek peinzend.

'Het zijn niet allen monniken die kappen dragen, dat is waar. Maar een alchemist die zich voordoet als frater om een zwakkeling te hulp te snellen die in de ban is van de gokdemonen...'

'De eer, Heiligheid. U moet begrijpen dat de aristocratie reputatie als iets fundamenteels beschouwt. Maar het gaat hier om iets ergers dan een vermomming met goede bedoelingen. Hier,' en hij wees naar de verkreukelde bladzijden, 'sijpelt menselijk bloed uit!'

De ander leek hem niet gehoord te hebben.

'Ach, *śnichèt*! Om een gokker uit de gevangenis te houden,' vervolgde hij geïrriteerd, 'besmeurt hij een gewaad van God! Wat vreselijk om dat te horen!'

Geërgerd door de interruptie slaakte de prins een zucht.

'Goed, Heilige Vader, ik deel uw afkeuring ten aanzien van het kansspel. Maar met alle respect, als het spel zo'n duivelse bezigheid is, waarom heeft dan ook de stad van de paus een eigen lottotrekking? Waarom worden er in Rome dan elke week weer vijf getallen getrokken? Het lijkt erop dat ook u mensen in de verleiding brengt...'

Om niet te hoeven antwoorden stak de paus een snoepje in zijn mond. Enkele ogenblikken daalde er een ongemakkelijke stilte op de bibliotheek neer.

Sansevero krabde aan zijn kin en voegde er, na een snelle blik op de andere pagina's van de depêche, aan toe: 'Kijk, verderop wordt het interessant. We komen bij alchemielessen terecht. Het zou wel eens nuttig kunnen zijn om te kijken hoe correct die zijn.'

'Een kolfje naar uw hand, duivelse prins!'

'En trouwens,' vroeg don Raimondo, terwijl hij zijn wijsvinger in zijn pruik stak, 'u herinnert zich toch wel dat Rohan dat Nederlandse schilderij aan Upupa schonk?'

'Wat is daarmee?'

'Als mijn intuïtie me niet bedriegt, hebben we hier te maken met een schilderij dat niet alleen enkele katholieke dogma's aanpakt, maar dat ook de doodsklokken luidt...'

Zijne Heiligheid keek verbluft. Hij herstelde zich en merkte op: 'Hoe komt u erbij dat dit schilderij, dat niet met naam genoemd wordt, het katholicisme aantast en – als we uw woorden goed geïnterpreteerd hebben – tot de dood leidt?'

De prins bracht zijn jabot in orde, ging staan en verklaarde op hoogdravende toon: 'In de zestiende eeuw durfde een schilder uit de Nederlanden de hallucinaties die hij door verdovende middelen kreeg, op het doek over te brengen, Heilige Vader. Hij werd door de Kerk vervolgd en van ketterij beschuldigd. Hij koppelde mysticisme aan esoterische openbaringen, die in handen waren van de tempeliers.'

De oude paus rilde en tilde, ten teken van moedeloosheid, zijn kalot op. '*Azidóll!* Weer die tempeliers! Sterft de kwade geest dan nooit, don Raimondo? Zelfs niet op de brandstapel?'

'Heiligheid, doet u het. Hier, in deze overdadige bibliotheek of misschien in de geheime archieven, bewaart u de stukken van het proces waarin hij tot het vuur veroordeeld is. Dus wat waren de onbekende mysteries van die orde? Gaat u, een geleerd man die op de hoogte is van geheime zaken, dan echt voorbij aan de waarheid?'

Verstoord door de insinuerende, doelgerichte vraag liet de stedehouder van Christus een indringende stilte vallen alvorens te antwoorden: 'Prins, soms is blindheid een onmisbaar wapen. Die vertegenwoordigt het onderaardse, waar de stenen rusten die verankerd zijn aan het verzegelde verleden. Op wacht staat Medusa. Wee degene die haar aankijkt...'

Toen liep er een rilling over zijn rug en hij vervolgde: 'Want niet alle ware dingen zijn de waarheid, Sansevero. Het is de waarheid die waar lijkt volgens menselijke maatstaven, en die hoeft niet de voorkeur te krijgen boven de werkelijke waarheid: de waarheid die in harmonie is met het geloof.'

'Vergeef me. Misschien overdrijf ik en ben ik de weg kwijt. U moet begrijpen, zeer heilige Vader, dat u degene bent die me aanspoort om dieper te graven. En de zaak die in de depêche beschreven wordt, riekt naar verbrande tempeliers. Om die reden,' en hij sprong weer overeind, met gespreide handen en gefronste wenkbrauwen, 'zie ik mijn aanwezigheid als storend voor uw onfeilbaarheid. Ik ben het niet waard...'

'Sansevero, handel naar wat hetgeen u leest u ingeeft. Maar verwacht niet van ons dat we grendels openen die inmiddels al in hun sponningen liggen te roesten. U bent hier ontboden om kennis te nemen van de schanddaden waarvan Clisson slachtoffer is. Lees de feiten die hier beschreven worden en ga daarna naar dat stukje Frankrijk, waar iemand ten prooi is gevallen aan de roes van het moorden...'

Het is nu eenmaal zo, er zijn mensen – zoals burgemeester Badeau – die geloven dat alle wanorde voortkomt uit geheime wetenschappen... En als alchemie echt werkt, waarom dan de leerling van de meester, Urbain Boutier...

27

Clisson, 1751

Urbain en Bernabé zaten in de keuken. Tijdens de lunch, die uitstekend was en bestond uit smakelijk voedsel, zochten ze elkaars blik, op zoek naar een teken van emotie. De ontoeschietelijkheid stond op hun gezicht gedrukt. Upupa deed de tafel geen eer aan en proefde nauwelijks van het eten, alsof hij er alleen uit beleefdheid bij zat. Aan het eind van de maaltijd stond hij op, gevolgd door Boutier.

'Wat gaan jullie doen?' vroeg De Grâce.

'Excuseer ons, maar we hebben iets te doen waar jij niet bij kunt zijn,' zei Upupa resoluut. 'Lees wat boeken die je kunt begrijpen, ga naar buiten, de tuin in... maar stoor ons niet.'

'Gaan jullie naar het souterrain, waar het laboratorium is?'

Zonder te antwoorden draaide het tweetal zich om en wandelde zwaar klossend weg. Het geluid echode zo angstaanjagend na in de rustige kamer, dat Bernabé gealarmeerd om zich heen keek.

Upupa en Urbain verdwenen achter een blauwdamasten gordijn. Bernabé besloot hen door een gaatje in de stof te begluren. Eerst bespiedde hij hen helemaal voorovergebogen, daarna met gestrekte hals, als een paard dat om een hoekje van de staldeur kijkt. Hij zag Upupa met gemak een dunne gipstegel opzijduwen, die om zijn as draaide, een iriserend gouden stralenkrans afvuurde en vervolgens de witte muur wijd open deed gaan. En hij zag een zacht, blauwachtig schijnsel, dat afkomstig was van een vreemde constructie, bestaand uit een distilleerkolf en een smeltoven.

Hun stemmen klonken ver weg, maar waren duidelijk hoorbaar.

'Uitgaande van wat je tot nu toe hebt geleerd, Urbain, wat zou dit dan zijn?'

'De *athanor*, de plek waar alle componenten, het kwik, de zwavel en het zout, hun oorsprong hebben. Daar ontwikkelen ze zich dankzij het vuur. De oven staat voor het menselijk lichaam. Dat blijkt ook uit het feit dat hij de vorm heeft van een ei, waaruit "onze zoon" geboren moet worden, de *filius philosophorum*, de alchemistenzoon.'

'Op dit tafeltje vind je mineralen en metalen. Vertel me wat hun geslacht is.'

'Natuurlijk.' Urbain pakte een gelige steen. 'Dit is zwavel en die is mannelijk. Hier is het kwik,' en hij tilde een kannetje met vloeibaar zilver op. 'Dat is aanvankelijk vrouwelijk omdat het zo vluchtig is. Wanneer het wordt vermengd met zwavel wordt het androgyn; uit die verbintenis verkrijgen we het zout', en hij greep een groot stuk steenzout.

Verbijsterd zei de jonge De Grâce met opeengeklemde tanden bij zichzelf: weer dat geslacht, nu van mineralen en metalen. Er moet toch iets van waarheid schuilen in deze hele absurde zaak. Ik wil weten hoe het zit... En hij hield zijn adem in om het beter te kunnen horen.

'Het ei,' vervolgde Boutier, 'bestaat uit het eigeel, het eiwit en de schaal, die alles bevat. Dus als de pot vergelijkbaar is met het ei, waar het kuikentje uit komt, dan kan de alchemistische pot vergeleken worden met de baarmoeder. Daarom zijn vrouwen, meester, net zoals de pot.'

'Dus als de alchemist erin is geslaagd het Grote Werk te voltooien, wat heeft hij dan veroverd?'

'Het vrouwelijke, dat hem, in combinatie met het mannelijke, in staat stelt het androgyne te bereiken. Of, zoals men het correcter zegt, de Rebis, oftewel *res bina*, het dubbele ding: een derde term, die de principes van mannelijk en vrouwelijk overstijgt.'

Ze gingen allebei voor een houten tafeltje staan waarop een prachtig aquarium stond met daarin twee mechanische visjes.

Upupa preciseerde: '*Mare est Corpus, duo Pisces sunt Spiritus et Anima.* De geest is mannelijk en de ziel vrouwelijk.'

Bernabé werd volkomen onverwacht overvallen door een koortsaanval en dacht aan het Oude Testament met alle metaforen en parabelen die daarin stonden. Hij kreeg het gevoel dat hij tot dan toe altijd een sluier voor zijn ogen had gehad. Het bewijs kwam toen Upupa een derde mechanisch visje tevoorschijn haalde, waaraan hij een touwtje bevestigde waarmee hij het in het water liet zakken.

Nu gebeurde het wonder. De buik van de vis die er als laatste bij was gekomen ging open en terwijl hij schokkerig door het water zwom, slokte hij de andere twee visjes op. Zijn buik ging weer dicht en de meester riep: 'Dat is Rebis! Maar, Urbain, onthoud: de mannelijke en de vrouwelijke aard moeten in de juiste hoeveelheid gedoseerd worden. Tot welk metaal vervallen ze anders?'

'Tot lood, meester, en dat is de laatste tree; het laagste, zwaarste en ruwste dat er bestaat, het smerigste jasje van de geest.'

'Want?'

'Het maakt je oud, zwaarmoedig en prikkelbaar, en zorgt ervoor dat je klaar bent voor verdorvenheid en nog niet voor spirituele wedergeboorte.'

Al luisterend stuitte Bernabé op mysteries die hem tot dan toe onbekend waren en die beheerst werden door een nieuwe, vreemde en onstuitbare logica. De argumenten van de oude wijze man, die zijn geest uiteraard zou verwerpen, werden onmiddellijk op hun kop gezet door het bewijs, een kernachtiger redenering.

Hij begon te geloven dat hij de vruchten proefde van de wetenschap van het Goed en het Kwaad.

'Meester,' ging Urbain verder, 'ik zou graag meer willen weten over de tweeslachtige Rebis. Zijn jij en ik dan tegelijkertijd mannelijk en vrouwelijk?'

Upupa trok één wenkbrauw op en legde hem uit dat de Rebis in biologisch opzicht een hermafrodiet was; vanuit psychologisch oogpunt werd deze als androgyn betiteld, terwijl er in een erotische context sprake was van homoseksualiteit.

'Kortom,' besloot hij, 'de Rebis is de som van de Eén, het mannelijk principe, en de Twee, het vrouwelijk principe, een som die niet bedoeld is als statische en rekenkundige synthese. De Rebis is namelijk een derde term, een punt waarop de dualiteit wordt gekruist en overstegen. Dat wil zeggen: het punt van de antinomie die in ons huist. Dat is de steen der wijzen.'

Boutier kon zijn woede nauwelijks inhouden en slikte herhaaldelijk. Toen reageerde hij met trillende stem: 'Je had me beloofd dat je me zou uitleggen wat de steen van de alchemisten was, om er goud uit te halen. En nu moet ik, als ik je redenering volg, geloven dat het begeerde goud in mezelf zit... als ik erin slaag het mannelijke en het vrouwelijke in mijn lichaam samen te voegen?'

'Jongen,' zei Upupa zonder met zijn ogen te knipperen, 'het goud is sperma/liefde/bewustzijn/onsterfelijkheid. Denk na over de duidelijke relatie die daartussen bestaat, en alle wegen van het weten gaan voor je open.'

'Als de alchemie dan alle wegen opent, kan deze ons dan ook helpen de moordenaar van Perrine Martin te vinden?'

'Jazeker,' antwoordde de oude man onaangedaan. 'Door de geest te scherpen, vergroot je de mogelijkheden om mysteries te doorgronden.'

Na die woorden verdween Boutiers wrok, terwijl Bernabé, die onbeweeglijk op zijn plek achter het gordijn stond, een grenzeloze vervoering in zich voelde opwellen, doordat hij steeds ontvankelijker werd voor zijn intellectuele vermogens.

28

Die nacht kon hij de slaap niet vatten, de jonge, voortvluchtige De Grâce. Hij zat opgesloten in zijn kamer en was ten prooi gevallen aan het verlangen de grenzen van zijn gedachten te overschrijden. Hij keek strak naar de gobelins en het leek wel of ze kronkelden, alsof ze als octopussen uitwaaierden. In zijn hoofd krioelde alles door elkaar heen: de getallen en metalen met een geslachtsaanduiding, en de Rebis, die onbekende verbintenis tussen het mannelijke en het vrouwelijke, die in zijn lichaam zat opgesloten. Hij maakte de koordjes van zijn broek wat losser om tussen zijn benen te kunnen kijken, want hij had spontaan een erectie gekregen. Hij dacht dat het een natuurkracht was die gelijkstond aan de wind en de getijden.

Kunnen er grenzen gesteld worden, vroeg hij zich angstig af, aan de kracht van de atmosferische elementen? Nee. Ook de geest behoort, net als de zintuigen, tot de felheid van de natuur. Hij trilt, raakt van streek, heeft honger en dorst. Het is een sperwer. Hij kan niet gevoed worden met dezelfde pitjes die je aan een parkiet geeft. Voor mij is Urbain een vogeltje. Maar ik niet! Mijn snavel overtreft die van hem in stevigheid en kracht. Ik wil de geheime mysteries van de natuur leren kennen. Ik zal het Upupa vragen. Misschien is hij toch niet gek; ik heb te overhaast over hem geoordeeld. Die man kent ondoorgrondelijke geheimen, meer dan theologen er beweren te kennen...

Hij schrok op van een geluid achter de deur. Hij bukte om door het sleutelgat te kunnen kijken en zag Boutier in zijn hemd rondlopen. Alleen. Hij riep zachtjes: 'Urbain, Urbain, ik ben het, Bernabé!'

'Stil. Ik ben aan het mediteren,' antwoordde de ander. Een schaamteloze leugen.

'Geloof me, als je de deur voor me openmaakt, vertel ik je waar je datgene kunt vinden waar je je hoofd over breekt.'

'En dat is?'

'Het goud.'

'Je bent gek! Dat zijn geen onderwerpen voor een mislukte monnik. Bid maar tot God om een snufje zout...'

Bernabé haatte hem, zoals je een vijand haat die je bestaan bedreigt. Hij voelde zoveel venijn in zich opwellen dat hij er in een mum van tijd moe en uitgeput van raakte. Hij kreeg zin om te slapen, ging op zijn bed liggen en deed zijn ogen dicht.

Om één uur 's nachts werd hij wakker van het geluid van een sierlijk Louis XIV-klokje dat aan zijn hoofdeinde hing. Hij liep naar de deur om door het sleutelgat te gluren. Urbain was er niet. Toen zag hij, half achter de kast verborgen, een raampje dat de melancholieke sikkel van het laatste kwartier van de maan omlijstte, terwijl door het grote raam de tuin te zien was, die schuin verlicht werd.

'Wassende maan,' mediteerde hij, 'die tussen vier en vijf uur 's middags verschijnt, is helder en glinstert zilverachtig. Afnemende maan, die na middernacht opkomt, is daarentegen roodachtig, donker en onrustwekkend: echt de maan van de heksensabbat. Zou Upupa dat ooit in overweging genomen hebben?'

Zo ging hij lange tijd door, zonder te weten wat hem te doen stond, met een geest die weliswaar helder, maar ook waanzinnig onrustig was. Toen besloot hij opeens langzaam zijn ogen te sluiten. Hij viel in slaap.

29

Wanneer hij niets te doen had, ging Bernabé rondsnuffelen. Hij ging op onderzoek uit op de paadjes tussen de heggen die op de hellingen van de heuvels stonden of met moeite gesnoeid waren op de rotsen. Hij klom in bomen, het liefst in de bomen die met hun gebladerte ondoordringbare pergola's vormden. Of hij struinde door de velden voorbij Clisson en rustte uit op geurige bremweiden.

Ook vissen vond hij leuk. Hij ging op de oever van de rivier zitten en gooide een door hemzelf gemaakte lijn in het water. Op een dag lag hij bij de oude molen op een grote, eivormige rots die was bedekt met zacht, glibberig mos slaperig op een nieuwe prooi te wachten, toen de wind een vrouwenstem meevoerde. Ze zong een allerliefst wijsje.

Instinctief, of uit voorzichtigheid, verborg Bernabé zich achter een struik. Een beminnelijk blond meisje van een jaar of zeventien kwam een kleine aardewerken kruik vullen. Vanuit zijn schuilplaats zag de jongen haar zachte hals met charmante kuiltjes erin, haar volle lippen, die geopend waren als bloemen, en haar eigenwijze wipneusje. Grote, groene ogen en een onschuldige blik, maar wel al in staat een man in vuur en vlam te zetten en hem zijn verstand te laten verliezen.

Met open mond en grote ogen kon Bernabé zijn blik niet van het visioen afhouden. Enkele stappen bij hem vandaan liep het meisje met eenvoudige, sensuele bewegingen naar het water toe; hij kon haar bijna aanraken.

De Heer is naijverig en wenst niet met anderen gedeeld te worden. Vooral niet met vrouwen, met hun frivole aantrekkingskracht en hun verdorven schaduw van het genot...

Absurd! Uitgerekend nu dacht hij aan de favoriete preek van de prior van Maillezais, die geobsedeerd was door vleselijke zonden en verleiding. Maar kon de Eeuwige Vader werkelijk zo naijverig zijn op een wezen dat zo volmaakt was en dat geschapen was naar zijn evenbeeld? Dat mocht niet, besloot hij, terwijl hij haar vanuit de verte volgde. Hij was als gehypnotiseerd door haar soepele tred, door haar naakte, welgevormde armen en door haar heupen, die hij zich onder haar rok voorstelde, en door haar haar en door haar stem en door...

Op de terugweg verborg hij zich achter heggen en muurtjes en verloor haar geen moment uit het oog. Bij de hooischuur aangekomen zette het meisje de kruik neer. 'Bedankt dat je me tot hier hebt vergezeld,' zei ze luid, zonder zich om te draaien. 'Maar nu kun je wel tevoorschijn komen.'

Met een paars aangelopen gezicht kwam de jongen achter een groenblijvende struik vandaan. 'Heb je me gezien?'

'Ah! Je kunt ook nog praten!'

'Soms... dat wil zeggen... ja,' stotterde hij, inmiddels volledig verstoken van overmoed.

'Je was toch bij de rivier? Heb je niets beters te doen dan je verstoppen?'

'Ik, nee, ik bedoel, niet alleen dat...' hakkelde hij, met zijn ogen op de hare gericht. Verblind door dat meisje wreef hij in zijn ogen. 'Hoe het ook zij, ik heet Bernabé,' voegde hij er in één adem aan toe.

Ze hield haar mond half open. Op eigenaardige wijze verdwenen alle mystieke beelden uit het hoofd van de jongen, om plaats te maken voor Latijnse liefdesspelletjes en Griekse wellust, die door de benedictijnen als ketters werden bestempeld.

En terwijl zij zei: 'Wat een gekke naam... Maar je bent wel lief,' raakte hij even haar hand aan, bijna alsof hij – voor het eerst van zijn leven – van de vrouwelijkheid wilde proeven.

'Ik heet Henriette,' fluisterde ze snel, en ze schudde hem enthousiast de hand. 'Henriette Labbé. Ik woon hier en hoop je nog eens te zien...'

Nu was zij degene die rood aanliep en wat onhandig deed, alsof de jongen haar had aangestoken met zijn plotselinge passie. Ze liep schuin langs hem heen, een beetje haastig, pakte de kruik en liep naar het huis achter de hooischuur. Ze schraapte haar keel en begon weer te zingen. Maar voordat ze naar binnen ging, draaide ze zich om en wuifde nog een laatste keer.

Bernabé zag haar verdwijnen, maar bleef nog lange tijd staan om de onverwachte ontmoeting tot zich door te laten dringen. Toen hij terug naar huis liep, volledig overmand door emoties, besloot hij dat Henriette zijn liefdesdeel was, want hij voelde zijn vlees branden.

Niemand zag hem binnenkomen. Maar goed ook, want hij gedroeg zich als een slaapwandelaar en praatte in zichzelf.

30

'Waarom kom je niet naar de hooischuur, Bernabé? Dan trakteer ik je op een heerlijk glas citroensap,' zei Henriette uitnodigend. Na een aantal vluchtige ontmoetingen raakten hun zinnen die dag verblind. Ze kenden allebei het genot nog niet, voelden allebei de begeerte het te ontdekken, voelden allebei plotseling het juk van de maagdelijkheid, die tot dan toe een deugd had geleken, keken elkaar met koortsachtige ogen onderzoekend aan en hadden elkaar kort daarvoor met gejaagde handen omhelsd. Ze vonden elkaar in het gemeenschappelijke besef van een onbekend, maar toch vertrouwd verlangen, en de hartkloppingen omdat het verboden was werden vermengd met het hevige pompen van het bloed in hun aderen, versterkt door de vleselijke uitingen van steeds spannender wordende dromen...

Bernabé knikte zwijgend. In een flits schoten hem de woorden van Upupa te binnen: *Het mannelijke deel van de androgyn in ons kan zich genoodzaakt voelen zijn eigen incompleetheid te compenseren door zich een vrouwelijke vorm toe te eigenen.* De jongen, die in vuur en vlam stond, evenals al zijn ledematen, en overweldigd was door de onstuimigheid van zijn gevoelens, fluisterde: 'Laat me naar je kijken...'

Zo geëmotioneerd dat ze geen woord meer kon uitbrengen, begon Henriette, angstig en ongeduldig voor wat er komen ging, eerst aarzelend maar steeds zelfverzekerder haar enkellange plissérok op te trekken en trok daarna haar schoenen uit; tot slot, bijna als om het onvermijdelijke uit te stellen, talmde ze koket, misschien omdat ze het leuk vond of misschien uit angst, om zichzelf te bewonderen in het spiegeltje dat ze in haar hand hield.

Bernabé kwam van achteren naar haar toe, zodat zijn gezicht te zien was in het zilverkleurige spiegeltje. 'We zijn een mooi stel, vind je niet?'

Ze draaide zich abrupt om en drukte haar zachte lippen op zijn bezwete wang, daarna op zijn rood aangelopen oren en ten slotte op zijn gespierde, gloeiende hals.

Ik ga voor het eerst met een vrouw naar bed, zei Bernabé ontroerd en ongelovig bij zichzelf, en hij begroef zijn gezicht in het zachte kuiltje tussen haar schouder en haar hals. Dan zal ik het weten, dan zal ik op de hoogte zijn van dat waarvan ze me altijd hebben voorgehouden dat het een vleselijke zonde is... De geur van Henriettes huid omhulde en bedwelmde hem. Een zonde, dit? O nee... hoe zou het dat kunnen zijn?

Ze keek hem aan, met van verlangen omfloerste ogen en rode wangen, en haar borst ging omhoog en omlaag op het ritme van haar steeds gejaagdere ademhaling... 'Kom...' fluisterde ze hem toe, terwijl ze zich op het hooi neervlijde, maar toen hief ze, plotseling ontsteld, haar handen om hem tegen te houden. 'Nee, wacht...'

Maar het was al te laat, want dat slanke, wulpse en zachte lichaam had in Bernabé een vuur aangewakkerd dat alleen gedoofd kon worden in de uiteindelijke bevrediging. Hij ging op haar liggen, hield haar met één hand vast terwijl hij haar helemaal uitkleedde en kreunde in extase bij het zien van haar gezwollen borsten, haar licht gewelfde buik en de geheime bloem die daar, lager, openging... een bloem die hij zich in zijn verwarde nachtelijke fantasieën altijd als schaduwrijk duister had voorgesteld, maar die nu tot zijn vreugde fluweelgoud bleek te zijn en werd omgeven door zonnestralen... Met stokkende adem boog Bernabé zich over de eindeloze heerlijkheid die ze hem zo verlokkelijk bood... Zijn tong flitste heen en weer, beroerde haar, draalde... Zijn handen verkenden haar, bevoelden haar, openden haar...

'O, God, alsjeblieft, genoeg...' hijgde Henriette, die haar rug met gesloten ogen kromde, in een snik. 'Nee... nee... Niet zo...'

'Laat me...' antwoordde hij hees. 'Ik weet wat ik wil, ik weet wat jij wilt...'

Instinctieve liefkozingen bezielden zijn handen. Lieve en grove woorden, door begeerte ingegeven, kwamen van zijn lippen en ook Bernabé gaf zich over aan de onbeheersbare aanval waaraan Henriette onderworpen was, meegesleept door een gevoel dat angst, verlangen en extase tegelijk was.

Overweldigd door zijn drang, angstig en gefascineerd door de schokken van haar eigen lichaam als reactie op de hevige aanraking van zijn handen en zijn mond, opende Henriette zich met een zucht en veranderde haar weigering in toestemming, een uitnodiging, een verzoek... 'Ja, ja, ik smeek je, nog een keer...' en hij, met ogen die betoverd waren door zoveel schoonheid, liet zijn blik en daarna zijn gezicht verdwijnen in die intieme warmte, daar waar het goud roze en bloedrood kleurde... Kussen, beten, gezucht en geschreeuw, steeds harder, gesmoord gereutel, smeekbedes... 'Nu, nu...' en het verlangen kreeg de overhand. Een ogenblik van schrijnende pijn, de schreeuw van Henriette die werd gesmoord door een nijdige kus, nog meer aanhoudende spasmen... en de terugkeer van het genot, nu anders en intenser, onstuimige golven, hevige storm... Bernabé klemde haar tegen zich aan, bedreef de liefde met haar, wiegde haar teder, bewoog voorzichtig en daarna zelfverzekerder, vulde haar en schiep er genoegen in haar te bevredigen. Samen wachtten ze, hielden elkaar vast en bereikten hun hoogtepunt, het ultieme moment. Met een eensluidende schreeuw jubelden ze en met een samenzweerderige liefkozing lieten ze zich uitgeput vallen, terwijl ze elkaar smachtend om de hals vielen in een warme omhelzing, geïnspireerd door de liefde. Bernabé, die voelde dat hij het doel had bereikt waar hij zo naar had verlangd, biechtte haar dat dankbaar op. 'Dank je wel, Henriette. Je hebt jouw vrouwelijke deel in mij laten komen en mijn mannelijkheid deel laten uitmaken van jou. Nu herken ik mezelf in jou, zoals jij jezelf in mij herkent. Nu zijn we één. Ik wil van je houden zolang je me dat toestaat... altijd...'

Urenlang bedreven ze intens de liefde. Maar de tijd vloog om. Toen Bernabé op het punt stond afscheid van haar te nemen, gleed er een schaduw over zijn gezicht: 'Henriette, geloof me, ik woon bij een zeer rechtschapen man aan wie ik niet kan vertellen dat wij een verhouding hebben. Als je me in de hooischuur kunt ontvangen, zal ik naar je toe komen om je steeds weer lief te hebben. Maar als je denkt dat ik je wil gebruiken, heb je het mis. Ik aanvaard je beslissing, hoe die ook uitvalt.'

'Ik weet al bij wie je woont! Vast en zeker bij meester Upupa. Het is een vreemde filantroop, die geliefd is bij iedereen in het dorp. Maak je geen zorgen. Ik zweer het je, die man zal alles over ons te weten komen, maar wees niet bang. Ik kan op je wachten.'

Ze gaf hem een kus op zijn voorhoofd en pakte hem bij zijn arm.

'Luister, Bernabé, vertel me eens iets over jezelf en over je leven...' maar opeens hield ze op en keek naar zijn krulhaar en zijn volmaakt gevormde lichaam. 'Ik geloof eigenlijk dat ik het al gezien heb.'

'Nee, ik kom niet uit Clisson,' zei hij glimlachend. 'Ik ben hier pas een paar dagen. Ik weet niet of je gehoord hebt over de moord...'

'Natuurlijk, die arme Perrine...'

'Weet je, ik ben in het dorp aangekomen op de dag dat haar lichaam werd gevonden.'

'Maar toch... Ik heb het idee dat ik je al voor die ochtend heb ontmoet, op een avond... Ja, nu weet ik het weer, de laatste keer dat ik kikkers ging vangen bij de rivier.'

'Kikkers?'

'Ja, om te koken en bouillon van te trekken. Je liep met een lantaarn door de velden. Een gezicht dat zo knap is als het jouwe vergeet je niet snel...'

De Grâce keek haar verbijsterd en ongelovig aan.

'Maar ik ben pas op de ochtend van de veertiende april in Clisson aangekomen. En ik heb nog nooit een lantaarn gehad. Ik ben altijd met een eenvoudige fakkel de straat op gegaan.'

'Het zal wel...' antwoordde Henriette. 'Meestal laat mijn geheugen me niet in de steek.'

Ze leek oprecht, maar Bernabé drong niet aan, om haar niet teleur te stellen. Trouwens, haar vergissing was een compliment voor hem. Het meisje bekeek hem met de geheime blik van een vrouw die de man van haar dromen heeft ontmoet. Ze namen afscheid door elkaar meermalen te kussen en de jongen liep terug over de velden, met een zacht briesje in zijn gezicht. Hij voelde zich als betoverd, terwijl hij met zijn handen zijn zwarte vilten hoed verkreukelde.

Voor hem tekende het bloedrode huis met het witte dak en de tweelingvensters zich af. In de lucht zag hij een vederwolk, kronkelend als een slang. Is dit het begin van de liefde of het einde van het begin? vroeg Bernabé zich af.

Upupa en Urbain stonden in de deuropening te discussiëren over een verhandeling over kruiden, geschreven door een erudiet arts die deelnam aan een kruistocht, toen Bernabé hen met een grappige buiging begroette. Zijn dromerige, ontwijkende blik maakte de oude man nieuwsgierig en hij plaagde hem. 'De wellust staat op je wangen gedrukt en je lippen hebben tot de laatste druppel genoten van heel gepassioneerde vleselijke lusten. Pas alleen wel op voor syfilis, zowel in lichamelijk als geestelijk opzicht!'

Urbain barstte in lachen uit. 'En hij, met dat engelengezichtje van hem, wilde zich nog wel aan de ziel wijden en de glorieuze komst van de Paraclitus verkondigen! Nu heeft hij de omfloerste ogen van iemand die zijn lymfvocht in het badje van een of andere jonkvrouw heeft gestort...'

'Urbain!' onderbrak Upupa hem en keek hem schuins aan. 'Je hebt geen enkel recht om zo tekeer te gaan tegen onze gast. Bovendien is hij niet gebonden aan mijn lessen en regels.'

Tot het uiterste getergd, barstte De Grâce los: 'U, vrome meester, die de kunst van de transformatie beheerst, zult wel begrijpen dat een man bij uitstek door de liefde getransformeerd kan worden. Maar Boutier, jij bent alleen geïnteresseerd in hoe je goud kunt maken en zult je hele leven tevergeefs naar de formule blijven zoeken. Want die bevindt zich niet buiten jezelf.'

Verbijsterd keken de twee elkaar zwijgend aan. Bernabé de Grâce glipte stilletjes naar zijn kamer en ging op zijn hemelbed liggen.

31

Zo'n twintig kilometer van Clisson verrees, tegenover granieten heuvels, op de door de bloedrode bloem van de boekweit roodgekleurde aarde, de ruïne van een kasteel. De lijnen van de muur waren nog te zien tussen de resten van de torens en de vervallen donjon, waar zilverachtig korstmos en goudkleurig mos op groeide.

De vermagerde Prelati, die waarschijnlijk via een onderaards gangenstelsel was binnengekomen, liep door nauwe gangetjes. Toen besteeg hij met slepende voeten een nog smalere wenteltrap en kwam uit in een zaal. Pleisterkalk fonkelde in het licht van de fakkels aan de muren – muren die op sommige plekken zwart en rokerig waren, met her en der een spleet in een heldere kleur.

Door de aanwezigheid van monstransen, hostiekelken, crucifixen en beelden van heiligen wekte de ruimte de indruk een christelijke kapel te zijn geweest, al was hij versierd met fresco's van wellustige, heidense taferelen. Clytia, die halfnaakt en uitgeput op een bloembed lag met wellustig stralende ogen; Venus in alle fasen en vormen van haar amoureuze en losbandige leven.

Hier, in deze ruimte die een komisch tweeslachtige uitstraling had, zaten drie louche figuren op houten stoelen met hoge rugleuningen op Prelati te wachten. In hun zwarte tunieken, die leken op die van sommige broederschappen die veroordeelden naar het schavot begeleidden, en met hun kransvormige hoofddeksels, leken ze net gemummificeerde ledenpoppen. Een van hen, een zekere Ramón, nam het woord met een overduidelijk Castiliaans accent: 'Francesco Prelati, is er nieuws over de dolk?'

De oude man schudde zijn hoofd en trok zijn witte wenkbrauwen hoog op boven zijn verontruste ogen. 'Niets. Of de leerling van die gekke alchemist heeft mijn boodschap niet doorgegeven, of Upupa doet net of hij niets gehoord heeft.'

'Maar heb je ze gechanteerd met valse informatie over de moord op Perrine Martin?'

'Jazeker! Al is de moordenaar al gepakt.'

Een van de nietsnutten, die er lymfatisch uitzag en tot dan toe zijn mond had gehouden, stond op en protesteerde met een schril lachje, waarbij hij een rij naar voren staande tanden ontblootte: 'Dat nieuwtje heb ik ook gehoord. Maar ze hebben de koster in de boeien geslagen, dat slaat echt als een tang op een varken!'

'Wat weet jij daar nou van? Heb jij die vrouw soms vermoord?' vroeg de Spanjaard spottend, terwijl hij met zijn ring speelde, die de vorm van een slang had.

'Hou op!' brieste Prelati. 'Beseffen jullie wel dat we hier inhoudsloos zitten te bekvechten? Jullie weten dat Martin heilig voor ons was. Wie van ons zou er belang bij hebben haar uit de weg te ruimen?'

De derde figuur, die de falsetstem van een castraat had en een sabel in zijn vuist hield, liep naar een door houtworm aangevreten standbeeld van de Maagd.

'Hier, in dit kasteel,' schreeuwde hij, 'hebben we het eerbiedwaardige reliek verborgen. Maar dat is nog niet genoeg. Alleen met de dolk kunnen we het ontsteken, de krachten ervan versterken en het woord verspreiden...'

'Dat weten we allemaal,' viel Ramón hem in de rede. 'Maar als onze leider er tot nu toe nog niet in is geslaagd die alchemist te overtuigen, zullen wij iets moeten doen.'

'Nee, dat bevalt me niets,' wierp Prelati gepikeerd tegen en schudde de witte haarplukjes die over zijn voorhoofd waren gevallen naar achteren. 'Dat uitgerekend jij dat nu moet zeggen; jij bent in staat hem te doden, alleen maar om je doel te bereiken. We moeten juist diplomatiek te werk gaan, zonder bloedvergieten. Wanneer ons orakel zijn tong kan bewegen, voeren we uit wat ons wordt opgedragen. Stel je voor, ik heb me zelfs een keer voorgedaan als boer die de akkers omploegde om de oude Upupa opnieuw te kunnen aanspreken... Ik heb geen geluk gehad, ik probeer het nog een keer.'

De castraat lachte zacht.

'Oud, die alchemist?! Wat ben jij dan wel niet? Een gebalsemd exemplaar uit de grafkelders van het oude Egypte? Een mummie die is opgestaan van de bank van jaspis, waarop vaardige priesters met kromme naalden je hersenen uit je neusholte hebben getrokken?'

'Genoeg, Bagoa! Ik zie onder je zwarte tuniek je castratenborsten hangen, het lijken wel veldflessen... Zwijg. Heel binnenkort zal het me lukken om van de meester van de Vogels de daad van genade te krijgen die hij me al jarenlang schuldig is. Dan zal ik het wapen van de alchemie gebruiken om zijn hart, dat voorzien is van een laag metaal, te winnen.'

'Hoe bedoel je?' vroeg Ramón.

'Ik zal hem de steen laten zien die is uitgespuwd door Saturnus en is nagemaakt in de schitterende gobelin die aan de muur van de overdekte galerij hangt.'

Dat leek de anderen een geniaal plan, gezien Upupa's algemeen bekende belangstelling voor tapijten. Hun gezichten, die eerst donker en agressief stonden, straalden en schitterden nu.

Voordat ze zich ieder in hun eigen hokje terugtrokken, in de cellen die ooit voor gevangenen bedoeld waren geweest, besloot de grote baas met een plechtig gezicht, met holle ogen als van een doodshoofd: 'Ik leg een eed af! Onze maarschalk krijgt terug wat hem toekomt. En alleen als Upupa zich niet gewonnen geeft, grijpen we naar zwaardere maatregelen. Maar ik betwijfel of het zover komt.'

Prelati ging weg, terwijl hij met een rare, snelle beweging een snuifje tabak pakte uit een zilveren schaaltje met een deksel dat versierd was met aventurijnen.

In die heldere nacht liep iemand langs het kasteel, in de schaduw tussen de afgebrokkelde muren van de ruïnes. Het andere gedeelte van het kasteel, dat geaquarelleerd leek in zilver en blauw, alsof het was besprenkeld met een kwikachtig schijnsel, tekende zich hoog boven de Sèvre af. In het water van de rivier sprongen gebogen druppeltjes maan als vissenruggen omhoog.

Als Bernabé daar was geweest en dat ongelooflijk cryptische gesprek had gehoord, zou hij zich ongetwijfeld, en terecht, hebben afgevraagd: ben ík soms degene die gek is?

Maar hij niet alleen... want in het vreedzame Clisson, dat werd omringd door rivieren, bossen, velden en wijngaarden en zich te midden van het oude landgoed verschanste, groeide het pus van de perversie. Erger nog, een virus dat de geesten ziek maakte.

In Clisson en omgeving, waar het leven langzaam en monotoon voorbijgleed, als een slapende vulkaan die op het punt stond het magma van de chaos en de afschuw uit te spuwen. Een bijgelovige boer zou geloven dat de toekomstige rampspoed, die jaren eerder naar aanleiding van het verval van de machtige donjon van het kasteel was voorspeld, zich nu voltrok...

32

Hij trok zijn schoenen uit en gooide ze in de boot. Geen geluid, alleen een plotseling opspatten van water van de loszittende planken op de bodem. Heel voorzichtig legde hij een zwaar uitziende, grove zak van ruwe stof neer. Hij ging snel naar de achtersteven, schopte tegen het half verrotte hout van de meerpaal en gaf er een stevige duw tegen. Terwijl hij wegvoer, keek hij met een raadselachtige blik naar de oever. Toen hij bij de eerste bocht kwam, achter een bosje, kwam zijn gejaagdheid tot bedaren. De bomen onttrokken zowel de verlaten steiger als het in stilte gehulde huis van de oude Upupa, waaruit hij gevlucht was, aan het oog. Toen pas speelde er een tevreden lachje om Urbain Boutiers mond.

Tot rust komend na de spanning van de ontsnapping liet hij de riemen los en pakte de zak. Zijn hele lot, de goede en de slechte kanten, zat daarin, in die alledaagse lijkwade die veel te zwaar was en waarvoor hij zelfs een moord zou plegen. Maar zou dat wat hem tot zijn vlucht had gedreven hem rijkdom en geluk brengen, zoals hij hoopte, of alleen maar verdoemenis en ongeluk voor de rest van zijn leven? Koortsachtig openden zijn handen de touwtjes, waarna ze er voorzichtig en respectvol twee glanzende goudstaven uit namen.

'Ik zal nooit alchemist worden,' zei hij hardop. 'Maar toch heb ook ik het edelmetaal in handen. En dat zonder al die *lapìs*, *rebìs*, *mercurialìs*...'

'In godsnaam, stop!' beval op dat moment een angstaanjagende stem. Urbain liet zich zonder zijn schat los te laten op de bodem van de boot vallen. Stel dat Upupa een demon achter hem aan had gestuurd die hem tijdens zijn vlucht had gevonden? Die vermaledijde vent in zijn witte pij zou hem laten boeten...

'Stop, ik heb je toch al gevonden! Waar vlucht je heen?' herhaalde de stem bars.

Urbain begreep dat die niet uit de hemel kwam, maar van de linkeroever. De echte wachters! Hij kon al voelen hoe de eeltige handen van de beul van Nantes een versleten strop om zijn hals trokken.

'Goed, luitenant. Ik geef me over!' schreeuwde hij, terwijl hij op zijn hurken bleef zitten en zijn belager dus nog steeds niet kon zien.

'Geef dan antwoord op mijn vragen,' beval de stem, die offensief klonk en nu dichterbij was. De stroom voerde de boot blijkbaar mee naar de kant. 'Hebben jullie thuis ook wapens, of alleen maar stomme distilleerkolven?'

Wat is dat nou voor een vraag? dacht Urbain verbijsterd en kwam eindelijk tevoorschijn. Zijn ondervrager was helemaal geen gendarme, maar een oude, afgetakelde man: Prelati, die hem vanaf zijn paard vorsend aankeek, met zijn gebruikelijke idiote manier van doen.

'Ouwe ellendeling! Moge de duivel je komen halen! Wat is dit voor manier om mensen te terroriseren?'

'De duivel zal jou eerst meenemen, als je mij niet de juiste antwoorden geeft,' dreigde de ander woedend.

'Wat voor antwoorden? Welke vragen? Ik ken je niet eens.' Dat wist hij zeker. Nooit eerder gezien, deze mummieachtige kerel.

'Ik jou wel,' zei de bezetene, zwaaiend met een pistool. 'Jij bent de leerling van die slappe meeloper die zich niet aan zijn afspraken houdt. Als jij me ook bedriegt, ga je eraan. Weet je wel hoe vaak ik jullie alle twee een kopje kleiner had kunnen maken, in het bos of zelfs thuis? Ik ben al maanden bezig jullie te volgen, te bespieden en jullie gangen na te gaan. Jullie hebben me nooit betrapt, en als jullie dat wel doen is het te laat. Tenzij die koppige, ondankbare Upupa zijn verstand gaat gebruiken.'

'Wil je hem uit de weg ruimen?'

'Hij moet zijn verplichtingen aan de levenden en de doden nakomen. Anders laat ik hem niet met rust, dat zweer ik op mijn bloed...' grauwde hij met bijna bovenmenselijke felheid.

'Daar weet ik niets van en meester Upupa is een man van eer,' antwoordde de jongen zachtjes, om de opgewonden man niet nog meer te prikkelen.

'Geef hem dan maar een cadeau dat hij zal waarderen. Ik heb bruikbare informatie over Perrine Martin en haar dood. Denk je dat die man van eer, zoals jij hem noemt, belangstelling zal hebben voor mijn geheimen?'

Urbain trok wit weg. 'Laat de doden met rust,' zei hij in een zucht, alsof hij in zichzelf praatte.

'Zwijg, dwaas. Niet vergeten! Ik hou je onder schot. En wat te denken van wat je daar hebt...' Prelati wees naar het goud, dat glanzend op de bodem van de boot lag. 'Ik zou je meteen dood kunnen schieten, de boot bij de volgende stroomversmalling aan kunnen meren, je schat in mijn zak kunnen steken en verdwijnen. Niemand zal om een dief treuren. Als je ervandoor gaat om twee stukken goud...

Het vuurwapen trilde al net zo hevig als het wrakke lichaam van zijn eigenaar.

Als hij schiet, mist hij... schatte Boutier in. Maar als hij blijft brullen en er mensen op ons afkomen, ben ik verloren. Ik ben maar gewoon een dief op de vlucht. En hij lijkt meer belangstelling te hebben voor mijn antwoorden dan voor mijn goud...

De jongen observeerde Prelati, die naast de boot bleef rijden zonder hem uit het oog te verliezen, en keek toen naar het stuk rivier dat voor hem lag.

Bij de volgende bocht loopt de weg verder van de oever af. Dan zal ik buiten het gezichtsveld van die gek komen. Als ik tijd kan rekken tot we bij dat punt zijn, ben ik veilig. Buiten zijn bereik. Dan haalt hij me nooit meer in. Goed, ik doe net of ik doe wat hij wil... besloot hij.

Een gebaar van overgave, armen wijd. 'Akkoord, ouwe! Wat wil je weten?'

'Heeft Upupa wapens in huis?'

'Hij is tot de tanden gewapend.'

'Om een schrijn te verdedigen?'

'Misschien. Hij beschikt over een onaantastbare bescherming.'

'We zullen zien. Heeft hij een dolk?'

'Allerlei soorten wapens, zelfs twee Turkse kromzwaarden...'

'Ik wil alleen maar weten of je ooit een bijzondere dolk hebt gezien. Met een zilveren handvat...' Nu klonk hij ongerust.

'Wacht, ik denk van wel...'

'Ga dan onmiddellijk naar hem terug. Zeg hem dat ik in ruil voor die dolk een heel bijzonder gobelin voor hem heb, die aan niemand minder dan de alchemist Paracelsus heeft toebehoord!'

Nu was de boot dicht bij de bocht in de rivier, waar de weg bij de rivier vandaan liep. De afstand tussen hen werd groter, merkte Boutier tevreden. Met geamuseerde voldoening ging de jongen rustig zitten en keerde Prelati de rug toe.

'Wat krijgen we nu? Snel, duivelse smeerlap! Verdomme, geef antwoord!' blafte die wanhopig.

'O ja, ouwe lamstraal! Upupa heeft hem, die ellendige dolk!' loog hij. 'En daarmee zal hij je vroeg of laat de keel doorsnijden om de wereld van je te verlossen.'

Nadat hij dat gezegd had, begon Urbain fanatiek te roeien. De boot gleed snel door de bebouwde kom van Clisson, voorbij het kasteel aan de linkerkant, en nadat hij de oude brug van de Vallée gepasseerd was, liet hij het dorpje achter zich. Definitief. En Prelati restte niets anders dan terug te gaan naar waar hij vandaan kwam.

33

'Mijn beste Bernabé,' zei Upupa, die op de bergère zat en de armleuningen vastgreep, 'jouw probleem is je lichaam.'

'Mijn lichaam?' vroeg de ander verbaasd, terwijl hij met de muziekdoos speelde die op de plank boven de niet aangestoken open haard stond.

'Ga eerst eens even zitten!'

Hij gehoorzaamde en keek de oude man in de ogen, waar diepe, verre mysteries en raadsels uit spraken.

'Mijn lichaam zei u. Begreep ik dat goed?'

'Let op. Jij bént je lichaam. Tegelijkertijd héb je je lichaam. Over het algemeen merk je niet dat het er is, maar als het ziek wordt, of verandert, of verhit raakt door emoties, dan word je je wél bewust van het bestaan ervan.'

'Geldt dat niet voor iedereen?'

'Jazeker. Maar juist dat lichaam moet je ontstijgen. Door middel van je lichaamsbeeld kun je de overgang van de geest gewaarworden. Zie je, jongen, jij hebt de vulgaire roes van de zintuigen willen beleven... En ik weet zeker dat je niet de hoogte in bent gezweefd, maar met beide voeten in de modder bent blijven steken.'

'Meester, u doelt op mijn liefde voor Henriette, het meisje dat zowel mijn lichaam als mijn geest bevredigt...'

Upupa keek strak naar de open haard, die niet brandde. Cassandra, de rode kat, sprong in de armen van Bernabé en observeerde hem. Hij meende iets ironisch te bespeuren in die zwarte pupillen en joeg het beest geïrriteerd weg.

'Bernabé, ik zal je nog meer tergen. Ik weet dat je stiekem al mijn lessen aan Urbain hebt gevolgd. Dat weet ik, omdat ik dat heb toegestaan.'

Terwijl de oude man de plooien van zijn pij gladstreek, waardoor een oedemateus been met wat blauwe plekken erop te zien was, voelde De Grâce enige wrevel in zich opwellen.

'Dus, meester, hebt u me bij de neus genomen, me voor de gek gehouden...'

'De alchemie is een kunst die mensen aantrekt die willen leren en rondsnuffelen. Het is een wetenschap die je moet beschouwen als een soort solitaire zonde...'

'Dus hebben we met zijn drieën gezondigd: u, Urbain en ik!'

'Nee, beste jongen. Ik geef les, jij en Urbain hebben er iets van opgestoken, naar jullie eigen kunnen en jullie aangeboren vermogen tot transformatie.'

'Dus kan ik nu smachten naar een positie als leerling?'

'Richt je eerst maar op je ervaring met dat ondeugende meisje, dat je lichaam in de val heeft gelokt. Maar wantrouw haar hoerige obsceniteiten en vermijd de stompzinnigheden van een hitsige boerentrien.'

'Met alle respect voor uw wijsheid, ik kan niet toestaan dat u een jong meisje dat u niet kent beledigt! Ze is geen prostituee en heeft me ook niet in de drek gesmeten. Het was uit vrije wil...'

'Pas op dat je niet de filosoof gaat uithangen. Alles wat ik zeg, is altijd een test, een manier om mijn gesprekspartner op de proef te stellen. Als het er zo voor staat, als je echt zoveel van haar houdt... daal dan zo diep af als je kunt. Ja, Bernabé! Zink maar weg in het riool. Wanneer je de stank van verrotting ruikt, probeer dan Henriette tot een projectie van je talent te maken. En kom dan naar mij.'

'Wilt u zeggen dat ik me moet laven aan de stroom van het genot, om me te laten overspoelen door de terugstroming van het onverzoenlijke verdriet? Maar hebt u dan nooit een jongensachtige hartstocht gekend? En een vrouw om daar lucht aan te geven?'

'Op aarde proberen we allemaal wel eens iets en leren we allemaal. Door de geest te belichamen en het lichaam spiritueel te maken, maken we een keuze. Het uiteindelijke doel is alleen de geest te laten ejaculeren.'

'En Urbain?'

'Ach, die beste jongen, hij is sinds een jaar bij me, met een onstuimige lading van verwarrende ervaringen. Hij is tiranniek en fel. Een echte belhamel. Mijn pogingen hem bij te schaven zijn nog maar het begin. Jij bent anders. Kwetsbaar en vasthoudend, puur en schelms. Ik zou niet willen dat je verpletterd werd door onwrikbare spijt en ontembare angsten.'

'Waar is Urbain nu?' vroeg Bernabé bezorgd.
'In het laboratorium. Daar wilde hij de hele nacht blijven om een verrassing voor me te maken door het sap van de verbena te distilleren...'
'Meester, voelt u zich niet bespied? Ik wel. Ik voel een kwaadaardige aanwezigheid.'
Upupa sprong overeind en ging naar het raam. De gordijnen waren open. De zwavelogen van Prelati staarden hem roofzuchtig aan.
'Mag ik u een gunst vragen?' vroeg de oude man. Hij duwde met zijn knokige vingers tegen het luikje.
Upupa verroerde zich niet en gaf geen antwoord.
De ander vervolgde met tranen in zijn ogen: 'Jaren geleden heb ik u gesmeekt om een daad van genade; om mij iets terug te geven dat aan de maarschalk toebehoort.'
Zijn stem werd nog klaaglijker.
'Strijk met de hand over uw hart en vervul mijn gerechtvaardigde verlangen. In ruil zal ik u informatie geven over de moord op Perrine Martin.'
'Ik ken u niet!' interrumpeerde de alchemist.
'Ik zal u zelfs een prachtige gobelin geven voor uw collectie...'
'Het interesseert me niets wat u me allemaal wilt aanbieden.'
De indringer veranderde plotseling van toon.
'O, ouwe vogelaar, uw huis wordt steeds schandelijker,' barstte hij vol wrok uit. 'Als de heer van Soubise eens wist dat u aan het hoofd staat van een groep fanaten die alchemie praktiseren, die de Kerk verafschuwt...'
'Uw taalgebruik is doordrenkt van caustische soda. Elk woord dat u uitspreekt is de verrotte ademstoot die voortkomt uit een aftandse geest die geobsedeerd is door vastomlijnde ideeën.'
'Als hij zou weten dat hier goud wordt gemaakt met de steen der wijzen, buigzaam en rood als uw huis, stinkend naar gecalcineerd zout, even wit als uw dak, dan zou hij u geen bescherming meer bieden...'
'Achteruit, schoft!'
Bernabé was onthutst toen hij Upupa's taalgebruik hoorde, met iets brutaals wat helemaal niets voor hem was en dat de uitwerking had van een vreselijk zware knots. Alles bij elkaar genomen verdiende Prelati, hoezeer hij hem ook angst aanjoeg, wel een klein beetje respect, al was het alleen maar vanwege zijn ziekelijke uitstraling en dat vreemde, langwerpige hoofd met die dunne, spierwitte haren. Of kenden die twee elkaar van vroeger en hadden ze daarna te kampen

gekregen met onoverbrugbare meningsverschillen?

Afgeleid door zijn gedachten ving hij alleen de laatste scheldkanonnade van de uitgedoste zwarte ridder op: 'Jij, Upupa, zult de leden van je Broederschap verliezen. Er druipt etter uit hen, dus zullen ze zichzelf te gronde richten door de verdorvenheid van hun eigen lichaam. En terwijl jij de alchemist uithangt, zul je stukjes van je menselijke constructie gemarineerd en wel terugvinden in het zoute water van je kwikdampen. Trouwens, geloof mij maar, de boel begint al uit elkaar te vallen.'

'Waar heb je het over, gek?'

'Je bruinharige jongetje is hem gesmeerd en vaart nu op de Sèvre met twee behoorlijke goudstaven. Ga hem maar zoeken, als je me niet gelooft...'

Prelati verdween in het stof van de galoppas, terwijl de hoeven van zijn paard zo'n herrie maakten dat het bijna provocerend was.

Upupa fronste zijn gezicht, dat net een karmijnrode zee leek. Toen Prelati hem op de valreep vertelde dat de jonge Boutier was gevlucht, leek hij in te storten. Waar was de bescheiden en resolute asceet, de engel van genade, de helper van de zwakken gebleven?

Bijna op de tast daalde hij af naar het laboratorium. Kort daarop kwam hij tien jaar ouder terug. Kapot, bleek, de teleurstelling duidelijk van zijn gezicht af te lezen.

Ja, Urbain was er niet en had hem beroofd.

'Hij is ervandoor gegaan met het gewone goud, nog niet met het filosofische. Ik heb alles verprutst... Ik had hem beter het recept voor ragout kunnen leren. Die schoft had liever goud dat je bij de edelsmid koopt dan alchemistische formules.'

Bernabé had medelijden met hem, nu hij eruitzag als een verwelkte bloem. Sterker nog... als het schilderij van de onthoofde Sint-Johannes, wiens hoofd van zijn haar tot aan zijn kin met bloedklonters was bedekt!

Niet wetend wat hij moest zeggen of doen, liep hij naar de open haard. Hij steunde op zijn ellebogen en verborg zijn hoofd in zijn handen.

34

Vaticaanse Bibliotheek, 1753

'Alchemie, elixer voor een lang leven... *Äli én tótti nichèt da gnint!* Allemaal dwaasheden!'

'Heilige Vader, kent u die kunst ook? Hebt u die geleerd uit de verboden boeken die in deze bibliotheek bewaard worden? Beoefenaars ervan streven naar verbetering van de mens, niet naar misdaad en beroving. Iets moet de vrome Upupa ontgaan zijn... Iets wat mij tot nu toe ook ontgaat.'

Benedictus nipte van zijn wijn. 'Uw opmerking lijkt me tamelijk gewaagd, don Raimondo. Alleen het geloof streeft naar perfectionering van het individu en slaagt daar ook in. We hebben gelezen over de *lapis philosophorum*, maar een steen die wonderen verricht, is voor ons de personificatie van Satan. Dat hele onderwijs van Upupa leidt tot ketterij.'

'Integendeel, Heiligheid. Christus wordt geïdentificeerd met de lapis, oftewel de steen der wijzen! De alchemist wil dichter bij hem komen. Dat lijkt me geen vloek.'

'Het gaat om de manier waarop en de middelen waarmee,' bracht de oude vicaris daartegen in.

'Als Christus een zoon van God is,' antwoordde de edelman prompt, 'is Satan dat ook. Sterker nog, Sint-Clemens Romanus heeft zelf verklaard dat Jezus de rechterhand van de Eeuwige Vader is, en de duivel de linker. Op analoge wijze geldt in de alchemie dat het goud God is, de lapis Christus, het lood de demon Antimimos...'

'Goed, goed... We willen zien hoeveel van dergelijke begrippen de leerlingen van die rare Upupa vervolmaken. Het lijkt erop dat een van hen uitgerekend goud heeft gestolen. Lijkt deze kunst u niet een beetje al te vatbaar voor bedrog of slechte interpretatie?'

'Mee eens, Vader. U hebt gelijk. Daarom ga ik verder lezen. Deze hele geschiedenis intrigeert me tot in de kleinste bijzonderheden. Tussen de regels door is de waarheid te vinden.'

Benedictus zette zijn bril af en legde hem op de verzegelde enveloppe, terwijl hij zich in de ogen wreef.

'Vooruit, prins, laten we de feiten lezen. Achter elk feit gaat een radarwerk schuil.'

Op een dag dachten ze dat ze de oplossing van het raadsel gevonden hadden... De vlucht van Boutier met al het goud van de alchemist viel samen met de vondst van een mysterieus...

35

Clisson, 1751

De jonge De Grâce had medelijden met de bedrogen meester. Hij voelde zelf de pijn die door zijn lichaam trok, de smadelijke nederlaag die op zijn slapen bonkte. Ook hij had brandende ogen, rode oogleden en trillende wangen. Hij had het gevoel dat zijn hart uiteen werd gereten door een steeds groter wordende wond, die openbarstte als een rijpe vrucht. Hij keek met de ogen van een slaapwandelaar naar zijn eigen vingers en schudde ermee, bijna alsof hij er tranen uit wilde laten druppelen.

Hij leunde nog steeds op het plankje boven de open haard en stootte per ongeluk met zijn elleboog tegen het speeldoosje. Dat rolde op het blauwe tapijt, waar gouden sterren in geweven waren die niet meer flonkerden en die niet meer waren dan speldenprikjes. Bernabé bukte om het op te rapen. Gelukkig was het nog heel. Terwijl hij het ronddraaide, zag hij aan de achterkant een soort halfronde gleuf, zoiets als in een horlogekast. Toen hij er met zijn duimnagel op drukte, sprong er een veer terug en was er een dubbele bodem te zien, die verborgen was in de binnenvoering van het porselein. Daar in die kleine, ronde holte zat een klein, opgevouwen stukje papier.

'Meester, kijk!' riep Bernabé met schorre stem. De oude man vouwde het papiertje met vlugge vingers open en las.

Onmiddellijk leek zijn gezicht, voor de ogen van Bernabé, te betrekken en verscheen er een uitdrukking van afschuw op. Toen hij klaar was met lezen, stak de meester een verschrikkelijke litanie af over zijn falen als pedagoog. Bernabé hoorde hem zwijgend aan en vroeg toen wat er toch op dat briefje stond dat verborgen had gezeten in het speeldoosje van Perrine Martin.

'Zwijg... zwijg...'

Upupa ging langzaam, met gespreide benen en gebogen hoofd, zitten.

'Monster!' mopperde hij. 'Ik heb de kunst van Trismegistus geleerd aan een afschuwelijk monster. Hoezo lood! Hij had alles van tevoren uitgedacht, uitgewerkt en beraamd.' Toen hij het schaapachtige gezicht van Bernabé zag, schreeuwde hij: 'Denk je soms dat ik een grapje maak?'

'Nee, meester. Maar ik snap het niet. Als ik iets mag...'

'Kom hier,' viel Upupa hem bruusk in de rede. Hij nam hem mee naar zijn kamer. Hij rukte de gobelin met het Merovingische hoofd van de muur en liet hem de achterkant zien, waarop nog een afbeelding stond, dit keer diagonaal ingeweven. 'Mijn meester heeft me jaren geleden geleerd dat ik, als ik me verslagen voelde, over deze afbeelding moest nadenken. En laat me nu alleen. Later zal ik je vertellen wat er op dat briefje staat.'

Bernabé vertrok, aangeslagen door de ijzingwekkende afbeelding die hij had gezien: een naakte man met slechts een lendendoek om, zat op zijn hurken voor een ingemetselde oven en wakkerde met een blaasbalg het vuur aan. Links van hem stonden een monnik met een kap op en een abt die een kruis omhooghield. De vierde figuur, met een middeleeuwse mantel en hoofddeksel, sprak met hen terwijl hij aan een stok vastzat. Naast de stok zat een piepklein hagedisje met een drakenkop. De jongen zag er op een vreemde manier uit als een folterende brandwond, gehuld in ijskoude zwachtels.

Waarom moet Upupa zich hier toch zo obsessief mee bezighouden? vroeg hij zich af, en er liep een rilling over zijn rug.

Maar toen hij weer tevoorschijn kwam, was Upupa's gezicht ontspannen en had hij wonderbaarlijk genoeg een opaalkleurige huid, alsof een verjongingscrème miraculeus werk had verricht. De pijn die zijn hart had geschonden leek te zijn verdwenen, evenals zijn mentale verwarring.

Bernabé zag dat hij weer gelijkmatig en resoluut was. Geheel gerustgesteld wachtte hij tot de wijze man het woord tot hem richtte.

'Bernabé de Grâce, ik heb de plicht duidelijkheid te verschaffen over hetgeen ik, dankzij jou, te weten ben gekomen. Een ernstig, zeer ernstig feit dat, zoals ik al dacht, een wrede schaduw over één persoon werpt. Ik had de indruk dat ze uit vele, zowel lichte als donkere, kleurschakeringen bestond, zoals iedereen, maar bij haar hadden de laatste de overhand. Inmiddels is haar portret in mijn ogen slechts geschetst met vettig, onuitwisbaar roet. Echt iets verachtelijks, waarvoor zelfs jouw benedictijnse meesters, die toch gewend zijn aan behoorlijk schrikbarende biechten, niet zonder meer absolutie zouden verlenen. Het is echt zo dat het leven van ieder mens bestaat uit onderaardse, geheime gevangenissen die met elkaar in verbinding staan zodat je van de een naar de ander kunt gaan!' Hij gaf het papiertje aan de jongen, die de inhoud hardop voorlas.

Mijn schaamteloze rentmeesteres,

Zeggen dat ik buiten mezelf ben, is zacht uitgedrukt. U hebt u niet aan de afspraak gehouden. Dit is dan ook mijn laatste verzoek. Al tijdens onze vluchtige ontmoetingen heb ik u laten zien dat ik op de hoogte ben van alle verwerpelijkheden die u hebt begaan toen u borduurster bij de monniken in Maillezais was. Het was gruwelijk van u om met frater Bertrand te slapen, maar het was nog schandelijker om mij op de wereld te zetten en me op de drempel van huize Boutier achter te laten. Wees ervan doordrongen, Perrine, dat mijn afkeuring ten aanzien van u onherroepelijk is. Ik laat me niet uit over de onwettige sluier waarmee de benedictijnen de copulatie en het blasfemische gedeelte hebben bedekt. Voor wat u hebt gedaan, vraag ik noch genegenheid, noch berouw. Aan het een heb ik geen behoefte, en ik zou niet weten wat ik met het ander zou moeten doen. Maar aangezien uw arme echtgenoot geen weet heeft van uw verachtelijke verleden, geloof ik dat een overeenkomst wel gepast is. Het was puur toeval dat ik u op het spoor ben gekomen, en om u in de gaten te kunnen houden, ben ik nu sinds een jaar hier bij de oude Upupa om wat over alchemie te babbelen. Ik weet dat de mensen hier in Clisson u beschouwen als een godvrezende vrouw en dat u niet door uw eigen zoon te kakken gezet wilt worden als een beestachtig, wellustig en schijnheilig wijf. Ik weet dat Beppe Talla de nacht in de werkplaats doorbrengt en daar ook morgenochtend is. Dus voor het ochtendgloren, nog voordat Upupa uit zijn kamer komt, kom ik naar u toe om de tien oude louis d'ors te incasseren die u me hebt beloofd in ruil voor mijn zwijgen.

Hoogachtend, uw Urbain

Toen Bernabé deze zelfbeschuldiging van Urbain gelezen had, vroeg Upupa hem: 'Vertel eens, jij bent in Maillezais geweest. Heb jij frater Bertrand gekend?'

'Meester, ik peins me suf, maar herinner me geen monnik met die naam. En wat die affaire betreft, u hebt me geleerd hoe goed religieuzen in staat zijn om de feiten te verhullen. Voor hen geldt – als ze willen – dat wat er is, er niet is. En dat wat er niet is, er wel is.'

'Op dit moment, Bernabé, rest mij slechts één ding. Iets wat rechtvaardig en juist is. Ik moet deze brief snel naar burgemeester Badeau brengen.'

De jongen zweeg met tranen in zijn ogen en huiverde.

De klokken van de kerk van de Drievuldigheid luidden het uur van de sexten, het middaguur. Bernabé herinnerde zich dat de klokken een stem hadden, zoals zijn superieuren in het klooster hem dat hadden geleerd. En inderdaad, terwijl de meester de drempel overging, meende hij een boodschap te horen: *We treuren om een dode, laten een onschuldige vrij en klagen een schuldige aan.*

Maar Bernabé merkte niet dat de klokken vals klonken. Sinds het moment dat ze niet meer geluid werden door de arme Hilarion, die in de gevangenis zat, maar door een nieuwe klokkenluider...

36

Upupa spoorde zijn paard aan met een gezicht dat brandde door een koorts die zijn hart hevig deed kloppen. Hij hield zijn rug gebogen om in het zadel te kunnen blijven zitten, waardoor hij verstijfd leek en een pijn door zijn hele lichaam voelde trekken.

'O!' schreeuwde hij, alsof er een gloeiend heet stuk ijzer in zijn hart werd gestoken. 'Door het gewicht van deze enorme ramp, waarvoor Urbain verantwoordelijk is, word ik een meedogenloze rechter! Maar doe ik wel het juiste? Heb ik me vergist in mijn lessen? Is het mijn taak om die jongen terug te halen? Nee, nee, nee. Hoe kan ik zo blind zijn geweest dat ik het niet heb gezien of gevoeld?' Hij gaf het paard vurig de sporen.

Het dier vlóóg bijna, schuimbekkend, over het pad dat langs de rivier liep. Hij sneed een stukje af en reed tussen de bomen in het bos door. Hij reed de houten brug over de Moine op, die leek te kraken onder de razende hoeven.

Is het mogelijk? vroeg Upupa zich angstig af. Uit mijn poriën komt een onstuitbare drift en die breng ik, als een besmettelijke ziekte, over op het paard!

Hij ging rechtdoor, de brug over de Vallée op en hoorde de hoefijzers van de viervoeter opnieuw resoneren op de oude, middeleeuwse brug; het nerveuze paardengetrappel weergalmde op de eronder gelegen bogen.

Toen hij het hoge kruis van grijze steen midden op de brug passeerde, verliet Upupa het gebied dat bij het prioraat van de Drievuldigheid behoorde en kwam in het territorium van de Notre Dame parochie. Hier werd gewaakt over de eeuwige slaap van de machtige heren van Clisson, de eigenaars van het kasteel waar hij voor stond. Hij reed met losse teugels langs de slotgracht, over de ophaalbrug die op meerdere plekken kapot was geschoten, en zag rietstengels in volle bloei, die wuifden in de wind.

De gedachten van de wijze oude man, die tot dan toe bevangen was geweest door een ongebruikelijke woede, dwaalden af naar het verleden en hij raakte gefascineerd door de geschiedenis. Plotseling werd in zijn opgewonden brein het beeld van Urbain vervangen door dat van het kasteel, dat eeuwenoude roem en glorie op zijn glacis droeg.

Uiteindelijk, zei hij bij zichzelf, heeft mijn vriend Charles de Rohan-Soubise het verlaten toen hij er eigenaar van werd, omdat hij de voorkeur gaf aan het hof van Lodewijk xv. Voor zover ik weet is de hertog echt bijgelovig... Hij zal wel geluisterd hebben naar de stemmen die ellende voorzagen in het verval van de donjon... hij glimlachte ironisch.

Toen hij bij de ingang was, kwam hij Sauvageon, de geldwisselaar, tegen en vroeg hem waar burgemeester Badeau was. Met weidse handgebaren wees de man naar een punt iets verderop. Upupa gaf de teugels aan een stalknecht, zodat die het paard wat voer kon geven, en zette koers naar het oude gedeelte van het kasteel, vlak bij de rivier.

Hier, tussen de halfvervallen donjon en de toren van St.-Louis, zag hij Badeau in de put kijken. Instinctmatig dacht hij aan Caligula, die daar de maan in weerspiegeld zag, maar daarna bedacht hij dat die vergelijking te veel eer was voor de burgemeester met zijn gezicht als een zeebarbeel; de hersenen van die man waren nog kleiner dan die van een pootvis.

Badeau ontmoeten na de aanvaringen die hij met hem had gehad over de onschuld van de koster, was voor Upupa een onverdraaglijke last en het idee alleen al om hem dit nieuwe bewijs te moeten overhandigen, was bijna een foltering. Maar goed, als het om rechtvaardigheid gaat, vervalt elke geestelijke terughoudendheid.

Zodra de burgemeester hem zag, parelde er ijskoud zweet op zijn voorhoofd. Badeau kwam met een vreemd, strompelend loopje op de oude man af.

'Meester Upupa, u hebt veel te hoog van de toren geblazen door Hilarion Thenau in bescherming te nemen. Een moordenaar! Met als onvermijdelijk gevolg dat mijn hele onderzoek is verworpen, gewoon geschrapt. Tot mijn, en uitsluitend *míjn*, schande!'

Hij greep de oude man bij zijn pols en trok hem over de bastions van de ommuring mee naar de linkertoren, waar de mannengevangenis gevestigd was. Vanaf die hoogte liet hij zijn blik over de rivier, de huizen en het land dwalen. De gevangenissen, twee duidelijk te onderscheiden gebouwen met weinig openingen, hadden ze opzettelijk daar in de buurt van de westelijke bastions gezet. Ze waren tegen de muur aan gebouwd en leken door hun stevigheid elke gedachte aan een mogelijke ontsnapping de kop in te drukken.

Via een trap bereikten ze de binnenplaats tegenover de gevangenissen. Er volgden nog drie treden, tot ze onder een stenen boog stonden, met daarachter de zware, robuuste houten deur, die versterkt was met tien ijzeren, horizontale staven. Welgemanierd als altijd sloeg de burgemeester er met zijn vuisten op. Een hoofd kwam uit het raam steken en er klonk wat gemompel. Badeau vroeg aan de cipier hem erdoor te laten, en nadat hij Upupa een duw tegen zijn schouders had gegeven, drukte hij hem korte tijd later met zijn neus tegen cel nummer 5. Pas toen de deur openging leek hij te kalmeren.

De oude man ging naar binnen en zag Hilarion weer: zo lang als een klokkentoren en met dikke lippen die, zoals gewoonlijk, op de herdersfluit bliezen.

'Alle knechten,' bulderde Badeau, 'fluiten dat deuntje. *Bon, bon, bon*... ken je niets anders, idioot?!'

Zodra de koster Upupa zag, kwam hij naar hem toe en dreinde met de klagerige stem van een kind: 'I-ik heb niks gedaan, m-meester. Wa-wanneer laten ze me vrij? Ik mmoet de k-k-klokken luiden...'

'Stil maar, Hilarion. Ik geloof je, maar je moet geduld hebben. Je kunt gauw terug naar pater Sébastien,' antwoordde hij, en hij ging de cel uit. De deur viel met een bons achter hem dicht.

Zonder iets te zeggen over zijn ontmoeting met de gevangene, legde Upupa Badeau uit wat de reden van zijn komst was. 'Mijnheer, ik moet u iets vertellen over het misdrijf.'

'Uw gebruikelijke kuiperij, om verwarring te zaaien en alles te bemoeilijken...' antwoordde de ander op bijtende toon en wandelde, zichtbaar geërgerd, naar een andere ruimte. 'Laten we hier gaan zitten. De commandant is afwezig en ik weet zeker dat hij het niet erg vindt als we zijn kantoor even lenen.'

37

Een stenen vloer, een raam dat twee meter in de muur was verzonken, stevig traliewerk waar zich een paar zonnestralen doorheen boorden. Aan één kant hing een deurtje, als een blootliggende tand in een kaak. Aan de muren hingen zwartfluwelen panelen ter bescherming van de verschoten, in leer gebonden boeken die slordig op een lange plank stonden.

'Ga zitten en praat,' zei de burgemeester op neerbuigende toon. 'Maar hou het kort.'

Upupa keek hem strak aan, haalde de brief van Urbain uit zijn zak en legde die op tafel. 'Mijnheer Badeau, leest u deze maar,' zei hij ernstig. 'Ik heb hem vanochtend gevonden in het speeldoosje van Perrine, dat Hilarion bij zich had.'

'Ja, dat speeldoosje herinner ik me nog.'

Badeau, met zijn bril op zijn neus, begon met een grijns te lezen. Als een schoolmeester die het huiswerk van zijn leerlingen nakijkt, duwde hij met opeengeklemde lippen zijn kin naar voren, als om de ernst van de woorden op het papier te onderstrepen.

Upupa's aandacht werd getrokken door een muis die op de architraaf klom. De muggen gonsden om zijn gezicht. De muis piepte, het gezoem van de insecten hield op en de oude man leek een onsamenhangend gemurmel te horen.

'Wat is dat voor een gerommel?' vroeg hij aan de burgemeester.

'De samovar,' antwoordde die, verheugd omdat hij nu ook eens zijn kennis kon spuien, waardoor hij zich belangrijk voelde. 'Ik heb de cipier opdracht gegeven wat hooiwater te bereiden. Upupa, ik weet niet of u het weet...'

'Jazeker, dat is thee, een invoerartikel uit Holland. Ik was vergeten dat ze u hier behandelen als aan het hof...'

Slechts enkele woorden, maar genoeg om de herstelde verstandhouding met nieuwe onbenulligheden teniet te doen. Niets irriteerde de meester meer dan verwaande kwasten die de ideeën van anderen gebruikten om zich alwetend voor te doen, al hadden ze er totaal geen verstand van. Maar de oude wijze man had direct spijt van zijn twistzieke houding. Wat kon het hem per slot van rekening schelen dat Badeau zo'n leeghoofd was?

Gelukkig had de burgemeester niet in de gaten hoe vernietigend zijn kritiek was geweest.

'We hebben de blaadjes en de samovar in beslag genomen van een koopman die is veroordeeld omdat hij schulden had.'

Toen vroeg hij, getroffen door de brief: 'Is die geschreven door die leerling van u, die lange met dat bruine haar, die ik heb gezien in het huis van mevrouw Martin?'

'Ja.'

'En u weet zeker dat dit zijn handschrift is?'

'Ja. Ik heb een proefmonster bij me om te kunnen vergelijken.'

Hij gaf het hem. De ander hield de vellen naast elkaar en knikte.

'Maar dat is nog niet alles,' voegde de oude man in de witte pij er spijtig aan toe. 'Urbain Boutier is gevlucht, nadat hij twee van mijn goudstaven gestolen heeft.'

'Wanneer?'

'Vandaag. Waarschijnlijk bij het ochtendgloren.'

Badeau liet een brede glimlach zien. 'U begrijpt, mijn beste meester van de Broederschap van de Roos en de Vogels, dat ik nu gedwongen ben de intendant in Rennes te informeren over de vlucht van de jonge Boutier, die zeker een dief en waarschijnlijk ook een moedermoordenaar is. Vanuit Rennes zal de boodschap naar Nantes worden gestuurd, naar de militaire politie, naar de seneschalk, naar de luitenant-generaal van politie...'

Met een hand op zijn voorhoofd onderbrak Upupa hem.

'Mijnheer, deze bureaucratische litanie is niet nodig. Ik ben hier omdat het recht zijn loop moet hebben. Ik kan zeker niet eisen dat de koster wordt vrijgelaten voordat het onderzoek is afgerond.'

'Goed zo! Hoe dan ook, je weet het maar nooit met u,' antwoordde Badeau met het schuim op zijn lippen. 'U zou verteerd kunnen worden door schuldgevoelens omdat u uw leerling hebt aangegeven. U zou kunnen zwichten voor het feit dat, zoals het er nu naar uitziet, uw vinkje naar het schavot geleid zal worden... Begrijp me goed! Ik wil niet nog een keer van hogerhand worden teruggefloten. Want ik zet de machine van de rechtshandhaving in werking.'

'Ik zal me niet bedenken.'

'De armen van de wet zijn net de tentakels van een octopus: ze slingeren van Clisson naar Rennes en van Rennes naar Nantes.'

'Mag ik de brief terug?'

'Een ogenblikje! Ik laat hem door de kanselier overschrijven, zodat ik hem aan mijn rapport kan toevoegen.'

Badeau riep de cipier, die een houten dienblad met twee koppen thee binnenbracht, en beval hem de *actuarius* te roepen, aan wie hij opdracht gaf de brief over te schrijven.

De twee zaten tegenover elkaar van hun hooiwater te nippen. 'Deze omgeving past vast niet bepaald bij u,' merkte Badeau op. 'Maar wij ambtenaars hebben geen goudbaren en geen steen der wijzen om dat te maken van het roest van deze tralies,' besloot hij, en hij wees op het raam.

Upupa negeerde deze smakeloze humor met een geringschattende stilte. Toen antwoordde hij: 'Mijnheer de burgemeester, u redeneert net als Urbain. Daarom heeft hij gestolen. Hij heeft niets van de alchemie begrepen.'

'Volgens welke logica kiest u uw leerlingen eigenlijk?'

'Dat is een mysterieuze, moeilijk te doorgronden methode. Het is een mentale lichtstraal.'

Badeau barstte in lachen uit. 'En die lichtstraal heeft de ware aard van die schoft niet geopenbaard?'

'Ja en nee. Ik wist wel dat hij de neiging had te stelen. Sterker nog, ik heb hem leren kennen in Nantes, terwijl hij in een rijkeluisstraat een dame een parelcollier afhandig probeerde te maken. Ik hield hem tegen. En nadat ik met hem gepraat had, nam ik hem mee naar Clisson. Hij leek ervan overtuigd dat hij zijn levensstijl wilde veranderen. Maar dat hij zo'n sterke en onwrikbare haat in zich had, daar zou ik werkelijk naar hebben moeten raden. Ik zal niet onder stoelen of banken steken dat ik enige hoop koester...'

'Aha, ziet u wel? Er begint al wat twijfel op te komen. U valt weer terug in uw weekheid...'

De oude man sloeg met zijn vuist op tafel en bulderde: 'Ik ben intelligent genoeg om het verschil te begrijpen tussen twijfels en bewijs dat vrijwel neerkomt op een bekentenis. Ik wil dat u een onderzoek instelt en de waarheid achterhaalt. Want de waarheid is de moeder van de wijsheid, mijnheer!'

Hij werd afgeleid doordat de cipier kwam. 'Dit is de originele brief, hij is volledig overgeschreven.'

'U kunt hem meenemen, Upupa. Alles is nu in gang gezet,' zei Badeau met een meelevend glimlachje, maar vreemd genoeg was zijn tic weer terug en bolde zijn wang op, doordat hij er aan de binnenkant met zijn tong tegenaan duwde.

Waardoor was hij zo van slag? Misschien door de elegante en geraffineerde manier van doen die de oude Upupa – ondanks zijn woede, verdriet en lijden – altijd wist te bewaren? Een soort raadselachtige superioriteit waar Badeau hem, diep vanbinnen, om benijdde?

Terwijl hij afscheid nam van de functionaris zag Upupa de muis op de architraaf weer. Piepend liep het beestje voor hem uit en draaide zich om, bijna alsof het op hem wachtte. Dat bleef het doen totdat hij zijn paard besteeg. Op dat moment ging de muis op zijn achterpootjes staan alsof hij de draak met hem wilde steken, en Upupa herkende er geërgerd de symboliek in die werd geassocieerd met de wereld van het kwaad. Waarom had het kopje van de muis plaatsgemaakt voor het hoofd van Urbain?

Intussen kondigden de klokken van de parochie van de Notre Dame het *hora nona* aan. In de oren van de alchemist klonken de slagen onheilspellend. Ze leken een schuldige naar de galg te begeleiden.

38

Bernabé de Grâce, die op de comfortabele bergère zat, dacht na over de onbezonnen begeerte naar het goud, die Urbain tot al die verdorvenheid had aangezet: van huichelarij tot bedrog, van diefstal tot moord. Hij zag hem als een slechte acteur die geen onderscheid kon maken tussen goed en kwaad. Of liever gezegd, iemand die heel goed wist wat goed was voor hemzelf en wat slecht was voor anderen. Toch had het geluk hem toegelachen, doordat hij Upupa tegen was gekomen. Bernabé zag het slanke figuur van de meester voor zich: een man met een gemiddeld postuur, wit haar met hier en daar een vleugje grijs, als kwik, en kalkachtig witte bakkebaarden, als omlijsting van zijn gezicht, dat nogal veel rimpels had voor zijn leeftijd, maar waarin zijn blauwe, waterige ogen goed uitkwamen. Ze hadden een vage kleur, maar waren wel doordringend en niet slijmerig, zoals die van Prelati. Hij had zijn benen gezien toen zijn lange, witte pij was opgetrokken terwijl hij op zijn paard stapte: knobbelige benen, die duidelijk vele mijlen hadden gelopen.

Zijn waardige houding deed denken aan een koning uit het Oude Testament, met zijn diepe, ernstige stem waaruit altijd een parabel of metafoor leek te spreken, of zelfs een regelrecht mysterie.

Stel dat Upupa hem als leerling zou aannemen! Ja, hij voelde de fascinatie van de oude wijze man, waardoor zijn wil om de geheimen te leren kennen die verborgen lagen in het vuur, de lucht, de aarde en het water, alleen nog maar groter werd. Zijn verlangen om ze te begrijpen, die mysteries, groeide; hij wilde weten waarom ze hem verleidden en verwarden, net als Henriette.

'Inderdaad,' knikte hij. 'Net zoals mijn Henriette. Moet ik me dan verdelen tussen die twee passies? Wie weet! Als Urbain een meisje had leren kennen, was hij misschien niet bedwelmd gebleven door die waanzin van het veroveren van goud en de wroeging van de wraak.'

Intussen was Upupa op de terugweg, en hoewel hij uitgeput was door het gesprek met de burgemeester, merkte hij dat hij door de telepathische factoren die een draad lijken te spannen tussen twee mensen die een goede verstandhouding hebben, aan Bernabé zat te denken.

'Het is een jongen met een opmerkelijke intelligentie,' gaf hij hardop toe. 'Ook hij heeft een trieste jeugd gehad, zoals bleek uit wat hij in zijn slaap vertelde. Zijn slaap! Tja, hij praat in zijn slaap, en dat is een voordeel voor mij. Ik weet niet meer wie, maar iemand heeft gezegd dat de slaap net een cirkel is, waarin het paard van het geheugen rondjes loopt om vervolgens naar zijn dresseur te gaan met onbewust uitgesproken woorden.'

Bij het zien van de loop van de rivier glimlachte hij en riep vastbesloten, terwijl hij zijn vingers in de manen van het paard begroef: 'Ja, ik neem hem aan. Ik zal hem onderricht in de alchemie geven.'

Ze omhelsden elkaar als meester en discipel, al waren ze niet echt lang bij elkaar weg geweest. Upupa zat gevangen in het smartelijke verdriet om Urbain; De Grâce koesterde de onwrikbare zekerheid dat hij het waard was om de plaats van de vluchteling in te nemen.

Upupa las zijn gedachten. 'Ik zie je nog niet als een vogel die zich aftekent tegen de hemelse horizon. Er staan je moeilijke proeven te wachten om jezelf uit het zwart van het moeras te trekken,' zei hij hoogdravend.

'Ja, meester, ik doe wat u wilt. Maar ik wil me niet onrechtmatig de plek van Urbain toe-eigenen, want...'

'Want die kun je je niet onrechtmatig toe-eigenen. Iets kan alleen met bedrog worden toegeëigend als iemand anders er recht op heeft. Maar Boutier heeft zijn plek verspeeld, omdat hij die niet waard was. Jij hebt kwaliteiten en je zult die verrader niet vervangen. Zijn studentenbankje is inmiddels vernietigd. Trouwens, voor mij is hij al dood. En als we ooit iets van hem horen, zal de beul voor hem zorgen...'

Ze schrokken allebei op toen er hevig op de deur werd gebonsd.

Het was pater Sébastien, die een zak in zijn rechterhand hield. De priester glimlachte routineus; het prototype van een priester over wie de mensen, in de veronderstelling dat ze een compliment geven, zeggen dat hij helemaal niet op een priester lijkt. In de vijftig, groot, een en al bovenlijf. Glimmende wangen, ogen klein en zwart als appelpitten, met daaronder een rechte, bijna lichtgevende neus. Om zijn rozige schedel krulde een kroontje van zacht, donker haar en op zijn buik bungelde een lange horlogeketting.

'Upupa, ik kom bij de werkplaats van de smid vandaan. Hij wilde me niet binnenlaten, omdat hij druk bezig was met een klus in opdracht van een edele vreemdeling.'

'Ik weet er niets van, eerwaarde. Helaas heb ik problemen gehad met Urbain...'

'Ach, waar is hij? Ziek misschien?'

Met matte stem, omfloerst door ingehouden tranen, vertelde de alchemist wat er gebeurd was, tot en met zijn ontmoeting met die stokvis van een Badeau.

'O, barmhartige God!' riep de priester hijgend en sloeg een kruis. 'Ik ben gehard door het vuur van de ellende van de menselijke geest... Die onverlaat van een Boutier verdient het vonnis van de aardse rechtspraak, maar vraagt ook om een bijzondere tussenkomst van de Maagd Maria bij de Zoon.' Daarna draaide hij zich om zijn as en vroeg: 'Weet de arme smid hiervan?'

'Nee. En ik zou het graag onder ons houden totdat deze ernstige zaak is opgehelderd.'

'Ik vroeg het omdat ik gehoord heb dat hij wil terugkeren naar zijn vaderland, naar Florence, met die opdrachtgever. Hij kan hier niet meer wonen, zonder Perrine. Raphaël, de uitbater van De Gouden Moerbei, heeft me verteld dat hij in de werkplaats slaapt en niet meer naar huis wil.'

'Wie is die vreemdeling?' vroeg Upupa verbijsterd, nadat hij even had nagedacht.

'Dat wilde hij niet zeggen. Misschien is hij bang dat iemand uit het dorp ervan hoort en hem zal proberen tegen te houden. Maar goed, aangezien hij u wel wil zien, kunt u op onderzoek uitgaan!' voegde hij er vol overtuiging aan toe.

'Wanneer zou hij weggaan?'

'Heel snel, denk ik. Hij heeft me namelijk gezegd: "Ga alstublieft naar de vrome alchemist en geef hem deze zak met ijzervijlsel voor zijn experimenten. Zeg dat ik hem gedag wil zeggen."' De priester zette het pakket, dat hij nog steeds in zijn hand had, op de grond.

'Pater Sébastien, ik voel me nu niet lekker. Ik ga er morgen naartoe. Ik hoop dat u vertrouwen in me hebt. Bedankt voor alles.'

Upupa liep met hem mee naar de deur. De priester ging op de wagen zitten, die schokkend in beweging kwam toen hij een harde ruk gaf aan de oude, half kale ezel.

39

Maillezais, 1751
Toen brigadier Joseph Didier die ochtend voor de ingang van de abdij van zijn paard stapte, was hij in een vreselijk slecht humeur. Het laatste deel van de reis had hij in stilte doorgebracht, terwijl hij van tijd tot tijd peinzend zijn lippen vertrok. De politieman die hem vergezelde was maar al te goed op de hoogte van zijn zwijgzame aard en vond dat lange zwijgen heel normaal.

Toch, dacht hij ten slotte, zal hij wel niet aan het bidden zijn, want zijn superieur herhaalde vaak dat hij in niemand geloofde, God inclusis. Didier geloofde alleen in zijn eigen wapens, die hij nooit alleen liet. Een vreemde vogel, die brigadier van de militaire politie; een koppige, weinig diplomatieke man van middelbare leeftijd. En zo geobsedeerd door orde – formeel en fundamenteel – dat hij geen onregelmatigheid, gebrek of verstoring duldde, hoe miniem ook. Hij was niet alleen onbuigzaam naar anderen toe, maar vooral ook naar zichzelf. Een kwaliteit die zijn superieuren apprecieerden.

Dat was die ochtend precies wat Didier aan het doen was: zichzelf bekritiseren. Op weg van Niort naar Maillezais moest hij een zilverkleurige knoop van zijn uniform zijn verloren. Mistroostig had hij het echter pas gemerkt toen hij van zijn paard was afgestegen en het lege knoopsgat op het rood van zijn linkermouw had gezien. Een klein ontbrekend dingetje, maar wel iets fundamenteels, dat in zijn ogen op de een of andere manier afbreuk deed aan de autoriteit die iedereen hem toeschreef. Verdomme! Uitgerekend op deze dag, net nu luitenant Mougeot hem boven de anderen had verkozen om naar de oude benedictijner abdij te gaan en informatie te halen!

Didier berustte in het feit dat hij het probleem niet kon oplossen. Hij streek zorgvuldig zijn blauwe justaucorps glad, deed de ceintuur met een resolute beweging goed en gaf de ander toen een teken. De politieman volgde hem met de teugels van de twee paarden in de hand en overhandigde die aan een lekenbroeder. De brigadier vroeg hem iets en de stalknecht wees op de zijdeur, die op een kier stond. De twee politiemannen liepen ernaartoe en verdwenen in het gebouw naast het gastenverblijf.

'De Heer heet u welkom in zijn huis,' riep Guillaume de Fresne, prior van Maillezais, uit terwijl hij zijn gasten in de kapittelzaal tegemoet liep. De glimlach verdween echter van zijn gezicht bij het zien van de politieman, die met zijn zwaard en zijn pistool in de heilige ruimte stond. Een tactloze, misschien zelfs vijandige, om niet te zeggen onnodig arrogante daad. In afwachting van de reden van het bezoek voegde hij er slechts aan toe: 'En Sint-Benedictus verwelkomt in vrede wie in vrede is gekomen.'

'Vrede zij ook met u,' antwoordde Didier niet bepaald overtuigend. 'Prior, op bevel van de intendant van justitie moet u enkele vragen beantwoorden. Met uw medewerking kunnen wij wellicht een aantal misdrijven oplossen die in Clisson hebben plaatsgevonden.'

'Ik begrijp niet wat wij met die misdrijven te maken hebben,' reageerde de benedictijn. 'Clisson ligt ver weg.'

'Er zijn sporen die naar Maillezais leiden. We denken dat de dader hier uit de streek komt en daarom bij u monniken bekend is...'

Hoofdschuddend interrumpeerde de ander: 'Ik ken de mensen uit dit dorpje goed. Ze werken vrijwel allemaal voor de abdij. Het zijn eerlijke, godvrezende mensen.'

'U zou zich kunnen vergissen. In elke kudde kan een zwart schaap zitten.'

'Ik ken de mensen omdat ik God ken, die hen naar zijn beeld heeft geschapen,' antwoordde de gelovige gepikeerd. 'En daarmee word ik wel een handje geholpen om me niet te vergissen. Bent u het met me eens?'

Na een bewust ingelaste pauze kruiste hij zijn armen over zijn taankleurige pij en wierp de vreemdelingen een vragende blik toe, die het midden hield tussen dreigend en uitdagend. Didier hield niet van pijen en habijten en had er een hekel aan ondervraagd te worden door iedereen die niet zijn meerdere was. Bovendien verloor zowel hijzelf als het recht alleen maar tijd door dit stomme, inhoudsloze obstructionisme. Zenuwachtig hief hij zijn arm, alsof hij de man in naam van de koning het stilzwijgen op wilde leggen of misschien wel wilde bedreigen, maar het gebaar beperkte zich tot het rechttrekken van de met een zilverkleurige streep afgezette bandelier.

'Ik heb begrip voor uw verbazing, prior,' antwoordde hij zo beleefd hij kon. 'Niemand is van plan uw klooster en uw gelovigen ergens bij te betrekken. We vragen alleen uw edelmoedige hulp bij het aanhouden van een delinquent. Als u ons nu nuttige informatie geeft, kunnen we in de toekomst andere misdrijven ten koste van onschuldige mensen verhinderen. Om u volledig op de hoogte te stellen, pater: het gaat hier om een moord.'

De plotselinge verandering van toon en het feit dat het om moord ging, troffen de gelovige. Hij had van Didier een agressieve reactie verwacht, zodat hij een reden zou hebben gehad om hem naar de duivel te sturen, maar nu kreeg hij een treurig, logisch verzoek. Van zijn stuk gebracht vond hij het dan ook niet gepast om er nog iets tegen in te brengen.

'Ik sta tot uw beschikking,' besloot hij. 'Laat me eerst toestemming vragen aan mijn bisschop, daarna zal ik al uw vragen beantwoorden.'

Een geschreven vel papier met handtekening en zegel verscheen in de handen van Joseph Didier, die het hem met een klein, ondoorgrondelijk grijnslachje overhandigde. 'De koninklijke intendant heeft de bisschop van La Rochelle, onder wie deze abdij valt, al ingelicht. Zoals u ziet, vertrouwt Zijne Eminentie op uw volledige medewerking. Ik weet zeker dat ik u nu mijn onschuldige vragen kan voorleggen.'

De prior lees en zweeg. Hij had het lesje begrepen. En hij boette voor zijn trots, omdat hij een kleine brigadier uit de provincie had onderschat. 'Ik luister,' zei hij laconiek, terwijl hij zich omdraaide naar het raam, met zijn ogen op het schitterende klooster gericht.

Didier ging zitten en legde zijn driekante, met zilver afgezette steek op tafel, evenals een tas, waaruit hij een vel papier dat deels al beschreven was met aantekeningen, een inktpot en een pen haalde. 'Was u hier twintig jaar geleden al?' vroeg hij.

'Ik maak sinds dertig jaar en zes maanden deel uit van deze gemeenschap.'

'Goed, dan kunt u me dus iets vertellen over frater Henri Bertrand.'

De prior knikte en zweeg. Toen draaide hij zich met gesloten ogen om en zei met ietwat hese stem: 'Broeder Bertrand is niet meer bij ons.' Hij zuchtte. 'Maar dat wist u al, denk ik.'

'Ja, maar ik zou graag precies willen weten wat de reden van zijn vertrek was.'

'Toen het gebeurde kwam dat voor onze gemeenschap als een donderslag bij heldere hemel,' herinnerde de prior zich. 'Hij was de meest opgewekte van ons, zowel van karakter als van geest. Toen begon hij, laten we zeggen, negatieve signalen te geven, om de beperkingen en de problemen van de mens aan te tonen. We besloten hem nooit alleen te laten, in de hoop dat hij de crisis, die wij als tijdelijk beschouwden, te boven zou komen.'

'Geloofscrisis,' mompelde de brigadier, die het bij zijn aantekeningen schreef.

'Hartscrisis,' verbeterde de ander wrang. 'Met geloof had het niets te maken.'

De woorden van een priester om een andere priester te verdedigen, dacht Didier. Maar ondertussen had die broeder Bertrand wel een vrouw zwanger gemaakt! Hij besloot niet nog meer tijd te verliezen door naar verdere vergoelijkingen te luisteren. 'En het kind?' vroeg hij. 'Wat is er van het kind terechtgekomen?'

De geestelijke keek hem nieuwsgierig aan. 'Welk kind?'

'Kom op, prior. De vrucht van frater Bertrand en een zekere Perrine Martin, borduurster bij uw abdij Saint-Pierre in Maillezais.'

Als enige antwoord weergalmde er een homerisch gelach door de gewelven van de kapittelzaal met fresco's van de wonderen van de Verlosser.

'Wie, frater Bertrand? Frater Henri Bertrand? Is hij het onderwerp van uw onderzoek?'

Didier keek hem verbluft aan.

'Luister, zoon...' verklaarde de priester. 'We hebben nooit een borduurster met die naam gehad. Het is de keuze van ons kapittel om leken geen kerkgeraad te laten aanraken. Pluvialen, kazuifels, altaarkleden en dat soort dingen besteden wij altijd uit aan de zusters van het klooster van Luçon.'

'En het kind dan? Een zekere Urbain...'

'Ik weet niet waar u het over hebt,' zei de ander met een glimlach.

'Maar prior! De zoon van de schande die twintig jaar geleden min of meer heeft geleid tot de overplaatsing van de frater uit Maillezais...'

Nu lachte de benedictijn niet meer. 'Hoe moet ik het zeggen? We hebben Bertrand niet weggestuurd, twintig jaar geleden niet en daarna niet. Persoonlijk ken ik bovendien geen enkele gelovige man die zo dapper en eenvoudig was als hij.'

'En die hartscrisis dan? De negatieve signalen? Uw inspanningen om hem niet alleen te laten? Ontken het maar niet, ik heb alles opgeschreven.'

'Maar beste man!' riep de ander uit. 'We hebben er alles aan gedaan om hem nog in leven te houden. Tevergeefs. Frater Bertrand was ongeveer tachtig toen hij twee maanden geleden, op Goede Vrijdag, in onze armen stierf. In vrede met God en de mensen. Zijn laatste hartaanval was fataal voor zijn verder nog sterke gestel. Hij is teruggekeerd naar het huis van de Vader en slaapt de slaap der rechtvaardigen.'

Het uur van de sexten, tijd voor het middagmaal, sloeg. In de ruimte sprak niemand meer. Toen de laatste slag was weggestorven, verviel de prior weer in de plechtigheid die bij zijn rol paste, en hij zei: 'Zoals u hoort, roept de dis mij en kan ik niet langer blijven. Mocht u echter nog twijfels hebben, dan kunt u me nog een keer komen opzoeken. Als u me wilt volgen, zal ik u de plek laten zien waar we de broeder zaliger hebben begraven. Indien u mijn woorden in twijfel trekt, vraagt u dan aan mijn superieuren of ze een exhumatie willen uitvoeren, zodat u persoonlijk vragen kunt stellen aan het... lijk. Hij heeft toch niets anders te doen, dus weet ik zeker dat hij vol ongeduld uw zo precieze vragen zal beantwoorden.'

Na die spottende afscheidswoorden te hebben geïncasseerd, groette Didier snel door de hakken van zijn leren laarzen tegen elkaar te laten klikken, waarna hij, vergezeld door de politieman, vertrok en zijn steek weer opzette. Terwijl hij zijn paard besteeg, bekroop hem het gevoel dat hij op de een of andere manier zijn doel had gemist. Dat ergerde hem. Hij vroeg zich af of de prior helemaal oprecht was geweest. Of dat hij onder dat op het oog goedige uiterlijk toch een leugen verborg...

40

Vaticaanse Bibliotheek, 1753

'Dus u houdt nog steeds vol dat de diefstal twijfelachtig was?' Woedend bracht Benedictus XIV de damasten fauteuil aan het wankelen. 'Die jonge Boudine, of hoe voor de duivel hij ook mag heten, berooft niet alleen zijn eigen meester, maar chanteert zelfs zijn eigen moeder. Beledigt haar en vermoordt haar...'

Sansevero glimlachte. Of liever gezegd, hij grijnsde spottend.

'Touché, Heilige Vader. Het lijkt een perfect plan. Als u gelijk hebt, moet er binnen de Franse kerk heel wat verwarring zijn. Heiligheid, uit de hier geciteerde ondervraging kan worden afgeleid dat de prior van Maillezais leugenachtige antwoorden heeft gegeven...'

'Willen we nu ook de volgelingen van Sint-Benedictus gaan wantrouwen, prins? Een detector wordt veel toegestaan, maar u gaat te ver.'

'Ik wilde de orde niet beledigen, maar hier kunt u niet onderuit: als de oprechtheid heerser was, is de brief die Boutier geschreven heeft dus onoprecht. Upupa zou eens wakker geschud moeten worden. Het lijkt erop dat iemand een valstrik voor hem gespannen heeft...'

'Wie dan?'

'Dat weet ik niet, Vader.' Sansevero stond op.

Hij ijsbeerde met fonkelende ogen de kamer door.

'Dit verhaal is ondoorzichtig, zwavelachtig. De aanwijzingen zijn net de hoornen plaatjes op het schild van een schildpad!'

'We begrijpen u niet.'

'Het lijkt een volmaakt mozaïekwerk dat een niet volmaakte moord veronderstelt, Vader.'

'En wie is dan wel de schepper?'

'Dat weet ik niet. En dat maakt me kwaad. Ik neem iets waar wat buiten het rationele valt, maar kan mijn vinger er niet op leggen. Ik voel het.'

Benedictus ging staan met behulp van de stok die hij aan zijn armleuning had gehangen.

'Wat bedoelt u?'

'Wilt u de waarheid horen? Ik zal het nog een keer zeggen,' antwoordde Sansevero met een wrange glimlach. 'Ik voel iets heel vreemds.'

Met een plotselinge beweging ging hij weer zitten. Hij hield met een hand zijn glas vast en masseerde met de andere zijn voorhoofd, alsof hij pijn had. Toen begon hij weer te lezen, schudde zijn hoofd en wierp de paus een peinzende blik toe, die deze beantwoordde.

> Ik heb u al verteld over de Broederschap... Het zijn rustige mensen, doordrenkt van oude idealen die de grote ridderordes groot hebben gemaakt... Hun adepten hebben vogelnamen en het zijn Italiaanse namen; heten als een vogel is iets bizars, wat sommige mensen verontrust, maar waar de meesten om lachen...

41

Clisson, 1751

's Ochtends vroeg ging Upupa naar het dorp om de smid gedag te zeggen, nadat hij Bernabé opdracht had gegeven wat eieren uit het kippenhok te rapen, die hij nodig had voor wat praktijkexperimenten.

De jongeman ging de binnenplaats op. Maar plotseling bleef hij staan luisteren, opgeschrikt door een geluid. Het was niet de wind en ook niet de rivier. Een dof gereutel, misschien van een dier. Met onzekere passen ging hij het kippenhok in en... wat een verschrikking!

Een verschrikking in de vorm van tien kippen die hij gekeeld en met opengereten buiken aantrof. Zijn maag kromp ineen. De jongen gaf over. De andere kippen hupten in paniek op hun dode soortgenoten.

Bernabé had een hol gevoel van binnen. De dood is over het algemeen wel zo fatsoenlijk zich met een sluier te bedekken... maar deze gekeelde lijfjes lagen daar in hun eigen bloed alsof hun verrotting iets was om mee te pronken. Zwijgend, met opengesperde ogen, bleef hij staan. Slakken in processie kropen over de lijkjes en lieten zilverachtige strepen achter. Ook de duiventil was halfleeg.

'Wie kan zoiets gedaan hebben?' mompelde hij. 'Hun halzen zijn met een lemmet doorgesneden. Het is absoluut een menselijk wezen geweest. Een treiterijtje van Urbain? Maar waarom?'

Hij dacht erover na en overtuigde zichzelf ervan dat deze laffe streek niet kon worden toegeschreven aan Boutier, die meer gericht was op de overdaad van het goud.

Prelati, die wandelende dode... Ja, volgens mij is hij de boosdoener, peinsde hij. Hij heeft die arme beesten terechtgesteld als waarschuwing voor Upupa, als die hem niet geeft wat hij wil. Maar als de meester zo'n ruimhartig mens is, waarom weigert hij hem dan de daad van mededogen waar die man om smeekt? Het is vast iets onbillijks, iets kwaadaardigs wat die oude, walgelijke dwaas wil.

Bernabé dwong zichzelf de vermoorde kippen bijeen te rapen en deed ze in een leeg vat om ze aan Upupa te laten zien. Meteen daarna gooide hij plenzen water op de vloer om het bloed eraf te spoelen. Ten slotte pakte hij de eieren, telde de overgebleven tweevoeters en ging het huis weer in.

De meester had het laboratorium voor hem opengelaten. Op tafel lagen hoopjes ijzervijlsel, zwavelpoeder, kalk en was, en er stond een kolenoventje.

Volgens de instructies die hij had gekregen prikte de jongen met een dun, gloeiend heet ijzerstaafje een gat in een ei en dronk de inhoud op. Daarna deed hij door het gat het poedervormige materiaal, het ijzer en de zwavel, in de eierschaal. Hij deed de kalk erbij, sloot het gat af met de was en dompelde het ei onder in het water. Het volgende gebeurde: zonder dat er vuur aan te pas kwam werd het ei uit zichzelf gloeiend heet en bracht het water aan de kook!

Gefascineerd door de exotherme reactie die hij teweeg had gebracht, vergat De Grâce het spookachtige schouwspel dat hij in de kippenren had aangetroffen. Zijn blik werd nu getrokken door een paar katoenen handschoenen en een bakje met een vreemde tinctuur erin. Hij herinnerde zich dat hij Upupa wel eens rode pepertjes in alcohol had zien weken, associeerde de twee dingen, stak zijn handen in de handschoenen en dompelde ze onder in de verbinding. Ineens voelde hij een duidelijk warme sensatie, veroorzaakt door de huidirriterende eigenschappen van de paprika. Bernabé glimlachte en dacht weer aan Urbain.

Wat een stomkop! Met alchemie kun je gewoon lachen, dacht hij. Wat hij had gedaan was geen kwajongensstreek, maar een echte schurkenstreek, die een jaar lang was voorbereid en tot in de puntjes uitgewerkt was. Toch weet die onnozele hals niet dat hij bedrogen uitkomt... De situatie is er niet beter op geworden door het risico dat hij genomen heeft. Perrine heeft haar onthullende brief in het muziekdoosje verstopt en die is in mijn handen gekomen. Ik, ík ben zijn vijandig gezinde lot! dacht hij triomfantelijk, tevreden met zichzelf.

Hij dacht een demon en een leeuw te zijn en is te pakken genomen door een vlo als ik. Nu heeft Urbain vlooienbloed in zich en ik leeuwenbloed. Dus ben ik ver in het voordeel, besloot hij. Hij merkte niet dat hij helemaal rood was geworden, als een oven – maar dan een oven die betegeld was met haat, woede en wrok.

Toen hij het laboratorium had verlaten, moest hij denken aan de opwindende Henriette. Hij proefde de smaak van haar mond op zijn lippen en voelde de schokken van haar lichaam op zijn ledematen. Een nieuwe spanning maakte zich meester van hem.

'O, God!' riep hij uit. 'Ik zal haar moeten zeggen dat we elkaar minder vaak kunnen zien. De meester accepteert geen vrouwelijke indringers in de alchemielessen. Dus, dus...' en hij trok aan een krul, 'zal ik haar zeggen dat ik lessen moet nemen om mijn en haar toekomst veilig te stellen. Een leugentje om bestwil. Ze zal me wel geloven. Trouwens, ik ben echt verliefd op haar.'

42

'Beppe!' schreeuwde Upupa tegen de smid. 'Ik kom je gedag zeggen.'

Geen antwoord.

Raphaël Choumien, de waard van De Gouden Moerbei, het eethuis tegenover de smidse, kwam eraan met een grote rode theedoek in zijn natte handen. Hij was een dikke, lange man met een brede borstkas en een goedmoedig gezicht. 'Meester, sinds gisteravond heb ik niet meer op het aambeeld horen slaan. Het kan zijn dat hij slaapt.'

'Maar de deur staat op een kier.'

Ze gingen naar binnen en door het hoge raam scheen het felle, witte licht van zon, die verhit leek te zijn door een razende pook, in de blauwe ogen van Upupa, die erdoor verblind werd. De lucht in de werkplaats was dun. Ze riepen Beppe meermalen. Geen antwoord.

Choumien ging wanhopig zitten. Zijn overhemd plakte aan zijn natte rug en met druipend voorhoofd verklaarde hij dat hij duizelig en misselijk was.

'Hoe komt dat?' vroeg Upupa.

'Ik vrees het ergste. Kijk daar, op de grond.'

'Ik zie een beetje bloed en een stukje fonkelend goud,' zei de wijze, die knielde en het goudscherfje opraapte. 'Hij heeft zich misschien gesneden aan een stuk gereedschap. Maar de aanwezigheid van het goud strookt niet met deze omgeving.'

'Meester, denkt u dat hij vertrokken is, zoals hij had aangekondigd?'

'Misschien. Als het klopt wat pater Sébastien me verteld heeft, hield hij het zonder Perrine niet meer uit in Clisson.' Met een nietszeggende blik voegde hij eraan toe: 'Als de vreemdeling zijn reis moest vervroegen, zal hij eerder dan voorzien naar Florence zijn vertrokken.'

'U hebt gelijk, Upupa. Maar sinds de moord op zijn vrouw leek hij zichzelf niet meer. Hij gaf alleen nog maar eenlettergrepige antwoorden en bleef binnen, als een dier dat zich in zijn hol terugtrekt.

Ziet u die donkergroene, buikige fles?'

Upupa knikte.

'Die is nog vol en hij heeft hem al een week geleden bij mij gehaald. Dat is niet normaal. Beppe maakte hem in een dag soldaat. Er moet iets achter steken...'

'Op zijn tijd, Raphaël! Alleen blinden zien het onzichtbare, en u hebt een uitstekend gezichtsvermogen. Ik weet zeker dat de moord een schipbreuk teweeg heeft gebracht in het hoofd van die goede Talla, een geestesverduistering. Maar niet van dien aard dat hij er domme dingen door zou doen... Want als ik het goed begrijp, denkt u aan zelfmoord?'

'Nee,' antwoordde de ander, die onderuitgezakt op zijn stoel zat. 'Ik heb het vermoeden dat onze smid vermoord zal worden, net als zijn vrouw. Ik zie hen verbonden door het noodlot. Het geluk wordt ongeluk als de blinddoek wordt afgedaan en duidelijk wordt wie er gestraft moet worden,' verduidelijkte hij uitermate pessimistisch.

'Kom op, vriend! Roep uw verbeelding eens een halt toe. Deze goede man heeft het intelligentste gedaan wat hij kon doen. Weggaan uit dit dorp, waarin hij zich opgeslokt voelde door de onrust en de treurige herinnering aan de vermoorde Perrine.'

'Toch ben ik niet overtuigd, want zijn beo is nog hier.'

Inderdaad, de zwarte Cocca zat hen vanaf zijn driepoot in een hoekje van de ruimte vragend aan te kijken.

'Beppe was zo aan haar gehecht,' vervolgde hij. 'Ze kan zo goed mensenstemmen imiteren! Hij had haar zelfs thuis willen houden, als Perrine niet zo bang was geweest voor haar gele snavel.'

'Misschien vond de vreemdeling het niet goed dat hij haar mee op reis nam,' zei de oude man nadenkend. 'Hoe dan ook, Raphaël, waarom houdt u haar niet bij u in de taveerne? Ze zou best wel eens een attractie kunnen worden voor uw klanten.'

De grote man dacht er even over na. 'U hebt gelijk. De kans bestaat dat dit arme beest van honger en nostalgie doodgaat.'

Eén ding verbaasde Upupa: de aanwezigheid van de goudscherf in de werkplaats. Hij kon echter absoluut geen hypothese formuleren met betrekking tot nóg een misdrijf. Nee, hij zag geen tweede doodskist in een lugubere stoet naast de tweede staan. Ook al was hij, in tegenstelling tot de waard, op de hoogte van de vreselijke brief die Urbain aan Perrine geschreven had. Hij had zich in de hel begeven, die schoft. Maar of hij het nu wilde of niet, inmiddels had hij het raderwerk van de rechtspraak in werking gesteld. Een samenspel van kettingen en katrollen zou de ophaalbrug neerlaten, en Boutier zou worden opgeslokt door de cel waar Hilarion nu wegrotte.

Helaas classificeerde Upupa, hoewel hij tegen elke vorm van geweld was, het gedrag van zijn ex-leerling als een smerige combinatie van beraming en samenzwering. En alleen in dit geval diepte hij de overtuigingen weer op die hij in zijn jeugd over het menselijk wezen had gehad: 'De mens haalt adem, ademt in en blaast zijn laatste adem uit. Het is een zucht. En Urbain was al as bij zijn geboorte.'

Nadat hij de eigenaar van De Gouden Moerbei een schouderklopje had gegeven, drukte hij hem de hand en beurde hem met een knipoog op: 'Kom op, rustig nu. Laat die macabere fantasie niet uw hoofd op hol brengen. We krijgen vast snel bericht van Beppe.'

Kort daarop zag hij, terwijl hij een kortere route door de velden nam, de bloedrode bloem van de boekweit. Er trok een scheut door zijn slapen.

43

Buiten de woning van de smid kwam Upupa drie mensen tegen die hetzelfde gekleed waren als hij. Ze hadden daar vanaf de schemering op hem gewacht, toen de duistere mist dichter werd. De vormen en de randen van de witte pijen tekenden zich duidelijk af tegen het schemerlicht. De oude wijze man had hen met postduiven vanuit andere delen van Frankrijk teruggeroepen naar Clisson, en nu ze verenigd waren, deelden ze een geheim, of stonden op het punt dat te doen.

Een fysiek onbehagen kwelde hen toen ze het huis van het misdrijf binnengingen. Uit de kelder kwam een doordringende lucht van vocht. Upupa ging voorop en lichtte de moordende trap bij met zijn toorts, en allemaal daalden ze, een voor een, voorzichtig de buigzame treden af.

De vloer was doorweekt van het water. Een van de drie, een zekere Sperling, een ernstige, serieuze man met vol, blond haar, merkte met Teutoonse tongval op: 'Het is weer zover! Elk voorjaar brengen de onderaardse bronnen het water weer bijna naar het grondoppervlak. Deze vloer ligt minstens drie voet onder de velden. Niets nieuws!'

'Hoe kan Beppe toch in dit varkenskot wonen?' vroeg een andere man, Fluiter, die lang en slank was, met bijna albinowit haar.

'Tja, zijn vrouw Perrine had het geërfd. Alle Martin-vrouwen hebben ervan geprofiteerd, ook vroeger. Het zal wel de nalatenschap van een van hun voorouders zijn geweest. Als je erover nadenkt, moet het gebouw wel bij een groter geheel gehoord hebben, ongetwijfeld middeleeuws,' antwoordde Upupa.

'Net als jouw huis, Upupa!' voegde de derde man, Patrijs, eraan toe. Hij had de bouw van een gorilla en sprak met zware stem.

'Ja, maar ik had de middelen om het te verbouwen. Dat is trouwens een van onze principes: de alchemist moet rijk zijn, om alle kosten te kunnen opbrengen voor het Grote Werk: huis, laboratorium, instrumenten...'

Fluiter, die zijn met modder bespatte schoenen bekeek, kromde zijn rug als een kat. 'Hier zijn de steunpunten verraderlijk, het is net of je op glibberig glas loopt. Alles kan opeens onder onze voeten barsten. En dan heb ik het over een barst waarin je kunt verdwijnen.'

'Kom op!' spoorde de leider hem aan. 'Ik heb sterke mannen van jullie gemaakt! Het lijkt me niet juist en waardig om je onderuit te laten halen door het gewicht...'

'Nee!' zei Sperling, wiens grijze ogen schitterden. 'We zijn absoluut niet bang voor het misdrijf, als je daar op doelt. Wat ons dwarszit is de verstikkende sfeer, een duizelingwekkende kring waarin de ondergrondse larven samendrommen.'

'Kijk daar eens, broeders, in die hoek!' riep Patrijs uit.

Ze begaven zich allemaal naar het punt waar hij naar wees. Op een kleine, stenen urn, die enkele centimeters omhooggekomen was vanwege het binnengedrongen water, stond een plaatje met de volgende hiërogliefen erin gegraveerd:

De vier bleven enkele minuten als versteend voor die onbegrijpelijke geheimtaal staan, zich bewust van de scheidslijn van woorden, en ze vergelijkend met gedachten, die geen grenzen kennen.

'Broeders, zwijgen betekent het probleem verlengen. Laten we de mouwen opstropen en kijken wat er in die urn zit,' spoorde Upupa aan. 'Hou moed!'

Hij pakte een houweel die op een plank naast de lantaarns lag, om daarmee het deksel op te lichten. Terwijl het deksel omhoogkwam, brak het plaatje in twee stukken. De anderen maakten een daarvan los en ontdekten drie kleine, ivoorwitte voorwerpen. Een snijtand en twee hoektanden.

'Mag ik, meester?' vroeg Sperling. 'Maak gebruik van mijn anatomische kennis.'

Hij pakte de drie tanden en bekeek ze aandachtig. 'Ze behoren toe aan een volwassen mens,' constateerde hij zachtjes. 'Gezien de afmetingen en de vorm van het omhulsel, kon dit graf alleen maar een doodshoofd bevatten. Maar het moet al behoorlijk lang geleden geschonden zijn, dat blijkt wel uit de afgebroken en roestige scharnieren.'

'Zoals het er nu voor staat, komen we alleen te weten van wie die schedel was als we de tekst ontcijferen,' mengde Upupa zich erin. 'Sperling, heeft die schending volgens jou maanden of jaren geleden plaatsgevonden?'

'Een jaar of tien. Daar duiden de dikte en de breedte van het roest op de scharnieren op.'

De wijze oude man keek naar de barsten in het plafond. De geur van schimmel en vocht nam toe en verstopte bijna zijn neusgaten. In de flits van de lantaarn die Fluiter aanstak leek zijn silhouet niet zozeer op de hop van Salomo, de *Upupa* aan wie hij zijn naam ontleende, maar eerder op de sperwer, de heilige vogel van de oude Egyptenaren, als bewaarder van de wetenschap van de hiërogliefen.

'Heb je enig idee hoe je de code van het grafschrift zou kunnen ontcijferen?' vroeg Sperling met een zucht.

'Nee, helaas. Hoe ik ook mijn best doe, ik kan me geen enkel geheimschrift van dien aard herinneren. Ik moet me tot een oude hiërogliefenkenner wenden, die ik in Duitsland heb leren kennen. Als hij tenminste nog leeft. Maar hoe bereik ik hem?'

'Wij kunnen dat onderzoek wel doen. Allemachtig! Het is gewoon een tekst waar die hiërogliefen voor zijn gebruikt,' zei Patrijs hoopvol.

'Ik heb jullie nu hier nodig voor de initiatie van de jonge Bernabé de Grâce.'

'En de andere medebroeders?'

'Ook die heb ik met postduiven op de hoogte gesteld.'

'Meester, vind je het allemaal niet een beetje voorbarig?' vervolgde Patrijs. 'Misschien zou het beter zijn eerst het onderzoek naar die code te doen en daarna pas de initiatierite van Bernabé...'

'Ik heb goede redenen om het zo te doen,' antwoordde Upupa geërgerd. 'Hij voert een innerlijke strijd: hij wordt heen en weer geslingerd tussen de zucht naar alchemie en de lokroep van zijn zintuigen, want hij voelt zich aangetrokken tot een vrouw, op wie hij verliefd denkt te zijn. Hij bevindt zich op de rand van de afgrond. En ik wil niet dat hij zich verliest. Daar weet jij wel iets van, hè, Sperling?'

'Meester, wij geloven allen in God, in de schepping, in jou en dus in de alchemie. Die nieuwe pupil van je is hier pas zo kort. En nu al beschouw je hem als kneedbaar materiaal?'

Upupa wees met een vinger in zijn richting. 'Sperling, hij is een echt talent, die jongen, en hij heeft zich meer dingen eigengemaakt dan jij; het heeft jou anderhalf jaar gekost om de ware essentie van het kwik te bevatten! Hoe dan ook, ik sta bij hem in het krijt omdat hij die walgelijke brief van Urbain heeft ontdekt.'

De ander werd rood en in zijn hoofd streden tegenstrijdige gedachten om voorrang. Toch hield hij puffend vol. 'Het zal wel waar zijn wat je zegt, maar ik denk dat het onze plicht is om de breinbreker op die kleine stenen urn op te lossen,' en hij blies het roest van de scharnieren van zijn vinger.

'Laten we dit onderwerp afsluiten. Als Upupa die initiatie nuttig acht, is het niet aan ons om daar iets over te zeggen. Weet De Grâce trouwens van ons bestaan? Kent hij onze regels?' zei het lievelingetje van de meester, Patrijs.

Upupa keek hem aan. 'Die worden hem tijdens de ceremonie uitgelegd. De teerling is geworpen. De Grâce wordt ingewijd. We zullen hem Zwaan noemen...' zei hij na een lange stilte.

Iedereen keek elkaar perplex aan. Wat bedoelde hij met die naam, die hen leek te verbinden, als samenzweerders, omdat ze een schandelijk geheim kenden?

'Ja, broeders,' erkende de leider. 'Mochten we ons bedenken – wat ik niet geloof – dan is er niets aan de hand. We zullen hem in elk geval nooit onze identiteit onthullen.'

In de duisternis van de kelder maakten de half opgebrande toortsen de ruimte nog somberder, wat Patrijs deed opmerken: 'De hele ruimte lijkt doordrenkt van een bloedgeur die afkomstig is van onschuldige slachtoffers: als een spons heeft hij de stank van ontbinding opgezogen. Ik kan er niet meer tegen. Je zet hier je oren op het spel als je luistert; je verliest je ogen als je kijkt; en als je ruikt, raak je je neus kwijt...'

'Je hebt gelijk,' besloot Upupa na een laatste blik op de urn. 'Laten we het huis maar afsluiten, want Beppe keert toch niet terug. Hij is naar zijn eigen Italië vertrokken, nadat hij vele tranen vergoten heeft om zijn lieve Perrine. Kom, mijn broeders, ik zal jullie aan de jongen voorstellen.'

Toen hij de sleutel in het slot omdraaide, leek hij geknip van vingers, geweeklaag van kinderen en een zucht in de timpanen te horen. Hij dacht nergens aan, maar toch had zijn gedachte een ongrijpbaar bewijs aan het licht gebracht: in de urn, die nu niet meer zichtbaar was, leek een afschrikwekkende bladzijde geschiedenis verzegeld te zijn. Een duister leven, dat eeuwenlang gevangen was geweest, stond op het punt zich in al zijn monsterlijkheid te openbaren. Het mysterie was niets anders dan het uitvloeisel van het verschrikkelijke, dat was weggezakt in de duisternis om Dis te omhelzen. Had een draadje uit het dorre, versleten verleden misschien iets te maken met de moord op Perrine Martin?

44

Buiten het laboratorium, in een wirwar van onderaardse gangen – ware uithoeken van ruwe steen en rood marmer uit Frankrijk, afwisselend licht en donker – werd Bernabé meegevoerd naar hoge ruimtes met gewelfde plafonds, bij de hand genomen door Upupa, die gekleed ging in een goudkleurige pij met karmijnrode randen, waarop niet alleen een roos en een kruis geborduurd waren, maar ook een hop. Geen enkel woord, alleen de stem van de Sèvre.

Uiteindelijk bereikten ze een achthoekige zaal. Daar zaten, als middeleeuwse krijgers, elf mannen, eveneens gekleed in goudkleurige gewaden, te wachten op de jongen die geïnitieerd zou worden. De Grâce zag op elk gewaad een afbeelding van een andere vogel. Ieder had zijn eigen vogel.

Fluiter, Patrijs, Mus (of Sperling, in het Duits, zoals hij liever genoemd werd), Ral, Nachtegaal, Papegaai, Feniks, Buizerd, Merel, Reiger, Kolibrie. Dit was de Broederschap van de Roos en de Vogels, die hun krachten bundelden om metalen te manipuleren en in wier handen het geheim van de steen der wijzen en de oplossing van het raadsel van de Rebis lag.

Ze maakten dat Bernabé zich enerzijds doordrongen voelde van een natuurlijk mysticisme en anderzijds van heidense ketterij. Hij sloeg zijn ogen op en zag de rondboog, die werd verhelderd door een licht dat afkomstig was uit een dubbel venster met kathedraalramen, waarop in reliëf de symbolen van de planeten en hun corresponderende metalen te zien waren. In het midden leek een uit twee helften bestaande figuur met twee geslachtsdelen, de androgyn, er de draak mee te steken.

De elf Vogels verwelkomden hem in stilte en Upupa maakte zich op om een mengsel te maken waarvoor hij zestien ingrediënten selecteerde: 'Cypergras, rooibos, seselie, mastiekboom, doornappel, waterzuring, kardemom, honing, wijn, papaverzaadjes, grote jeneverstruik, kleine jeneverstruik, mirre, bitumen, kaneel, mandragora.'

Nadat hij het geheel in de kan aan de kook had gebracht, bood hij het Bernabé aan, die hij op een bankje liet liggen. 'Het drankje dat ik je geef, spreekt het emotionele en irrationele deel van de geest aan,' zei hij en gaf hem een gouden kopje, dat werd afgedekt met een deksel van hetzelfde metaal. De jongen tilde het deksel op en zag de groenige kleur van de vloeistof.

'Is het een verdovend middel, meester?'

'Ja, maar mild, mits goed gedoseerd. Het heet *kyphi*. Het zal je meevoeren naar de Zeven Dalen van de Transmutatie, waarin je verschillende gedaantes zult aannemen en je zult worden verwelkomd door de hier aanwezige medebroeders. Drink het nu maar op, jongen!'

Bernabé dronk het op en had meteen het gevoel dat hij als bij toverslag opsteeg. Toen voelde hij de lichtheid van zijn eigen lichaam, hij steeg op en stortte vervolgens in een ravijn. Hij ademde bijna niet meer. Opeens werd zijn reukzin gewekt door de geur van rozenwater. Hij deed zijn ogen open en zag (tenminste, dat dacht hij) Fluiter, Papegaai en Patrijs.

Ook hoorde hij Upupa scanderen: 'Bernabé de Grâce, onthoud dit. De brief leert ons de feiten, de allegorie hetgeen we moeten geloven en de analogie hetgeen waarnaar we moeten streven. Verder mag je het niet wagen met oningewijden te spreken over wat je ziet en beleeft. Aldus waarschuwen Orpheus, Pythagoras, Socrates, Plato, Ammonius en Apuleius.'

De jongen werd, alsof de zonen van Aeolus waren losgebarsten, bijna tegen een deur aan gesmeten. Fluiter, Papegaai en Patrijs zeiden psalmodiërend in koor: 'Pas op voor de deur, Bernabé. Alleen dwazen denken dat hij dicht is. Daarom dringt je geheim erdoorheen.'

Toen de hallucinatie voorbij was, bevond Bernabé zich weer in de achthoekige zaal. Boven hem ging een luik open, waaruit tot halverwege het plafond lantaarns neerdaalden, die de betovering van een roos met zeven bloemblaadjes creëerden.

'Dit is de heilige bloem die in staat is individuen te transformeren,' begon Sperling op declamerende toon. 'Dankzij de dauw, die zijn voedingsbron is. In naam van deze bloem zijn in de voorgaande eeuwen te veel mannen, *fedeli d'amore* en tempeliers, uitgeroeid. Wij van de Broederschap van de Roos en de Vogels zijn nederig op zoek naar overeenstemming met God en handelen vanuit het volle respect voor de oude, heilige teksten, zonder onderscheid te maken tussen de Bijbel en de Koran. Het mag gezegd worden dat we de gemeenschappelijke draad volgen die dezelfde is voor alle volkeren, ongeacht hun uiterlijke schijn. Bernabé, bekijk nu deze grote kuip eens,' zei hij, en hij wees op een bekken in een hoek. 'Daar dompel je je in onder en dan zal onze meester je inwijden in de geheimen.'

Upupa, die net een oude paus was, gehuld in oneindige tinten clair-obscur, kwam dichterbij. Met een olijftakje dat meermalen in een ampul met kwikdauw was gedoopt, stipte hij achtereenvolgens zijn voorhoofd, zijn mond, zijn borst, zijn schaamstreek (ontbloot door Sperling) en zijn voeten aan. Vervolgens knielde hij op de rand van de kuip en verhief zijn stem, die al werd versterkt door de echo: 'De slang die op de aarde kronkelt bijt soms de leeuw. Voorzichtigheid is de moeder van de veiligheid. Val niet in slaap tussen de geneugten van het vlees. De dauw lost alles op om de demon van het lood te verslaan. Nu moet je het raadsel van de Rebis op weten te lossen.'

De ingewijde bedekte zijn gezicht met zijn handen, maar zijn hart bonkte hevig en toen hij zijn hoofd ophief, leken de vlammen uit zijn wangen te slaan. Fluiter kwam eraan met een witte, geborduurde pij over zijn rechterarm en glimlachte. 'Sta op en trek deze aan. Vanaf vandaag heet je Zwaan. Je zult nooit onze wereldlijke namen kennen. Die behoren tot het verleden, tot de nimfen van vroeger. Ook jij zal mettertijd de jouwe afwijzen.'

45

Terwijl de medebroeders zich in de achthoekige zaal in een kring opstelden met de ruggen tegen de muur, stond Bernabé in het midden met zijn hand in die van Upupa. Hij sloeg zijn ogen op toen hij vanaf het plafond geknars van tandwielen en het geratel van kettingen hoorde. Weergaloos, het vernuft waarmee de meester raderwerk maakte voor kleine, theatrale apparaten... of misschien deed hij het om de sfeer te creëren die onmisbaar was voor zijn lessen en zijn uitnodiging tot reflectie. Uit het plafond kwam langzaam een ruwwit paneel, waarop de bekwame hand van een kunstenaar de tekens van de dierenriem had geborduurd, met daarnaast voor elk daarvan de fasen van het alchemistische Grote Werk, die een geschilderde naakte man omlijstten.

Ram: *calcinatio*, oxidatie
Stier: *congelatio*, kristallisatie
Tweelingen: *fixatio*, stolling
Kreeft: *solutio*, versmelting
Leeuw: *digestio*, verdeling
Maagd: *distillatio*, scheiding van de vaste stof en de vloeistof
Weegschaal: *sublimatio*, sublimatie
Schorpioen: *separatio*, scheiding
Boogschutter: *ceratio*, stolling tot een wasachtige staat
Steenbok: *fermentatio*, gisting
Waterman: *multiplicatio*, vermeerdering
Vissen: *projectio*, uitstrooien van de steen der wijzen over gewone metalen

Naast het hoofd en de armen van de man stond BOVENSTE CINNABERGEBIED, bij zijn borst MIDDELSTE CINNABERGEBIED, en bij zijn buik en benen ONDERSTE CINNABERGEBIED.

In zijn lome, extatische en ontspannen toestand wist Bernabé de Grâce enkele woorden uit te brengen die uit zijn buik leken te komen: 'Ik heb het begrepen. De oplossing ligt in het cinnaber, het kalomel, het kwik...'

Toch kon hij, ondanks de kyphi, zijn gedachten op een heimelijke, onderzoekende en rake manier ontwikkelen. Op zo'n manier had hij de benedictijnen ook weten te beletten hem te kneden. Maar inmiddels had Upupa de sluier verscheurd en zag de jongen zichzelf afgetekend in het midden van de zaal, naakt, van plan om boeken door te bladeren. Vanbinnen werd hij heen en weer geslingerd tussen bewondering en angst voor deze kunst, waarvan de taal, die uit parabelen, toespelingen en onbegrijpelijke terminologie bestond, zijn hersenen in toom hield. In die bizarre, ongrijpbare wereld van beelden en symbolen was het zo helder als een schitterende zon dat de beslissende sleutel tot de alchemistische transmutaties besloten lag in het cinnaber.

In een buitenlichamelijke reis keek Bernabé toe hoe hijzelf een doos openmaakte die stevig dichtzat met een schroefdeksel, en hoe hij er met gehandschoende hand de roodbruine steen van het mineraal uithaalde, die bezaaid was met druppeltjes kwikdauw. Toen bewonderde hij met gekruiste benen zijn eigen buik. Hij hoorde hoe de meester hem leidde: 'Het cinnabergebied, of de oceaan van de ademhaling, bevindt zich onder de navel. Daar begint de handeling van het *solve*. Om daar gevolg aan te kunnen geven, moet je het onderste gebied fixeren.'

'En waar bevinden de andere gebieden zich?'

'Het ene in de hersenen, dat wordt kwikzilver genoemd. Het andere naast het hart, ook wel bekend als het scharlakenrode gebouw.'

'Dus, meester, de geest is het kwik en wordt bevrijd door de zwavel, wat het voornaamste fixeermiddel is om het lichaam te binden...'

'Goed, wat moet je doen voor het definitief bereiken van de Rebis, het beheersen van de vrouwelijke en de mannelijke pool in je lichaam?'

'Mijn adem onder mijn navel weten te houden. Hem door mijn slokdarm laten gaan om hem weer terug te voeren naar mijn buik, het rondje af te maken tot aan mijn hersenen en dan weer terug te sturen naar mijn borst. Op die manier zal het cinnaber van mijn opgerichte lans niet als een dodelijk geheel worden geëjaculeerd. Alleen zo zal ik kennisnemen van mijn vrouwelijke en mijn mannelijke wezen, twee in EEN.'

'Onthoud, Bernabé-Zwaan, dat dit de dauw is, het kwikwater dat de bron vormt van elke transmutatie. Daarmee en daarvoor zul je de Rebis onder controle kunnen houden.'

Het effect van het verdovende middel duurde ongeveer drie dagen onafgebroken voort, zonder dat hij enige natuurlijke behoefte had. De medebroeders waakten om beurten over hem. In deze opgewekte slaap voelde de jongen de liefdevolle klanken van muziekinstrumenten, vibrerende melodieën in mineur en majeur. Op andere momenten had hij het gevoel dat hij gekieteld werd door de vleugels van bontgekleurde vogels die, vliegend tussen hemel en aarde, hem de mysteries van de macrokosmos en de microkosmos in het oor fluisterden. Met een schok zag hij de hop als gids fungeren van koning Salomo en begreep hij waarom zijn meester Upupa, de hop, die bijnaam had. Het verwees naar wijsheid, kennis.

Terwijl de magie die door het verbluffende drankje was opgewekt, voortduurde, merkte hij dat hij gekatapulteerd werd op een heel brede, oude, ijzeren trap met treden van bloedrode bakstenen met houten randen, die naar de hooischuur leidde. Daar wachtte Henriette op hem, maar ze was heel anders dan het jonge meisje wier strelingen hem als lianen hadden omstrengeld. Eigenlijk leek ze wel uit drie te bestaan... De vrouw die stond, zag hij voor het eerst; dan was er de liggende vrouw, heel anders qua gedrag en stem, een schaamteloze hoer die obsceniteiten uitbraakte; en ten slotte de derde, een meedogenloze, satanische vrouw. In die caleidoscoop van beelden zag hij de prior van het klooster in Maillezais terug, die met zijn wijwaterkwast door de lucht zwaaide en riep: '*Ecclesia abhorret ab alchymia*', waarbij hij het loden boek op een brandstapel smeet, zodat dat langzaam smolt, samen met het combinatieslot. Alles ging in vlammen op.

46

Bernabé werd plotsklaps wakker en ging met een ruk op zijn bed zitten, met vlugge, harmonieuze bewegingen. Zijn krullende, zachtzijden blonde haar viel ietwat warrig op zijn kraag. Hij rekte zich uit en geeuwde als een kat bij het tevoorschijn komen van het zonnetje.

'Is er iemand?'

Niemand. Bernabé was alleen in de grote inwijdingszaal. Hij zag een zilver geschilderde spiegel waar hoogstwaarschijnlijk een deur achter schuilging. Inmiddels raakte hij niet meer in de war door de ingewikkelde mechanismen die de oude wijze in elkaar had gezet, en hij sloeg met zijn knokkels tegen het glas. Voor hem verscheen een lange, rechthoekige tunnel, waarin de medebroeders aan een ovale, feestelijk gedekte tafel op hem zaten te wachten.

Upupa leek het koning Arthur. In die onbekende omgeving bleef

Bernabé verbijsterd, onbeweeglijk staan, alsof hij in de nacht was verdwenen. Hij kreeg driemaal applaus, terwijl een stem hem uitnodigde aan de dis: 'Dit middagmaal is ter ere van jou, broeder.'

Het 'kom!' van de meester stelde hem gerust en Bernabé liep naar de plek die hem werd gewezen en die hem wel een koningszetel leek.

'Zwaan,' zei de wijze tegen hem, 'de opmerkelijke hoogte die jij tijdens de inwijding hebt bereikt is een schitterend feest waard.'

Samen met Nachtegaal presenteerde Buizerd op een rond dienblad de meest extravagante en symbolische gang. Op het dienblad prijkten, in een kring, de twaalf tekens van de dierenriem en de gerechten die correspondeerden met hun respectieve symbool.

Op belerende toon verduidelijkte Sperling: 'Ter ere van jou hebben we ons laten inspireren door *Satyricon* van Petronius.'

'Maar dat is toch een heidens werk?' vroeg Bernabé verbijsterd.

'Dat hangt ervan af hoe je het bekijkt. Voor ons is het een geweldige roman waarin de avonturen van de oude boeven verstrengeld worden met esoterische boodschappen waarvan velen het bestaan niet kennen. Dus, Zwaan, kijk en eet met vreugde!'

Na die woorden pakte hij een marsepeinen poppetje van het vergulde blad dat hij, zwaaiend met een mes in zijn linkerhand, onthoofdde, waarna hij er de armen en benen van afsneed.

De meester ging staan en legde op declamerende toon uit: 'Zwaan, broeder Sperling heeft de pantomime van de alchemistische *calcinatio*. Onthoud deze metafoor: *Ik heb je gedood opdat je een overdadig leven kunt leiden... Maar je hoofd houd ik verborgen, zodat de wereld je niet ziet.*'

'Zegt Petronius dat?'

'Nee, de Griekse alchemist Zosimos. Wat Petronius betreft, kijk maar wat er onder jouw teken staat en vergeet niet wat je in de Zeven Dalen hebt gezien.'

Zwaan, die geboren was onder het teken Ram, at hoorntjes met kikkererwten, die bereid waren door de kundige medebroeder-kok. Vervolgens werkte hij de andere dierenriemgerechten weg: het stuk rundvlees van de Stier, de gebakken niertjes van de Tweelingen, de kroon van bladerdeeg die onder de Kreeft was gezet, de Afrikaanse vijg van de Leeuw, het zeuglendenstuk van de Maagd, de focaccia en de pizza die op het bord van de Weegschaal lagen en de vis van de Schorpioen. Maar bij de Boogschutter hield hij zwijgend op, verzonken in een nieuwe obsessieve gedachte, die bijna als een angstige boetedoening als rook om hem heen kringelde. De horizon die zich voor hem had geopend, klemde zich nu rond zijn slapen.

Upupa merkte het. 'Zwaan, wijk niet voor twijfels. Dit is geen proef! Als je bang bent me te verslinden, dan geef ik je er bij dezen toestemming voor. Hij liet een groteske lach horen, waarbij hij een rij scheve tanden liet zien die Bernabé nooit eerder had opgemerkt.

Terugkomend op wat hem dwarszat, antwoordde hij: 'Upupa, ik neem aan dat je onder het teken Boogschutter geboren bent, aangezien daaronder een hop ligt...'

'Nee, je vergist je!' verklaarde de oude man. 'Die koppeling is afkomstig van het souper bij Trimalchio. Mijn sterrenbeeld is Steenbok, dus eet zonder je hoofd erover te breken.'

Opgelucht verslond Zwaan het hoppasteitje en daarna de kreeft die bij de Steenbok lag, de gans van de Waterman en ten slotte de twee zeebarbelen van de Vissen. Dit voorgerecht werd afgeblust met een smakelijke, intense en bruisende muscadet.

Na de linzenpuree, een forel à la Chambord, een bordje rivierkreeftjes en een brioche verkeerde Bernabé in zo'n roes dat zijn zintuigen in brand leken te staan. Hij dacht een ogenblik aan Henriette, maar dat beeld verdween en verwarde hem, als de laatste schaduw van een kaars die uitdooft.

Hij verplaatste zijn blik naar de vloer en merkte toen pas dat hij al die tijd op prachtige, zachte huiden van god mag weten welke dieren had gelopen, die op elkaar waren gegooid als om een zachte, dikke grasmat te creëren. Het geluid van water bereikte zijn oren. En inderdaad, achter hem kwam uit een klein badje in dunne straaltjes roze vloeistof omhoog, waarmee zachtjes een kom werd gevuld om je handen te wassen, terwijl een piepkleine opening ervoor zorgde dat hij niet overstroomde. Erachter stonden op een grote gobelin, in zilverdraad, alle vogels afgebeeld, evenals een opengeslagen boek met op elke bladzijde de titel in grote groene letters: ALCORANUS MAHUMEDIS. Verstijfd en verward, bedwelmd en gelukkig keek de pas ingewijde vol bewondering naar al dat goede der aarde. De jongen wist, evenmin trouwens als de medebroeders, niet dat die noodlottige gebeurtenis een schaduw zou werpen op de mooiste dag van zijn leven.

Voor hem waren die fantastisch lugubere kunstenaars gewoon de makers van de gobelins, dus dacht de jongen niet aan de afschuwelijke fantasie van de werkelijkheid. De realiteit kan veel beter bloed zweten, afschuw uitschreeuwen, vloeken uitspreken en je laten huiveren dan een schepper met macaber talent ooit zou kunnen. De realiteit is een val waarin de mens gevangenzit. Soms zonder uitweg...

47

Vaticaanse Bibliotheek, 1753

Ontstemd sloeg Benedictus XIV met zijn vuist op de brief en riep uit: 'We hadden gelijk, excellentie de Sangro, om de alchemie, de astrologie en de kabbala te censureren. Waar of niet? U zult zien, u zult zien hoeveel ze in de geest overhoop halen. Maar in wiens brein? Dat is het raadsel.'

De paus was zijn goede humeur verloren.

'En trouwens,' vervolgde hij geërgerd, 'wat moet die Broederschap van gevederde Fransen in vredesnaam voorstellen?

'In het rapport staat dat ze onderzoek doen en aan liefdadigheid doen. En met die bijnamen is het meer dan waarschijnlijk dat ze de taal van de vogels proberen te leren...'

Benedictus XIV stelde zich voor hoe de oude Upupa en alle anderen in een kring op het erf stonden te kwetteren en barstte in een daverend gelach uit.

'*Azidóll*, Sansevero! U wilt toch niet beweren dat vogels kunnen praten?'

'Alleen tegen hem die erin slaagt het oor van het hart te openen,' preciseerde de prins zonder een spier te vertrekken, terwijl de ander de lachtranen uit zijn ogen veegde. 'Mystici en ingewijden, heiligen en profeten kennen die taal. Wat niet wil zeggen dat ze met vogels praten; ze praten met spirituele wezens.'

'Fluitend met engelen spreken? Ha, die is mooi! Vertelt u ons soms sprookjes?'

'Ja en nee,' antwoordde de ander met dubbelzinnige blik. 'Ja en nee. Trouwens, wordt er in sprookjes niet juist verteld dat wie de taal van de vogels spreekt, belangrijke kennis opdoet?'

'Fabeltjes zijn één ding, religie is iets anders. En vergeet niet dat u het tegen de paus hebt!' zei hij vermanend.

'Heiligheid, sinds mensenheugenis bestaan er bepaalde verhalen waaronder een diepere waarheid schuilgaat. Dat zijn fabels of parabelen.'

'Pratende vogels, vliegende geesten... Kom op, zeg, dat zijn oosterse theorieën; dingen uit de Koran of uit *Duizend-en-een-nacht*!' barstte de ander uit.

'Toch kenden, om er maar wat te noemen, ook gedoopte mensen als Sint-Franciscus en paus Silvester II de taal van de vogels. Ik heb het echt niet bedacht, hoor, het staat geschreven in de kerkelijke hagiografieën. Ik denk dan ook niet dat ik me vergis wanneer ik zeg dat een bovennatuurlijk talent heel iets anders betekent dan aan de mussen vragen of ze liever gierst of wormen hebben...'

'Ach, die arme van Assisi...' mompelde Benedictus peinzend. 'En de grote Silvester II, vergis ik me, of was hij ook Frans?'

'Gerbert d'Aurillac! Voordat hij de zetel van Petrus besteeg, had hij jarenlang tot zijn immense profijt in islamitische gebieden gestudeerd. Wat hem, ondanks de tiara, zelfs beschuldigingen van hekserij opleverde.'

De paus stapte over die laatste opmerking heen. 'De taal van de vogels, zegt u? En u denkt dat Upupa en zijn kameraden in staat zijn op te stijgen?'

'Dat weet ik niet, Heiligheid. Maar na het lezen van de laatste bladzijden moet ik u bekennen dat ik aanvoel dat iemand hier zijn verstand verloren heeft.'

'Wie dan?'

'Het is nog te vroeg om dat te kunnen raden. Ik moet verdergaan. En erachter komen waar de kelk verborgen is waar het te sterke, ik zou zelfs durven zeggen vernietigende, distillaat in is opgevangen. Onderschat u bijvoorbeeld nog steeds (ik vraag het u met alle respect) het schilderij dat ik – dankzij mijn duistere kennis – beschouw als concentraat van fluctuerende en kwaadaardige energieën en inslechte geheimen?'

'Dat wordt aangehaald in het gedeelte over de jonge hertog de Rohan, die gokker?' vroeg hij. Maar de prins snoerde hem plotseling de mond en mompelde, bijna alsof hij een idee zocht dat in de lucht rondwaarde: 'Er is door de oude Upupa te veel nadruk gelegd op het droogkoken van de metalen, dus de calcinatio...'

'Klopt er iets niet?' vroeg Benedictus, die naar zijn knappe, ontstemde gezicht keek.

'Misschien niet... Waarom zou je de metafoor mimen die aan Zosimos wordt toegeschreven?'

'Ziet u wel, don Raimondo? Ook u wijst op het verderfelijke karakter van die vermaledijde alchemie...'

'Ik bewijs alleen maar dat het onderricht wat ondoordacht is, ik bekritiseer de essentie ervan niet. Ik zal u een voorbeeld geven...'

'Toe maar! Maar pas op, we zijn niet achterlijk.'

Sansevero boog naar links en haalde een tasje uit zijn zak. De paus keek met opengesperde ogen toe en zag dat de prins een stukje steenkool tevoorschijn haalde.

'Aha, duivelsbrood. Complimenten. U hebt het bij u.'

'Een ogenblikje, Heiligheid!' Sansevero legde een diamant naast het zwarte goud. 'Is dit misschien het oog van God, het hart van Christus, het licht van de Heilige Geest?'

Benedictus XIV waagde zich niet aan commentaar. Hij voelde aan dat de kritische prins hem in een hoek wilde drijven.

En inderdaad... 'Heilige vader, diamant en steenkool hebben in wezen dezelfde samenstelling. Ze worden geschapen door de natuur, en daar richt de alchemie zich op. Dat er gekke of bezeten arbeiders bestaan, is een heel andere kwestie. Mee eens?'

'Kom, kom, don Raimondo, lees nu maar verder,' maande de paus hem zogenaamd nonchalant.

> Toen, Excellentie, leek de situatie uit de hand te lopen... En het leek wel of niemand er iets aan kon doen, zelfs de autoriteiten niet... Hier bij ons, waar de genade helaas niet uitsluitend een gevoel van mededogen is...

48

Clisson, 1751

'Hoepel op, hoepel op, Cassandra! Wat doe je hier?' vroeg Nachtegaal aan de kat, ook al kon die geen antwoord geven. 'Deze gang komt uit in een bocht van het kanaal waar de rivier stroomt, dat is gevaarlijk voor jou. Dat weet je heel goed! Als je valt, verdrink je in de Sèvre.'

De kat kroop koppig toch de bosjes in, snuffelde rond en liet een klaaglijk geluid horen, als een speurhond. Om haar te kunnen pakken, ging de Vogel op handen en voeten op de rechteroever zitten, waar de boot van de meester lag afgemeerd. Maar hij werd door iets op de zanderige oever afgeleid. Een bekend voorwerp. Een zandkleurige pet, die onder de modderspetters van het slib zat en aan een scherpe tak bungelde.

Buiten adem pakte Nachtegaal hem met zijn rechterhand, op zijn linkerhand steunend om zijn evenwicht niet te verliezen. Hij keerde hem binnenstebuiten. Binnenin stonden, netjes geborduurd, verschoten maar wel leesbaar, de initialen G.T.

'O, God!' schreeuwde hij, terwijl hij door een brok in zijn keel haast geen woord meer kon uitbrengen. Bijna rochelend zei hij: 'De pet van...' Toen niets meer.

Nachtegaal tastte de oever af als een hond die zijn baasje kwijt is. Met gebogen hoofd, zijn rossige haar nog maar net boven het water, ontwaarde hij een vormeloze massa halverhoogte de troebele rivier. Een doordringende, scherpe geur vulde zijn neusgaten. De Vogel maakte een sprongetje achterwaarts, greep de kat vast, nam hem onder de arm, ging het trappetje op en glipte de opening in die naar het laboratorium leidde, weg uit de stinkende opslagruimte van de dood. Hij kwam in de grote eetzaal bij zijn opgewekte, blije medebroeders. Nerveus, zijn voorhoofd vol parelende druppeltjes, gaf hij Upupa een knikje.

'Wat heb je, Nachtegaal? Het lijkt wel of je je verstand verloren bent.'

'Meester! Ik vraag je: als de nachtvlinder gefascineerd wordt door het vuur, kan hij zich dan aan het vuur onttrekken? Kan een blaadje weigeren de wind te gehoorzamen?'

'Het is noodweer in je hoofd!'

'Ja, Upupa!' antwoordde Nachtegaal hijgend, terwijl hij hem recht in de ogen keek. 'Daarbeneden, daarbeneden is de afgrond van de hel; de wijd openstaande leegte die ons zielenheil bedreigt; de zenit die de ster weigert; de duisternis zonder ogen...'

'Dat zijn niet jouw woorden, Nachtegaal!' Sperling veegde hem gepikeerd de mantel uit. 'Ben je soms gek geworden van ongerustheid vanwege het verdwijnen van de kat (die je trouwens hebt teruggevonden)? Het zal wel door de muscadet komen.'

'Nee, broeders, ik smeek jullie! Ga met me mee naar beneden,' drong hij met klagende stem aan. 'Niet allemaal. Maar ten minste twee of drie...'

'Hoe is het mogelijk,' vroeg Upupa, 'dat een man van jouw leeftijd, met jouw scherpzinnigheid, zo bang is voor muizen? Want het gaat vast en zeker om ratten. Nietwaar?'

Er verscheen een berustend glimlachje op Nachtegaals gezicht.

'Ja, zo is het. Een muis. Maar niet zo maar een; het is de koning der muizen.'

De blijdschap van Bernabé-Zwaan werd overschaduwd door deze discussie, die het midden hield tussen gebrek aan logica en dronkenschap. Een steekvlam verbrandde zijn gedachten en hij viel weer ten prooi aan ongerustheid.

'Waarom gaan we niet meteen met hem mee naar de opslagruimte?' vroeg hij.

Ze keken elkaar allemaal weifelend aan.

'Er is geen hele stoet nodig om een rioolrat te doden, jongen,' antwoordde Upupa. 'Als versterking zijn Sperling, Buizerd en Fluiter meer dan genoeg. Helaas is de muis de achilleshiel van onze Nachtegaal.'

Fluiter kwam het water uit, waarna hij zich als een hond uitschudde. 'Er zijn plekken gereserveerd voor verdorven handelingen,' begon hij bitter. 'Ik heb de strop van zijn hals gehaald; de steen van het tegenwicht hield hem op de bodem. Zelfmoord? Beppe Talla? Mijn God!' Met een bootshaak trok hij het lijk de kant op. 'Broeders, help me een handje, dan trekken we hem op het droge.'

Monsterlijk, een buitenproportioneel opgeblazen buik, half gebogen ledematen, lijkbleke nagels. Op het gegroefde gezicht van de vijftigjarige smid had het penseel van de dood de kreukels verveelvoudigd. Het leek wel een schildpaddenkop, week geworden en aangevreten door snoeken. Melkachtig schuim om zijn mond en zijn neus, als een fel, afgemat paard.

De 'schipbreuk' van deze brave man was de onverwachtse inzinking, het deerniswekkende restje van een leven dat als een catastrofe werd opgeslokt door het lijk van zijn vrouw Perrine.

'Waarom is hij hierheen gekomen?' vroeg Buizerd verbijsterd, en met een onnozel gezicht. 'Om Upupa te groeten, misschien?'

'Ik geloof niet dat hij de weg naar de opslagruimte wist,' antwoordde Fluiter. 'Hij moet verdwaald zijn in de doolhof van het huis. Hier aangekomen heeft hij vervolgens...'

'Ach wat, het klopt niet,' onderbrak Sperling hem peinzend, terwijl hij het lijk inspecteerde. 'Ik geloof niet dat het zelfmoord was.'

'Hoezo niet?' vroegen de anderen in koor.

'Broeders, helaas! Beppe is vermoord! Kijk eens naar deze fronto-pariëtale kneuzing. Zo te zien heeft hij een klap of misschien een schop gekregen om hem buiten bewustzijn te brengen. Als hij per ongeluk gevallen zou zijn, had hij kneuzingen over zijn hele lijf gehad.'

'En die streep rond zijn nek?' jammerde Nachtegaal.

'Domme vraag. Dat is de blauwe plek die is veroorzaakt door het touw. Maar ik weet niet of we hem eraf moeten halen. We hebben Upupa nodig.'

Buizerd ging hem halen. Voor de deur aarzelde hij langdurig voordat hij de zaal inging, waar nog steeds de apotheose van Bernabé gevierd werd. Hij raapte al zijn moed bij elkaar en wendde zich tot de oude man. 'Meester, het is heel triest wanneer de apotheose zich transformeert tot een sinistere neerslachtigheid. Toch moet jij, die een bliksemflits hebt opgevangen en die zich niet laat intimideren door de afgrond, deze andere tijding aanvaarden die gevleugelde legioenen ons brengen vanuit de zwarte wolken van de verraderlijkheid.'

De oude man, die enkele ogenblikken onbeweeglijk in gedachten verzonken was, antwoordde: 'Je hebt gelijk, als het licht de waarheid is, kan de schittering de schande verbergen.' Toen zei hij tegen Zwaan: 'De schittering is iets wat verlicht, jongen, niet iets wat brand veroorzaakt. Het lijkt duidelijk dat er iets schandelijks gebeurd is. Waar het om gaat, weet ik niet. Maar nu begrijp ik de dubbelzinnige woorden die Nachtegaal sprak. We kunnen ons niet verzetten tegen het noodlot, net zomin als een steen zich kan verzetten tegen de zwaartekracht.'

'Ik begrijp wat je zegt, meester. Mag ik ook met je mee?'

Alle Vogels begaven zich langzaam naar de deur van de opslagruimte.

'Ik zie,' zei Upupa, 'dat de grendel van de ketting van binnenuit geopend is. Heeft een van jullie dat gedaan?'

'Nee,' antwoordden ze allemaal, een voor een.

Sperling streek met zijn vingers door zijn blonde haar en zei: 'Door een onbekende die op deze plek een einde heeft gemaakt aan het leven van de arme Beppe. Het traliehek tussen de opslagruimte en de rivier is inderdaad omlaaggeschoven. Het mechanisme om het weer omhoog te schuiven wordt vanaf hier bediend.' Hij wees op een hefboom die een tandwiel en een lange ketting in werking zette.

Als de bliksem in Upupa's hoofd zou inslaan, zou hij net zo kijken als bij het horen van die zo expliciete mededeling. Maar zijn hart brak niet, zoals gewoonlijk gebeurt wanneer iemand buitengewoon getroffen wordt door iets verdrietigs. Hij hoefde niet terug te keren in de kille werkelijkheid.

De oude, wijze man daalde af naar de opslagruimte, waar hij een gewelf op had laten zetten met een opening waar een zwak schijnsel doorheen scheen, dat contrasteerde met de matte, sinistere en door vervuilde lucht bedorven plek des onheils.

Het lichaam lag daar, opgezwollen door het ingeslikte water. Upupa bekeek de melkachtige oogkassen van de dode: leeg. Een of ander beest uit de rivier had zich tegoed gedaan aan de ogen.

'Zes dagen geleden heeft pater Sébastien hem gezien. Ik heb hem niet meer gedag kunnen zeggen. Het is ontzettend triest. Er zit geen logica in!' zei hij kwaad, en hij smeet zijn kersenhouten stok in de struik vlak bij hem, naast de pet met de initialen G.T., Giuseppe Talla.

49

Met toestemming van Upupa trok Sperling de doorweekte, gerafelde kleren van het lijk. Hij bekeek de schuimende schimmel die uit de lippen en de neus kwam en die ontstaan was doordat het slijm zich in de fase van ademnood had vermengd met de achtergebleven lucht. De cyanose was op de bilspieren nauwelijks zichtbaar, waaruit hij opmaakte dat het lichaam enkele dagen onder water had gelegen.

Hij liet Upupa de slag zien die tussen het voorhoofd en de zijkant van het gezicht was toegebracht en waardoor het slachtoffer was flauwgevallen.

'Een schop?' vroeg de oude wijze geschrokken.

'Misschien.'

'Ook zijn vrouw had een schop gekregen, maar dan in haar nek. Ik zou zeggen dat het om dezelfde moordenaar gaat, dat wil zeggen Urbain Boutier. De persoon in kwestie moet niet alleen Beppe gekend hebben, maar ook mijn huis.'

Terwijl hij dat zei, boog hij zich over de struik om een voorwerp te pakken, dat hij in de zak van zijn pij verborg. Niemand merkte het.

Bernabé mengde zich hijgend in het gesprek: 'Mijn beste meester, Urbain zou gek zijn om hier terug te komen. De politie zit hem op de hielen en hij is zeker van een veroordeling tot de strop... Hij wilde alleen maar goud en geld. Zou je in plaats daarvan niet denken aan die oude oproerkraaier...'

'Prelati?' vroeg Upupa. 'Heb je die misschien gezien, aangezien je bijna altijd thuis was?'

'Nee. Toen ik er was, is er niemand binnen geweest.'

'Wie is Prelati?' vroeg Feniks slaperig.

'Ach! Een dwaze, afgetakelde man die dromen najaagt. De gezonde moet de ongezonde laten verliezen.'

'Meester,' wierp de jonge Zwaan tegen, terwijl hij dubbelklapte van de maagpijn. 'Maar juist die mijnheer Prelati heeft ons geïnformeerd over de vlucht van Urbain...'

'En wat dan nog? Ik kan hem vanwege die informatie toch moeilijk de wijsheid toedichten die hij niet bezit,' besloot Upupa, en hij wierp hem een verwijtende blik toe.

'Het grootste probleem is: waarom ligt dat lijk hier?' zei Buizerd.

Ral bestudeerde zijn vingernagels. 'Misschien heeft iemand onze Broederschap tot doelwit gemaakt. Dat zou trouwens niet de eerste keer zijn...' bromde hij.

De leider van de Vogels antwoordde: 'We hebben sterke schouders en invloedrijke beschermheren. Maar we leven in roerige tijden en er zijn veel fanaten. We doen goed, we helpen onze medemens. Maar ons voortdurende onderzoek naar individuele perfectie en onze studie van het hermetisme wekken wantrouwen op bij mensen die overal de ketters en monsters van de Apocalyps in zien.'

'Doel je op de priesters?' vroeg Reiger, wiens lichaam, een en al benen en een korte romp, inderdaad aan een steltloper deed denken.

'Erger. Aan de jansenisten,' antwoordde Upupa. 'De eerste baren me geen zorgen, maar de tweede wel. Ze zouden de Kerk het liefst weer net zo star maken als vroeger. Ze hebben een hekel aan elke vorm van filosofie en menselijke evolutie. Laat staan alchemie! Die krankzinnigen blijven maar volhouden dat ze weten wat de Eeuwige Vader werkelijk wil... Zelfs de paus vinden ze incompetent!'

'Geloof je echt in een jansenistische samenzwering?' vroeg Buizerd gealarmeerd.

'Ik sluit nooit iets uit. Nantes is altijd een bolwerk geweest van die ijverige geëxcommuniceerden, te beginnen bij de bisschop. Alle mensen die hij ophemelt en aanmoedigt... hij publiceert gevaarlijke teksten.'

Zwaan, wiens wangen glommen van het zweet, nam zijn meester bijna de woorden uit de mond.

'Nee!' riep hij uit. 'Laat de jansenisten maar aan Rome over. Onze tegenstander komt uit een andere hoek. Dat is absoluut geen heidense wolf in de kleren van het Lam Gods...'

'Het is tamelijk vreemd dat een pas ingewijde die net tot de Broederschap is toegetreden het waagt zijn meester tegen te spreken,' berispte Sperling hem snijdend.

Bernabé bleef een ogenblik met gebogen hoofd staan en bekeek het lijk met een peinzende blik.

'Ik wilde je niet beledigen,' verklaarde hij bevend. 'Ik voel alleen een grote jammerklacht opstijgen uit dit buitenproportioneel opgeblazen lichaam. Het schreeuwt de naam van zijn moordenaar en die weergalmt als een geweerschot in mijn oren.'

'Welke naam?' vroeg Sperling, die een hand op zijn arm legde.

'Dat weet de pratende beo...' wist Bernabé nog net uit te brengen voordat hij flauwviel. Als Sperling hem niet bij de arm gegrepen had, was hij op het lijk gevallen. Upupa ging verbijsterd op een leeg vat zitten. 'Broeders...' zuchtte hij treurig, 'door een ongelukkige samenloop van omstandigheden zijn we gedwongen dit tweede misdrijf niet aan te geven. Zolang we niet weten waar Urbain Boutier is en we de cryptische symbolen op de urn uit de kelder van Perrine nog niet hebben ontcijferd, moeten we zwijgen over de gruweldaad die hier gepleegd is. We zouden meteen de politie op ons dak krijgen. Pater Sébastien en Raphaël van De Gouden Moerbei denken, net zoals ikzelf trouwens tot voor kort, dat Beppe Talla naar Italië vertrokken is. Laten we hen in die waan laten. Vanavond geven we het stoffelijk overschot van deze arme man een eerzame begrafenis in de tuin, op de kleine begraafplaats van onze Broederschap. Wij moeten zelf een onderzoek starten, parallel aan dat van burgemeester Badeau.'

'En Bernabé?'

'Daar kijk ik wel naar,' besloot de wijze rustig. 'De kyphi is een mild verdovend middel, maar werkt wel in op het zenuwstelsel. Hij is uitgeput geraakt door alle doorstane emoties. Buizerd en Reiger, breng hem naar zijn kamer!'

'Een laatste vraag, Upupa. Wat is toch die pratende beo?' vroeg Nachtegaal timide.

'Dat is een prachtige zwarte kraai, die Beppe altijd op zijn schouder meedroeg. Nu houdt Raphaël haar in zijn taveerne.'

'Denk je dat ze in staat is de naam van de moordenaar te noemen?'

'Wij vertegenwoordigen de metafoor van de vogels van Salomo. We mogen daarom niet op basis van onze intellectuele capaciteiten oordelen over de intelligentie van een gewone vogel. Natuurlijk zullen we proberen Cocca, zo heet ze geloof ik, te laten praten. Ik heb haar overigens nog nooit tegen de smid horen praten, en ik ken ze allebei toch al meer dan vijf jaar. Maar kom, laten we gaan. De lantaarns gaan bijna uit en er staat ons een onaangenaam maar noodzakelijk karwei te wachten.'

Toen hij het trappetje besteeg, keek Upupa achterom om naar de lege oogkassen van de dode te kijken en kreeg het gevoel dat hij in de Erebus was. De woorden van de pas ingewijdene echoden onstuimig en koortsachtig in zijn hoofd: 'Dat weet de pratende beo.'

'Natuurlijk!' zei hij gerustgesteld bij zichzelf. 'Daar heb ik het met hem over gehad.' Een stem mompelde in zijn oor: 'Wanneer, hoe en waarom?'

Hij draaide zich om. De medebroeders legden het lichaam van de verdronken man met gepaste stilte in een net. En de oude wijze voelde op die elfde juni, anno Domini 1751, vleugelgefladder in zijn borst.

50

Naast de haard zat Upupa, met zijn ellebogen op de schoorsteenmantel en zijn hoofd in zijn handen. In enkele dagen tijd waren zijn grijze plukjes verdwenen en was zijn haar egaal kalkwit geworden.

Op Beppes nachtelijke, clandestiene begrafenis was een rare dag gevolgd. Een geheel vlakke hemel, bedekt met een grauw wolkendek. Geleidelijk leek dat wolkendek neer te dalen; een mist die de omgeving omhulde. Druilerige regen viel als zijden draadjes onophoudelijk neer, doordringend en hevig, en verbond de hemel en de aarde met talloze draadjes.

De oude man liep naar het raam. Aan de andere kant van het glas zag hij een vaag, blauwig licht dat de tuin in korte tijd omtoverde tot een meer van slib, bezaaid met naalden van water, die als druppeltjes kwik in het modderige water van de plassen prikten. Toen piepte er een zonnestraaltje door het bruine wolkendek en ontstond er, precies op de plek waar de medebroeders het lijk hadden begraven, een lichtkegel.

Het licht, peinsde hij, is de verblindende kariatide die de wereld staande houdt. Toch hebben twee duistere gebeurtenissen hem beschadigd. Dat drukt zwaar op me...

Hij voelde zich net koning Theodorik die de moord op Severinus Boëthius verborgen hield. De laaghartige medeplichtige van een misdrijf. Maar gepleegd door wie? En waarom uitgerekend in zijn huis?

Upupa had voor het eerst de onaangename sensatie dat hij in een bos vol stammen was, die gaten in het hemelgewelf maakten, terwijl hoog in de lucht koetsen als gekken voortraasden en andere op de grond vielen. Hij zag het monsterlijke, cyanotische gezicht van het lijk zonder ogen weer voor zich, met de oogkassen die golven rottend water uitbraakten waarin talloze garnaaltjes zwommen.

Vanbinnen, in de draaikolk van de alchemistische ontbinding, voelde hij een luide schreeuw van verzet opwellen. Een meedogenloos, loodgrijs raderwerk verpletterde hem. Toen, om zich heen kijkend om zich ervan te vergewissen dat hij alleen was, stak hij zijn rechterhand in zijn witte pij en haalde een doosje tevoorschijn dat bedekt was met cabochon geslepen lapis lazuli.

Zijn *arcanum*: laudanum in pilvorm. Hij stopte het in zijn mond. Het kalomel, dacht hij, is onttrokken aan het cinnaber en nauwkeurig gedoseerd. De steen der wijzen van de grote Paracelsus... Wie weet! Als hij in mijn schoenen gestaan had zou hij, met dat beruchte karakter van hem, misschien wel een golf van beledigingen over de levenden en de doden hebben uitgestort...

Het was het enige moment waarop er een glimlach om zijn mond speelde. Toen richtte hij zijn gedachten weer op de taken die de broeders onderling verdeeld hadden om de oplossing van het misdaadraadsel te zoeken. Toen hij kort daarop Bernabé aan hoorde komen lopen, probeerde de meester een vastberaden gezicht op te zetten.

'Zwaan,' zei hij, 'het is amper negen uur en het weer is opgeklaard. Of liever gezegd, de onverwachte wolk vol water heeft zijn woede uitgestort. Waarom ga je niet de tuin in om die relmuizenfamilie te verjagen?'

'Goed, hoor,' antwoordde Bernabé triest. 'Ik wil ook graag, met jouw goedvinden, die kleine wilg op het graf van Beppe Talla planten. Jij hebt me geleerd dat de boom het symbool is voor de mens: met zijn wortels maakt hij deel uit van de aarde en met zijn kruin van de hemel. Is er een beter eerbetoon denkbaar voor een overledene?'

'Nee,' antwoordde de meester laconiek. 'Maar vertel eens: heb je de smid ooit gezien toen hij nog leefde?'

'Ja, Upupa. Toen zijn vrouw vermoord was.'

'En ben je ooit in zijn werkplaats geweest?'

'Absoluut niet. Ik ken zelfs de kerk van de Drievuldigheid niet, evenmin als het dorp. Ik ben altijd hier geweest, of bij jou en Urbain in de buurt. Waarom vraag je dat?'

'Weet je, soms kun je de dingen niet meer zo goed onthouden als je ouder wordt. De mens is een volmaakte machine, totdat hij de gevolgen van slijtage ondervindt. Ik had een gat in mijn herinnering, maar nu weet ik het weer,' antwoordde hij met toegeknepen ogen. Twee spleetjes, die overliepen van hemels kwikwater. 'Kun je me, voordat je aan het werk gaat, vertellen welk gewaad een benedictijner novice draagt? Ik maak voor alle leden van de Broederschap een kaart met gegevens en wil niet dat uitgerekend de jouwe ontbreekt.'

Het gezicht van de jongen gloeide van trots omdat de wijze man hem respect en rechtvaardigheid betoonde. Daarom antwoordde hij, terwijl hij zijn hoofd naar achteren hield en zijn krullen in zijn nek voelde kriebelen, wat erop duidde dat hij zijn kalmte had hervonden: 'Geen speciaal gewaad, in afwachting van de kleine professie. De prior was zo goed me een zilveren ketting met een kruis te geven, met op de horizontale armen een inscriptie van respectievelijk de woorden *Ora* en *Labora*, precies zoals ik ook gelezen heb op de figuur van de Rebis.'

'Dank je wel, Zwaan. Kijk, ik heb alles opgeschreven. En nu ga ik, terwijl jij aan de slag gaat, Raphaël van De Gouden Moerbei opzoeken. Ik wil verifiëren of het klopt wat jij zei over die beo.'

'Maar je vertelt hem toch niets over de moord?'

'Jongen, ik weet hoe ik de taal moet gebruiken,' antwoordde hij droog. 'Houd jij de kat voortdurend in de gaten? Hij is geneigd ervandoor te gaan...'

Met zware oogleden door de slechte nacht die hij achter de rug had, liep Zwaan de tuin in om relmuizen te vangen. Hij liep het laantje door, een langgerekt lint in de vorm van een gekantelde acht, dat vol lag met grind, nog vochtig van de recente regenval.

Tussen de begroeiing stonden hier en daar blauwe hortensia's, verzorgd door Upupa, die er diepe bewondering voor had. De rododendrons waren buitensporig gegroeid en moesten worden gesnoeid, om te voorkomen dat ze een laag-bij-de-gronds huwelijk zouden sluiten met onbekende heesters die zich vastklampten aan hun wortels en zich bijna bewust waren van hun valse afkomst.

In het kleine aardbeienperk ontdekte Bernabé dat er nog maar vijf plantjes stonden.

'Ellendige relmuizen!' schold hij kwaad. 'Dikzakken die overdag slapen en 's nachts knagen!'

Ook de pruimen waren aangevreten. Maar Zwaan wist waar het hol van de muizen was, en nadat hij een valkooi had gemaakt van gevlochten biezen en ijzerdraad, legde hij er vijf glanzende, fluweelzachte, smakelijke kersen in. Wanneer de beestjes de zoete, aanlokkelijke geur zouden opsnuiven, zouden ze er als windhonden op afstormen en zouden ze door het valdeurtje plotseling voor altijd opgesloten zitten.

Toen dat karwei, waardoor hij zich net een gendarme voelde, erop zat, pakte hij de schoffel, de schop, de gieter en de hark die tegen de muur stonden, en nam die mee naar het graf van Beppe. De verse aarde bedekte de nederige eeuwige rustplaats van de smid. Geen steen, geen inscriptie. Zwaan dacht aan de snelheid waarmee de broeders hem in het net hadden gewikkeld en hem daarna naar de kuil hadden gedragen die bij het licht van kleine fakkels was gegraven. Alles was begraven: het misdrijf en het lichaam. Opeens was hij bang, want onder dat strookje aarde waar een lijk in lag, hoorde hij een geluid.

'Wat is dit onderkomen klein, vergeleken bij dat waar hij woonde toen hij nog leefde. Beppe is teruggekeerd naar de aarde. Nu zal hij in de vergetelheid geraken.'

51

Bernabé maakte zich eindelijk op om op de grafheuvel een gat te graven waar hij de jonge wilg in kon planten, een vleugje leven op het lugubere graf. Maar wat bezielde hem toch om te bedenken dat hij het ding er omgekeerd in zou kunnen zetten en de takken kon ingraven terwijl de wortels als gespreide armen naar de hemel wezen? Dacht hij soms dat de wedergeboorte van Beppe in de plant klaarstond om naar de oppervlakte te komen?

Hij werd van zijn stuk gebracht door het gekwelde gemiauw van Cassandra en een gejaagd, klossend geluid dat uit het huis kwam. Bernabé wierp een blik op de deur. Die stond op een kier. Terwijl hij hem – dat wist hij zeker – dicht had gedaan. Ongerust liep hij naar het keukenraam. Hij leunde op de vensterbank voorover en zag binnen het silhouet van iemand met een mantel aan, maar hij kreeg het beeld niet scherp, en het gezicht van de indringer leek een vage lichtkrans.

Op handen en voeten pakte hij de schop en ging, duizelig en misselijk, naar binnen. De man was met een sprong door de zijdeur verdwenen. Nee, het was geen hallucinatie geweest. Hij doorzocht alle kamers en liet zijn ogen rondgaan, als verdoofd door de verschijning. Niets, niemand.

Zijn ongerustheid en angst namen niet af. Hij was tot het uiterste gespannen. Hij riep de kat. Tevergeefs zocht hij hem. Misschien had de vreemdeling hem gedood en het lijkje meegenomen, God mag weten waarheen.

Hij had niet in de gaten dat hij in zijn broek geplast had en dat zijn schoenen naar ammoniak stonken. Wel veegde hij de straaltjes zweet af, die als glanzende bakkebaarden van zijn voorhoofd gutsten. De zonnestralen die door de tralies voor het raam filterden, werden in zijn ogen afgrijselijke gedachten...

Zou hij zich in huis opsluiten? Nee, dan zou hij lafhartig zijn. Een lafaard. Hij verlangde naar wat wijwater. Dat zou hem verkwikken, net als in het klooster. Maar wat zou hij hier, in dit absurde huis van Upupa, kunnen vinden? Kwik, zwavel, zout, goud, zilver, lood... Hij voelde de grootsheid van de demon, Gods rivaal, vol kracht, schande, schaamteloosheid en bloed rondwaren.

O, God! foeterde hij op zichzelf. Waar ben je mee bezig, Bernabé? Je bent nu Zwaan, een vogel van Salomo. Vergeet die verfijndheid die de Kerk je heeft geleerd nu maar, met alle erfelijke invloeden die al eeuwenlang op de mensheid drukken. Ga naar buiten en zoek!

Hij begon de omgeving af te zoeken. Hij begaf zich in het woeste gedeelte van de tuin, tussen de wilde planten. Hij liep over het immense pad dat zich in meerdere richtingen vertakte en kwam uit bij de beerput. Hij ging bij de rand staan en de vreselijke stank van uitwerpselen, drek en afval benam hem bijna de adem. Zijn donkere ogen tuurden als een verrekijker omlaag, tot op de bodem.

En als hij eerder, uit ongerustheid, bang was geweest voor Satan en verlangd had naar wijwater, dan had hij dat nu écht nodig. Naast de drek, maar op het droge, lag een ware belediging van God, het leven en de schaamte. Iemand had alweer iets monsterlijks gedaan, een drieste moord gepleegd.

Daarbeneden, bijna in de onderwereld, zag hij het afschuwelijke schouwspel van een naakte vrouw; haar benen gespreid, haar hoofd omgeven door een dikke, volle haardos.

Met een gezicht dat nat was van tranen en een onderlip die trilde van een woord dat hij niet kon uitbrengen, rende de jonge Zwaan doodsbang naar huis. Hij draaide zich om, struikelde en zijn hart bonkte in zijn keel. Hij deed de deur open en schrok.

Onverwachts stond Upupa daar voor hem, met de kat in zijn armen. Omdat hij eerder terug was dan verwacht, vroeg de meester wat hem zodanig van slag had gemaakt dat zijn ogen nog maar twee donkere holtes leken en hij er twee keer zo oud uitzag als zijn tweeëntwintig jaar.

'Meester, weer... weer een mo-moord,' stotterde Zwaan. 'Daar, in de rottingsput... Een vrouw... Ik geloof dat ze een dolk in haar borst heeft.'

Hij dacht aan Henriette en zijn lichaam begon te gloeien. Hij leek wel koorts te hebben.

Upupa, die tamelijk rustig naar huis was gekomen, liep nu de kamer door. Rusteloos, bevend, zijn kin vooruitgestoken.

'Jij gaat voorop!' beval hij.

Ze kwamen bij de kuil. Het gras hing weer over de rand en de oude man rukte het weg, zoals een hond een stuk stof afscheurt waarmee hij aan het spelen is. De aanblik verlamde hem. Het onbetamelijke, naakte lijk, gehuld in de misselijkmakende geur die uit die ellendige afgrond opsteeg.

'Mééééééééééééster!' klonk het in de verte. 'Waar ben je?'

Het was Sperling, die terugkwam van de markt. Op verzoek van de oude man moesten ze hun leven ondanks de twee moorden gewoon weer oppakken om niet in het oog te lopen.

'Ik ben bij de beerput,' antwoordde hij met een keelstem. 'Neem een lang, sterk touw mee. Snel!'

Op de plek van de macabere vondst aangekomen, was de Duitser verbijsterd om De Grâce daar aan te treffen: 'Hoe krijg je het nu voor elkaar, Zwaan, om hier eerder te zijn dan ik?'

'Hoezo?'

'Net stond je nog in de deuropening. En nu ben je al hier...'

'Ik snap het niet. Ik was hier al toen jij riep. Misschien heb je de indringer gezien. Een type dat het huis is binnengedrongen en heeft weten te ontkomen.'

'Helemaal niet. Ik zag jou echt.'

'Houden jullie eens op!' kwam Upupa tussenbeide. 'Jullie verliezen je in onsamenhangend gebazel. Kijk liever, broeder, wat voor gruwel er nu weer is gepleegd!

Sperling boog zich over de rand en sprong meteen, zonder nadenken, achteruit. Zijn hart bonkte zo hevig dat de stof van zijn pij erdoor op en neer ging.

De weerzinwekkende geur maakte hem ziek. Toen hij weer was bijgekomen door een tabletje dat Upupa hem gaf, begreep hij onmiddellijk wat er van hem verwacht werd. Hij maakte het touw aan de tak van de boom boven de put vast en daalde als een bergbeklimmer af. Nadat hij het lichaam geïnspecteerd had, informeerde hij de andere twee vanuit de diepte. 'Ongelofelijk! Ze moet een jaar of twintig zijn. Ze hebben haar borsten afgesneden en een vreemde dolk in haar hart gestoken waaraan een meidoorntak is vastgemaakt. Meester, op haar buik heeft ze een bloederige tatoeage van een paar hiërogliefen.'

'Welke?'

'Wij kennen ze, dus we moeten snel dat archiefonderzoek gaan doen. Hoe dan ook, de vrouw moet haar moordenaar gekend hebben. Haar mond is namelijk tot een glimlach geplooid. Ja, een glimlach. Ze moet zich zonder dwang hebben onderworpen aan degene die haar daarna vermoord heeft, gezien de overvloedige hoeveelheid vaginale afscheiding. Haar lichaam is nog vochtig.'

Toen hij weer boven was, boog hij zich voorover en gaf over in de bosjes.

'De techniek van dit misdrijf lijkt in niets op die van de andere. Het lijkt eerder een rituele moord. En ik herken de vrouw niet als een inwoonster van Clisson.'

'Maar zeg eens, Sperling,' vroeg Upupa bezorgd. 'Is ze niet verkracht?'

'Nee. Volgens mij heeft ze zich vrijwillig gegeven.'

'Dan rest ons niets anders dan Badeau erbij te halen. Zwaan, ga jij...'

Maar hij trok het bevel direct in en ging liever zelf. Hij liep naar de paardenstal en besteeg zijn paard.

52

Badeau was in taveerne De Gouden Moerbei aan het kaarten met politieagent Julien Avril. Toen hij de oude wijze zag, beet de burgemeester hem toe: 'Ik heb momenteel geen nieuws omtrent die vervelende situatie.'

Upupa zat in een moreel lastig parket. Dat merkte Raphaël toen hij een glas cider weigerde.

'Nee, dank je,' antwoordde hij. 'Mijn dieet verbiedt me op dit uur te drinken. Maar mijnheer de burgemeester, zou u even mee naar buiten kunnen komen?'

'Zeker, zeker. Nieuwe informatie?'

‘Helaas,’ fluisterde hij hem in zijn oor, ‘weer een moord. Het lijk ligt in de zwarte put bij mijn huis.’

Badeau liet duidelijk merken dat hij geïrriteerd was. Hij had die post betrokken om rust te hebben. Hij wilde kunnen doen waar hij zin in had, wat erop neerkwam dat hij wilde kijken hoe de knoppen in de bomen ontsproten. Maar zijn luiheid werd telkens weer verstoord door die oude stijfkop, die ook nog eens werd beschermd door de hertog van Soubise. Een ware obsessie. In die geestestoestand riep hij de agent erbij en gedrieën togen ze naar de plek van de macabere vondst.

‘Wat smerig!’ schreeuwde Avril. ‘Burgemeester, we komen hier onder de stront te zitten!’

Sperling, wiens zware Teutoonse accent ontzag inboezemde, mengde zich in het gesprek. ‘Daar hoeft u u niet druk om te maken. Ik kan wel een handje helpen bij het vastsnoeren van het lichaam.’

‘Dank u,’ antwoordde Badeau geërgerd en zei toen: ‘Begrijp me niet verkeerd, meester, maar het lijkt erop dat de demon in jullie eigen midden rondwaart. Het zullen de mengsels, de poeders die jullie bereiden, wel zijn die tot moorden aanzetten...’ en hij barstte in een afschuwelijk, grotesk gelach uit.

Upupa, Zwaan, Badeau en de agent haalden het lichaam omhoog terwijl Sperling van beneden af aanwijzingen gaf. Toen de vrouw eenmaal op het plaveisel lag, keek de burgemeester naar de plek waar de borsten hadden gezeten en waar nu het gestolde bloed net zegellak leek. Toen bestudeerde hij de geslachtsdelen. ‘Kijk, kijk! De inbreker is pijnloos te werk gegaan. Hij is zachtjes in het reliek gedrongen en heeft daarna de dolk in haar borst gestoken. Met een andere zal hij haar borsten hebben afgesneden. Hij zal wel een klant van deze hoer geweest zijn, die trouwens niet eens uit Clisson kwam. Die ken ik allemaal uit mijn hoofd,’ en hij tikte op zijn voorhoofd, alsof hij zijn opmerking kracht wilde bijzetten. ‘Ze zullen het wel niet eens zijn geweest over de prijs en... hij heeft haar uit de weg geruimd. Kom, Avril, ga naar het kasteel en haal een kar en een doek. We brengen haar daarheen. Dan zien we wel waar we haar laten begraven.’

Upupa bedacht dat het, gezien de lamlendige houding en het gebrek aan autoriteit, echt een wijs besluit was geweest om de moord op de smid geheim te houden. Dus maakte hij zich, terwijl hij fluisterend met Sperling overlegde, op om met potlood de hiërogliefen op de buik van de beklagenswaardige vrouw over te schrijven:

‘De symbolen zijn dezelfde als die op de urn in het huis van Perrine. Dus houdt dit derde misdrijf verband met het eerste. Tenzij de moord op de smid fungeert als verbindingsboog tussen die twee.’

‘Die dolk heet volgens mij genade. Hij is van oorsprong middeleeuws. De meidoorn doet me denken aan iets wat ik heb gelezen over het Tribunaal van de Heilige Vehm. Dat werkte zonder hoger beroep en heel direct. Het wapen heeft een lemmet dat zo dun is dat slachtoffers pas in de gaten krijgen dat ze sterven als het al tussen de ribben door in het hart gestoken is. Ze kunnen nog slechts één woord uitbrengen: ‘genade!’ en dan is het gebeurd.’

‘Maar meester, denk toch even mee: dit dodelijke aureool omarmt telkens ons huis. Het is een misdaadmachine die verdorven is en doodt. Een dorst naar bloed en verderf in een geest die put uit een verwrongen alchemie...’

‘Waar doet dat je aan denken?’

‘Misschien wordt het duidelijk als we erin slagen de betekenis van die hiërogliefen te achterhalen.’

Zwaan stond voorovergebogen de lange, zwarte haren van het slachtoffer te bekijken. Toen hij het ongelukkige idee had om ze aan te raken, slaakte hij een gil en sprong op als een krekel.

‘Mijn God! Wat een afgrijselijke, glibberige, koude massa! Zelfs slangen zouden ze niet willen aanraken.’

Badeau gaf hem een zet. ‘Imbeciel! Zo meteen smelt je van angst en wordt je hart week als een spons, dus waarom ga je niet naar huis? En pas op dat het harenspook je niet achtervolgt...’

Hij lachte Bernabé op een verachtelijke manier uit, gespeend van mededogen. De jongen verliet de plaats van het misdrijf.

53

Vaticaanse Bibliotheek, 1753

'Een tweede en een derde misdrijf! Staart van Lucifer... Heiligheid, alles wordt gecompliceerd. Waarom de smid uit de weg ruimen? Op de vermoorde vrouw kunnen we de theorie van de rituele moord loslaten. De handtekening, om het zo maar eens te zeggen, zit hem in de getatoeëerde hiërogliefen.'

Toen hij dat gezegd had, bracht Sansevero zijn vingers naar zijn keel om zijn verstikte stem te bedwingen. Hij had de smid, opgezwollen door het water, al eens gezien. Wanneer? In een visioen. Benedictus raakte hem nog een keer aan. Maar hij bleef roerloos, met starende blik zitten, alsof hij in de duisternis was gevallen.

'Prins, luistert u?'

'Jazeker wel.'

De paus poetste zijn vissersring op met zijn gewaad. 'Vindt u het niet verdacht dat die Upupa opeens thuis was?'

'Ik zou het niet weten. Het gedrag van Badeau baart me meer zorgen. Een wetsvertegenwoordiger die zijn vak niet verstaat en absoluut ijdele neigingen heeft.'

'Wat gaat er in uw hoofd om, don Raimondo?'

De prins bladerde de depêche van achteren naar voren door om een passage nog eens over te lezen.'

'Kijk, Vader, het is de genade die me verbaast...'

'Ja, het is een antieke dolk. Er bestaan documenten...'

'Neem me niet kwalijk, maar zou er een verband bestaan tussen de daad van genade waar de mysterieuze Prelati herhaaldelijk om heeft verzocht en de dolk die heel toevallig genade heet? Ha!'

Sansevero haalde een potlood uit zijn zak en maakte op een leeg vel papier wat aantekeningen, die Benedictus niet kon lezen.

Natuurlijk verwonderde don Raimondo zich over het gedrag van de Broederschap; hij was er veel te dynamisch en actiebereid voor. Upupa en diens volgelingen leken hem verstikt te zijn door verwarde ideeën en emoties, waardoor ze verstrikt waren geraakt in een onevenwichtige situatie.

Toen hij uitgedacht was, haalde hij langzaam adem. 'Wilt u een samenvatting van de feiten tot dusver?'

'God zegene u, Raimondo de Sangro! Bent u eindelijk tot een conclusie gekomen?'

'De moordenaar of de moordenaars staan op een berg van waaraf ze het middelpunt van de aarde kunnen zien. En precies op die top is iemand erop gebrand God te gronde te richten...'

'God te gronde te richten? Je reinste blasfemie! Waar haalt u dat idee vandaan?'

'Niet ik, Heiligheid. Degene die het rustige Clisson overhoop aan het halen is. Trouwens, ik heb niet beweerd dat Satan Jezus probeerde te...'

'Wat bedoelt u daarmee?'

'U wilt me alleen op een schender van geest en lichaam af sturen, in de duizelingwekkende kolk van de schoonheid van het Kwaad.'

'Lucifer?'

'Nee. Antimimos. Iemand is in de diabolische klauwen van het lood gestort.'

'Ach ja, die metaaldemon van u. Hebt u al een naam, of namen, Sansevero?'

'Het ontbreekt me aan de elementen om tot een oordeel te komen dat u tevredenstelt. Maar het Brabantse schilderij is absoluut een ondergrondse aanzwengelaar. Laten we nu niet vastlopen. De tekst wordt vervolgd.'

De paus deed ernstig. 'Eén ding tegelijk graag... Wat is er zo bijzonder aan dat vermaledijde schilderij, beste de Sangro?'

'Heiligheid, het heeft zijn eigen kunstenaar omgebracht...'

'Wij hebben nooit van ons leven een zielloos voorwerp zien doden!'

'Ook de trap van Perrine Martin had geen ziel,' antwoordde de prins nerveus. 'Iemand heeft hem – laten we het zo zeggen – leven ingeblazen door haar te wurgen.'

'Wilt u soms zeggen dat het schilderij zich met zijn lijst van de muur heeft laten vallen en bij de maker op zijn nek terecht is gekomen?'

De ander trommelde zachtjes op de papieren en zei toen op plechtige toon: 'Als het kunstwerk zich echt in Clisson bevindt, zeg ik u dat het al kan zijn begonnen met het verwoesten van een labiele geest...'

'Is het dan soms met giftige kleuren geschilderd?'

'Dat zou een plausibele verklaring kunnen zijn, al is het niet waar. Het lijkt misschien paradoxaal, maar de energie van het doek wisselt steeds en de ontlading in zijn afwijkende boodschappen is absurd...'

'O, nee, Sansevero!' hernam Benedictus XIV met gefronste wenkbrauwen. 'Dat vinden wij niet goed. Op dat schilderij staat toch, afgaand op wat we gelezen hebben, een evangelische scène, of niet?'

'Absoluut.'

'U hebt ons werk *De Servorum Dei Beatificatione* toch gelezen? Dan weet u hoe belangrijk het voor ons is voorzichtig te zijn met wonderen, fenomenen en hun tegendeel. Hoe kunt u zo koppig volhouden dat het schilderij zogenaamd energie uitstraalt? Zinspeelt u misschien op pech, op dom bijgeloof?'

'U beledigt me, Vader, door mijn intelligentie te onderschatten! Al in de achtste eeuw toont magister Gregorius in zijn *Narratio de mirabilibus urbis Roma* in bepaalde kunstwerken de zogenaamde sleutel van verwondering aan.'

'Dat lijkt ons normaal, verwondering...'

'Maar Gregorius bedoelt de symbolische communicatie die onder de oppervlakte verborgen ligt. Daar smelten verleden en heden samen tot een desoriënterende synchronie.'

'Voor wie?'

'Wie er niet goed tegen bestand is, kan verteerd worden door een nieuwsgierigheid die zo sterk is dat hij voorbijgaat aan de oppervlakkige penseelstreken en zich geestelijk voorbij de voorkant van het schilderij verplaatst. Om iets te ontdekken wat erin en erachter verborgen ligt, en zo uit te komen bij het emotionele wezen van de kunstenaar in zijn primitieve, inspirerende en creatieve fase. Kortom, als dit het doek is wat ik vermoed dat het is, bevat het gevaarlijke boodschappen.'

'Ook voor u?'

De Sangro keek de paus zonder te antwoorden van onder zijn wimpers aan.

Benedictus vroeg niets meer. Zijn nieuwsgierigheid werd wel gewekt door de vasthoudendheid van zijn toch pragmatische gast ten aanzien van het schilderij dat zojuist in de depêche was genoemd, maar de oplossing van de misdrijven in Clisson drukte zwaar op hem en de prins deed het op zijn manier. Daarom moest hij de raadselachtige kant van diens goede verstand maar voor lief nemen. In elk geval kon hij zijn hypothese dat er sprake was van onbegrip nu wel laten varen.

Er zijn zoveel vragen... Wie lokt de lasterpraatjes uit? Welke boodschappen liggen er verborgen in die duivelse hiërogliefen? En waarom vindt deze bloedige chaos uitgerekend plaats in het vreedzame Clisson?

54

Clisson, 1751

Het beste wat je kunt doen als je je verstoten voelt, is in je eigen hol kruipen wanneer je iets opmerkelijks ziet. Zowel in positieve als in negatieve zin, dacht Zwaan, die in de bergère zat. Wat er gebeurt, is sterker dan ik, besloot hij. Op mijn hurken blijven zitten is mijn kracht. De groten zijn wat ze willen, de kleintjes zijn wat ze kunnen.

Hij was zijn hautaine houding kwijt, zijn overtuiging dat hij intelligenter was dan gemiddeld. Het paleisachtige, magische en boosaardige huis, dat vreemde gebouw dat vanbuiten zo eenvoudig leek, werd in zijn ogen steeds meer een complot van verstrengelde ruimtes, waar valkuilzalen en duistere krachten hem op mysterieuze wijze meesleurden in een draaikolk. Toch wilde hij niet weggaan. Zijn duistere val loodrecht in het ravijn duurde voort. Waar kon hij zich aan vastgrijpen?

Hij schrok op door de komst van Upupa. Met gefronst voorhoofd, vochtige haren en met zijn witte pij grauw van het vuil, ging de oude man zich uitkleden en wassen. Er verstreek een uur en Zwaan kreeg het idee dat hij aan het mediteren was voor de beroemde tweezijdige gobelin in zijn kamer.

Met licht gebogen schouders kwam Upupa eindelijk tegenover zijn discipel zitten.

'Jongen,' begon hij ferm, maar zijn ogen staarden naar een punt in de verte. 'Ik weet wat je bedenkingen zijn; die zijn heel normaal voor iemand met een eerlijk geweten. Ze kunnen door redeneren worden weggenomen. Een moord is de verwerpelijkste daad die een mens kan begaan. De laaghartige gebeurtenissen die zijn begonnen sinds jij in Clisson bent, en nog wel onder mijn hoede, komen niet overeen met de toekomst die ik je beloofd had. Als je er echter in slaagt ook die schanddaden door middel van alambieken en distilleerkolven te filteren, zul je misschien begrijpen hoe de mens de bodem van een trechter kan bereiken waarin alleen lood is gegoten. Voor de gerechtigheid bestaan geen verzachtende omstandigheden. Zelfs niet voor het alchemistische onderricht, als die afschuwelijke moordenaar er niet in slaagt zich te bevrijden.'

'Ik begrijp het niet,' verklaarde Zwaan voorzichtig.

'Je verbaast me,' antwoordde de ander met een klein glimlachje. 'Je weet toch dat je eerst in de duisternis moet afdalen voordat je naar het licht kunt klimmen?'

'Dus meester, wil je me vertellen dat het voor de moordenaar noodzakelijk was om de levens van anderen te nemen?'

'Je vergist je. Ik doel op degene die voorbijgaat aan de ware doeleinden van de alchemie en die daardoor het alchemistische proces verkeerd om uitvoert. Iedereen die laaghartig is, durft toenadering te zoeken tot God, die de macht heeft over het leven en de dood. Wat ik je probeer te leren is dat de ware alchemist om die reden iets van deze duistere ervaringen probeert te maken en zijn eigen leven probeert te verbeteren door dat naar de mensheid uit te stralen. Niet door anderen uit de weg te ruimen voor zijn eigen plezier, want dat drukt tot in de eeuwigheid op zijn geweten.'

'Nu snap ik het, meester. Het lukt me helaas alleen niet mijn gedachten af te leiden van Beppes gezicht en het ijskoude haar van dat jonge, vermoorde meisje.'

Upupa's ogen werden twee ketens die hem omsloten. Bernabé durfde de vraag te stellen waar zijn hart vol van was. 'Mag ik naar Henriette? Om haar op zijn minst gedag te zeggen?'

'Jongen, je bent vrij. Ik druk je echter op het hart te zwijgen over de dood van de smid. Dat van die vermoorde vrouw weet ze vast al. Ik vraag je alleen dit: houd in elk geval altijd voor ogen dat het aan jou is om de kwintessens te veroveren en de vier elementen in jezelf te overwinnen, net als de Rebis.'

'Ah! Dat begrijp ik, meester Upupa. De Dalen hebben me iets geleerd: ik ben Twee in Eén en moet Eén worden.'

Terwijl hij die woorden uitsprak, doorkliefde een grote kever razendsnel de lucht. Hij had een witte buik en zwarte poten.

55

Zij, het mysterieuze wezen waarin alle geneugten van de zinnen verenigd waren, zij, die dromen in hem had opgewekt die hij nooit zou durven opbiechten, stond in de hooischuur. Bernabé omhelsde haar van achteren en gaf haar een miniatuurschilderijtje van een oog. Henriette keek hem verbaasd aan, maar hij legde uit: 'Dat heb ik geschilderd. Het is mijn oog, waaruit de liefde spreekt die ik voor je voel. Speld hem op je bloesje!'

Voor deze ontmoeting had de jongen niet zijn pij aangetrokken, maar gewone kleren. Hij tilde haar rok op en trok haar naar zich toe, terwijl zij zich in het hooi liet vallen. Bernabé bezat haar, verblind door dat trotse figuur; door de uitstraling van haar onschuldige voorhoofd, haar lange, neergeslagen wimpers, haar vaag zichtbare blauwe aders, de gebeeldhouwde rondingen van haar borsten, en haar heupen, was ze voor hem net een godin.

Henriette liefkoosde hem zachtjes en hij werd overmand door de betoverende, steeds terugkerende lokroep van het vlees. Terwijl hij haar borst streelde, dacht hij: Henriette is een vrouw die gewapend is met alle zeven metalen. Ze is ongrijpbaar als kwik en ik houd haar tegen met zwavel.

Hij vond het geweldig om daar op het hooi te blijven liggen, zonder matrassen of lakens, en niet in een bed dat helemaal was opgetuigd met pilaren en baldakijnen! De alkoof, gemaakt van eenvoudig hooi, voerde zijn gedachten en zijn lichaam terug naar een primordiale naaktheid, naar een honger naar seks en zintuigen. Sterker nog, dat meisje vertegenwoordigde de alkoof van zijn lid, dat veel te volgzaam was in Upupa's luisterrijke huis en hier, in het hooi, daarentegen volkomen vrij en zelfs rebels.

Haar jurk, die op de foerage lag, leek wel een heel lang overhemd, zoiets als de tunieken van engelen op heilige schilderingen, maar dan zo soepel vallend dat hij wel nat leek. Met de fantasie van zijn roes verplaatste hij het lichaam van de jonge vrouw naar die jurk; schijn van vrouwelijke naaktheid was bedrieglijker en onthutsender dan de naaktheid zelf.

De gelijkenis met Salome was wat hem betrof onvermijdelijk. Voor de liefde kwam pure wellust in de plaats. Bevangen door hevige extase probeerde hij sodomie met haar te bedrijven. Het meisje, onwillig en bang, wilde die houding niet aannemen, maar Bernabé smeekte haar: 'Je hebt me betoverd, Henriette! Ik vraag je om nóg een maagdelijkheid. Een daad van extreme liefde.'

'Ik ben bang, Bernabé. Hou op! Je kunt zoiets beestachtigs niet van me verlangen. Ik smeek het je. Trouwens, met die moord hier in de buurt... Nee, nee, ik voel me niet...'

En ze duwde hem in tranen van zich af.

'Je hebt gelijk, vergeef me. Ik zal je nooit meer zoiets vragen. Want ik beschouw je als mijn koningin.' Zo praatte hij op haar in, terwijl zijn ogen overliepen van tranen en hij een onbedaarlijke snik voelde opwellen, zo schaamde hij zich voor zijn zinnelijke voorstel.

Wat bezielde me? vroeg hij zich in stilte af, met een lege blik. Het was een ware aanslag op haar schaamtegevoel geweest, niet eens van een verliefde man, maar van een bezetene. Hij dacht aan zijn eigen ziel. Wat overkwam hem toch? Het liefhebbende vlees van de ziel? Nee, absoluut niet.

Met Henriette zou hij, binnen de toegestane grenzen, zijn eigen kern met die van haar kunnen verenigen en het alchemistische huwelijk kunnen bereiken. Hij zou kunnen zeggen: 'Ik ben haar geworden en zij is mij.' Bevrijd van zijn wellustige vervoering lukte het hem lieve woordjes te zeggen om haar te kalmeren en haar vertrouwen terug te winnen. En Henriette Labbé boog voor de geruststellingen van haar geliefde, die nu voorzichtig als een kat deed.

'Zo ken ik je weer,' bekende ze. 'Je bent mijn Bernabé. Maar ik ben zo bang. Zweer dat je me zult beschermen, want er gebeuren rare dingen, hier in Clisson. Er waart een moordenaar rond in dit rustige dorpje...'

'Sst... stil!' onderbrak hij haar en beroerde haar lippen. 'Weg met die nare gedachten. Die graven gaten in je hersenen, zodat je niet meer weet wat droom is en wat werkelijkheid. Kan een ster ooit uit de hemel gewist worden? Nou dan, niemand zou een siderische schoonheid als jij durven beschadigen. Tot gauw.'

Hij gaf haar een kus op haar voorhoofd en ging weg, blij dat hij het 'passe-partout' van Henriette niet had geschonden, zoals Cervantes zou zeggen.

Heimelijk ging hij het huis binnen. Hij pakte zijn pij, die hij in de schoorsteen had gehangen, waar al enige tijd geen rook meer doorheen was gegaan, trok hem snel aan en ging naar de keuken, waar hij de meester en Sperling aantrof. Die was vissoep aan het maken.

'Laat het tot je doordringen, Upupa!' zei de knappe Teutoon opgewonden. 'Een moord in de beerput. Want ik heb niet gezien dat haar hoofd te pletter is geslagen, en ook op de rest van haar lichaam was geen schrammetje te zien!'

'Dus heeft de moordenaar haar met een touw levend de put mee in genomen? En is zij hier geweest?' vroeg de oude man met opengesperde ogen.

'Zo moet het gegaan zijn. Ik heb geen andere verklaring. En dan te bedenken dat wij alchemisten beweren dat de steen der wijzen voortkomt uit mest. Sterker nog, uit de rottende dood van iemand die herrezen is! We noemen het toch de put van het leven en de dood, nietwaar?'

'Ja, maar dat zijn metaforen.'

'Daar wilde ik je hebben, meester! De moord op de smid in het water en die op het meisje in de mest lijken de esoterische stellingen letterlijk te volgen. Ik weet niet goed hoe ik het uit moet leggen, maar ik heb echt het vermoeden van een samenzwering ten koste van ons.'

'Kom op, Sperling,' antwoordde Upupa geërgerd. 'Je kunt op een graf geen stuk vlees zien liggen dat aangevreten is door een groep kraaien, als die er niet zijn.'

'Maar het aangevreten stuk vlees lag er wel, en hoe!' vervolgde de Duitser gepikeerd. 'Dat is het probleem: waar is de moordenaarskraai? Laat Badeau maar zitten, die heeft de zaak al gesloten. We hebben alleen nog onze eigen krachten. Ik zou niet willen dat die werden gebruikt in de beerput om vervolgens nietig te worden verklaard.'

Upupa hield zijn hoofd tussen zijn handen en begon te lopen, terwijl Sperling met een grote snoek zwaaide, die hij in zijn rechterhand hield. 'Trouwens, weet je dat Fluiter naar De Gouden Moerbei is gegaan?'

'Nee, ik weet van niets.'

'Goed. Louis, Raphaëls neef, heeft me verteld dat hij hier elk moment kan zijn. Hij wilde Cocca de beo zien om te kijken of die kan praten. De kraai heeft geen woord gezegd. Raphaël heeft hem gevraagd haar mee te nemen, omdat de stamgasten haar als onheilsprofeet zien.'

'Ik vind het niet erg. Maar ik vrees voor Cassandra, ze zouden elkaar pijn kunnen doen.'

'De kat,' voegde Sperling eraan toe, 'moet haar trots inslikken en ook alle zwakheden die haar door Nachtegaal zijn bijgebracht. Wie weet! Misschien is de beo ons wel tot nut.'

'Luister, broeder,' antwoordde de wijze gelaten, 'jij wilt menselijke gebreken en deugden toekennen aan beesten. Zeg liever dat we moeten oppassen wanneer die zwarte vogel het territorium van de poes schendt.'

Bernabé-Zwaan, die tot dan toe op de drempel was blijven staan, liep naar Upupa toe en zei met gebroken, schorre stem: 'Sperling heeft gelijk. De beo zal praten en Cassandra zal de indringer accepteren.' Beiden keken deemoedig toe.

'Mijn God, Zwaan!' riep de ander uit. 'Als je die vogel nooit gezien hebt, hoe kun je dan zo zeker weten dat ze iets zal onthullen?'

'Dat heb ik in de boeken gelezen, meester. Deze vogel is niet zoals de papegaai, die alleen de laatste woorden herhaalt. De beo kan bijna hele gesprekken voeren...'

'Het zal wel, als jij het zegt. We zullen zien.'

De voordeur piepte en Nachtegaal kwam binnen met een stuk perkament in zijn hand.

'Dat heeft pater Sébastien me gegeven. Toen hij in het klooster in het archief zat te bladeren, vond hij deze code. Kijk eens of ze overeenkomen...'

Om het zeker te weten zette Upupa zijn bril op en vergeleek de tekens met de tekst die op de buik van de dode vrouw getatoeëerd was. Van de hiërogliefen uit de abdij van de Drievuldigheid stond alleen het volgende teken,

... een Grieks kruis, zowel op de urn uit Perrines huis als op de buik van het meisje. Voor de rest: tabula rasa.

'Jammer!' riep de oude man uit. 'Dat kruis correspondeert met de letter a, maar dat is niet genoeg om het raadsel op te lossen.'

Nachtegaal trok zich teleurgesteld in zijn kamer terug.

56

Een langgerekte fluittoon, zo hoog dat hun trommelvliezen ervan knapten, deed hen alle drie opspringen en zelfs Nachtegaal kwam toesnellen. Fluiter kwam met kleine stapjes aanlopen met de beo op zijn linkerschouder. Verbluft staarden ze hem lange tijd aan, niet wetend wat te doen.

'Tja!' zei Fluiter. 'Ik heb de getuige meegenomen. Maar ik weet niet of de hier bijeengekomen jury tegen het verhoor is opgewassen.'

Nachtegaal rende weg om Cassandra te pakken, om elektrische schokken of magnetische ontladingen tussen haren en veren te voorkomen.

'Dag Cocca,' zei de oude man liefkozend, zonder een spoortje verwarring te verbergen.

'*Ook dag, fiiiiiiiiii,*' kwam het antwoord prompt.

'Ken je mij?'
Hier was het antwoord onsamenhangend. '*Beppe doet beng, beng, beng...*'
'Dat zal het aambeeld zijn,' mompelde Fluiter perplex.
'*Aambeeld, hamer, vuur, blaasbalg.*'
Het beest begon de voorwerpen uit de werkplaats op te sommen. Sperling keek haar aan met zwoele, lome ogen met zilveren spikkeltjes erin en om hem te kunnen volgen, draaide de vogel haar kop nu eens naar rechts, en dan weer naar links.
'Cocca, waar is Beppe?' vroeg hij opeens.
'*Beppe weg, weg...*'
'Met wie?'
Ze gaf geen antwoord en Fluiter krabde haar kopje. Toen streek hij over zijn voorhoofd en Cocca zette haar veren op. Ze had Cassandra gezien, die uit Nachtegaals stevige greep had weten te ontkomen. De twee dieren wisselden een reeks klanken uit.
'*Poesje, pas op voor de hond. Waf, waf, waf...*'
'*Miauw, miauw...*'
'Mooie klanknabootsingen,' zei Upupa, die dit nieuwe wonder van het beest vermakelijk begon te vinden. Toen wendde hij zich tot Zwaan: 'Je wilde de beo? Hier heb je haar!'
Bernabé kwam voorzichtig naderbij en probeerde zijn rechterhand naar haar uit te strekken, maar Cocca werd een zwarte bal, een kluwen van glanzende veren.
'Ze mag je niet, Zwaan,' merkte Fluiter afwerend op.
Geïrriteerd door dat middelmatige grapje draaide de jongen zich om en wilde weggaan. Maar Upupa hield hem tegen en zei: 'Jij bent degene die zei dat Cocca de naam van de moordenaar kent. Probeer jij dan eens wat ze kan!'
Zwaan hoefde geen woord te zeggen, want de beo, die zich eerst vijf keer nerveus had omgedraaid op Fluiters schouder, maakte een buiging en sprak: '*Tot uw orders, Zeer Eerwaardige Heer Prelati.*' En toen: '*Denk eraan, Beppe. Ik heb heel veel haast.*'
Het effect van het optreden was sensationeel. Nachtegaal sperde zijn ogen wagenwijd open, alsof hij verblind was. Upupa nam een van zijn pilletjes in. Sperling stak per ongeluk de kop van de rauwe snoek in zijn mond en Fluiter merkte op: 'Soms is de waarheid beestachtig goed. Daarom zal Zwaan nu heel eerlijk vertellen hoe en waarom hij ervan overtuigd is dat de beo de naam kent van de hypothetische, onbekende moordenaar.'
De jongen rechtvaardigde zijn overtuiging door jeugdherinnerin-

gen op te halen waar zijn liefde voor dieren uit sprak. Daarom kende hij hun gewoonten. Hij vertelde dat hij een boomhut had gebouwd waarin hij zich als jongetje terugtrok tussen de wilde dieren.

Het probleem zat hem echter in de naam Prelati. Wie voor de duivel was die heer (misschien een Italiaan, aan zijn achternaam te zien), die waarschijnlijk een vriend en later de moordenaar van de smid was? De meester bemoeide zich ermee en vertelde over de ontmoeting van de persoon in kwestie met Bernabé, de herhaalde verzoeken om een niet al te duidelijk geformuleerde gunst en het bericht dat Urbain gevlucht was.

'Ik maak hieruit op,' concludeerde Sperling, 'dat de Zeer Eerwaardige Prelati wat genootschappen van gekken kan leiden, die in het geheim ook misdrijven kunnen plegen. Je hoeft niet erudiet of intelligent te zijn om bedriegerskunsten te kunnen bedrijven.'

Nachtegaal kauwde op een balletje van basilicum en knarste met zijn tanden, terwijl Bernabé roerloos bleef zitten, bijna in vervoering door zijn persoonlijke overwinning. Hij, de laatst aangekomene, had de wijzen van de Broederschap van de Roos en de Vogels schaak gezet.

Toen ze allemaal naar hun eigen kamer waren gegaan, riep Upupa de jongen op fluistertoon bij zich en zei: 'Beste jongen, ik ben blij dat je je goede humeur weer terug hebt. Maar ik heb nog ergens mijn twijfels over. Ik wil niet dat je mijn woorden als een jeremiade ziet...'

'Stel je voor, meester. Zeg het maar.'

'Goed dan, de beo kan de menselijke stem nabootsen. Dat heb jij gezegd en daar had je gelijk in. Toen ze de eerste zin uitsprak, *Tot uw orders, Zeer Eerwaardige Heer Prelati*, leek het net of ik de stem van de betreurde Talla hoorde. Maar in het antwoord, *Denk eraan, Beppe. Ik heb heel veel haast*, herkende ik de onmiskenbare stem (die jij en ik kennen) van die aftandse Prelati niet. De toon kwam een beetje kwetterend op me over...'

De oude man besloot, met golvende witte pij: 'Deze opmerking van mij is alleen bedoeld om je te leren hoe bedrieglijk het voor iedereen is om te triomfantelijk en te zelfverzekerd te zijn na een half gewonnen strijd.'

Zwaan boog zijn hoofd; zijn ogen schitterden als fosfor, maar zijn lippen vertoonden plooien van spijt.

'Je hebt gelijk, meester. Vergeleken bij de alchemistische magister stelt mijn strijd weinig voor,' zei hij, en hij kuste hem de hand.

Die trok de oude man terug en hij voegde er op harde toon aan toe: 'Zeker, vooral wanneer de puzzelstukjes niet in elkaar passen, mijn zoon.'

57

Met een gezicht als een donderwolk verscheen Badeau onverwachts tussen de kraampjes op de overdekte markt. Hij was daar niet toevallig, dat was duidelijk. Hij speurde rusteloos de menigte af, alsof hij iemand zocht. Hij tuurde grondig. Verkende volhardend. En had de uitstraling van iemand die de jacht niet zo snel op zou geven.

Toen de trouwe kanselier hem van achteren iets influisterde en hem een witte pij aanwees, leek hij te kalmeren. Hij vertrok zijn lippen tot een grijns. De burgemeester haastte zich naar zijn doelwit en haalde hem in.

'Ik wist wel dat ik u hier zou betrappen,' siste hij met een dreigend gezicht.

De steengoedverkoopster die vlakbij stond en net wisselgeld teruggaf aan een klant, staarde hen nieuwsgierig aan.

'Ik verwacht van u een verklaring en uw excuses, u mag zelf kiezen in welke volgorde,' dramde Badeau.

Upupa ging echter gewoon door met het snuffelen tussen de kraampjes, zonder al te veel aandacht te schenken aan die onbegrijpelijke woorden.

'Hoezo, excuses? Hoezo, verklaring?' vroeg hij zonder hem aan te kijken. Hij pakte met beide handen een voorsnijmes van het kraampje van de scharensliep.

De houding van de oude man maakte Badeau woedend.

'Pas op! Ik ben hier niet gekomen om me door u belachelijk te laten maken,' blafte hij. 'En probeer me niet te bedreigen met dat mes!'

Zijn hysterische stem snerpte helemaal door tot in het oude gewelf en weergalmde op de eiken en kastanjehouten balken. Het marktrumoer viel stil en zwol daarna aan tot een gespannen geroezemoes. Een lang ogenblik staakten kooplui en klanten al hun handelingen. Er kwamen twee politieagenten aanrennen die zich een weg baanden door het groepje en om het tweetal heen gingen staan. Upupa keek om zich heen en staarde toen ontsteld naar het rood aangelopen gezicht van de burgemeester. Het waarom van deze ondoordachte reactie ontging hem nog steeds volledig. Hij legde het mes zachtjes terug en zei rustig: 'Kom op, burgemeester, wees redelijk! Ik heb nog nooit in mijn leven iemand bedreigd, en dat weet u.'

Het groepje knikte.

'Het lijkt erop dat u me dringend wilt spreken,' vervolgde de oude man. 'Maar als het om ernstige, persoonlijke zaken gaat, laten we dat dan onder vier ogen doen.'

Het oploopje was een andere mening toegedaan. Als het zo geformuleerd werd, zouden ze de voorstelling mislopen. De dienders keken naar de burgemeester, die hen geruststelde.

'Gaan jullie maar,' bromde hij. 'En jullie daar, waar kijken jullie nog naar? Bemoei je liever met je eigen zaken...'

Mopperend ging iedereen weer terug naar waar hij mee bezig was geweest. Badeau leek nu kalmer.

'U hebt me in de problemen gebracht,' zei hij verwijtend.

Er ging Upupa een lichtje op. 'De brief van Urbain!' riep hij halfluid.

De ander ging verder alsof hij hem niet gehoord had. 'Ik zet het rechtsapparaat in werking. Ik regel het hoogstpersoonlijk en sla een modderfiguur. En waarom? Om een zwakzinnige te redden die meer bewijzen tegen zich heeft dan Kaïn!'

'Heeft de politie Boutier gevonden?'

'Nee. Maar nu moet ik niet alleen een moordenaar en een dief zien te vinden, maar ook nog eens een vervalser!' gromde de burgemeester. Hij vertrok zijn onderlip tot een spottende grijns. 'Maar ik maak me geen zorgen. Ik weet al wie de eerste is: een idiote koster. De tweede is Urbain, die er met uw goud vandoor is. En de derde... die staat hier voor me.'

De wijze wist niet hoe hij een eind moest maken aan deze ondervraging.

'U en die valse brief! Vooruit, meester, geef maar toe: wanneer hebt u dat bekokstoofd? Hoe is u dat gelukt? Wie heeft u geholpen die brief in elkaar te flansen? Hup, Upupa, geef het maar toe! O ja, het plan was werkelijk geniaal. U had een middel nodig om de verdediging te staven en een stommeling die daarvan overtuigd moest worden.' Badeau sprak nu haastiger. 'Dus bent u naar mij toe gekomen om uw komedie op te voeren: "Beste burgemeester, kijk eens wat ik gevonden heb? Een brief die de moordenaar van Martin erbij lapt, zo, zo en zo." Jij smeerlap! De burgemeester van Clisson belachelijk maken...'

'Mijnheer,' antwoordde Upupa zonder zijn zelfbeheersing te verliezen. 'U vergeet dat ik u een voorbeeld heb laten zien om het handschrift van Urbain Boutier te controleren. Toen was u het met me eens dat de twee handschriften identiek waren!'

'Ja hoor, en stel dat u het letter voor letter hebt overgetrokken? Wat weet ik van de duivelse praktijken die in uw volière plaatsvinden? Allemachtig! Als u goud kunt maken van lood, bent u ook wel in staat om twee teksten te kopiëren!'

Upupa spreidde moedeloos zijn armen. 'Burgemeester, met al mijn kennis denk ik dat het moeilijk is zoiets te realiseren. En het te bedenken.' Toen liet hij zich, om het vertrouwen van de ander terug te winnen, vertellen wat er uit het onderzoek van de militaire politie van Maillezais was gebleken.

'Dat er geen Perrine en zelfs helemaal geen heidense borduurster in het klooster heeft gewerkt! De vruchtbare frater was bovendien zo oud als Methusalem, niet bepaald een verleider! Kortom, die hele beschuldiging uit die brief is vals. Boutier is er met uw goud vandoor, maar ik geloof niet dat hij Martin uit de weg heeft geruimd en ook niet dat hij haar zoon was. En nu moet u me eens uitleggen waarom u er zoveel belang aan hecht de huid van de koster te redden.'

'Voor de laatste keer, Badeau, ik heb die brief niet geschreven! Ik heb dat papiertje gevonden en het onmiddellijk naar u gebracht, omdat ik geloofde wat erin stond. Maar van één ding ben ik nog steeds zeker: de moord op Perrine Martin was veel te ingenieus om gepleegd te zijn door iemand die niet zoveel verstand heeft...'

'Praatjes,' interrumpeerde de burgemeester hem met opgeheven vinger. 'Ik geloof u niet. Hoe u het ook wendt of keert, de bewijzen keren zich tegen Hilarion Thenau. Maar het lukt u niet in troebel water te vissen; niet met drogredenen en evenmin door met valse bewijzen aan te komen. Want ditmaal bent u over de schreef gegaan, en ik zal u ontmaskeren. Die idioot blijft in de gevangenis, maar vroeg of laat zal hij boeten. Geloof mij maar. Ga maar weer naar de hertog, als u wilt. Maar vanaf vandaag kunt u ook mij tot uw vijanden rekenen,' brulde de burgemeester en draaide hem de rug toe. Of dat dierlijke gegrom een uiting was van agressie of van machteloosheid was nog niet geheel duidelijk.

Upupa slikte de bittere pil. Hij was vreselijk beledigd, niet zozeer door de inhoud van het gesprek, als wel door Badeaus agressieve toon, waaruit geen enkel respect voor zijn hoge leeftijd sprak. Wat dacht hij wel! Een brief vervalsen waaruit duidelijk haat, wrok en woede spraken...

Ach! dacht hij. Ik blijf bij mijn mening. Die onderafgevaardigde, die zich bij de eerste hindernis al overgeeft, laat zijn ware aard zien; wat een nietsnut. Wie weet hoe hij de monniken in Maillezais ondervraagd had...

58

Vaticaanse Bibliotheek, 1753

Ja, maar waarom uitgerekend ik? vroeg Raimondo de Sangro zich in stilte af. Hij sloeg de depêche met het verslag van Clisson dicht en schonk zichzelf iets te drinken in.

Alsof hij zijn gedachten kon lezen, antwoordde de paus, die hem aandachtig aankeek, op zijn gebruikelijke onstuimige manier: 'Omdat u alle perverse duivelskunsten kent waar we het tot nu toe over gehad hebben. *Pustarabîr*! Sansevero, ook u bestudeert ze, maar dan zonder uw geest en uw ziel erdoor te laten vergiftigen. U hebt een mysterieuze kracht, waardoor u in de goddelijke hulp gelooft, maar ook in uw eigen onmiskenbare capaciteiten. Ondanks uw moeilijke karakter, waardoor u de sympathie van velen verspeelt, bent u toch een eerlijke, verstandige en consciëntieuze man. U bent een scherpe observator en hebt een grondige kennis van de menselijke ziel. U beschikt over een eclectische geest, een brede algemene ontwikkeling en onuitputtelijke middelen. U weet zich zelfs uit de moeilijkste situaties te redden. Bovenal, en dat weten we heel goed, geeft u, als u iets in uw hoofd heeft, niet op voordat u dat ook bereikt hebt. Zoals u ziet, kennen we u bijna net zo goed als u uzelf kent, don Raimondo... Daar komt nog bij dat u vele talen spreekt en... *Mo andän, dånca*... prins! Genoeg complimenten nu, aanvaard ze maar.'

'Aanvaard, aanvaard, Heiligheid,' antwoordde Sansevero, uitermate tevreden over deze blijk van achting, die als een vloedgolf over hem heen spoelde.

Maar bij de herinnering aan zijn visioenen liepen de koude rillingen over zijn rug. Ja, ik moet naar Clisson, constateerde hij bij zichzelf, naar die door een verderfelijke moordenaar verpeste omgeving... 'Maar vertel me eens tot wie ik me moet wenden als ik daar ben aangekomen. De bisschop van Nantes?'

'Nee, tot Upupa zelf, en zijn opmerkelijke Broederschap van de

Roos en de Vogels. Die vreemde man met zijn vogelnaam houdt zich vooral bezig met filantropisch werk en wordt, laten we zeggen, niet echt gesteund door de eminente Mauclerc. Geweldige man, de bisschop, maar star en onwrikbaar als een stalactiet.'

Ze verlieten de bibliotheek, opnieuw omringd door een escorte. Ditmaal werd de route echter met een heel andere instelling afgelegd: Benedictus XIV was erg opgelucht en don Raimondo was er inmiddels van overtuigd dat hij deze delicate vertrouwenskwestie tot een goed einde zou brengen. Onderweg kletsten ze vriendschappelijk, alweer zonder iemand tegen te komen, tot ze weer bij de Kaartengalerij uitkwamen. Daar deed de paus langzaam een gouden ring af, die hij aan zijn linkerhand droeg en waarop zijn eigen wapen en de pauselijke tiara stonden.

'We geven u dit opvallende voorwerp. Ga in onze naam naar de extravagante Upupa: aan tact zal het een aristocraat als u zeker niet ontbreken. Hij zal u hulp bieden. Denk eraan dat u hoe dan ook incognito moet reizen en uit de problemen moet blijven.'

'Ik zal mijn best doen,' knikte don Raimondo.

'Blijf op de hoogte. Laat niets aan het toeval over. Neem niets als vaststaand aan, zelfs niet als het een publiek geheim is!'

Met een buiging kuste Sansevero voor de laatste maal de vissersring aan de hand van de paus. Toen hij bijna bij de uitgang was, bleef hij plotseling, als door de bliksem getroffen, staan. Hij lapte de etiquette aan zijn laars, sloeg met zijn stok op de grond en schreeuwde: 'Heiligheid, een momentje!'

'Wat is er?' vroeg Benedictus, die ook zijn stem verhief om zich verstaanbaar te maken.

'Het is iets onbenulligs. U zei zelf dat ik een goed observator ben.'

De ander sperde verbaasd zijn ogen open.

'Er is een fout in die Kaartengalerij...'

'Een vergissing, zegt u? Maar die muren zijn al bijna tweehonderd jaar zo, en dan zou niemand het eerder hebben opgemerkt? Zelfs Gregorius XIII niet, die opdracht heeft gegeven tot het vervaardigen van deze meesterwerken?'

'Ja, Pontifex Maximus. Kijk, in Apulië, het Meer van Lesina. Bovenin vaart een boot met volle zeilen.'

'Ja, en?'

'Welke richting gaan de golven uit?'

'Van links naar rechts. Dus?'

'En van welke kant blaast de wind in het grootzeil, Heiligheid?'

De paus keek aandachtig en barstte in lachen uit. Smakelijk.

'*Azidóll!* U hebt gelijk, dekselse prins! De wind waait de andere kant op, van rechts naar links. Nu u zo'n onvolkomenheid aan het licht hebt gebracht, bevestig ik dat u mijn persoonlijke detector bent. Ga daarom naar Clisson, Zeer Eerwaardige don Raimondo. Ontdek en los op! Koste wat het kost.'

Toen Sansevero achter de deur verdween, stond de Heilige Vader daar nog steeds; diep onder de indruk, hoofdschuddend en met een brede glimlach op zijn gezicht.

'*Pustarabîr!* Dat mannetje is een geboren detector,' mompelde hij tevreden.

Hoe goed gedocumenteerd ook, in de depêche werd geen verslag gedaan van de daaropvolgende schanddaden die vanaf december 1751 in Clisson en omgeving werden gepleegd. Ernstige, zeer ernstige feiten en omstandigheden...

59

Clisson, de eerste dagen van december, 1751

's Ochtends vroeg bereidde Upupa voor Zwaan een ontbijt met twee zachtgekookte eieren. Terwijl de jongen in de keuken zat te eten, zag hij de meester een kamertje binnengaan. Het deed hem denken aan van die oosterse doosjes die een voor een in elkaar passen. Het kamertje was namelijk ingebouwd in de keuken.

Nieuwsgierig liep hij hem achterna, het berghok in. Twee ramen, het ene zichtbaar, maar verborgen achter een houten beschot dat naar beneden kon worden geklapt door middel van een veerslot, het andere onzichtbaar en niet in gebruik. Diverse op elkaar geplaatste stellingen vulden de hele ruimte tussen het echte en het blinde raam. Om het hok te verlichten scheen het daglicht dus door het raam, waarvan de ruitjes vervangen waren door een enkele plaat die was bevestigd aan het houten beschot.

Op de planken stonden talloze glazen bokalen en apothekerspotten en porseleinen potjes, die verfraaid waren met kleurige, versierde etiketten en waarin de specerijen van de meester zaten. Hij had er nooit aan gedacht, maar die man moest, met zijn onuitputtelijke middelen, wel een hele apotheek bezitten. De potjes en de verfijnde flesjes stonden als soldaatjes in het gelid en bevatten, voor zover hij het kon lezen: mandragorawortel, paarse en rode suikerbonen, rooibos, mastiekboom, gekleurde poeders, zalfjes, erica, mirte, blauw kopersulfaat en loogkruid in een oplossing.

Zo'n soort Pygmalion, personage met duizend facetten, deed het bloed naar zijn hoofd stromen van verbazing. Plotseling, nadat hij een ampul met een ondefinieerbaar mengsel had gepakt, draaide Upupa zich om en zei iets waardoor hij moest blozen. 'Het leven gaat door, Zwaan. De medebroeders zijn nog druk op zoek om de duivelse derde moord op te lossen. Die, helaas, al zes maanden geleden is gepleegd... Ik voel me verplicht je aan een laatste ervaring te onderwerpen. Er staat ons een mooie rit te wachten en we zullen bij de vervallen tempelierskapel aankomen, een oude commanderij uit de zevende eeuw.'

'Weer een geestelijke reis zeker, als die ampul die je net pakte kyphi bevat?'

Upupa gaf geen antwoord en liep naar de paardenstal. Daar besteeg hij een paard, evenals Bernabé.

'Volg me! De monumenten hebben veel te vertellen. Ze wekken eeuwenoude verhalen tot leven. Je geest zal er baat bij hebben.'

'En als we onderweg de moordenaar tegenkomen?'

'Geloof me, die ellendeling zal zich niet laten zien. Tenzij hij ons wil doden. Dan...' en hij haalde van onder zijn pij een terzerol tevoorschijn. 'Dan schiet ik hem hiermee dood. Ik draag hem nu altijd bij me.'

Als twee pelgrims drongen ze door in het bos. Geleidelijk maakte het dorp plaats voor bouwvallige hutjes, bijna elementen van een breinbrekend ontwerp. Langs de weg, die onverwachts smaller werd, stond een kerkje met een romaanse gevel, dat door de tijd en het weer was afgebrokkeld. Voor de ingang lag een Y-vormige grasmat.

Upupa steeg als eerste af en liep naar de deur, die hij openschopte.

'Zie je dat bankje? Ga daar maar op liggen en neem de kyphi in.'

'Meester, met welk doel?'

'Jongen, je zult vanaf het kerkhof rondom deze kapel de tempeliersmonniken zien opstaan. Zij hebben rond 1120 een religieuze ridderorde gesticht met de bedoeling de pelgrims te beschermen die richting het Heilige Land trokken. In 1128 werd de orde officieel door de Kerk erkend, tijdens het concilie van Troyes. Bernardus van Clairvaux stelde de regel op. Maar zo'n twee eeuwen later, toen deze *militia Templi* economisch sterker waren en ook meer mysterieuze macht hadden, werden ze verraden door koning Filips de Schone (geflankeerd door zijn verschrikkelijke strateeg Nogaret en de laffe paus Clemens v). Ze werden in 1314 veroordeeld tot de brandstapel.'

'Waarom, Upupa?'

'Vanwege de meest weerzinwekkende beschuldigingen: sodomie, ketterij en nog veel meer. Vraag jij nu, als je ze in je hallucinatie ziet, wat het ware geheim van hun macht was...'

'Zullen ze me dan antwoord geven?'

'Ik denk van wel. Maar als je indrukwekkende dingen ziet, wees dan sterk: denk eraan dat alles een droom is, die je wordt ingegeven door de kyphi.'

'Heb je Urbain ook door de tijd laten reizen?'

'Hoe zou dat nu kunnen? Hij was niet eens ingewijd...'

'En jij, meester?'

'Ach, beste jongen....' Upupa liet een onderliggende boodschap doorschemeren in zijn blik, 'ik ben oud. Ik beschik niet over jouw kwaliteiten. Ga nu, jij bent de uitverkorene!'

Hij blinddoekte de jongen en liet hem op het bankje liggen, waarna hij het geestverruimende middel toediende. De reis door de tijd zou beginnen.

60

De graven, die tussen dwergeiken en mirtestruiken lagen, gingen open. Uit elk ervan sprong met trage bewegingen een skelet van een tempelier, gezeten op de rug van het karkas van zijn eigen paard. Met lege oogkassen en krakende botten vormde zich zo een groep ridders, ieder met een versleten pij en een rood kruis op de borst.

Ze sloegen de deur uit de kerk en gingen om de verhoging boven een crypte met een afbeelding van het Heilige Graf staan. De onderaardse grafkelder kwam tot halverhoogte omhoog en sleurde het tempeltje mee, waarop fier een ijzingwekkend afgodsbeeld op vier poten stond, met een zwangere buik en een kattenkop. Voor het monster hingen een crucifix zonder Christus en twee half opgebrande fakkels.

Degene die de grootmeester moest zijn, met een donkerder schedel dan de anderen, strekte zijn knokige arm uit en hield tussen de vleesloze duim en wijsvinger van zijn rechterhand een roestige sleutel. Toen hij die achter in het beeld stak, viel dat in twee stukken uiteen. De grootmeester sprak sissend: 'Ik, Jacques de Molay, kapotgemaakt door de vlammen van Clemens v in mijn vlees, onthul het grote geheim waarvan niemand anders dan wij het bestaan kende.'

De andere ridders gingen om hem heen staan, als grote windvlagen in de door henzelf gevormde luchtzak. Toen barstten ze los in een onstuimige paardenrit, geesten met een opengevouwen vlag, die in stofwolken voortsnelden terwijl het voorwerp dat Jacques de Molay tevoorschijn had gehaald van de ene skeletachtige hand in de andere werd doorgegeven.

Hun monden bliezen, als katten, een stroom van hese adem uit. Tandengeknars, gesnik, hoongelach. Voor de ogen van Bernabé tekende zich een groots en luguber leven af, ver terug in de tijd. Hij herinnerde zich het verzoek van Upupa en ging naar de grootmeester toe. Die zweefde op de sterke wind en bewoog zijn krakende botten om de aantrekkelijke jongeman op de duistere drempel te kunnen bekijken. In ruil vroeg Bernabé: 'Wat hield u in het monster verborgen?'

'Je bent een erg mooie jongen, daarom zal ik je het geheim onthullen. Het gaat om de Rebis, om poeders voor de *transmutatio* en de *multiplicatio*, die onmisbaar zijn voor het verkrijgen van het goud en het kopiëren daarvan.'

'Wat voor poeder?'

'Van mystieke kruiken en manden.'

'U steekt de draak met me.'

'Denk je? prinsen en pausen zijn voor de gek gehouden, ja. Maar ik zie niet in waarom ik een geweldige jongen, met bilspieren die ik graag zou willen zegenen, om de tuin zou moeten leiden.'

'Dus, grote Jacques de Molay, wilt u me opheldering verschaffen over die poeders?'

'Toen we ons voor het eerst in het Heilige Land vestigden, in het koninklijk paleis dat gebouwd was op de tempel van Salomo, ontdekten we een aantal voorwerpen die bij de Heilige Christus hoorden. De scherven van kruiken die bij de verandering van water in wijn werden gebruikt bij de bruiloft in Kana, en de manden waarin Jezus brood en vis vermenigvuldigde bij het Meer van Tiberias. We behandelden ze met de nodige toewijding, maar toen onze stichter, Hugues de Payen, bij toeval water op een gebroken kruik liet vallen, veranderde ook dat weer in wijn.'

'Nog een wonder?'
'Blijkbaar bleven de heilige en numineuze energieën van Christus voortduren. Dus werd besloten naar het vaderland terug te keren om de mysterieuze gebeurtenis aan onze wijzen voor te leggen. Op de terugweg vielen de manden en de terracotta kruiken echter in gruzelementen. De poeders van de scherven van elk van beide bleven wonderbaarlijk genoeg gescheiden.'
'En toen?'
'Toen gooiden de tempeliers-alchemisten, die bezig waren met het Grote Werk, een kruikscherf in het kwik, waardoor het kwikzilver eerst in zilver en vervolgens in goud veranderde. Het verkregen edelmetaal werd daarna met van de manden afkomstige korreltjes behandeld, en de hoeveelheid werd verdubbeld. Maar om ze te fixeren was een ander element nodig, dat bekendstaat als dauw.'
'Dus daar komen jullie rijkdommen vandaan. Maar waarom hebben jullie het geheim in dat monster verstopt?'
'Eerlijk gezegd bevinden de poeders zich in een gouden beeldje dat een witte pelikaan voorstelt, en in twee ampullen die worden bewaard door een rechtschapen man. Die vogel symboliseert, vanwege zijn neiging tot zelfopoffering, de Christus-steen der wijzen. Het ding werd in het monsterlijke wezen dat wij verafgoden opgenomen om de aandacht van de intriganten af te leiden. Zijn naam is Baphomet.'
'Ik begrijp die houding niet, heer ridder.'
'Jij, held met je mooie gelaatstrekken, weet wel hoe mensen juist het duivelse in zich opzuigen en erdoor in een roes geraken. Een stenen lijk zonder hoofd, of een hoofd zonder lichaam van steen, zet onze hersencellen aan het werk. Iedereen stortte zich op onze Baphomet en zag hem als het koortsachtige genot van kwade engelen, de wellust van de grote boze slang. En daar waren we op uit.'
'Dus jullie trokken de aandacht naar dat monsterlijke afgodsbeeld om zo het geheim te beschermen?'
'Simpel, vind je niet? De machtigen bleven maar op dat spottende beeld gericht. Hun geest bleef hangen in de woestenij waar Satan Jezus op de proef stelde, dus ver weg van de kiemzaadjes van onze rijkdom. Een dwaas, duivels mechanisme wekt veel meer nieuwsgierigheid dan een engel die met zijn vleugels slaat. Als dat niet zo was, had de tegenpartij geen reden tot bestaan. Geloof je ook niet?'
'Dus alle beschuldigingen aan jullie adres zijn vals?'
Op dat moment kreeg Bernabé het gevoel dat de stenen van de

kapel door de lucht vlogen en met een hoop lawaai op de grond vielen, vlak voor de afschuwelijke Baphomet. Een bloedrood schijnsel drong naar binnen en de figuur van de Molay kwam zijn kant op, nu niet meer zonder vlees en door de eeuwen uitgedroogd. In zijn oogkassen zaten weer vurige ogen, terwijl er uit zijn schedel stugge haren groeiden en op zijn voorhoofd dikke wenkbrauwen een schaduw over zijn mopsneus wierpen. Zijn mond, die op een vreemde manier vertrokken was, ging dicht en eindelijk antwoordde hij: 'Absoluut. Maar over een bepaald punt wil ik duidelijk zijn. Onze stichter, Hugues de Payen, was een man met een zuivere geest, een nauwelijks beïnvloed type aan wie het hoogste arcanum werd toegekend. In de loop der jaren werden de tempeliers hoogmoedig en moesten ze, om het geheim in handen te houden, langzaamaan een schifting houden bij het toelaten van aanhangers.'

'In welk opzicht?' vroeg Zwaan nieuwsgierig.

'Door de puurheid van de nieuwelingen te testen. Wie niet toegaf aan de *immissio penis*, dus aan de heilige sodomie, zou kunnen toetreden tot de alchemistische mysterieën. Om te transmuteren en het goud te vermenigvuldigen.'

'Wilt u nu zeggen dat niet alle ridders de kunst van het hermetisme bedreven?'

'Precies, jongen. We werden eigenlijk parasieten, afhankelijk van degene die de eer verdiende om de twee poeders te bewerken. Maar vorsten en pausen, kortzichtig van geest, konden niet zo diep kijken.'

'Dus lieten ze de hele gemeenschap altijd haar macht behouden?'

'Ja. Al wisten we dat iemand vroeg of laat de kip met de gouden eieren zou slachten.'

'Kon u het verraad van Filips de Schone en Clemens v niet voorkomen?'

Het antwoord was raadselachtig. 'Als een restje plantensap dat nog steeds assimileerbaar is met de boom, konden we overleven zolang de blaadjes nog niet geel en droog waren.'

'U weet het mooi te vertellen, weledele heer de Molay. Maar hoe zit het met die beschuldigingen?'

'Vals.'

'Waarom hebt u ze dan ten dele bevestigd? Werd u gemarteld?'

'Ja en nee. Ons van de aardbodem te verwijderen was een geluk.'

'Voor de vorsten?'

'Een redelijk geluk, voor hen. Ze verdeelden de kruimels. Wij, die hebben gebrand en geleden, genieten alleen maar.'

'Nu begrijp ik het niet meer. Waar genieten jullie dan van?'

'Van het verwoesten van het lot van anderen. Opdat geen enkele vijand een graantje van onze rijkdom meepikt.'

Nadat hij dat gezegd had, werd hij weer een skelet.

'Dus jullie hebben het geheim met je mee het graf in genomen,' bevestigde Bernabé.

'Je vergist je, mooie jongen. Degenen die deel uitmaken van een universeel geslacht, dat bekendstaat als *universa domus* en dat op de vrouwelijke, opgezwollen buik van Baphomet staat, kennen het.'

'Wat betekent dat? En van wie stamt dat geslacht af?'

'Van de *Mater Misteriosa*. Jouw meester maakt er zeker geen deel van uit. Integendeel. Maar ik kan je wel voorspellen dat je er in jouw straatje wel een afstammeling van zult tegenkomen. *Hij zal het dubbele hoofd afhakken van het wilde dier dat de sterren omlaaghaalt en de vogels verjaagt.* Vaarwel, blonde jongen. Zoek het ware schilderij van Bosch.'

'Wie mag dat dan wel zijn?'

'Jeroen van Aken, een rebelse schilder. Hij heeft twee versies van *Bruiloft in Kana* geschilderd. Op het tweede, dat minder bekend is, heeft hij de twee geheimen samengevoegd.'

'Wie heeft hem die onthuld?'

'Ikzelf, terwijl hij onder invloed was van hetzelfde verdovende middel dat jij nu ook hebt ingenomen.'

'Wanneer?'

'In 1516. Maar omdat hij zijn grote mond niet kon houden, werd hij vermoord...'

'Dus ik moet die onthullingen voor mezelf houden...'

'Absoluut.'

'Waarom hebt u me in vertrouwen genomen?'

'Beschouw het maar als de vuurdoop. Weten is niet hetzelfde als doorvertellen of in de praktijk brengen. Matig je daarom geen rechten aan. De tempeliers zijn altijd aan het uitdagen...'

'Waar is het schilderij?'

'Daar waar de androgyn danst.'

'Ik begrijp het niet.'

'Zoon, mijn tijd zit erop.'

'Laat je me zo achter? Dus je wilt mijn passe-partout niet?'

Het antwoord schreef Jacques de Molay in fosforescerende letters op, met de punt van het bot dat zijn wijsvinger geweest was.

Janus met de twee gezichten is erbij gebaat als hij zijn hoofd gebruikt.

Nadat hij een onverklaarbare, smartelijke blik op de hemel had geworpen, verdween hij in een wolk van verdriet en zoog hij in een zwavelnevel het hele skelettengezelschap mee. Zwaan werd wakker door stormachtige wervelingen en zag als eerste de klimop, die door de muren de kapel was binnengedrongen.

In zijn trommelvliezen echode de raadselachtige voorspelling van die man uit het verleden nog na.

Op de vragen die Upupa aanhoudend stelde, antwoordde de jongen die dag niet en evenmin de volgende dag. Na een week beweerde hij dat hij zich niets meer herinnerde. Het enige wat hem te binnen schoot, verklaarde hij, was de duivelse verrijzenis van een ruiterstoet van geesten. En die zwegen.

61

Voor het eerst voelde Upupa zich schuldig omdat hij Zwaan de kyphi had toegediend voor de droombijeenkomst met de tempeliers. Had hij zich in de dosis vergist? Het verdovende middel tastte het geheugen niet aan. Honderdduizend bedenkingen schoten door zijn hoofd. Te weinig mastiekboom of te veel papaver? De jongen leek ondoordringbaar als graniet. In zijn stem was niet de kleinste trilling te horen, en ook in zijn gezicht vertrok hij geen spier.

Maar op een dag, toen hij met Fluiter en Nachtegaal aan tafel zat, bespeurde hij bij Bernabé een trieste, filosofische blik die voortdurend gericht was op de berg van duisternis die de toekomst is. Toen hij hem vroeg door welk probleem hij gekweld werd, luidde het antwoord: ‘Afgunst.’

‘Afgunst? Hoezo?’ vroeg Nachtegaal.

Bernabé fluisterde, alsof hij naar een onzichtbare trap keek: ‘Ik vraag me al een tijdje af: is afgunst het kostuum van een spion?’

‘Hoe kom je daar nou bij?’ vroeg Upupa uiterst verbaasd.

‘Een spion gaat op jacht en verraadt namens derden, net als een hond. Iemand die afgunstig is, gaat voor zichzelf op jacht, net als een kat.’

De meester begon zich zorgen te maken. Hij begreep het maar niet. Maar Nachtegaal, altijd in voor een beetje filosoferen, voelde zich geroepen om te reageren: ‘Zwaan, die vergelijking vind ik leuk. Ik zou echter zeggen: iemand die afgunstig is, is meedogenloos en ploetert rond in zijn eigen laagheid, die op een enorme leegte duidt. Vanbinnen koken zijn woede en wrok, totdat hij ontploft en hij driftig en opvliegend wordt. Vanbuiten glimlacht hij echter, en is hij attent en gedienstig. Bij elke windvlaag buigt hij door tot aan de grond. Tot hij breekt. Maar ik zou een spion niet identificeren met iemand die afgunstig is.'

'Maar geeft een verrader geen blijk van afgunst?'

'Dat is niet gezegd. Je kunt verraad plegen uit interesse, op bevel van anderen...'

'Maar waar haal je dat idee toch vandaan?' vroeg Upupa boos. 'Heeft iemand je dat wijsgemaakt? Is er iets gebeurd?'

'Meester, geloof me, het is gewoon mijn eigen gevolgtrekking. Heeft Urbain je misschien bestolen omdat hij jaloers was op je kennis?'

'Nee, mijn jongen. Hij was zo dronken van begeerte dat hij zijn moeder vermoordde om het geld en mij van die staven goud beroofde.'

Dit vreemde gesprek werd onderbroken door een snerpende gil. Een tweede, langere schreeuw verscheurde de rust van die vredige middag. Iedereen kreeg kippenvel van het voorgevoel dat de kolossale geest van het kwaad een handvol slangen op de grond had geworpen.

Daar, niet ver weg.

62

De klok van de Drievuldigheid had drie uur geslagen. Henriette liet haar nichtje Jeanne het miniatuur met het oog zien dat Bernabé haar had gegeven. Ze had het tussen het hooi verstopt, in een klein gat onder de vloer, bedekt met stro en takjes erica. Ze vertelde over die onverwachte liefde, die haar nieuwe sensaties bezorgde en een goed gevoel gaf.

Jeannes ogen fonkelden, bijna verblind door de schoonheid van de jongen die haar tot in de details was beschreven, alsof hij een godheid was. Ze voelde zelfs het kloppen van Henriettes hart, waardoor ze zo begon te hijgen dat haar borsten onder het lijfje van haar jurk ritmisch op en neer bewogen.

'Ben je zeker van hem? Ben je niet bang dat hij je bedriegt?' vroeg ze ongelovig.

'Op dit moment gaat alles van een leien dakje, als je begrijpt wat ik bedoel,' en ze gaf haar een elleboogstootje om duidelijk te maken dat ze ook op de vleselijke relatie doelde, waarna ze explicieter werd. 'Hij is vurig, hij heeft de kracht van een jonge stier. Onvermoeibaar. Hij liefkoost me teder.'

'En je hebt hem je laten onteren?'

'Als je hem zag, zou jij hem ook je roosje aanbieden. Hij drinkt je met een kus.'

'Ik zou het rustig aan doen, Henriette. Mannen hebben vleugels. Die slaan ze uit wanneer ze maar willen en dan vliegen ze weg. Ze gebruiken je als een kaars en laten je daarna in het donker achter.'

'Mijn God, je zoekt er veel te veel achter! Voor nu is hij mijn steunpunt. Zijn handen glijden beter door mijn haar dan een kam! De rest vertel ik niet...'

'Kortom, hij bezit je helemaal, je hart, je ziel... Heb je gebiecht?'

Terwijl de twee meisjes verder babbelden, de een schaamteloos en de ander te zedig, waren ze plotseling als versteend. Twee stalactieten.

Er was een man de hooischuur binnengekomen. Een gouden helm, waar het licht van afstraalde, neergelaten op zijn hoofd, een zwarte mantel die hem als kraaienvleugels omhulde. De onbekende liet een gegrom horen en liep in de richting van Henriette, terwijl hij haar met een dolk bedreigde.

Haar stem, eerst gebroken, werd tijdens het schreeuwen hartverscheurend: 'Haast je, Bernabéééééé!'

Het wezen, dat uit de draaikolk van de helse diepten was gekomen, strekte zijn linkerarm uit en snoerde haar met zijn hand de mond.

Jeanne viel flauw op het hooi. De lugubere figuur draaide zich met een ruk om. Zijn helm tinkelde op zijn hoofd, terwijl zijn mantel ruiste en hij zich op het flauwgevallen meisje wierp en profiteerde van haar toestand. Met een karafje, dat hij onder zijn mantel vandaan haalde, diende hij haar een vloeistof toe die onmiddellijk effect had. Jeanne kwam bij, plantte haar ellebogen op de grond, richtte zich op en omhelsde haar aanvaller.

Henriette, die daar ontzet, zwijgend en als versteend stond, keek met wijd opengesperde, groene ogen naar wat er zich afspeelde.

Jeanne rolde op de grond, samen met de mysterieuze man, die haar met meesterlijke strelingen verzwakte en tegelijkertijd haar kleren uittrok. Maar elke kus was nutteloos, want haar mond stootte tegen zijn helm, die bijna vastgepind zat op zijn onbekende hoofd.

Uiteindelijk nam hij haar inmiddels naakte lichaam, dat zich onder hem kromde. Jeanne begon, met een andere, lagere en hesere stem, schunnige en vulgaire taal uit te slaan. De gemeenschap was gewelddadig, opzienbarend en sidderend tot in elke vezel.

Daarna trok de onbekende zijn lid, dat omhuld was met een varkensdarm, uit haar lichaam en bracht een pipet naar haar lies, waarmee hij het maagdelijke sap opnam, dat hij in een blauw flesje blies.

Toen hij klaar was met zijn absurde ritueel, stak hij, nog voordat de jonge vrouw was bijgekomen, de dolk recht in haar hart, waarna hij met een priem vreemde symbolen op haar willoze buik tatoeëerde. Zo gleed Jeanne vanuit de kleine dood in de armen van de grote dood. Het bedje van hooi werd voor haar een matras zo diep als een graf. Haar leven, dat tot even daarvoor rustig was verlopen, was zomaar voorbij, in de schande van een bloedige sluier van duisternis.

Nog niet voldaan, maar onverzadigbaar en begerig naar de duistere anatomische alchemie, trok het monster met de gouden helm een scalpel en een leren doosje tevoorschijn van onder zijn mantel en vervolgde zijn mishandeling van het zielloze lichaam. Met zekere incisies verwijderde hij de huid van de vulva, inclusief de vleselijke lellen, en zonder trillen deed hij het bloederige stuk vlees in het doosje.

Daarna draaide de schoft zich als een wervelende draaitol om zijn as. Als een stuiterbal sprong hij op zijn paard, dat na zijn fluitje was komen toesnellen. Een nauwelijks waarneembaar getrappel van hoeven, bijna alsof er sokken omheen zaten, en weg was hij.

Henriette hoorde slechts het getinkel van de helm. Ze had niet in de gaten dat ze het miniatuurtje van Bernabé in haar hand had en bleef daar met opengesperde en lege ogen staan, nog onthutst door dat afgrijselijke schouwspel waarop het doek van de dood was gevallen. Stilte, afschuw, verlamming... toen wierp het meisje zich snikkend op het lijk van Jeanne en liet haar eerste uitzinnige schreeuw horen. En daarna de tweede, waarin de ongelofelijke duivelse gebeurtenis waarvan ze getuige was geweest, tot uiting kwam.

63

De eerste die toesnelde was Sperling. Hij was de omgeving aan het afspeuren, op zoek naar aanwijzingen over de eerder gepleegde moord, toen hij werd verrast door de schreeuw. Een haan, die hem volgde, sprong op het lijk en duwde zijn nek steeds naar voren, waarbij zijn kam grotesk schommelde.

De medebroeder van de Roos en de Vogels kende Henriette niet, maar voelde onmiddellijk aan dat zij de jonge geliefde van Bernabé was, zonder dat ook maar, Joost mag weten waarom, een ogenblik te denken van het andere meisje, de dode.

Upupa, Nachtegaal en Zwaan waren ook direct na de ijzingwekkende gil gekomen. De oude man gaf meteen een pil aan het meisje, dat zich als een liaan om Bernabé slingerde. Die moest bijna overgeven.

De scheur onder Jeannes buik leek wel een schijf half verteerde watermeloen.

Intussen had Sperling het lichaam onderzocht. 'Dezelfde techniek, dezelfde hiërogliefen, dezelfde dolk, dezelfde meidoorn,' zei hij. 'De enige en afschuwelijke verandering is de verminking van de uitwendige genitaliën. Met welk doel? Misschien een fetisjist?'

Henriette, die gekalmeerd was, vertelde de bijzonderheden over die man met de helm en hoe hij haar nichtje zonder tegenstribbelen had kunnen nemen, sterker nog, terwijl ze volledig bij kennis was en meewerkte.

'Hij heeft haar dus uit voorzorg een verdovend middel toegediend om ervoor te zorgen dat ze in een roes geraakte,' merkte Sperling meteen op, terwijl het zweet in straaltjes langs zijn voorhoofd liep. Hij boog zich weer over het lichaam heen en rook aan de mond. Er kwam een zoetige geur uit. 'Het moet een of ander mengsel van papaver en andere verdovende middelen zijn. Ik weet echter niet precies wat.'

Upupa schreef de hiërogliefen die op de buik getatoeëerd waren over:

'Ze lijken me precies hetzelfde als die op het vorige slachtoffer, maar dan minder. Wie was dit meisje?'

'Mijn nichtje Jeanne. Ze woont, of woonde, bij ons sinds de dood van haar eigen ouders,' antwoordde Henriette tussen het snikken door. Ze hield de hand van Zwaan stevig vast.

Nachtegaal bemoeide zich ermee. 'Gezien de opeenvolging van de misdrijven geloof ik toch dat ik er een verband tussen zie.'

'Maar stel dat de eerste moord het werk van Urbain was?' vroeg Sperling geërgerd.

'Is dat vastgesteld?'

'Nog niet,' zei Upupa droog.

'Goed, aangezien er helemaal niets is bepaald omtrent de moord die is toegeschreven aan Boutier, moeten we de enige verifieerbare feiten onder de loep nemen: de hiërogliefen in de urn in huize Martin-Talla en die op de lichamen van de twee meisjes.'

Zwaan wist niets over de urn. Hij vroeg om opheldering en zijn gezicht betrok omdat hij er niet eerder over geïnformeerd was.

'Hier is niet de plek om je beklag te doen, broeder. Het verband zit in de hiërogliefen. Als we er niet in slagen die te ontcijferen, zitten we nog steeds op een dood punt,' benadrukte Nachtegaal nogmaals.

'Maar op Beppe is geen enkel hiëroglief gevonden!' weerlegde de jongen.

'Absoluut waar. Maar hij had ze wel in huis. Er moet een gek zijn die een hel vol doden in zijn hoofd heeft. Ogenschijnlijk zal het een nette man zijn, een willekeurige persoon.'

'Wat bedoel je met "een hel vol doden in zijn hoofd"?'

'In hem kan een duivel schuilen. Die vroeg of laat naar buiten komt, te oordelen naar zijn rituele gedragingen,' legde Nachtegaal uit.

'Meiske,' vroeg de oude man aan Henriette, 'hoe lang was die man?'

'Zoiets als hij.' Het meisje wees naar Sperling. 'Maar dan minder gezet. Dat viel me op, al droeg hij een mantel.'

Upupa peinsde verder en dacht hardop: 'Had hij een gouden helm op zijn hoofd?'

Het meisje knikte: 'Ja, mijnheer. Dat leek in elk geval wel zo.'

'Dat voert ons weer naar Urbain, naar die gestolen goudstaven,' reageerde Sperling ietwat geërgerd, al was die stemmingswisseling niet te verklaren.

'Nee, mijn beste,' antwoordde de meester. 'Misschien heeft Nachtegaal gelijk wat het verband tussen de vier moorden betreft. Maar over de smid heb ik zo mijn eigen mening. Ik zou willen dat je dat wat beter in je hoofd prentte.'

'Zoals je wilt. En wat moeten we nu? Badeau erbij halen?' vroeg de Duitser.

Bijna angstig, zo geschrokken dat hij bijna vergat zijn verstand te gebruiken, riep Upupa kwaad: 'Omwille van de waarheid, nee! We moeten dit lichaam verbergen. Misschien begrijp ik het. Maar zolang ik er nog niet volledig uit ben, zolang ik dat "misschien" nog niet kan weglaten, gaan wij aan de slag, broeder!'

Daarna wendde hij zich tot Henriette en spoorde haar aan haar ouders te roepen. Toen het echtpaar Labbé er was, smoesde hij langdurig met hen, waarbij hij uitlegde wat er gebeurd was en waarom het noodzakelijk was te zwijgen over de dood van hun nichtje. Hij zou haar, zei hij, in zijn eigen tuin de begrafenis geven die ze verdiende. Het enige waar de twee bang voor waren, was dat het stoffelijk overschot niet de christelijke zegen kreeg. De oude man zei er persoonlijk voor in te staan dat dat alsnog zou gebeuren zodra de duivel in krijgmanskleren gepakt zou zijn.

De vrouw weifelde. Ze zou het lijk liever, zoals gebruikelijk, na een kerkdienst naar het kerkhof hebben gebracht. Maar ze hadden allemaal een hekel aan Badeau en waardeerden Upupa om zijn filantropische en barmhartige werk. Bovendien voelden ze aan dat alleen deze vrome man de rust in Clisson kon doen wederkeren. Want volgens de voorspelling over het verval van de donjon van het kasteel zou het dorp ten onder gaan.

'Ja, daar zal ze uitstekend liggen,' besloot Henriettes vader, en hij nam de altaarkaars aan die Sperling hem gaf. 'Vrouw, in welk evangelie staat geschreven dat iemand niet privé in zijn eigen tuin begraven mag worden, zoals ook met Abraham gedaan werd?' Terwijl hij de oude alchemist in de ogen keek, voegde hij er nog aan toe: 'We zijn vereerd door het aanbod van de meester. Omdat we op hem vertrouwen, doen we wat hij vraagt. Moge ons overleden nichtje rusten in vrede.'

Daarna maakte hij, volgens eeuwenoud gebruik, een kruisteken boven het stoffelijk overschot en liet wat was op haar gezicht druppelen om de overgang van haar geest te vergemakkelijken.

Intussen viel het Sperling op dat het dode meisje spiercontracties had gehad. In deze krappe, benauwde ruimte kon het ontbindingsproces inderdaad versneld worden. Dat werd nog eens bevestigd door de zure, penetrante geur die zich verspreidde.

Net als bij Talla namen de medebroeders zich weer voor in de nacht een graf te graven en zo het lichaam te verbergen. De laaghangende, donkere hemel diende ook als deksel voor de kreunende geesten die aan de beurt waren om het vierde zwarte vaandel te hijsen.

64

Er waren al drie maanden verstreken sinds de moord op de jonge Jeanne en het voorjaar kwam weliswaar om een hoekje kijken met zijn bloemenpracht, een sprankje zonneschijn en de koninklijke weidsheid van de hemel, maar hield onder zijn mantel toch nog de ongewroken schedels en skeletten verborgen... Was ook zij klaar om dingen uit het graf te verslinden?

De dertien Vogels zaten ieder op hun eigen plek aan de meditatietafel in de bibliotheek. De meester had voor elke ingewijde een andere vraag op katoenpapier gezet en verwachtte een schriftelijk antwoord. Dat was trouwens zijn gebruikelijke methode, die hij ook toepaste bij alchemistische theorie-examens. Hij voelde aan dat de antwoorden onderling waarschijnlijk tegenstrijdigheden zouden bevatten, maar uit de chaos kwam vaak het licht tevoorschijn.

Voordat hij de blaadjes uitdeelde, had hij gepreciseerd: 'Als er geen verklaring voor deze misdrijven gevonden wordt, zullen ze ons leven bezoedelen. Denk aan onze uitgangsprincipes: zuiver als papier, sober als water, toegewijd als een trouwe onderdaan en onschuldig als een slachtoffer. Het oplossen van de raadselachtige misdrijven betekent het zuiveren van het lood en alle andere overgebleven metalen, en het voor eeuwig stigmatiseren van de moordenaar met het brandmerk van de schande. Voorkomen dat hij andere misdaden begaat. Deze dreunen waarschijnlijk, door elkaar heen, als een donderende orkaan na in zijn geest. De stinkende, koortsige miasmen van in staat van ontbinding verkerende lichamen sijpelen door de grond en de muren van Clisson. Laten we hem dus grijpen, deze losgeslagen geest, die gevlucht is naar het oneindige dat ook u kent!'

Alle leden voelden in hun hart het trillende gereutel van het verdriet en ze kwamen plotseling hevig in opstand tegen het kwaad. Ze werden gesterkt door de hoop dat hun grote inspanningen zouden leiden tot het oplossen van het raadsel van de moorden en tot het ontmaskeren van de slager die graag menselijke lichamen in plassen bloed achterliet.

De zoektocht naar het echte lood door de Vogels, die antwoord gaven op de door Upupa opgeschreven vragen.

Vraag	*Antwoord*
a) Wie is de moordenaar?	Prelati, zoals de enige getuige, de beo, heeft verklaard. *Zwaan*
b) Welke rode draad loopt er door alle misdrijven?	De hiërogliefen, waarvan we misschien de betekenis van het symbool + kennen, namelijk de letter a; en de dolk met de meidoorn bij de laatste twee moorden. *Nachtegaal*
c) Waarom opereert de moordenaar in Clisson?	Volgens mij is hij in Clisson begonnen met moorden, maar ik ben bang dat hij zijn actieradius zal uitbreiden. Ik heb namelijk het idee dat ik de man met de helm richting Tiffauges heb zien gaan. Hoe dan ook, de oplossing ligt in de urn met de drie tanden die we in het huis van Perrine Martin gevonden hebben. *Fluiter*
d) Welke aanwijzingen heeft de moordenaar tot nu toe achtergelaten?	De brief is een bewijsstuk, als hij werkelijk van Urbain Boutier was. Maar ik heb hem aandachtig opnieuw gelezen. Hij dreigt zijn moeder niet te doden, maar alleen haar verleden aan het licht te brengen. Afgaande op de verklaringen van de burgemeester over het onderzoek in het klooster van Maillezais is er nooit een heidense borduurster bij de monniken geweest en is frater Bertrand op tachtigjarige leeftijd overleden. Naar mijn mening is de brief vals. Ik kan echter niet verklaren waarom het handschrift zo op dat van Urbain lijkt. Een aanwijzing die de moordenaar vrij zeker heeft achtergelaten is dat hij

zich aan Talla heeft voorgesteld, waarbij hij de capaciteiten van de beo onderschat heeft.

Reiger

e) Door welke toevalligheden ben je verbijsterd?

Het samenvallen van de eerste moord en de komst van Bernabé naar Clisson. Zijn vreemde gevoel over de naam van de vermeende moordenaar, die de beo kende. Het feit dat hij uit het klooster van Maillezais komt, uitgerekend de plek waar de schaamteloze gemeenschap tussen Martin en frater Bertrand zou hebben plaatsgevonden. Dit alles wordt echter tenietgedaan door de vierde moord, toen Bernabé bij jou, Nachtegaal en Fluiter was.

Sperling

f) Waarom doodt de moordenaar?

Ik schrijf de moord op Perrine niet toe aan dezelfde persoon, omdat ik denk dat dat de smid is geweest, die achter de duistere zaakjes van zijn vrouw was gekomen. Wat Sperling ook moge beweren, daarna heeft hij zich van het leven beroofd. De andere twee moorden zijn het werk geweest van een geesteszieke vrouwenhater.

Buizerd

g) Kiest de moordenaar zijn slachtoffers toevallig of gaat hij volgens een bepaald plan te werk?

Het lot van Perrine en haar man heeft hij vooraf bepaald. De andere twee slachtoffers heeft hij toevallig uitgekozen. Afgaand op Henriettes getuigenis heeft hij zich eerst op haar gericht. Toen het meisje de naam van haar geliefde Bernabé noemde, heeft hij haar alleen het zwijgen opgelegd en is hij van doelwit veranderd: haar nichtje, dat van schrik was flauwgevallen.

Papegaai

h) Heeft de moordenaar een medeplichtige?

Nee, gezien de laatste twee misdrijven, waarbij het rituele karakter persoonlijk lijkt. Tenzij hij zich heeft laten inspireren door iemand of iets, en dan zou het gaan om een metaforische opdrachtgever. Voor de eerste twee moorden zou ik het niet weten...

Feniks

i) Waarom heeft hij de twee jonge vrouwen verminkt?

Misschien is hij een vrouwenhater en zijn in zijn jeugd geestelijke abberaties ontstaan. Wie weet! Of het is een fetisjist die intieme delen van vrouwen spaart.

Merel

j) Wie had er belang bij het plegen van deze moorden?

Uit mijn onderzoek in De Gouden Moerbei is gebleken dat de smid Raphaël dertig louis d'or schuldig was. Dat heeft zijn neef Louis me verteld. Sinds twee jaar betaalde hij de wijn niet die hij rijkelijk dronk. In aanmerking genomen wat jij, Upupa, hebt verteld, moet gezegd worden dat Raphaël meteen aannam dat Beppe slachtoffer van moord was. Daarom houd ik juist de waard verantwoordelijk voor de moord op Perrine, als eerste waarschuwing voor het aflossen van de schuld. Toen heeft Raphaël ook haar man vermoord, uit woede omdat hij zijn verplichting niet nakwam. Hij heeft hem in dit huis (dat hij goed kende omdat hij van tijd tot tijd wijn leverde) vermoord, nadat hij hem met een of andere truc hierheen heeft gelokt. Volgens mij is de vreemdeling over wie Beppe het had er nooit geweest; de lafaard heeft zich uit angst voor Raphaël in zijn werkplaats teruggetrokken. De schijnbaar goedmoedige houding van die laatste is een valstrik voor domoren. Wat de vrouwen betreft ben ik het eens met Badeau: de eerste was een meisje uit een bordeel, en misschien was ook de tweede wel op het slechte pad geraakt. Dus een vereffening van een rekening door een en dezelfde pooier.

Ral

k) Waarom heeft de moordenaar Talla in ons huis vermoord?	Om ons alchemisten de moorden in de schoenen te schuiven. Het moet iemand zijn die strikt religieus is en ons beschouwt als door de duivel gezonden. *Kolibrie*
l) Zijn er, behalve de hiërogliefen, nog andere elementen essentieel om het mysterie in zijn geheel op te lossen?	Op uw verzoek, meester, heb ik onderzoek gedaan naar het speeldoosje. De ambachtsman die het mechanisme in het porselein heeft gezet, is ene Paul Leschot uit Nantes. Hij is in 1745 begonnen met de productie van dit model. Deze bijzonderheden in aanmerking nemend lijkt het me duidelijk dat de moordenaar het speeldoosje van Perrine gestolen heeft en het daarna in haar tuin gegooid heeft. Hoe en waarom koster Hilarion Thenau daar is beland, moet nog worden bekeken. Het is echter wel zeker dat hij de laatste is die het speeldoosje heeft gepakt. Maar ik behoud me het recht voor om nader onderzoek te doen. *Patrijs*

65

Nadat hij alle antwoorden gelezen had, riep de wijze Upupa uit: 'Het wonderbaarlijke van de menselijke geest is het verband en de discrepantie tussen oorzaak en gevolg! Dat geldt ook voor metalen. Geen enkele leek zou zich bijvoorbeeld kunnen indenken dat lood, evenals kwik, volgens de filosofie van de alchemisten alle metalen kan bevatten. Dat ik jullie hier als geleerden bijeen heb geroepen om jullie oordeel te vernemen, is omdat ik uit de bron van jullie meningen moet putten om dat korreltje mosterdpoeder te vinden dat de waarheid aan het licht brengt.'

Bernabé ging respectloos tekeer tegen Sperling, omdat die hem verdacht had. De meester riep hem tot de orde en hij ging zwijgend weer op zijn plek zitten, waar hij de medebroeders een voor een observeerde.

Allemaal zaten ze netjes, allemaal waren ze rond de veertig, zichzelf respecterend in hun witte pijen, met de handen in hun mouwen verborgen.

Buizerd zag paars, zijn gezicht was bespikkeld met sproetjes en hij had vuurrood haar, een puntige neus en een mond die niet veel meer was dan een spleet. Ral leek net een kastanje: rond, met kastanjebruine ogen en haren, een vierkante kaak en een platte neus.

Bernabé vroeg zich af waar die namen toch op duidden. Bestond er een overeenkomst tussen naam en uiterlijk? Als hij was omgedoopt tot Zwaan, schreef hij dat toe aan zijn schoonheid. Maar bij de anderen zag hij geen enkel verband. Alleen bij Patrijs kon hij misschien enige logica bespeuren, vanwege zijn asgrijze haar. Toch correspondeerde zijn olijfbruine huidskleur, zijn opvallende lengte en zijn worstelaarsschouders niet met het uiterlijk van de vogel.

En Kolibrie? Ja, misschien deed die wel aan zijn gevleugelde naamgenoot denken, met zijn tengere figuur, zijn omhoogwijzende neus en zijn stralende, veranderlijk grijze ogen. Sperling, of liever gezegd Mus, was mijlen- en mijlenver verwijderd van de familie van de wevervogels. Zijn sonore stem met het harde Duitse accent had niets te maken met het zachte getjilp van een musje. Zijn blonde haar, in tegenstelling tot de chocoladebruine veren, zijn blauwe, doordringende en irritante ogen... Ja, Sperling zou zijn ideale habitat gevonden hebben in een taveerne, om kip aan het spit te bereiden, maar niet hier, waar hij met fragiele destilleerkolven en spiraalbuisjes moest werken.

Papegaai leek met zijn wasbleke huidskleur net een lijk. Zijn dunne haar op die grote schedel deed denken aan de haren van een versleten borstel, en zijn metaalachtige stem leek op die van een eend. Misschien deed alleen zijn kromme neus hem ietwat op de familie van de *Psittacidae* lijken.

Feniks, mager en knokig, klein en met plompe armen, voldeed in het geheel niet aan het beeld van de heilige fabelvogel uit Egypte. Nee, die naam paste absoluut niet bij hem. Als hij levend al net een dode leek, hoe zou hij dan als dode na vijfhonderd jaar in ongekende pracht kunnen herrijzen?

En hoe zou je Merel moeten omschrijven? Kaal als een biljartbal. Paars als een drinkebroer, met altijd bloeddoorlopen ogen, lang en dun als een steltloper, met een grote mond en een hangende onderlip. Wat maakte hem verwant met de glanzend zwarte vogel? Tja...

Reigers gelaatstrekken en stem deden aan een hond denken. Een lang gezicht, bedekt met stevige, bruine haren. Gelijkmatige wenkbrauwen, lange oren. Een mond (of eigenlijk: snuit) met een uitstekende bovenlip, net als van een hond. Alleen zijn korte bovenlijf en te lange benen vertoonden overeenkomsten met die van de steltloper. Maar alles bij elkaar genomen had Upupa zich vergist bij het toekennen van die bijnamen...

En dan had hij het nog niet eens over een andere medebroeder, met een blonde haardos die nog lichter was dan de zijne, bijna albino. Volle, sensuele lippen en ook hij had een atletisch, gespierd lichaam en een rustige stem. Waarom was hij Fluiter genoemd? De vergelijking met een bruin vogeltje met een priemsnaveltje was ver te zoeken...

Aan het eind van zijn inspectieronde vond Zwaan dat de enige waarbij de vogel en de bijnaam van de medebroeder echt overeenkwamen, Nachtegaal was: rossig-bruin haar met wat beginnende witte vlekken. En waar de vogel meervoudige tonen zong, kwam ook de medebroeder met uiterst melodieuze stem voor de dag met een grote variëteit aan argumenten, bevallig manoeuvrerend tussen filosofie en poëzie – al wierp zijn neus een schaduw op zijn mond en kwamen zijn ingevallen wangen tot onder zijn kaken. Eerlijk gezegd deed Nachtegaal hem denken aan een abt.

Maar toen hield Zwaan echt op met zijn weinig menslievende en zelfs bijna groteske en boosaardige oordelen.

66

'Beste medebroeders,' begon de meester. 'Na het geven van de antwoorden, die door jullie allemaal beluisterd zijn, verklaar ik het debat voor geopend. Ik eis van jullie dat we een directe route volgen.' Hij benadrukte elk woord. 'Zonder te aarzelen, zonder door elkaar te praten. Want onze discussies zijn een zoektocht naar de waarheid. Laat niemand zich gedragen als een knol voor de Apocalyps of als een schichtig paard dat uit zijn neusvleugels kwijlt!'

Vervolgens nam Sperling het woord: 'Ik ben meteen zo vrij te betwisten dat het hier om twee moordenaars gaat. Het is er slechts een. Ik heb de lijken onderzocht, behalve dat van Perrine, dat onderzocht is door de meester, en heb dezelfde wreedheid geconstateerd in de modus operandi. Ik zou uitgaan van een tweezijdig motief. Het moet gezegd worden dat dezelfde persoon Perrine en haar man op beestachtige wijze heeft vermoord, maar om verschillende redenen, waarvan hij weer is afgeweken bij het doden van de twee meisjes. Hij lijdt inderdaad aan een ernstige geestesziekte, die zich hier heeft gemanifesteerd.'

'Dus, Sperling...' onderbrak Ral hem. 'Volgens jou is het niet waarschijnlijk dat Raphaël de moordenaar is?'

'Nee. Neem me niet kwalijk, maar het lijkt me belachelijk te veronderstellen dat Beppe Talla, als zijn vrouw uitsluitend vermoord zou zijn vanwege door hem gemaakte schulden, zijn mond zou houden terwijl de koster in staat van beschuldiging werd gesteld. Als zijn voornaamste eigenschap werkelijk lafheid was geweest, had hij de pastoor of Upupa wel in vertrouwen genomen... Dan zou hij namelijk terecht bang zijn dat hij, meer nog dan Perrine, gevaar zou lopen.'

Buizerd nam het woord. 'Als Fluiter de man met de helm richting Tiffauges heeft zien gaan, waarom hakken we de knoop dan niet door en verdelen we de taken? Eén groep houdt dag en nacht de wacht in Tiffauges en de andere in Clisson.'

De twee dorpen lagen twintig kilometer uit elkaar.

'Ik blijf erbij dat de brief die Urbain heeft achtergelaten vals is,' verklaarde Reiger. 'Ik zou echter niet weten wie hem dan heeft geschreven. Ik vind het voorstel van Buizerd wel slim.'

'Ik sta versteld van het gedrag van de moordenaar die de meisjes drogeert...' zei Papegaai aarzelend.

'Misschien is daar wel een verklaring voor,' reageerde Sperling, die rood aanliep vanwege dat wat hij wilde zeggen. 'Zowel bij de eerste als de tweede vrouw heb ik een grote hoeveelheid vaginaal vocht aangetroffen. Uit het verhaal van Henriette blijkt bovendien dat de moordenaar dat van haar nichtje Jeanne met een pipet heeft opgezogen en het daarna in een ampul heeft gedaan. Dat leidt tot de volgende conclusie: de moordenaar heeft dat geheim nodig en zou het niet kunnen verkrijgen als hij zijn slachtoffers zou verkrachten. Daarom wekt hij door middel van een opwindend opiaat begeerte bij hen op, zodat ze zich spontaan aan hem geven. Anders zou de vagina droog worden en zou er geen druppel uit komen. Met welk doel hij het vocht opvangt, weet ik niet. De moord vindt direct na de seksuele daad plaats.'

Over de bibliotheek daalde een sombere stilte neer, die alleen werd verbroken door het hoorbare slikken van sommige medebroeders.

'Laten we bidden dat de Allerhoogste ons helpt die schoft uit zijn schuilplaats te verjagen,' zei Upupa ernstig. 'Voordat de inwoners van Clisson hun deuren op slot moeten doen en angstige nachten moeten doormaken, vol gekweld geschreeuw en doodsbang gehuil.'

'Broeders, geloven jullie niet in de hypothese van een moordenaar die ons wil straffen?' vroeg Kolibrie, voorkomend als altijd.

'Deze persoon is niet van plan op slinkse wijze wraak op ons te nemen,' wierp Patrijs tegen en richtte zich op als een gladiator. 'De moordenaar lijkt zich aangetrokken te voelen door iets in dit huis. Maar niet in materiële zin. Ik doel op experimenten, op de alchemistische filosofie, zoals het onderzoek naar het geslacht van metalen, ik weet niet goed hoe ik het moet zeggen. De spullen doen hem niets, maar hij verandert de procedés en past die toe op mensen.'

'Met alle respect,' zei Zwaan geïrriteerd, 'ik verwerp het idee dat deze brute moordenaar op de een of andere manier het bestaan kent van een mannelijk en een vrouwelijk metaalzaadje! Want dat bedoel je toch, Patrijs? Die vent is een seksmaniak en daarmee uit. Alchemie heeft er niets mee te maken. Maar waarom vertelt onze meester niet eens precies wat meneer Prelati van hem wilde?'

'Hoe durf je te beginnen over...' begon Nachtegaal fel, maar Upupa hief zijn hand om hem te onderbreken en nam zachtmoedig het woord. 'Ik had jullie willen aansporen kalm te blijven en rustig jullie mening te geven. Maar nu moet ik constateren dat ook jullie ten prooi zijn gevallen aan eenzelfde soort delirium als de gestoorde geest van die crimineel... En dat doet jullie geen eer aan!'

Met gefronst voorhoofd en scherpe stem vervolgde hij: 'Ik ken Prelati niet. Ik had nooit van hem gehoord totdat hij jou benaderde, Zwaan, en ons heeft verteld dat Urbain gevlogen was.'

Onverwachts begon de regen tegen het raam te tikken, zodat Patrijs zijn stem moest verheffen om zich verstaanbaar te maken. 'Zwaan, als de meester die vraag al beantwoord heeft, vind ik het smakeloos dat je er weer op terugkomt.'

'Tja,' zuchtte Upupa, die met zijn vingers op het roodfluwelen tafelkleed trommelde. 'Ik heb hem meermalen geantwoord dat die Prelati wel een bezetene lijkt...'

De beo viel hem in de rede. Ze kwam van haar driepoot, sleepte met haar poot de gebroken ketting mee en landde met een sprongetje voor Zwaan. Ze keek hem behoedzaam aan, floot schel en kraste: '*Tot uw orders, Zeer Eerwaardige Heer Prelati.*' Daarna krijste ze: '*Denk eraan, Beppe. Ik heb heel veel haast.*'

Zwaan glimlachte tevreden. 'Gelukkig! Ik heb een bondgenoot in deze vogel hier, met veren en een snavel. Ze lijkt alerter dan haar... metaforische soortgenoten.' Hij barstte in lachen uit.

'Goed,' besloot de meester, en er speelde een glimlachje om zijn mond met de scheve tanden. 'Broeders, we moeten Prelati uit zijn schuilplaats jagen. Zijn ware identiteit achterhalen, al leek hij me – toen ik hem samen met Zwaan zag – te knokig en te oud om jonge meisjes te verleiden. Ik herinner me zijn gierennek, die niet sterk genoeg was om een gouden of ijzeren helm te kunnen dragen. Het zal dan ook slim zijn om ons over Clisson en Tiffauges te verdelen.'

Feniks stond op. 'Ik heb niet precies begrepen wat er nu met dat speeldoosje was...'

Upupa legde hem met een lichte aanraking het zwijgen op. 'Ik wil niet dat deze discussie oeverloos blijft voortduren. Broeder Feniks, de moordenaar is één persoon; misschien Prelati of iemand die door hem gestuurd is. Jij gaat naar Tiffauges om wat ongezonde lucht in te ademen, althans minder gezond dan die hier in Clisson.'

Zwaan was meer dan alleen tevreden. Patrijs keek hem tien seconden zwijgend aan. Toen hij zijn stem hervond, was het net of hij van heel veraf sprak. En hij zei zonder boosheid: 'Het is absurd.' Toen deed hij het raam open.

Het was opgehouden met regenen. De geur van vochtig gras dreef de kamer binnen, als om die te zuiveren.

67

Op 22 december 1752 sloeg de klok van de Drievuldigheid het uur van de sexten.

Er waren zes maanden verstreken, waarin ze in het gebied tussen Clisson en Tiffauges tochten hadden gemaakt en op wacht hadden gestaan, en het leek erop dat de angst en de onrust plaats hadden gemaakt voor een zekere kalmte. De verdorvenheid van de moorden echode nog slechts in de verte. Het stinkende spookbeeld van de dood was verdwenen... alsof het was opgeslokt door dezelfde draaikolk van Satan als die het had voortgebracht.

De Vogelbroeders wijdden zich aan het verzachten van het leed van anderen en de jonge Zwaan bleef zich laven aan de bron van wijsheid van de meester. Van Urbain Boutier werd niets meer vernomen. Hilarion Thenau bleef, dankzij de hertog van Rohan en op kosten van de vrome Upupa, in de gevangenis zitten.

Was het beest met het mannenlichaam en de krijgsmanshelm misschien voor eeuwig in zijn van schuimend, vervloekt bloed druipende afgrond gekropen?

Misschien... maar intussen wachtten zijn slachtoffers, weggeborgen onder het koude doodskleed van de aarde, tot ze gewroken werden.

In de buurt van die opmerkelijke wijze man groeide Bernabé innerlijk. Hij wisselde zijn laboratoriumwerk en zijn studie van oude manuscripten af met langdurige bezoeken aan het Feniksnest. Eindelijk was hij met lichaam en geest in staat de Rebis, de androgyn in hem, te beheersen, en gehoorzaam aan het principe 'zuiver als papier' nam hij afstand van Henriette, die zich al met al heel begrijpend toonde. Bijna berustend. Er bestaat een gezegde dat luidt dat bijen op wijn afkomen, vooral als die zoet is. Het meisje werd verliefd op een knappe boerenjongen die bij haar paste, en er werd algauw over een ophanden zijnd huwelijk gesproken.

Op die frisse, aangename septemberochtend kwamen Feniks, Sperling, Kolibrie en Nachtegaal op schuimbekkende paarden aan in Clisson. Bleek en met rode, opgezwollen ogen gooiden ze Upupa en Zwaan de teugels toe. Het was duidelijk dat ze slecht nieuws hadden.

De eerste die sprak was Nachtegaal. 'Jij hebt me geleerd te bedenken dat de dood een stap eerder komt dan de rust en misschien twee eerder dan de stilte. Geldt dat ook voor een lichaam dat is heengegaan door geweld?'

De oude man begreep het en wendde zich tot Sperling: 'Kom jij dan tenminste ter zake! Nachtegaals welbespraaktheid is zeker een deugd, maar soms overdrijft hij!'

'Dat zijn jouw woorden! We hebben het hier wél over moord. In de Sèvre bij Tiffauges hebben we vannacht bij het licht van de fakkels menselijke resten zien drijven. In staat van ontbinding. Ze werden aangevreten door snoeken en kreeftjes, die elk spoor uitwisten.'

Kwellende gedachten stapelden zich op in het hoofd van Upupa, die pas weer begon te spreken na een lange, verlammende stilte. 'Mijn God, de architect van het kwaad heeft zijn laaghartige activiteiten weer opgepakt! Zijn moordneigingen zijn weer bovengekomen. Eb, vloed, aardschokken, hagel en regen, wolken met verblindende scheurtjes, ellendige stukjes puin, schaduw en verbrokkeling. Alles wat we in de afgrond vinden, vinden we ook in de man. En de moordenaar is gegrepen door die kwelling.'

Op het toppunt van zijn angst schreeuwde Feniks: 'Denk na, meester! In de macabere magie van Tiffauges heeft de moordenaar weer toegeslagen. Hij lijkt te zijn meegesleept door het obsessieve delirium dat die plek uitwasemt, waar de "grootvizier" van de pedofilie laaghartige misdrijven heeft gepleegd.'

Zwaan, die tot op dat moment verbaasd en als versteend was geweest, veegde met zijn hand over zijn pij om zich een houding te geven en vroeg: 'Over wie hebben jullie het? Wat betekent "grootvizier" van de pedofilie?'

Gedesoriënteerd doordat het heden en het drie eeuwen lange verleden door elkaar liepen, antwoordde Upupa: 'Misschien is onze moordenaar in een roes geraakt door een eeuwenoude, moordende energie die ongrijpbaar, maar wel waarneembaar is. Een delirium zoals dat waardoor de maarschalk van Frankrijk, Gilles de Rais, tot de brandstapel is veroordeeld. Het beroemde misdadige beest dat in de vijftiende eeuw duizenden kinderen heeft gedood. Hij bedreef sodomie met ze, of ze nu levend waren of dood.'

'O, meester!' zei Feniks ontzet. 'Ook hij deed aan alchemie. Een verwrongen alchemie, want hij werd opgeslokt door de zwarte kant ervan. Hij waande zich een held. En hij dacht dat God hem zelfs de grootste zonden zou vergeven.'

'Rustig, Feniks,' antwoordde de oude man. 'Ik ken het verhaal van die man, die bij vergissing de bijnaam Blauwbaard kreeg. Maar jij hebt het drama al toegelicht. Als deze plek de perverse geest van Sire de Rais blijft uitwasemen, wil de pleger van de vier moorden misschien in zijn voetsporen treden, al heeft die gek de kinderen tot nu toe gespaard. Want de verminkte ledematen die jullie hebben gevonden, waren ook van volwassenen, of niet?'

'Ja,' bevestigde Sperling.

'Dus is het nu aan ons om hem uit zijn hol te laten komen,' vervolgde de wijze. 'Wat op het oog eenvoudig is, omdat de actieradius afgebakend is. Toch is het moeilijk, want die idioot weet razendsnel op te duiken en weer te verdwijnen. Inderdaad, de helm duidt op de krijgsmanskwaliteiten van maarschalk de Rais. Maar we weten niet of hij op de hoogte is van militaire strategieën... Misschien heeft hij handlangers, net als de Rais.'

Terwijl Upupa de groep een teken gaf terug te gaan, keek de jonge Zwaan Sperling recht in de ogen en waagde het hem de vraag te stellen die maar in zijn hoofd bleef hameren: 'Denk je dat er een boek over die Gilles de Rais bestaat? Dan blijf ik er tenminste niet zo nutteloos bij hangen. Door me in te lezen, kan ik jullie misschien helpen.'

'Zwaan, vraag dat maar aan de meester!' luidde het antwoord.

Die harde woorden echoden als geweerschoten na.

Alle dertien Vogels kwamen bijeen in de bibliotheek.

Zwaan las, met toestemming van Upupa, het gruwelijke verhaal over de maarschalk, die nota bene nog met Jeanne d'Arc tegen de Engelsen had gevochten. De andere discussieerden over mentale ziektebeelden, verdorvenheid, aantrekkingskracht en duivelse schoonheid.

'Alleen. Enig in zijn soort. Tragisch. Altijd op de drempel van het onbekende, Gilles: op zoek naar de misdaad, geperfectioneerd in steeds herhaalde gruweldaden en vol verachting voor het goddelijke wezen en de menselijke herschepping,' vatte de oude wijze man samen.

'Echt een smeltkroes van goddeloosheid. De kwintessens van goddeloosheid. Maar al met al vertegenwoordigt hij wel de androgyne figuur van het goed en het kwaad,' zei Zwaan. Zonder het te merken sprak hij hardop.

De Vogels stonden versteld. Het groentje had in een paar woorden de sluier opgelicht van een breedvoerige zwarte geschiedenis die geleid had tot de angst die hen in zijn greep had. De angst – zoveel moge duidelijk zijn – dat hun onderneming niet zou slagen en dat ze de imitator van de beroemde maarschalk niet op tijd zouden weten te stoppen.

'Luister, broeders,' begon Zwaan dapper, met ingetogen stem. 'Als ik het walgelijke leven van Gilles goed begrijp, zal het eenvoudig voor ons zijn om zijn navolger uit zijn schuilplaats te krijgen.'

'Hoe dan?' vroegen Sperling en Fluiter in koor.

'Het universum was voor hem omgekeerd. Hij hield zich niet bezig met ambities en ontwikkeling, maar vertegenwoordigde de terugkeer naar de nacht in de absolute stilte van de misdaad. Een omgekeerd mysticisme. Gilles zag niet de hemel, maar de duisternis. 's Nachts ging hij tot actie over. Opgesloten in zijn kasteel in Tiffauges. We moeten er onder het nachtelijke hemelgewelf op uitgaan. Dan gaat de man met de helm volgens mij op pad. Laten we het om beurten doen. Wie na de vesper naar buiten gaat, slaapt overdag.'

'Maar,' protesteerde Kolibrie, 'de twee vrouwen zijn op klaarlichte dag vermoord...'

'Toen was de moordenaar blijkbaar aan het oefenen. Iets zegt me dat hij zijn stijl in de afgelopen zes maanden vervolmaakt heeft. Of hij heeft volgelingen gekregen.'

'Dus vanuit jouw gezichtspunt,' vroeg Upupa spijtig, 'zijn onze inspanningen om dag en nacht de wacht te houden tussen Clisson en Tiffauges nutteloos geweest?'

'Misschien wel. Als die maniak zijn kennis heeft willen vergroten, zal hij in die periode niet naar buiten zijn gekomen.'

'Meester,' voegde Patrijs er met schorre stem aan toe, 'het kan toch geen kwaad om naar Zwaan te luisteren? Hij stelt voor een nachtelijk web om die krankzinnige heen te weven. Stel dat het mislukt, dan zijn we in elk geval sterk genoeg om overdag aan de slag te gaan. Volgens de heksenlogica worden bezetenen bovendien niet vrolijk van daglicht. Trouwens, in een bezetene manifesteert de hel zich; met een enkele duivel is hij slechts een woesteling. De helse trechter van Dante Alighieri zinkt weg in het duistere binnenste van de aarde.'

Upupa voelde zijn hart in zijn keel bonken en er rolden twee tranen over zijn wangen. Hij leek wel een geest toen hij zei: 'Ach! De leeuw is nog niet getemd; de wreker is nog niet overwonnen. Hij voegde er angstig, doelend op zijn rol als Vogelleider, aan toe: 'Mijn vleugels zijn versleten door het omarmen van de wolken. Ik voel dat ze afbreken onder het vuurspuwende oog van God mag weten wie...'

Wat een slijtage bracht dat verdriet teweeg... Gebroken en meelevend bogen de andere twaalf medebroeders hun hoofd.

68

In dit Babylonië, dat in beroering gebracht was door de grijze afgrond van het Voorgeborchte en door de twijfels over de drommen geesten die waarschijnlijk op het punt stonden uit de lijken op te stijgen, hadden de Vogels tijdens een rustige week om de beurt de wacht gehouden, in afwachting van het Kwaad.

Maar op een donderdag bespeurden Fluiter en Patrijs twee individuen in lange gewaden en met zwarte kappen op een kar, voortgetrokken door een kalige knol, waarop een zak stond te wankelen. De kar hield stil bij de enige kastanjeboom die naar de wolken gekeerd stond. Een nacht zonder wind, broeierig, met aan de hemel her en der wat vage sterren. De twee losten hun vracht in de slotgracht en gingen aan de kant ongedwongen zitten praten. Een huiveringwekkend gesprek, dat de twee Vogels, die tussen de meidoorn verborgen zaten, de koude rillingen bezorgde.

'Daar gaat ze!' begon een van de gemaskerde mannen met lijzige stem. 'Dat zal haar leren!'

'Hoezo, ze leert niks meer, ze is dood! Of liever gezegd, overleden en aan stukken gescheurd,' antwoordde de andere kerel.

'Ik moest haar van Rosario straffen omdat ze haar schaamstreek niet voor hem wilde openen. Vind je dat niet tegenstrijdig? Hij, Rosario, die zijn gezicht onder een helm verbergt, wil de vrouwen bezitten alsof hij een rozenkrans op zijn hoofd heeft... Hij, die zich voedt met mensenvlees... Gelukkig betaalt hij goed en leert hij ons veel. Bijvoorbeeld de truc om een doorweekte luier op haar hoofd te leggen.'

'Ja, maar,' barstte de ander op tevreden toon los, 'ík ben degene die een stuk van het doekje in haar keel stopte, terwijl Autin haar neus dichtkneep en met de andere hand langzaam water in haar keel goot.'

'Nou en? Wat moet ik daarop zeggen? Terwijl jij haar martelde, heb ik gezien hoe haar gezicht knalrood werd en de punten van haar tepels, rood geworden als twee pimentbessen, openbarstten. En haar ogen, haar blauwe ogen die overliepen van angst, wie zou die vergeten? Haar schaamhaar ging recht overeind staan, net kleine steeltjes.'

'Goed. Maar mijn genot was groter dan het jouwe. Ik heb water in haar laten lopen, druppel voor druppel, door de natte doek. En hoe meer er in haar keel en haar neus kwam, hoe moeilijker haar ademhaling ging. Ze snakte naar lucht, maar elke poging, ik zie het nog zo voor me, bezorgde haar pijnlijke buikkrampen. Toen daarop het draaien met de knuppel volgde, waardoor haar ledematen tot op het bot openscheurden, zakte ze als een gekookt kalf in elkaar.'

Hij had zijn afgrijselijke verhaal onderbroken om een slokje uit de fles wijn te nemen, waarna hij hem in een vloeiende beweging aan zijn metgezel gaf. Een macabere toast. Een hoera voor hun executie.

De eerste spuwde van onder zijn kap en vroeg: 'Maar wie voor de duivel zijn die fanaten? Ze laten zich de tempeliers van de Dauw noemen. Wat betekent dat? Ze verstoppen zich in de onderaardse ruimtes van Tiffauges. Waarom noemen ze Rosario 'de leider'? Ze kennen hem niet en betuigen hem respect, vooral wanneer hij de huid van de lijken afsnijdt en in een apothekerspot vol alcohol doet.'

'À propos, snapte jij wat hij zei toen hij het deksel erop deed?'

'Nee. Moet een vreemde taal zijn geweest. Ik dacht dat het begon met "ro" of "ra"... Nou ja!'

De twee duistere types, doodgravers in de nacht, stapten vrolijk en tevreden weer op hun kar. Fluiter en Patrijs vonden hen net bleke plaatjes die voortkwamen uit een onnatuurlijke schrik. Twee klodders zwarte zegellak bij elkaar in de diepe duisternis, die een solide plek verworven leek te hebben. Toen ze waren bijgekomen van die monsterlijke dialoog en ze zeker wisten dat ze alleen waren, staken ze de fakkels aan.

Patrijs, die een touw had meegenomen, bond dat aan een populiertak die boven de slotgracht uitstak en trok zich op. Met bungelende voeten wist hij de zak te pakken te krijgen die tussen het gras en het riet was blijven steken. Alle dieren – kikkers en padden, nachtelijke zangers in het stille water – zwegen. Waren ook zij bang dat dit deel van de rivier een kerkhof was geworden? Een kerkhof zonder graf...

Helemaal besmeurd strekte Fluiter zijn rechterarm uit en pakte die doodskist van hondsgras. Hij tilde een voet op, steunde met zijn schoen op een struik, maakte zijn linkerhand vrij en kon zo de zak openmaken.

Een vrouwenhoofd zonder haar, een dolk die in haar hersenpan gestoken was en waaraan een meidoorntak was vastgemaakt. Tussen haar paarse oogleden twee helderblauwe, koude ogen. Er zaten zweren rond haar lippen. Haar angstige blik was op hem gericht. Hij raakte ervan doordrongen, kreeg er de koude rillingen van, zo erg dat hij de schedel uit zijn hand liet glippen en in het water liet rollen. Daar dreef hij als een zwarte nimf op het rottende slijk.

Aan de inktzwarte hemel had zich een roetkap gevormd. Hij maakte bijna deel uit van deze ellende, die nog niet ten einde was.

69

Op de terugweg kreeg Fluiter de indruk dat Zwaan hen voorging. Op blote voeten, met zijn hielen tegen de grond gedrukt. Nee, dat was absurd. Vast een hallucinatie die werd veroorzaakt door de kwellende, afmattende ervaring die hij zojuist had gehad. Thuis troffen ze in de deuropening dan ook juist de jonge Zwaan aan, samen met Upupa. Zij wekten de anderen en riepen ze bijeen.

Uitgeput vroegen Fluiter en Patrijs iets te drinken en ploften op hun stoel neer. In de keuken brachten ze gedetailleerd verslag uit van de huiveringwekkende ontmoeting en de angstaanjagende dialoog.

Zwaan begon wanhopig te huilen. 'Mijn God, de verschrikkelijke erfenis die Kaïn ons heeft nagelaten wordt van generatie op generatie doorgegeven. Moorden is net een eeuwige ziekte: het heeft onze voorouders uitgeroeid en hun botten aangevreten. Het blijft door de eeuwen heen bestaan zonder ooit op te houden.'

'Ja,' beaamde Upupa. 'Je hebt gelijk, jongen. Moorden is net syfilis. Het is wreed, dikwijls op het eerste gezicht aardig, maar ook heel vaak uiterst besmettelijk. Maar goed, de bendeleider van die beesten heet dus Rosario. Afgaand op het verhaal van de broeders jagen de moordenaars de wraakzuchtige wetten van de Vehm, of liever gezegd het machtsmisbruik, na. Dat wil zeggen, een schijnrechtspraak met kwellingen en folteringen!'

'Wat denk je van de naam Rosario, meester?' vroeg Nachtegaal; hij hield zijn hoofd tussen zijn handen.

'O, broeder! Er zijn twee hypothesen: of de wreker met de gouden helm is Italiaans en dan zou het Prelati kunnen zijn, die al zo vaak door Zwaan genoemd is, of deze minkukel, uit welk land hij ook komt, heeft werkelijk alchemistische verhandelingen gelezen, met name het *Rosarium Philosophorum*, en heeft zijn eigen bijnaam aan die titel ontleend.'

'Dat zou ook bevestigd worden door de naam tempeliers van de Dauw,' zei Sperling.

'Al gaan ze 's nachts tot actie over,' merkte Buizerd op, 'hun leven speelt zich 's ochtends af. Er was nooit een luguberder morgenstond in haar jonge leven dan op deze trieste morgen.'

'We moeten de controles intensiveren. Waarom surveilleren we bij daglicht niet bij het kasteel van Tiffauges? Laten we de ingang naar de onderaardse ruimtes zoeken,' vervolgde Sperling fel. 'Wie weet, misschien kunnen we het laatste pus nog van de muren zien druipen, of het lichaamsvocht van de schanddaad uit de spleten zien glijden...'

'Zeker. Maar we gedragen ons als onschuldige pelgrims, om niet in het oog te lopen. Anders belanden we zelf tussen zijn grote lippen met schuimend bloed,' voegde de meester eraan toe.

'À propos, Zwaan,' vroeg Fluiter met gefronste wenkbrauwen. 'Was jij toevallig in het bos waar wij ook waren? Ik dacht dat ik je op blote voeten voor onze paarden uit zag lopen.'

'Goeie God, broeder!' antwoordde Upupa verbaasd. 'Zwaan is de hele tijd bij mij geweest. Lijkt het je plausibel dat hij, tegen elke logica in, zonder schoenen tussen de verraderlijke begroeiing zou gaan lopen? Je bent aan rust toe. Toe, ga slapen zo lang je wilt.'

Terwijl hij dat zei, bewoog hij op zijn stoel en er viel een papiertje uit zijn zak. Zwaan raapte het op en keek wat het was. Het was de brief die Urbain geschreven had. Hij was verkleurd: de inkt was nu roestbruin.

De meester pakte hem uit zijn hand. 'Dit had bewijs moeten zijn! Maar misschien is hij alleen maar misleidend. Toch zou ik nog steeds zeggen dat het handschrift hetzelfde is als dat van die schurk.'

Het verdriet en de haat (ondenkbaar met zijn nobele hart!) wierpen een donkere, dreigende schaduw op zijn gezicht. Upupa streek zuchtend met zijn handen door zijn haar. Plotseling zagen de Vogels het fiere, pure beeld van de meester alsof het in een lachspiegel werd weerkaatst.

Nachtegaal besloot zijn vergezochte conclusies te delen. 'Meester en medebroeders, naar aanleiding van wat er vandaag gebeurd is, ben ik tot deze hypothese gekomen. Stel dat het Opperwezen na de schepping, na de bemesting van de chaos, op de derde dag was gestopt. Stel dat Hij alles had voorbereid, opgesteld en bevrucht, en op het moment dat Hij zijn werk bewonderde, de zon had uitgedaan en met zijn voet de wereld in de eeuwige nacht had teruggeduwd.'

De blauwe ogen van de meester namen hem aandachtig op.

'Wat wil je daarmee zeggen?'

'De last die wij meedragen is net de stillegging van de schepping. We denken dat we hem op onze schouders dragen. Maar zijn we wel opgewassen tegen deze zoektocht naar de waarheid?'

De enige die antwoord gaf, was Zwaan. 'Wij mensen hebben fragiele, incomplete menselijke organen: Tobit zag de engel, die hem door God was gezonden om zijn gezichtsvermogen terug te geven, aan voor een willekeurige jongen. Attila werd door de landen die hij kwam vernietigen beschouwd als een willekeurige veroveraar. Elk van hen moest zichzelf nader omschrijven. De eerste stelde zich voor: *Ik ben de engel des Heren.* De tweede verklaarde: *Ik ben de gesel Gods.* De alchemie is er toch voor om onszelf te verbeteren, om onze organen te versterken en om onze geest en de wijsheid van ons hart te scherpen? Nachtegaal, denk je soms dat de moordenaar voor ons neerknielt en zegt: *Ik ben het menselijke beest met de gouden helm*'?

De beo kwam schommelend binnen. Zoals gewoonlijk had ze haar ketting losgebeten. Ze sprong op de schouder van Zwaan, liet haar schelle fluitje horen en herhaalde toen: '*Menselijke beest met de gouden helm...*'

'Het is meer dan een echo,' zei Patrijs, die hem een klopje op zijn koppetje gaf. 'Ze weet je stem volmaakt te imiteren, Zwaan!'

70

De ochtend na de macabere vondst van Fluiter en Patrijs nam Upupa een besluit. In een geestestoestand die leek op de plotselinge kalmte na een orkaan, vroeg hij Zwaan mee naar buiten te gaan voor een verkenningsronde. Ze reden getweeën te paard in de richting van de vervallen tempelierskapel.

Onderweg rook de jongen de aangename geur van frangipanies (absurd, want de plant bloeide in de tropische gebieden van Midden-Amerika, waar hij vandaan kwam) en zei dat tegen de meester. Upupa liet zijn paard stilstaan en keek hem strak aan. 'Jongen, je zenuwen hebben nu de hoogste staat van opwinding bereikt. Je ruikt een denkbeeldige geur. Dat is een slecht teken. Ik verzoek je om je niet te laten verleiden door beelden die je gezien hebt in het boek over de Nieuwe Wereld dat je vast uit mijn bibliotheek hebt gehaald. Hoe zou jij de geur van frangipanies moeten kennen? Ik zou het niet weten.'

'Meester, misschien werkt deze jacht op de perfide gnomen uit het binnenste van Demeter me echt op mijn zenuwen!'

'Niks gnomen!' reageerde de ander vol vuur. 'De tempeliers van de Dauw? Wat er overblijft op de bodem van laboratoriumflesjes vormt de voeding van de afschrikwekkende geesten van die verschrikkelijke types...'

Verderop, boven op een hobbel op het pad, kwam een vreemd individu hun tegemoet. Hij droeg een nauw aansluitend streepjespak en een puntmuts met belletjes.

'Dag pelgrims,' beet hij hun met een spottende grijns toe. 'Niet verdergaan!'

'Waarom niet?' vroeg Zwaan.

'Dan stoort u bepaalde edellieden, de trots van deze streek, die hier buiten willen ontbijten...' antwoordde de nar.

'En wie mogen die geweldige heren van beroemde komaf dan wel zijn?' vervolgde Zwaan, die steeds nieuwsgieriger werd.

'Kakkerlakken, mieren, wespen, vliegen. Verderop ligt namelijk een menselijk dingetje, slachtoffer van de tempeliers van de Dauw,' zei de gnoom, ditmaal vlak achter hem.

Als bij toverslag droeg hij nu een heel elegante zwarte mantel, terwijl de kleren die hij eerst aan had gehad op een hoopje aan de rand van het pad lagen.

'Wie ben jij eigenlijk? Je verkleedt je op bijna magische wijze en vergiftigt onze geest met berichten over vermoorde mensen, alsof je het over wild hebt.'

'Ik ben de kameleon van de *hortus animae*, de tuin van de geest. Beëlzebub is mijn vader en Ariadne heeft me gebaard. Als je op zoek bent naar de waarheid, stuit je op vele vergissingen. Want er bestaat niet slechts één waarheid, het zijn er wel honderd. O vader, wat zeg ik? Duizenden, miljoenen waarheden, zoals ik ontelbare kleren heb.'

Terwijl hij het zei, verscheen hij in een oogwenk in een geheel rood pak. Vervolgens maakte hij een rondje van zijn linkerduim en wijsvinger, deed ze tussen zijn lippen en liet een oorverdovend fluitje horen, waarna er een met belletjes bedekt veulentje kwam aangalopperen. Hij sprong op de rug van het dier en verdween uit het zicht.

Zwaan trok aan zijn teugels, draaide zich om naar de meester en vroeg: 'Hoe kun je zo onaangedaan blijven bij het horen van zo'n bericht?'

'Wat voor bericht?'

'Maar Upupa, heb je dat monstertje dan niet gezien? Heb je niet gehoord dat hier ergens een menselijk lichaamsdeel ligt dat is achtergelaten door het genootschap van de Dauw?'

'Mijn hemel, Zwaan! Je hebt niet alleen geurhallucinaties, maar ook andere, die je gezichtsvermogen en je gehoor aantasten! Jongen, wil je teruggaan? Ik kan niet anders dan constateren dat je een ziekte onder de leden hebt, die wordt veroorzaakt doordat je zenuwen buitenproportioneel zijn belast en waarvoor je een alambiek nodig hebt met daarin de gehergroepeerde overblijfselen van een vreselijk destillaat...’

Hij kon zijn verhaal niet afmaken. Hij liet het paard stilstaan. Daar, in de zon, lag een afgehakte menselijke arm die was aangevreten door hongerige insecten. De oude man klom uit het zadel. Hij hield met de slip van zijn witte pij de vliegen en wespen op afstand, knielde bij de toegetakelde stomp neer en bekeek hem langdurig.

Op de arm stonden de gebruikelijke onbegrijpelijke hiërogliefen:

... en aan de linkerringvinger schitterde in het zonlicht een gouden ring waarin een maansikkel en een halve zon gegraveerd waren.

Upupa werd getroffen door een scherpe pijn, alsof er met een slachthamer een wig in zijn nek werd geramd. Hij werd zo overmand en gekweld door het leed dat hij het harde, aanhoudende, onverdraaglijke geluid van zijn versnelde hartslag onder de huid in zijn nek kon voelen.

‘Je hebt een voorgevoel gehad!’ zei hij, terwijl hij Zwaan stomverbaasd aankeek. ‘Je gedachten hebben de grenzen van het zichtbare overschreden en de nevelen van de dood bereikt...’

‘Meester, ik zag...’

‘Ja, je zag de arm van onze medebroeder Patrijs. Gesneuveld door die vervloekte genadedolk. Hier is hij!’ en hij rukte hem van de grond.

‘Ik... ik wist niet dat hij van Patrijs was,’ stotterde de jongen. ‘Hoe weet jij dat zo zeker?’

‘Ik herken zijn ring. Die heb ik hem bij zijn initiatie gegeven. O, ik kan me zoveel verdorvenheid niet indenken. Bedrog en smerigheid geven die nachtelijke bewoners een wapen in handen. Ik wil die zogenaamde Rosario wel eens leren kennen. Misschien handelt hij echt wel onder invloed van de demon van het lood.’

Upupa liet zich op zijn knieën op de grond vallen, voor de stomp. Verstomd, zijn ogen wijd opengesperd, zijn gezicht vertrokken. Roerloos als een standbeeld. Uiteindelijk bewoog hij zijn lippen en wist, in tranen, moeizaam uit te brengen: ‘Vannacht had Patrijs thuis moeten blijven. Toch heeft hij zijn inspectieronde gedaan. Waardoor zal hij ongerust zijn geworden? Iets onverwachts. Een vermoeden. Jij bent de laatste die hem gesproken heeft.’

'Hij was degene die tegen me zei dat de beo mijn stem zo goed nadeed. Maar daarna heb ik hem zijn kamer in zien gaan.'

Met nog diepere rimpels in zijn voorhoofd vervolgde Upupa met ferme, resolute blik: 'Zwaan, help me die arm op te tillen. Scheur een stuk van je pij af en wikkel hem daarin, als een reliekhouder. We moeten hem de begrafenis geven die hem toekomt.'

'Ja, meester.'

Op de terugweg voelde de jongen de ongeneeslijke wond die, vers en diep, in Upupa's hart was geslagen. Een scheuring die was veroorzaakt door de verachting voor de verpeste geesten van de tempeliers van de Dauw. Hij hoorde hoe zijn hart zich inspande, gekweld door het heden, afgewezen door het verleden, bang voor de toekomst.

Toch kon hij, terwijl hij die dode arm vastklemde, nog niet bevatten hoe het kon dat de oude man, die nog ouder geworden was, de slechte kabouter niet had gezien en evenmin het bericht over de macabere menselijke resten had gehoord.

Jammer genoeg, dacht hij, heeft ook hij zenuwen, net als ik, maar hij is wel jaren ouder dan ik. Wie kan ooit het raderwerk van de menselijke hersenen en zintuigen verklaren? Upupa leek me gisteren al op de proef gesteld door wat de medebroeders hem over de zevende moord vertelden. Een gigantische berg tegenspoed, stinkend naar cenotafen als een oude catacombe, is zijn zuivere heiligdom binnengedrongen en heeft dat met bloed en smerigheid bevuild...

Naar aanleiding van de moord, die hen dit keer direct trof, een wrede en laffe moord, bleven de medebroeders bijna in contemplatie verzonken voor de arm van Patrijs zitten. Buizerd trok rouwkleding aan en stak een lange altaarkaars aan, die hij in de kandelaar had gestoken. Een tak van de boom van hun bestaan was door een verachtelijke snoeier afgesneden.

De anderen bleven met gebogen hoofd zitten, in zichzelf gekeerd. Ze voelden de voortdurende strijd waarin goed en kwaad, als dobbelstenen, verwikkeld waren. Toch hadden ze het idee dat ze in het Voorgeborchte zaten, terwijl er vanuit de hel een geest flakkerde in een poging hen, tegen hun waarden in, te verheffen tot een extreme graad van perfide estheticisme. Maar misschien ook niet.

Misschien was die zogenaamde Rosario wel een paranoïde derderangsacteur. Wanneer hij doodde, had hij het gevoel dat hij op het toneel stond. Hij zag zichzelf doden. De prikken en de hiërogliefen op de lijken hoorden bij zijn decor. De ingehuurde doodgravers waren de dansers die om hem, de hoofdrolspeler, heen dansten. Ze waren nodig voor de choreografie.

'O, meester!' riep Sperling uit, zodat de vermoeide stilte eindelijk werd doorbroken. 'Als God ons persoonlijke ideaal is, is Satan degene van wie we afstand proberen te nemen. Ik wil me er niet van afwenden, want ik wil mijn uniciteit hervinden. Als dit verdorven wezen zijn hoofd met een helm bedekt om zijn eigen identiteit te verbergen, wil ik niet meer wachten. Upupa, denk eens goed na: lijkt deze offeraar je geen karikatuur van een priester die zijn eigen demonen uitdrijft door zijn God de onschuld aan te bieden?'

'Ja, broeder, dat kan zijn. Maar ik, en Patrijs steunde die mening, meende een individu te herkennen dat, als imitatie van een omgekeerde alchemie, recht wil spreken volgens het oude tribunaal van de Vehm, gebaseerd op archaïsche Normandische gebruiken. En dat is nog niet alles. Die hiërogliefen die op de lichamen worden aangebracht, vormen absoluut een boodschap, maar bovenal een uitdaging. En het lukt ons maar niet ze te ontcijferen!'

Plotseling liet Zwaan zich op zijn knieën vallen en sloeg op zijn borst, jammerend als een klaagvrouw. 'Ik ben een stuk vlees geweest waar een troep kraaien boven het graf naar heeft gepikt. Ik heb het gevoel dat ik naar beneden ben gesmeten, naar waar de chaos riool wordt, op de drempel van de vernietiging. En van daaruit ga ik naar buiten! Van daaruit kom ik weer boven! Hier ben ik. Wraak!'

Buiten zichzelf ging hij zitten, stond weer op, hield zijn hoofd tussen zijn handen en begon te lopen. 'Meester, stuur een van ons naar burgemeester Badeau. We moeten deze slachter aangeven. Deze keer luistert hij misschien wel naar ons. Trouwens, dat onderzoek naar Urbain is hij ook begonnen.'

Upupa, die op de bergère was gaan zitten, was onthutst door deze tirade. 'Sperling, laten we het proberen. Ga jij naar Badeau...'

71

Toen Sperling te paard met een noodvaart tussen de half vervallen donjon en de St.-Louistoren kwam aanrijden, werd hij tegengehouden door een jonge wachter die vroeg waar hij naartoe ging.

Bleek van woede antwoordde hij: 'Ik wil de burgemeester spreken.'

De ander nam hem aandachtig op, zag hem blijkbaar voor een gelovige aan, maakte een ernstige buiging en zei: 'Pater, hij zit met de kanselier in eethuis De Gouden Moerbei om, met getuigen, informatie te verzamelen over een heel belangrijk proces. Hij heeft een depêche ontvangen van de seneschalk.'

De ander liet de teugels vallen. 'Wat? Weet hij al van het misdrijf?'

'Jazeker. Het allerergste, door God verafschuwd.'

'Dank je, jongen.' Hij drukte hem een muntje in de hand.

De jongen, groot en zwaarlijvig, was verbijsterd en dankte de voorzienigheid, terwijl de man al uit zijn gezichtsveld verdwenen was. Zo snel dat hij dacht dat het een engel betrof, die hem door de Eeuwige Vader gezonden was.

Sperling ijlde voort en deed stofwolken opwaaien. Hij nam een kortere route, langs wat armetierige olijfbomen en een paar wilde vijgenbomen met door het stof vergeelde blaadjes. Op de akkers eromheen groeiden hier en daar korenaren, die de plaatselijke boeren alleen maar verbouwden om de krekels onderdak te geven.

Met de eigenaar van het eethuis, Raphaël Choumien, ging het helemaal niet slecht. Integendeel, de taveerne onder de luxueuze, schaduwrijke pergola zag er uitnodigend uit. Hij stond in de deuropening toen hij de man van Upupa op zijn paard aan zag komen, met het soort aangename tred waaruit blijkt dat de viervoeter en zijn baas een heel goede band hebben.

'Wat kan ik voor u doen, Sperling?' vroeg hij. Zijn corpulente lijf deinde onder zijn broek, hemd en schort. Toen hij nog eens goed naar de zojuist gearriveerde man keek, begreep hij dat die slecht nieuws had.

'Ik zoek Badeau.'

'Hij is bezig. Hij is wat mensen aan het verhoren in verband met alweer een afschuwelijk ongeluk in dit dorp.' Hij ontblootte geïrriteerd zijn tanden, als een vleesetend beest.

'Ik weet het. En het hangt me de keel uit.'

'Wees niet te brutaal. U weet hoe de burgemeester is als hij het druk heeft.'

Sperling gaf geen antwoord en ging naar binnen. De ontvangstruimte deed dienst als eetzaal en keuken. In een hoekje was Raphaëls zus Anne, die op een krukje zat, bezig met een kalkoen aan het spit. Ze stond op, plooide haar mond met de stevige, ronde wangen erboven tot een glimlach en gaf Badeau een kippenbout, terwijl de kanselier op de kalkoen wachtte en voor ieder van hen een glas wijn op tafel zette. De twee functionarissen zaten met een zelfingenomen gezicht rechtop voor het raam.

Naast de wijn van de kanselier stond een inktpot en lag een vel perkament. In zijn rechterhand hield hij zijn pen in de aanslag. Aan de tafeltjes voor hen zaten drie personen te wachten tot ze verhoord werden.

'De wet respecteren is het parool hier in Clisson.'

'Ja, maar de wet heeft aardig wat rimpels,' zei ene Mathieu Loquay, die de beklaagde moest zijn. Pezig, met diepliggende ogen en een adelaarsneus.

'Zwijg,' beval de burgemeester en zwaaide met zijn vork. 'Als de wet voor u een oude vrouw is, moet u haar vasthouden of haar bedriegen, zoals u gedaan hebt. Dat blijkt uit dit dossier.'

De kanselier gaf hem een verzegelde enveloppe waar hij een besmeurde, vergeelde, groenige, gehavende en op meerdere plaatsen gescheurd vel uit haalde. Het was meermalen dichtgevouwen en was volledig beschreven.

Sperling, die achter de architraaf stond, observeerde Badeaus porseleinkleurige ogen en het graatmagere silhouet zo intens dat hij diens aandacht trok.

Toen hij de witte pij ontwaarde, sloeg hij zich voor zijn voorhoofd en riep wanhopig: 'O, nee! De Broederschap van de Roos en de Vogels! Welk rampzalig lot voert u nu weer naar mij?'

'Een misdrijf.'

'Misschien wel hetzelfde als hetgeen we hier in opdracht van de seneschalk onderzoeken. Het is een zwaar misdrijf. Gaat u zitten, laat Raphaël u een volle bokaal wijn brengen en luister.'

Louis, de neef van de waard, zette een keffertje op de vloer en kwam een paar minuten later aanlopen met een fles in zijn hand. Sperling was aan een schragentafel gaan zitten. Terwijl hij wachtte, steunde hij op zijn ellebogen.

Het was rond twee uur 's middags en Raphaël zette een bord heerlijk geurend gestoofd vlees met groente voor hem neer. En hoezeer zijn maag ook van slag leek door de reeks lugubere gebeurtenissen, toch slikte Sperling de eerste hap door. De waard spoorde hem met een glimlach aan: 'Toe, eet, daar komt u van op krachten. Met een lege maag zal de pijn zeker niet minder worden.'

Te midden van die grote, smerige menigte viel de man in de witte pij op als een schitterende robijn. Hij overspoelde Badeau met zoveel licht dat hij hem verdronk in schaduw, als een eclips.

Sperlings gedachten gingen naar Nachtegaal, die snel een kleine baar had gemaakt om de afgehakte arm, die volgens Upupa's wens in een dunne doek was gewikkeld, in te leggen. Toen zag hij voor zich hoe zijn medebroeders een kuil in de tuin groeven en de kleine sarcofaag met schepjes aarde bedekten.

Hij beet op zijn lip. Dit was niet het moment om te huilen, dus dwong hij zichzelf de stoofpot naar binnen te werken. Door de stem van de burgemeester belandde hij weer in de werkelijkheid.

'Dus, Hélène, uw slachtoffer... ik heb het tegen u, hufter van een Loquay! Het slachtoffer, dat heeft zelfs de priores van het klooster van Saint-Loup bevestigd, was zeer integer en in moreel opzicht gezond. Maar laten we de gedagvaarde getuigen hier eens aanhoren.'

De kanselier riep ene René Appel op, die verklaarde: 'Ik kende Hélène vier jaar. Een harde werkster, deugdzaam, en ze heeft nog nooit aanstoot gegeven.'

'Goed. En u, mevrouw Richer, wat hebt u te zeggen?'

Er stond een wiebelig oudje op dat er zo bleek, mager en ziekelijk uitzag dat Raphaël toesnelde om haar te ondersteunen.

'Ik... ik zweer dat haar reputatie goed was. Hélène heeft zo'n verschrikkelijk misdrijf niet verdiend. Trouwens, voordat ik haar aan hem gaf, was ze bij mij in dienst. Altijd bescheiden en ijverig. Kuis, zonder ooit de mannen te storen.'

Sperlings gezicht betrok. Wat hij hoorde, deed denken aan alweer een moord.

Met een gesmoord gekerm, als een hond die een trap van een paard krijgt, liet hij zich ontvallen: 'Mijnheer Badeau, ze hebben ook mijn medebroeder vermoord!'

'Het is respectloos om mijn onderzoek te onderbreken! De zaak waar ik mee bezig ben is heel ernstig. De heilige Bijbel zou hem naar Sodom en Gomorra verbannen, mijnheer Sperling!' blafte Badeau.

Sperling stotterde wat onverstaanbare woorden en boog zijn hoofd.

'Dus,' vervolgde de functionaris, 'luistert u naar de getuigenissen à decharge van de ezel. In aanmerking nemend dat de schuldige een recidivist is die zijn eigen ezel Hélène meermalen heeft verkracht en zo in de beestachtige sodomie is vervallen die door de Kerk zo verafschuwd wordt, zal de rechter in Nantes het dier ongetwijfeld onschuldig en Mathieu Loquay schuldig verklaren aan het vergrijp...'

Sperling, wiens blonde haar plotseling in vuur en vlam leek te staan, trok wit weg en begon te trillen alsof ze hem een fatale dosis akoniet hadden toegediend. Hij pakte zijn halfvolle glas met een woeste beweging beet, smeet het op de grond en gaf een schop tegen de stoel, waardoor de poten braken. Hij beende zonder zich om te draaien of te groeten weg. Buiten, ver bij de taveerne vandaan, gaf hij zijn paard de sporen. Hij had het gevoel dat zijn hoofd vastzat, alsof hij een met riet bedekte mandfles met oren was, waarvan de hals was dichtgesmeerd en hermetisch met een kurk was afgesloten. Klaar om te ontploffen. Het verhoor dat Badeau had geleid was zo grotesk geweest dat hij er een koortsachtig delirium aan over had gehouden.

Toen hij bij Upupa aankwam, vertelde hij hem en de andere medebroeders het absurde verhaal over de ezel waarmee sodomie was gepleegd. De meester zag zich nogmaals voor de vraag gesteld die hem bezighield: hoe kon hij de strijd aanbinden met dit vreselijk idiote machtsvertoon in Clisson, verpersoonlijkt door Badeau?

Een vraag om gek van te worden, ware het niet dat de oude man een onherroepelijke beslissing had genomen: alles aan pater Sébastien vertellen.

En dat deed hij.

De priester, die had vernomen dat de gepleegde delicten door een onverslaanbaar, ongrijpbaar individu waren gepleegd, stelde de oude man, die er zo zwak uitzag als een doek die door de wind aan stukken wordt gescheurd, gerust: ‘Meester Upupa, zonder storm zou het zeil een vod zijn. Geef niet op. Ik zal deze geheimen niet bekendmaken, want ik vertrouw op u en op de groep waaraan u leidinggeeft. Sta me echter toe om onder de nachtelijke hemel de stoffelijke overschotten te zegenen die in uw tuin begraven liggen en laat me een persoonlijke zet doen. U weet hoeveel ik van schaken hou.’

‘Wat wilt u doen?’

‘Niets wat u schade kan berokkenen. Ik zal ondergronds te werk gaan, als in een nauw steegje. Dan kom ik bij een open deur. Ik zal tot God bidden dat de verantwoordelijke persoon opendoet. Heb vertrouwen, u hebt voor het eerst een beroep op mij gedaan, maar ik kan iemand als u, met van wijsheid wit geworden haar, geen lucht laten verspillen. U zou stikken. Iets zal leven schenken aan een bron van licht!’

Het heel dunne laagje vergetelheid dat vaak opduikt in ons geheugen, kreeg geen vat op Upupa. Integendeel, de wijze doorzag wat er onder de oppervlakte zat. Hij had er geen spijt van dat hij zich tot de pastoor van de Drievuldigheid had gewend. Op een ander moment zou hij het onzin hebben gevonden, maar nu zag hij het als een andere zuil om zijn tempel te ondersteunen, en zo boven het aardoppervlak uit te stijgen. Die ellendige tempel stond op het punt hem te verpletteren.

Ja, de duizend jaar oude kerkelijke macht bezat de middelen om hem te helpen een gecompliceerd brein van een alchemistische en pseudomystieke samenstelling te bestrijden, een brein dat ernaar streefde stukje bij beetje onschuldige mensen aan stukken te snijden.

Dit gebaar van deemoedigheid ten overstaan van de goddelijke suprematie was geen simulatie, maar juist de verlichte *pietas* van iemand die inmiddels de ongrijpbaarheid van zijn tegenstander begreep. En de krankzinnigheid, die voortkwam uit de afgrond en waarin een mysterieuze, dodelijke kracht school. Omdat die vervloekte Rosario werkelijk God voor de gek aan het houden was.

72

Rijk van de Twee Siciliën,
Napels, januari 1753
De zon was net op toen de *Fortuna* de San Gennaro-kade verliet. Ze voer zachtjes langs de vele tartanen, polakkers en feloeken die voor anker lagen en maakte golven in het rustige havenwater. Achter haar klonken rauwe stemmen van matrozen die vertrokken en vermoeide stemmen van vissers die terugkeerden. Honderd kustdialecten versmolten tot een unieke, veelzijdige taal van de zee.

De secretaris van huize Sansevero, die een paar dagen eerder naar de schepen was gegaan om informatie in te winnen over rechtstreekse reizen naar Frankrijk, had die geruststellende naam meteen al als een goed voorteken gezien. Zonder een tikkeltje geluk kom je nooit ergens, niet in het leven en niet op zee, dacht hij met zijn gebruikelijke pragmatische instelling.

De prins was niet bijgelovig en zou er geen probleem van maken om aan boord van een boot te gaan met een lugubere naam als *Geest van het Vagevuur*. Maar zijn baas had duidelijk gezegd: 'Zoek het veiligste, snelste schip, het maakt niet uit welke lading erin vervoerd wordt, en regel een plekje voor me. Het hoeft alleen maar snel en functioneel te zijn. Beschrijf me tegenover de kapitein als een vermoeide, tobbende passagier die naar Frankrijk gaat om zich te laten behandelen. Een zieke, die zich tijdens de reis in zijn hut opsluit, alleen met zijn eigen gedachten, omdat hij door niemand gestoord wil worden. Verzeker je ervan dat hij je goed begrijpt en betaal vooruit wat hij je vraagt!'

Het schip dat als eerste vanuit Napels richting Marseille zou uitvaren, was uitgerekend dit elegante galjoen, dat klaar was om de haven uit te varen. Het leek op zo'n polakker die volop te vinden waren in de Middellandse Zee, maar het was kleiner, met alleen latijnzeilen, en had een goede ligging. Over het algemeen werden driemasters als deze gebruikt als koopvaardijschip, maar vanwege hun betrouwbaarheid en snelheid zetten barbaarse kapers ze ook in bij verkenningen en achtervolgingen.

De *Fortuna* was enkele jaren daarvoor gebouwd aan de Sorrentijnse kust. Ook de gehele bemanning was afkomstig uit Sorrento: dertien man in totaal en een onbehouwen kapitein, meester Alfonso. Een grote kerel, onbuigzaam als een zeestorm, opvliegend als een windhoos en fel als de bliksem. Maar deskundig op het gebied van zeeën en winden, als was hij een albatros.

Met die voortvarende baas van weinig woorden kwam hij al snel tot een akkoord. Meester Alfonso deelde de dag en het tijdstip van vertrek mee. Hij vroeg alleen of de passagier door de dienders werd gezocht of aan iets besmettelijks leed. Op beide punten gerustgesteld, stelde hij verder geen vragen. Hij inde de gevraagde vergoeding, een aardig bedrag, en deelde mee dat ze binnen twee weken in Marseille zouden afmeren.

73

Clisson, januari 1753

In de deuropening staand, werd hij door de sneeuw bestrooid met witte tranen, waardoor hij zichtbaar werd tegen de achtergrond van de nacht. Hij leek wel het sprekende beeld van de duisternis: Upupa, gekweld door twijfel en verdriet.

Weten waar je mee te maken hebt, bekende hij zichzelf, brengt weliswaar een schok teweeg, maar het níét weten is pas vreselijk. Bij mij zijn de vijf gepleegde delicten bekend. De rest niet. Maar er klopt iets niet in deze afschuwelijke zaak.

Hij trok zijn witte pij, die nu nog witter leek omdat hij was bedekt met sneeuwvlokken, strakker om zich heen. Hij ging het huis weer binnen en veegde de sneeuw van zich af. Hij hield zijn handen bij het vuur van de open haard. Hij staarde naar de vlammen en hield zijn ogen aan het vuur gekluisterd. Daar bleef hij staan, met zijn handen op de schoorsteenmantel en zijn hoofd op zijn vermagerde handen, tot hij roet in zijn neus kreeg.

Plotseling deed de wanhoop hem opspringen, als door een zweep geslagen. Tranen van moedeloosheid welden in zijn ogen op en zijn nek werd stijf. Hij groef in zijn geheugen, peilde... 'De bedelaars!' riep hij uit. 'Zouden die niemand hebben gezien toen mevrouw Martin werd vermoord? Ze zwerven altijd rond. Niemand heeft ze echt goed ondervraagd. Zelfs ik niet. Laat Badeau maar zitten. Étienne heeft de plek van Hilarion ingenomen, prima! Maar die andere twee, Georges en Claude?'

Het werd een slapeloze nacht voor hem, in afwachting van de ochtend. Zodra de klok het eerste uur van de dageraad sloeg, ging hij terstond de stal in en besteeg het paard dat van Patrijs was geweest. Weg was hij, naar de kerk van de Drievuldigheid.

Hij ging meteen naar de sacristie. Met snelle pas liep hij langs de zeventien panelen die aan de wanden hingen en naderde de bidstoel, waar Thenau zijn zonderlinge verzameling bewaarde. De geur van de kaarsen, vermengd met de wierook, kringelde bruut zijn neus in. Zijn ogen waren heel smalle spleetjes en om zijn mondhoeken had hij trieste plooien. Étienne stond naast de marmeren, schelpvormige wastafel en hij riep hem met gedempte stem. De jongen draaide zich om, en nadat hij de twee engelen die de crucifix steunden een handkus had toegeworpen, kwam hij dichterbij.

'Meester, u hier? Is er iets gebeurd?'

'Étienne, je moet wat twijfel bij me wegnemen.'

'En dat is?'

'In de nacht van de moord op mevrouw Martin, hebben jij en je vrienden toen iemand gezien? Probeer het je te herinneren...'

'U weet dat we in de grot van de Vierge Inconnue sliepen. Maar die nacht was Georges iets later omdat hij een konijnenstrop aan het zetten was...'

'En toen?' viel de oude man hem ongeduldig in de rede.

'Op de terugweg zei hij dat hij uw medebroeder had gezien, die met dat hondengezicht, die...'

'Ik weet het al, Reiger. En?'

'Ja, Reiger. Hij was in de tuin van madame Perrine... Hij had heel veel lichtjes in een kring om wat plantjes heen gezet en het leek wel of hij zat te bidden.'

'Maar daar klopt niets van! Reiger was toen helemaal niet in Clisson, maar in Cholet.'

'Luister, meester. Georges was niet dronken en heeft het heel helder verteld. Waarom zou hij zoiets verzinnen? Wij hebben respect voor de Broederschap.'

Upupa bevochtigde zijn lippen met zijn tong en mompelde iets...

'Kan ik Georges spreken?'

Die vraag leek Étienne in verlegenheid te brengen.

'Meester, Georges is al twee dagen weg. En Claude ook. Ik heb ze in de grot gezocht. Alleen hun strozakken lagen er, zelfs geen vodden...'

'Wat? En dat zeg je nu pas?'

'U vraagt er nu pas naar. Hoe dan ook, ik hoop dat ze terugkomen. Of dat ze in elk geval niet ontvoerd zijn.'

'Verdorie, Étienne! Wie voor de duivel zou ze moeten ontvoeren?'

'Weet u... In het dorp doen vreemde geruchten de ronde. Iemand schijnt een gemaskerde ridder te hebben gezien...'

'Wat een idiote praatjes!'

Een windvlaag blies door de sacristie en waaide tegen het missaal op de lessenaar, zodat de bladzijden omkrulden. Upupa profiteerde van de afleiding die de wind veroorzaakte en liet Étienne als een onnozele hals achter, waarna hij met een klap de glazen deur in zijn gezicht dichtsmeet.

74

Tyrrheense Zee, eind januari 1753

Toen hij door de patrijspoort het grote Arsenaal zag, dat zich aftekende tegen de kust, begreep Raimondo de Sangro dat ze bijna in Civitavecchia waren. Tot dan toe was de reis gladjes verlopen. Niemand stoorde hem en ze gedroegen zich allemaal alsof hij niet eens aan boord was. Twee keer per dag werden er maaltijden aan zijn lakei gegeven, die ze hem in zijn hut serveerde. Om twaalf uur 's middags, na een paar uur werken, waren de matrozen al klaar met bevoorraden en hadden ze het ruim geleegd. Nadat ze de puimsteen hadden gelost die ze eerder in Lipari hadden ingeladen, scheepten ze klipvis in die bestemd was voor een Livornese koopman. De lijfknecht bracht de prins verslag uit van een deel van een gesprek tussen meester Alfonso en twee havenambtenaren, dat hij had opgevangen. Enkele vissers hadden langs de Toscaanse kust verscheidene schepen zonder vlag gezien. En de dag ervoor was tussen Elba en de kust bij Grosseto een barbaarse galjoot gekruist, die een zojuist veroverde Genuese pink op sleeptouw had. De autoriteiten adviseerden een paar dagen te wachten op een militair konvooi dat naar Genua zou vertrekken, of op zijn minst op het gewapende fregat dat vanuit Napels op weg was naar de garnizoenen van de Bourbons in Toscane.

'En meester Alfonso?' vroeg don Raimondo ongerust.

'De kapitein antwoordde dat hij zwoer dat we de Moren niet zullen tegenkomen als we onze koers aanhouden,' besloot de lijfknecht, en terwijl hij nog aan het woord was, maakte het schip zich traag van de kade los.

'We zouden ze toch niet tegenkomen?' schreeuwde de prins.

Door zijn verrekijker verscheen nu de dreigende omtrek van een Noord-Afrikaanse galjas. Hun galjoen, dat zich nu steeds verder van Civitavecchia verwijderde, had inderdaad een langere route gekozen. Lang, maar veilig, beweerde de kapitein. Uit de informatie die hij had, bleek dat de kapers de kust van dichtbij inspecteerden. Daarom was hij om het eiland Giglio heen gevaren en zette hij koers naar de granietrotsen van Montecristo. Het ontoegankelijke eiland doemde van heel dichtbij voor hen op. Als ze er eenmaal omheen waren, zouden ze richting Pianosa en Elba gaan. Daarna zouden ze buiten de gevarenzone zijn en konden ze rustig doorvaren naar Livorno.

'Wie zouden we niet tegenkomen?' herhaalde meester Alfonso, die naar de hut kwam, zodat hij op zijn beurt kon kijken.

'Vervloekte papenvreters, mijnheer. Maar het kan zijn dat ze ons nog niet gezien hebben.'

Het barbaarse schip kwam recht op hen af.

'Dat is uitgesloten, kapitein. Hebben we wapens aan boord om ons te verdedigen?'

'Twee geweren en vier pistolen.'

'We kunnen ze moeilijk te lijf gaan met klipvissen,' grapte don Raimondo. 'Maar jullie zijn ervaren zeelui en zo snel als jullie boot zijn er maar weinig...'

'Ja, dat is waar, mijnheer. Ze is zo snel als een koets, een zeekoets.'

Sansevero keek hem verbijsterd aan. De ander bagatelliseerde de zaak, maar zijn getrainde oog zag dat de afstand tussen de twee schepen kleiner werd. Langzaam, maar onmiskenbaar.

'Ach, kapitein, op dit moment ben ik nergens meer zeker van,' riep de passagier uit en spreidde zijn armen. 'Uw boot reist snel. Maar snel genoeg? Ik hoop dat ze haar naam eer aandoet. Dat we Frankrijk als vrije mannen bereiken en niet als gevangenen in Afrika belanden!'

Zo'n twee uur bood het Napolitaanse schip het hoofd aan de achtervolgers. De fokkenmast, die sterk naar de voorsteven helde, leek naar voren te buigen om de vlucht meer kracht bij te zetten. Hij leek de zeilen aan te sporen om op te bollen en het schip onder hem tot het uiterste voort te jagen. De bemanning spande zich in als een groep bezetenen. Opgezweept door de gedecideerde bevelen van de kapitein manoeuvreerden ze, zoekend naar de juiste wind.

Iemand aan boord begon te bidden. Een ander zong of vloekte tussen zijn tanden. Alle anderen zwegen. De prins was snel wat papieren aan het beschrijven. Misschien maakte hij berekeningen. Zo nu en dan pakte hij zijn verrekijker om de situatie te bekijken, waarna hij weer begon te schrijven.

Toen meester Alfonso op de deur klopte, was don Raimondo net de horizon aan het afspeuren. Elk ander moment zou hij de kapitein hebben voorgesteld de hele lading overboord te kieperen om zo het schip lichter te maken en aan snelheid te winnen. Dan zou hij geld verloren hebben, maar wel de kansen vergroot hebben om de achtervolgers af te schudden. Hij kon toch niet zo krenterig en onnozel zijn dat hij geen gedroogde vis wilde opofferen? Maar nu was hij lange tijd stil en mompelde alleen af en toe iets. Eerst: 'Goed!' Daarna: 'Heel goed!' Ten slotte riep hij met lachende ogen uit: 'Kapitein, het geluk is werkelijk aan uw kant. De kapers gaan achter een ander schip aan, dat minder lastig is dan het onze. Kijkt u zelf maar door de verrekijker. Ziet u wel?'

'Ja, ze hebben het nu op die veel tragere tartaan gemunt. Die zal Sint-Januarius wel gestuurd hebben om ons uit de penarie te helpen.'

'Wie het ook geweest is, deze gunstige wending stelt ons in staat om verder te gaan. Laten we onze koers vervolgen naar de volgende aanlegplaats.'

75

Clisson, eind januari 1753

Weggezakt in de comfortabele bergère, met zijn benen languit terwijl de houtblokken knetterend in een fel schijnsel van levendige vlammen lagen, rekte Upupa zich uit. Reiger stond naast hem.

'Je wilde me spreken, meester?'

'Ja, maar schenk me eerst een glas cider in,' antwoordde hij bedrieglijk rustig. Hij haalde diep adem en nam een slok.

'Waar was jij in de nacht dat Perrine werd vermoord?'

'Dat weet je, in Cholet. Hoezo?'

'Niet de realiteit ontvluchten, broeder,' weersprak hij onaangedaan. 'Overschrijd de grenzen van de fantasie en ga niet op de tast leugens zoeken in de kluwen van je hersenen.'

Reiger was een flauwte nabij. Hij voelde zich net een smeltend ijsje en had zijn zenuwen niet meer in bedwang. De meester twijfelde aan hem, voor het eerst. Hij kon zich niet op tijd herstellen, want de ander vervolgde al: 'Het is heel vervelend om zo overvallen te worden. Zo in verlegenheid te raken. Het spijt me voor je. Maar je lijkt net een pop van papier-maché, gekreukt door je eigen leugens.'

De medebroeder kwam weer bij zinnen. Zelfs de angst verliet zijn lichaam. Hij boog zich iets voorover en streelde met een hand een blauwe vaas op de schoorsteenmantel.

'Ik was in Cholet, dat weet je best.'

Upupa wierp Reiger een vernietigende blik toe en pakte plotseling diens handen vast, waarbij hij zijn glas cider op het kleed liet vallen. 'Iemand heeft je twee jaar geleden in de nacht van 13 op 14 april in de tuin gezien. Een heel betrouwbaar persoon.'

'Bedankt voor het compliment, meester. Heb ik je in tien jaar tijd ooit bedrogen?' vroeg hij ontstemd en met een gekweld gezicht.

'Als je dat gedaan hebt, heb ik het niet gemerkt. Maar onthoud: de mens heeft twee kanten. Een in het volle licht, waar Apollo woont, en een in de duisternis, waar Polyphemos leeft. Jij zou, dankzij de alchemistische filosofie, die beide kanten moeten ontstijgen. Toen ik jullie bijeenriep om jullie oordeel over de moorden en de dader te geven, vond jij het wel makkelijk om alleen je mening over de beo van de smid te spuien. Daardoor had je het gevoel dat je boven elke verdenking stond!'

'Kijk goed naar me, Upupa. Mijn gezicht weerspiegelt mijn geest,' antwoordde Reiger kil en gedecideerd.

'Ja, ik zie het, Reiger. Is je gezicht volgens jou een portret van je geest, of heeft je geest je gezicht geportretteerd?'

'Denk maar wat je wilt, maar vertel eens: wie mag die betrouwbare getuige wel zijn?'

'Eerst wil ik een oprecht antwoord op de vraag, daarna zeg ik je de naam.'

Reiger draaide zich naar de open haard, kruiste zijn armen achter zijn rug en begon te lachen. Een groteske grimas op zijn hondengezicht. Daarna haalde hij adem en vroeg onstuimig, zonder nadenken: 'Vertrouw je mij, of die schooier van een Georges, die nota bene bijziend is?'

Na die fatale, overduidelijk zelfbeschuldigende woorden, rilde Upupa en keek de ander onderzoekend aan.

'Wat zeg je? O, ja, ja. Je hebt gelijk. Georges ziet niet goed van veraf. Vertrouw nooit een bijziende getuige. Ga maar, Reiger. En neem me niet kwalijk.'

'Er is niets gebeurd, meester. Ik heb weer last van migraine.' Blij dat hij weg mocht, ging hij naar boven. Naar zijn kamer.

Alleen achtergebleven kreeg de leider van de Broederschap het gevoel dat zijn leven instortte. Hij ging bij het raam staan, waar de inmiddels gesmolten sneeuw een grauw en bleek dorp had achtergelaten. Net zo bleek en grauw als zijn geest.

Aan die troosteloze natuur, waarin alles verbleekt was, vertrouwde hij toe: 'Eerst Urbain en nu Reiger. Ik kan het niet geloven, maar hij heeft zichzelf verraden. Kan het zijn dat zijn migraineaanvallen hem ertoe brengen dat hij liegt? Nee, ik moet mezelf niet voor de gek houden. Is er weer iets smerigs gerezen in mijn Broederschap? En die twee bedelaars, vinden we die met afgehakte ledematen terug?'

Hij streek met zijn vingers door zijn haar en tikte toen met de knokkel van zijn wijsvinger tegen het raam.

De lont van de kaars in de hoek was bijna verkoold, en hij zette hem goed. De kaars walmde en stonk. Hij keek ernaar met matte, omfloerste ogen waarin zilveren vonkjes schitterden, terwijl hij met zijn vingers over zijn voorhoofd wreef en aan pater Sébastien dacht.

'Al met al,' mompelde hij tussen zijn tanden door, 'vergeeft hij alle zonden. Van iedereen. Of iemand nu aan de kade blijft staan of de boot op stapt. Maar het is nog niet aan mij om absolutie te verlenen; ik moet mensen beoordelen, die het bovendien op mij gemunt hebben! En dat niet alleen. Inschatten, ontdekken, hun geest onderzoeken en de misdaden afwegen. Als Reiger liegt, zoals hij me – zonder zich ervan bewust te zijn – duidelijk heeft gemaakt, vrees ik het ergste. En ik, alleen ik heb het voortouw genomen in deze broederschap. Vertrouwend op de alchemie, die erop gericht is gebreken te overstijgen.'

Nog steeds terneergeslagen door de recente leugen stookte hij het vuur in de open haard weer op. Hij zat zichzelf in de weg, beschuldigde zichzelf van lamlendigheid en begon te ijsberen om het gevoel van verstarring van zich af te schudden. Ten slotte besloot hij: 'Verdraaid! Ik moet de strijd aanbinden met iemand die geschapen is door de projectie van talent dat ik in hem heb aangewakkerd. Ik heb te maken met een deugdzaam persoon die op het slechte pad is geraakt en daarom moeilijk te verslaan is, omdat hij in zekere zin een uitverkorene is.'

Hij liep op zijn tenen de kamer uit, alsof hij in een rouwkamer was. Hij zag zijn eigen schepping dan ook verbrokkelen, zijn geliefde Broederschap, die hem nu een in de modder gevallen ster leek. Ternauwernood wist hij een snik te onderdrukken.

76

Tyrrheense Zee, eind januari 1753

Al waren ze aan het gevaar ontsnapt, de bemanning bleef op haar qui-vive en niemand liet zijn aandacht verslappen totdat de Livornese kust in zicht kwam. Het schip kwam met gespreide vleugels de goed versterkte haven in, maar was – uiteraard – later dan verwacht. Aan wal werd het lossen nog meer vertraagd door de klipviskoopman, ene Pandemici. Met zijn zoon – een bleke, gedweeë jongen – in zijn kielzog wilde hij alle voor hem bestemde kisten een voor een controleren. Ze maakten ze met zijn tweeën open en bekeken de inhoud stuk voor stuk. Ze hielden ze tegen het licht en verifieerden de smaak, de kleur en de geur, alsof het boeken, wijn of juwelen waren. De visverkoper was arrogant, humeurig en onhandelbaar, en uit zijn kleine, waterige oogjes sprak een zekere bekrompenheid. Sansevero, expert op het gebied van fysiognomiek, zag dat hij, doordat hij zelf klipvis verkocht, op een gedroogde kabeljauw was gaan lijken. Nadat ze hadden verteld over hun vervelende ontmoeting, kwamen de matrozen erachter dat het schip dat hen gered had omdat het in hun plaats was aangevallen, uit Genua kwam. Het had in Livorno aangemeerd, was op weg naar Palermo en had een zware lading draadnagels bij zich.

77

Clisson, februari 1753

Hij herkende hem van achteren aan zijn te korte bovenlichaam en zijn benen, die zo lang waren als die van een steltloper. Zijn pij kon die fysieke kenmerken niet verhullen. Het was inderdaad Reiger die voorovergebogen de kamer van de meester binnenglipte.

Upupa bevond zich in de kamer van de overleden Patrijs. Door de deur, die op een kier stond, bespiedde hij elke beweging die de medebroeder maakte, en er gleed een wolk over zijn gezicht toen hij zag hoe diens nerveuze hand een verzegelde enveloppe op zijn schrijftafel legde. Hij sloeg zijn ogen neer, alsof hij degene was die zich moest schamen en dit soort trucjes uitvoerde. Toen hij weer opkeek, was Reiger er niet meer.

De oude man liep naar zijn schrijftafel. Hij verbrak het zegel van de envelop en haalde er het vel papier uit, waarop de letters achter elkaar aan joegen alsof ze in allerijl geschreven waren.

Hij aarzelde om te gaan lezen, misschien uit angst dat vermetele onthullingen zijn geest en hart zouden aantasten. Op dat moment probeerde hij, verloren als hij zich voelde, in zijn gedachten elke mogelijkheid af te gaan: Reiger de seriemoordenaar; Reiger de handlanger van die vervloekte Rosario; Reiger, Urbain en Prelati als medeplichtigen... Maar uiteindelijk zette hij zichzelf ertoe te gaan lezen, omdat hij begreep dat zijn angsten slechts een weerspiegeling waren van zijn trots.

Het is waar, dacht hij, terwijl hij merkte dat zijn bloed begon te koken. Het is mijn trots die me kwetsbaar maakt. Kwetsbaar, omdat het niet meevalt om mijn persoonlijke falen als pedagoog te slikken!

De missive begon als volgt: *Zoals je weet, hooggeachte meester, is mijn verleden...* Aan het eind, nadat hij een pilletje kalomel had genomen, riep hij uit: 'Gezegend zijn de zeven metalen. Gezegend is het alchemistische *opus*. Gezegend de anathor. Vervloekt zijn de aangeboren compromissen waarin onze vroegere zonden rijzen! Die ontwaken na verloop van tijd als struiken die in bloei staan en worden een stel medeplichtigen. En toch, toch werd de eerlijkheid nooit in de verleiding gebracht, omdat de onderwereld altijd ellendige misselijkheid teweegbracht.'

Na zijn raadselachtige woede-uitbarsting leek Upupa gekalmeerd. Hij boog zich zover voorover dat hij bijna dubbelgevouwen was en pakte van onder het bed een metalen kistje. Hij zette het op de schrijftafel, maakte het open en haalde er een schrift uit. Hij bladerde het door. Op een bepaalde bladzijde doopte hij zijn pen in de inktpot en schreef enkele regels. Hij deed alles weer terug in de schrijn en verborg het weer, alsof het een schat was.

Met de brief die Reiger voor hem had achtergelaten in de zak van zijn pij, en die helemaal verkreukeld was, ging hij naar de benedenverdieping en liep naar de brandende open haard. Uitgeput keek hij eerst om zich heen en gooide het vel toen in de vlammen.

78

Tyrrheense Zee, februari 1753

Het vervolg van de oversteek verliep zonder verdere incidenten en zeventien dagen na vertrek kwam de *Fortuna* eindelijk in Marseille aan. Na de formaliteiten van het ontschepen te hebben afgewikkeld, gingen de passagier en zijn lakei op zoek naar een onderkomen voor de nacht en een huurkoets voor de volgende dag. De eigenaar van de door hen gekozen herberg had een Napolitaanse opa en wrong zich in allerlei bochten om alle verzoeken van zijn gast in te willigen. Hij huurde op rekening van de prins een diligence. De voor iedereen toegankelijke, comfortabele en ruime wagen had een uitstekende ophanging en reed behoorlijk snel op een niet al te hobbelige weg. De reis van Marseille naar Nantes duurde via Toulouse en Bordeaux ongeveer twee weken.

79

Clisson, 15 februari 1753

Laat in de middag stopte er voor Upupa's huis een rijtuig dat werd voortgetrokken door twee appelschimmels. De vlakke hemel, waarin de wolken met elkaar versmolten, deed de kleuren van de natuur verbleken en liet het witte dak op de rode tonen van de muren weerkaatsen.

'Wat een weer!' zuchtte Upupa, die het boek dat hij in zijn handen had op de fauteuil legde.

Nachtegaal keek uit het raam. 'Meester, heb je geen koets horen aankomen?'

'Waar?'

'Hier. Hij staat zo'n vijf vadem bij ons vandaan.'

'En wie mag dat dan wel zijn? Ik hoop niet Badeau,' antwoordde de wijze, die vreesde voor de woede van de burgemeester.

'Ik ga naar buiten om te kijken,' zei de medebroeder prompt. Maar hij was te laat, want de dubbele klopper bonsde al op de deur. Nachtegaal deed open en zag een lakei in onberispelijke livrei. Die gaf hem met een lichte buiging een dichte, verzegelde brief. Nachtegaal haastte zich om hem aan Upupa te geven.

De boodschap, bondig en in foutloos Frans geschreven, luidde:

> Ik ben hier gekomen in opdracht van iemand die de vrede van Clisson na aan het hart ligt, om mijn hulp te bieden aan de gerespecteerde Broederschap van de Roos en de Vogels. Ik stel mijn bescheiden kennis van de koninklijke alchemie in dienst van meester Upupa. Was getekend, Raimondo de Sangro, prins van Sansevero.

'Ik ken zijn reputatie!' riep de oude man uit. 'Die prins heeft een verstand dat de kennis en intelligentie van de gemiddelde mens ruimschoots overstijgt! Nachtegaal, je moet goed begrijpen,' en hij trok hem aan zijn arm, 'dat er hier bij ons een "toetssteen" is gekomen om het goud van de goede gevoelens op de proef te stellen en het lood te onderscheiden van de verdorvenheid die zich ermee vermengt.'

'Dus ik kan tegen zijn lakei zeggen dat hij binnen mag komen?'

Maar de wijze hield hem tegen, omdat een gedachte hem bezighield en verontrustte. Hij bewoog zijn lippen ongeduldig om klanken uit te brengen, maar het lukte niet. Toen hij zijn mond weer opendeed, fluisterde hij: 'Begeleid hem naar het huis van Martin. Daar zal ik hem ontvangen voor de eerste bespreking. Ral en de andere medebroeders zijn buiten aan het patrouilleren; Sperling, Fluiter en Zwaan slapen. Tot ik dat huis uit kom, mag je niets vertellen. Denk eraan!'

Upupa rende naar het huis van Perrine, waarbij hij op mysterieuze wijze geen last had van zijn kwaaltjes of zijn krakende botten. Zijn hoofd liep om... Als de chaos de architect is van het hele criminele gebouw, dacht hij, dan is dit de toren van Babel. Wat een godsgeschenk! Een prins komt delen in ons leed. Maar wie zal hem naar ons toe gestuurd hebben?

Ze klopten aan. Nachtegaal kwam eraan en wees de weg aan dat mannetje, dat klein van stuk was, maar Goliath de baas was als het op intelligentie aankwam. Oog in oog namen de twee wijzen elkaar vorsend op.

Daarna keek Upupa met instinctief wantrouwen naar de ring met de pauselijke inscripties, maar don Raimondo stelde hem onmiddellijk gerust. Hij stortte zijn woorden een voor een, als verkwikkende waterdruppels, over zijn gastheer uit: 'Ja, hij heeft me gestuurd. Op een geheime missie. Geheim voor iedereen. Ik zal u helpen en u doet hetzelfde. Want de heilige man wil dat ik u uit drie netelige situaties red: die van het water, die van de sneeuw en ten slotte die van het zand. De laatste is de meest beangstigende. Daar zink je in weg.'

Nadat hij dat gezegd had, stuurde hij zijn lijfknecht weg, die zich in de koets terugtrok. Ook Nachtegaal ging weg. Upupa en de Sangro bleven alleen achter.

'Dus, prins, u bent hier op verzoek van de paus...'

Raimondo had besloten niets te zeggen over de depêche die hij met Benedictus XIV gelezen had, omdat hij rechtstreeks uit de mond van een van de protagonisten wilde horen wat er allemaal gebeurd was.

'Een geheim verzoek,' antwoordde hij droog. 'Maar laten we ter zake komen.'

'Ik heb u meteen naar het huis laten komen waar de eerste moord gepleegd is,' verklaarde Upupa, waarna hij hem tot in de details alles vertelde wat er gebeurd was: de koster, Bernabé, Urbain, de bedelaars, Badeau...

Don Raimondo, die op een haveloze, stoffige stoel zat, bonkte met zijn stok op de grond. 'U denkt dat de koster onschuldig is. Waarom?'

'De modus operandi van de moordenaar is te vernuftig, terwijl hij een arme, kreupele stotteraar is.'

'Ik zeg meteen dat ik hier ben om iets op te lossen; ik ben hier als detector en verlang opperste eerlijkheid en nauwkeurigheid. Wie heeft die dekselse Hilarion erbij gelapt?'

'De drie bedelaars die mij en het slachtoffer bezochten, en de jonge Bernabé de Grâce, die uitgerekend die dag in Maillezais was aangekomen. Alle vier hebben ze hem het wijsje van *Bon, bon, bon* horen fluiten. Degene die een herdersfluit heeft en altijd dat deuntje speelt is nu eenmaal Thenau.'

'De koster?'

'Inderdaad. Bovendien zijn in de tuin van huize Martin voetafdrukken van verhoogde schoenen gevonden, precies zoals die van hem. Daarbij kwam ook nog dat hij het speeldoosje van Perrine in zijn zak had. Het kostte onderafgevaardige Badeau niet veel moeite om de zaak te sluiten en de schuldige aan te wijzen. Op een presenteerblaadje aangereikt.'

'Het motief zou dus de diefstal van het speeldoosje zijn.'

'Blijkbaar.'

'En de andere misdrijven die gepleegd zijn? Waar en wanneer?' vroeg hij, terwijl hij zijn waterdichte redingote, een vondst van hemzelf, uittrok omdat die hem hinderde.

Upupa hielp hem en hing hem aan de kapstok naast de deur. Toen antwoordde hij nadenkend: 'De tweede was haar man, Beppe Talla, de smid...'

'Ah, een Italiaan!' merkte de Sangro met een grijnslachje op. 'De moordenaar maakt geen onderscheid naar nationaliteit.'

'Hij is in mijn stalling geslagen en gestikt. Iemand heeft hem in de nacht van 5 op 6 juni 1751 uit de weg geruimd. Op 5 juni is hij 's middags voor het laatst gezien door de pastoor van de Drievuldigheid. Het lijk is de elfde teruggevonden. Het derde slachtoffer, een meisje bij wie de borsten zijn geamputeerd, lag in een beerput niet ver hiervandaan. Het stoffelijk overschot, dat is onderzocht door medebroeder Sperling, bleek nog warm. Het andere meisje stierf in de hooischuur, voor de ogen van haar nichtje, het liefje van mijn laatste discipel Bernabé, alias Zwaan...'

'Niet ver bij jullie vandaan, dus,' maakte de prins zijn zin af.

'Inderdaad. En haar geslachtsdeel werd meegenomen. Na zes maanden is de misdadiger weer wakker geworden. Toen heeft hij namelijk onze medebroeder Patrijs gedood, maar van hem hebben we alleen een arm teruggevonden in het gebied tussen Clisson en Tiffauges.'

'Hoe heeft u uw medebroeder geïdentificeerd?'

'Aan de hand van de ring aan zijn vinger, die ik hem had gegeven.'

'Dat is niet voldoende. Iemand kan hem hebben afgedaan en aan de vinger van iemand anders hebben gedaan. Misschien Patrijs zelf wel...'

'Maar ook Zwaan heeft hem gezien. Uw hypothese is absurd.'

'Zodra ik het genoegen heb kennis met hem te maken, zal ik zijn getuigenis aanhoren.'

'Maar prins, Patrijs is nooit teruggekeerd. Ik ken hem door en door.'

'Is zijn lijk gevonden?'

Upupa liet een korte stilte vallen en hernam toen het woord: 'De gemeenschappelijke elementen van de laatste drie delicten zijn: onbekende hiërogliefen die in het lichaam gekerfd zijn, een genadedolk in de borst, waaraan meidoorntakjes zijn vastgemaakt...'

De Sangro stond perplex: 'Dat klinkt als de wraakneming van de heilige Vehm.'

'In de roos, prins! Daarna was er nog een slachtoffer, een onbekende vrouw, wier afgehakte hoofd twee van mijn volgelingen in de gracht rond het kasteel van Clisson hebben gevonden. Ze waren getuigen van een gesprek tussen twee doodgravers die dat hoofd vervoerden. Zo hebben ze achterhaald dat er een geheim genootschap bestaat, de tempeliers van de Dauw, dat wordt geleid door ene Rosario, een man die zijn hoofd met een gouden helm bedekt en wiens identiteit niemand kent, zelfs de leden niet.'

'Staart van Lucifer!' riep don Raimondo uit. Hij zette zijn pruik af en legde die op het tafeltje waar hij vlakbij zat. 'Meester, als ik het goed begrijp, zijn alle moorden ontdekt kort nadat ze gepleegd zijn. Hoogstens een dag later, klopt dat? Behalve de smid. Maar in elk geval altijd bij jullie in de buurt... ik zou zelfs durven zeggen, bijna vlak voor jullie neus. Vindt u dat niet vreemd?'

'In welk opzicht?'

De ogen van de prins flitsten even, alsof hij iets vervelends wilde zeggen. En inderdaad: 'Ik begrijp dat mijn opmerking schokkend kan zijn. Maar de logica brengt me ertoe de moordenaar in uw groep te zoeken.'

'En waarom zou hij het doen?'

'Bij iemand die zich vrijwillig met modder laat bespatten, kan een steekje loszitten. Het aantal beweegredenen is oneindig.'

'Maar voor de medebroeders kan ik garant staan. Ze hadden allemaal een alibi.'

Sansevero krabde aan zijn nek, schudde lichtjes zijn hoofd en vervolgde: 'Aan het begin vertelde u me onder andere over Urbain Boutier, zijn absurde brief en de baren goud die hij gestolen heeft. De intelligentie waarmee u begiftigd bent, heeft u niet doen aarzelen hem aan te geven. Klopt dat?'

'Ja.'

'Wat hij gedaan heeft en het handschrift waren voldoende om hem te verdenken?'

'Dat niet alleen. Ook de inhoud van de brief,' antwoordde Upupa met een bezorgde zucht.

'Rustig, beste Upupa. Het handschrift van Boutier kan ik vergelijken. Wat hebben de andere Vogels, het groentje niet meegeteld omdat die pas na de eerste moord in Clisson is aangekomen, voor, tijdens en na de macabere gebeurtenissen gedaan?'

80

De snel op hem afgevuurde vragen ontnamen de arme oude man zijn kracht. Raimondo merkte het. Upupa zag eruit alsof hij gebukt ging onder het scherpe gewicht van een haai, alsof hij bijna verslonden werd door de vreselijke kaken met de vlijmscherpe tanden. Daarom legde hij hem uit: 'Door uw leeftijd bent u veel wijzer dan ik. Maar wie zich voorbereidt op het oversteken van een landengte komt bij elke stap misvormde keien tegen, die op scheenbenen, schouderbladen en dijbenen lijken. Ik geef u dat voorbeeld omdat het mijn taak is – als u daar tenminste mee akkoord gaat – het skelet van een enorm karkas over te steken. Daar komt het min of meer op neer. Dus trek het u niet aan. Ik mag niets uitsluiten. Loopt u nu met me mee naar de kelder.'

De prins stond op en hield, bijna bazig, de aangestoken lantaarn boven het lelijke dressoir. Toen pas realiseerde Upupa zich dat hij zich niet verontschuldigd had voor het feit dat hij zijn gast in deze varkensstal had ontvangen, en hij stond op het punt zijn spijt te betuigen, toen de ander het al aanvoelde.

'Ik weet wat u wilt zeggen. Maar u hebt mijn goedkeuring; u hebt me zonder dralen direct naar het hol van de dood gebracht, waar onschuldig bloed schuimt. We hebben nog alle tijd en gelegenheid voor beleefdheden en goede gastvrijheid.'

Ze daalden de buigzame, verende trap af, met de scheefhangende leuning die tussen de enige kamer en het souterrain hing. Upupa wees de precieze plek aan waar Perrine was gewurgd en liet zijn reconstructie van de ingewikkelde modus operandi van de moordenaar zien. Ook beschreef hij tot in detail de vondst van het briefje dat ze in haar vuist geklemd had en waarop de Bijbelse verwensing stond.

Met een peinzende blik vroeg de prins: 'Ik zou het handschrift kunnen bestuderen, als u het briefje nog hebt.'

'Hoe zou u dat kunnen doen? Bestaat er een wetenschap om het te identificeren?' vroeg Upupa ongelovig.

'Ja en nee. Baldi, een docent natuurwetenschappen en medicijnen uit Bologna, heeft in de zestiende eeuw een verhandeling geschreven over hoe je uit een missive de aard en de eigenschappen van de schrijver kunt afleiden. Deze discipline is mijn passie geworden, zelfs zo dat ik me erin heb geperfectioneerd. Ik werd ook geprikkeld door anonieme brieven die ik herhaaldelijk kreeg in de stad waar ik woon. Zo ontdekte ik, waar mogelijk, de huichelarij van de schrijver dankzij de kinetische beweging van de hand.'

'Interessant,' merkte de oude man op, terwijl hij zijn ogen wijd opensperde en opnieuw dacht aan de onterechte beschuldigingen van de burgemeester.

Inmiddels leek zijn gast echter bevangen door een noordelijke sneeuwstorm. Sterker nog, hij leek omgeblazen te worden door een cycloon, waardoor hij naar rechts en naar links draaide boven de kleine urn die uit de vloer was gekomen. De prins sperde zijn ogen open bij het zien van de onbegrijpelijke hiërogliefen. Toen richtte hij zich, klein als hij was, op en zei: 'Vanaf hier hoor ik het gebrul uit de afgrond. Mijn beste Upupa, voelt u ook die mengeling van huiveringwekkende energieën? Ik sta hier in een geheel van de god Pan met zijn hardnekkige, aanhoudende, voortdurende schreeuw die niet zozeer uit woorden bestaat, maar eerder uit klanken...'

Upupa zag hoe zijn blik alle richtingen uit schoot om vervolgens te blijven rusten op de mysterieuze inscriptie.

'Excellentie, dat voelde ik ook toen de kelder volliep met water vanwege het zuur worden van de onderaardse bronnen, waardoor de schrijn iets omhoogkwam.'

'Goed,' vervolgde de ander, 'aangezien ik het mogelijk acht dat er na de dood een soort elektriciteit achterblijft in een lichaam, zullen we de verklaring gauw vinden.'

'Neem me niet kwalijk, dat was ik nog vergeten,' zei Upupa met een bittere glimlach. 'In de reliekschrijn heb ik drie tanden gevonden.'

'Dat verbaast me niets. Ik zie dat de lapis pas kortgeleden is afgebroken, maar het roest boven de scharnieren zit er al jaren. Hoe dan ook, het gaat erom dat deze hiërogliefen ontcijferd moeten worden. Denkt u dat ik even naar de koets kan lopen om wat dossiers te halen?'

'Ik heb geen bezwaar. Het begint wel al donker te worden.'

Don Raimondo ging naar buiten en kwam het huis weer in met een ongewone doos van marokijnleer, die was dichtgeknoopt met leren veters en aan de achterzijde was ingelegd met halfedelstenen. Hij maakte hem open en haalde er een vel papier met een aquarel uit, waarop keizer Elagabalus zich te midden van eunuchen, die geheel bezaaid waren met edelstenen, met een tiara op zijn hoofd bezighield met vrouwelijke werkzaamheden. Upupa staarde er verbijsterd naar.

'Dit neem ik, als het even kan, altijd mee omdat ik de betekenis ervan verder wil doorgronden. De bedoelingen van de kunstenaar zijn me niet helemaal duidelijk. Misschien heeft het een diepere betekenis die me ontgaat,' legde de Sangro opgewekt uit. 'Hoe dan ook, dit boekje hier is interessant voor ons. Een verzameling geheime codes die eeuwen geleden gebruikt zijn, en die opnieuw gebruikt en geverifieerd zijn door genootschappen die alle respect verdienen en door andere die in satanische riten verzeild zijn geraakt.'

De oude man had werkelijk te maken met een man die over de meest uiteenlopende hulpbronnen beschikte. Hij kon het kloppen van de bloedvaten in zijn hersenen bijna voelen. Hij wist niet meer of hij gewoon naar hem moest kijken, hem moest bewonderen of nieuwsgierig naar hem moest worden. Een microkosmos vol kracht, wil en kennis die klaarstond om van het ene op het andere moment licht in de duisternis te brengen.

De prins bladerde door de pagina's, tuurde en bereikte eindelijk verlichting. 'Hier heb ik het,' riep hij uit, vol van de emotie die alleen een ontdekking teweeg kan brengen. 'Kijk, ons geheimschrift! Het werd gebruikt door de tempeliers, maar ook door aanhangers van demonen. Mijn beste Upupa, we zullen gauw weten aan wie de urn toebehoort.'

Met een knie op de klamme grond en zijn linkerhand steunend op de andere knie vergeleek hij de hiërogliefen van het grafschrift met de tekens in het handboek.

'Goed, goed, of eigenlijk: slecht. De inscriptie luidt: *Le crâne sacré de Gilles de Rais.*'

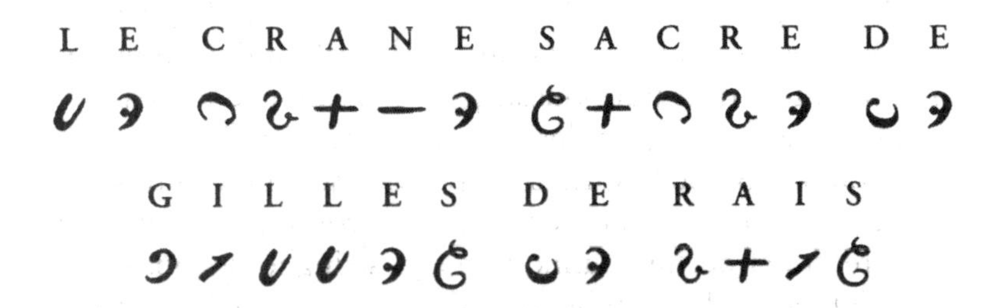

'Wat?' schreeuwde zijn gastheer geschrokken. Dus de drie tanden die ik heb gevonden, kwamen uit de schedel van de beruchte Gilles de Rais? Maar dat is onmogelijk! Die duivel, die geobsedeerd was door wellust en perfidie en zich schuldig heeft gemaakt aan honderden en nog eens honderden walgelijke misdrijven tegen kinderen, is aan de galg gehangen en in 1440 in Notre Dame des Carmes begraven!'

'Het is denkbaar dat een of andere volgeling daarna zijn hoofd eraf heeft gehaald en heeft bewaard. Misschien om het te aanbidden of om de kwaadaardige uitstraling ervan te ondergaan. Maar waarom uitgerekend hier in Clisson, in het huis van Martin?'

'We zijn hier niet al te ver bij het dorp van Rais en zijn leengoed vandaan. En ze zeggen dat er talloze onderaardse gangen bestaan die zich van daaruit eindeloos uitstrekken,' informeerde de meester hem.

'De kelder lijkt vanwege zijn rechthoekige vorm op een deel van een labyrint. Misschien sloot hij wel op een deel van die tunnels aan... Of wie weet bestaat er een verband tussen Perrine, haar man Beppe Talla en de bloedige razernij,' riep hij uit, en hij bracht zijn lange, slanke handen naar zijn gezicht om zijn ogen te bedekken.

De Sangro knikte bij zichzelf en begon met zijn knokkels op de wand achter de nis te tikken. Van laag naar hoog en van rechts naar links.

'Klinkt niet hol, maar... Een ogenblikje...' Zijn hand ging terug naar links. 'Kijk hier eens, het lijkt wel of hier iets ingemetseld is. Ziet u die rechthoekige contouren?'

Upupa zag niets, behalve de onwankelbare zelfverzekerdheid van de prins. Toen die hem om een hefboom vroeg, hoorde hij het niet.

'Meester, wilt u alstublieft die houweel daar in de hoek even pakken?'

Mechanisch pakte hij hem. De ander gaf een klap, daarna nog een en toen een derde, totdat de uitgedroogde, oude, maar klamme pleisterkalk begon te vergruizen. Bij de zoveelste klap barstte de scheur open. Een schimmellucht dreef zijn neus in, maar hij liet zich door niets van zijn koortsachtige jacht weerhouden.

In zijn groenbruine ogen fonkelden vonkjes van met ijzer geslagen koper. De Sangro maakte de opening groter en stak zijn hand erin.

'Ik ben er. We zijn er, Upupa! Een oud stuk opgerold perkament. Ik voel het met mijn vingertoppen.' Nadat hij het eruit had gehaald, las hij de verbleekte, maar nog leesbare tekst voor:

> Ter herinnering aan Perrine Martin, bezorgster van de kinderen aan Sire de Rais, vertrouwen wij al haar toekomstige nakomelingen die, vanwege hun afkomst, dezelfde familienaam dragen, het Heilige Hoofd toe van onze geliefde Magiër, de heer en meester van dit leengoed en dit kasteel.
> Ter herinnering aan Perrine Martin, die er, door tijdens het proces tegen onze Held te getuigen, in slaagde het zwarte boekje met een omslag van mensenhuid te bewaren, waarin in rood de titels en rubrieken voor het verkrijgen van de Kwintessens stonden. In naam van Perrine benoemen wij haar nakomelingen die van generatie op generatie net zo zullen heten als zij, tot bewakers van de Heilige Schedel. Ze zijn verplicht in dit onderkomen te wonen. Moge het Heilige Hoofd hen omgeven bij hun betoverende uitingen, en hun de schoonheid van uit de hemel gevallen engelen schenken.
> Was getekend, zij die hielden van degene die, net als zijn enige zoon, pure misdaad voortbracht. In het jaar van Sire de Rais, 1440.

81

Toen hij klaar was, ging de prins op de grond zitten, zonder acht te slaan op zijn edelmanskostuum. Upupa kneep zijn ogen toe en dacht weer aan de hiërogliefen die op de lijken getatoeëerd waren. De sleutel om ze te ontcijferen stond dus in het boekje dat de bedachtzame don Raimondo uit Napels had meegenomen. Eindelijk zou hij de boodschappen die dat gemaskerde monster had achtergelaten kunnen begrijpen. Toen werd hij zich ervan bewust dat de edelman op zijn hurken op de vloer bleef zitten.

'Een hoogaanzienlijk persoon als u zit zich met modder te besmeuren op de klamme, vieze en vergane vloer! Sta op, excellentie!' spoorde hij hem aan en pakte zijn arm.

'Nee. Op je hurken zitten is een kracht. Het is vaak beter om dat wat er boven ons zweeft van onderaf te bestuderen. Door ons te verheffen, maken we de helse goden ongeduldig wanneer ze hun trucjes uit de kast halen om te doen alsof ze God zijn. Ik geef de voorkeur aan deze positie om zulke vreselijke krachten niet in het harnas te jagen. Want ze hebben een beperking. Ze geloven dat wij onverschillig zijn. En onverschilligheid is in dit geval intelligentie.'

Op halfluide toon vroeg Upupa: 'Hebt u ook het gevoel dat u bekeken wordt van boven aan de trap?'

'Jazeker. Dat is een bestaande, maar wazige schaduw. Ik kan hem nog steeds waarnemen. Laten we niet bezwijken voor nieuwsgierigheid.'

'Wilt u hem niet zien?'

'Ik heb al eerder stiekem gekeken. Nu is hij verdwenen.'

'Dan is het iets tastbaars... Ik ga naar buiten om te kijken.'

Upupa snelde hijgend de trap op. Toen hij buiten stond, schreeuwde hij met het laatste restje adem dat hij nog over had: 'Nachtegaal!'

Tien minuten later ging hij weer naar binnen en trof de prins aan het tafeltje aan.

'Ik ben helemaal naar mijn huis gegaan. In de deuropening stond Nachtegaal op wacht. Door het keukenraam zag ik ons groentje, Zwaan, staan afwassen. Wie weet... Misschien stond die vervloekte Rosario ons wel te bespieden?'

'Ik heb u al gezegd,' preciseerde don Raimondo gepikeerd, 'dat ik in een post-mortemenergie geloof, niet in de materialisatie van spoken of in engeltjes met krulhaar. Natuurlijk, als u Nachtegaal bij de deur hebt zien staan en Zwaan in de keuken, konden ze niet hier zijn. En de man met de helm zou, neem ik aan, zijn eigen metalen omhulsel hebben laten rinkelen.'

'Was het dan suggestie?'

'Dat denk ik niet. Maar nu moeten we erover nadenken of Perrine Martin, die twee jaar geleden gedood is, op de hoogte was van de gebeurtenissen rondom die schedel. Of anders haar man Beppe.'

'Ze leek me geen type om zich bewust te zijn van zo'n geheim. Een goed mens... Een arme borduurster...'

'Goed,' zei de ander wrevelig, 'laten we dan het boosaardige wezen eens bekijken. Een individu, lijkend op maarschalk de Rais, aangetrokken door de schedel en onder invloed van mefitische dampen, is dit huis binnengedrongen en heeft Perrine zonder reden gedood? À propos, zijn er op haar lichaam getatoeëerde tekens aangetroffen?'

'Nee, en ook niet op dat van haar man.'

'Wat doet vermoeden dat het om een andere moordenaar gaat. En dat wil er bij mij niet in. Naar mijn mening is het een en dezelfde gek. Hij moet in hun geval een ander motief gehad hebben.'

Hier raakte hij van slag. Plotseling werd zijn gezichtsuitdrukking ernstig. Upupa bespeurde een emotie die vreemd was voor een zo zelfverzekerde man. Toen werd hij zich bewust van een zwaar gewicht in de atmosfeer om hen heen. Ze draaiden zich tegelijkertijd snel naar de deur. 'Wie is daar?' vroegen ze.

De prins sprong, zo vlug als water, naar de uitgang met de lantaarn in zijn hand. Maar buiten werd hij alleen begluurd door de maan. Hij haalde een uitschuifbaar voorwerpje uit zijn zak, een zakverrekijker die de Pruisische koning Frederik de Grote hem persoonlijk gegeven had, en keek erdoor in verschillende richtingen, tot hij ook het grote huis zag.

Hij gaf het optische instrument aan zijn gastheer en vroeg: 'Die blonde jongen, is dat Bernabé, oftewel Zwaan? Die daar in die fauteuil zit met een beest op schoot?'

'Ja, ja, dat is hem, met Cassandra, de kat.'

De prins lachte sardonisch, met de hooghartigheid die bij zijn positie paste, en zei langzaam: 'Waar komen die mysterieuze invloeden toch vandaan, waardoor onze zekerheid wordt omgezet in moedeloosheid? En ons vertrouwen in wantrouwen? De krachten waar we het eerder over hadden? Nee, dat geloof ik niet, beste Upupa. Wij, die grote kennis bezitten, hebben ogen die het kleine, het grote, het dichtbije en het verre kunnen onderscheiden. Daarom zal ik, om te voorkomen dat de van ons afkomstige geluidstrillingen via de lucht worden overgedragen, de te volgen strategie op de achterkant van dit vel papier zetten.' Hij haalde het vel uit zijn vreemde doos met de versierde rand.

'We voeren je reinste en ware oorlog tegen een menselijke vijand die van de misdaad een spelletje heeft gemaakt... We moeten hem vleugellam maken.'

Op het vel schetste Raimondo de strategie die hij voor ogen had. Van tijd tot tijd stelde hij wat vragen. 'Het toekennen van een vogelnaam aan elk lid van uw broederschap, kan dat worden teruggevoerd op de Koran, waarin koning Salomo, die de taal van de vogels kende, de rol van bemiddelaar tussen hemel en aarde vervulde? Wat ik uit uw mystiek kan opmaken, is dat er islamitische, Perzische en Indiase filosofieën in samenkomen...'

'Ik heb het neusje van de zalm eruit gekozen, in alle bescheidenheid en met respect,' legde Upupa uit. 'Jaren geleden heb ik deze Broederschap van de Roos en de Vogels gesticht. Het eerste staat voor perfectie, het tweede voor transcendentie. We verdiepen onze studie van de alchemie...'

'Ik weet dat elke ingewijde een vogelnaam aanneemt,' viel don Raimondo hem in de rede. Maar waarom geeft u uzelf een Italiaanse naam? Dat is niet gewoon aanstellerij, klopt dat?'

'Dat hebt u goed gezien. Het is mijn oprechte eerbetoon aan een ingewijde, de dichter Dante, die ons met zijn werken de ontwikkeling van het hermetisme illustreert. Alighieri maakte deel uit van de fedeli d'amore, een groep die aangesloten was bij de orde van de tempeliers. Gelukkig weten maar weinigen dat zijn fantastische elflettergrepige verzen verontrustende geheimen verborgen. Om kort te gaan, het zijn betoverende liederen van een Sirene.'

'Ik herinner me dat vader Dante bij het voltooien van zijn Grote Werk, in het Paradijs, hulp kreeg van Sint-Bernardus, dus degene die de regel van de tempelridders gedicteerd heeft. Trouwens, ik heb altijd gevonden dat de poëzie van de hoofse liefde – bezongen door de fedeli d'amore – zijn hoogtepunt bereikte op het moment waarop de tempelridders op het toppunt van hun macht kwamen.'

'Zoals de liefdeshoven in de middeleeuwen bestonden uit vogels, die hun 'vliegende' jargon spraken, herdenken wij Rozenkruisers, navolgers van de fedeli d'amore en de tempeliers, met onze naam het voorbeeld en de wil van de groten die ons voorgingen.'

'Ik begrijp het. Maar ik zou graag een knoop ontwarren die hier zit.' De prins wees op zijn voorhoofd. 'De naam Zwaan, hebt u die toevallig gekozen?'

Upupa aarzelde, trok wit weg, slikte en antwoordde: 'Nee, daar heb ik over nagedacht. Als u de jongen zou zien, met zijn mooie gelaatstrekken en zijn buitengewone intelligentie, zou ook u hem onmiddellijk "Zwaan" dopen...'

'Kom nou! U bent geen kunstenaar van het penseel, maar van de geest. Ik betwijfel dan ook of alle andere ingewijden namen hebben die te maken hebben met hun uiterlijk! Prima. Ik zal niet aandringen. Ik merk dat u erg van slag raakt.'

'Als het daarom gaat,' reageerde hij geïrriteerd, 'ik heet Upupa. En de hop eet kadavers.'

Er brak een glimlach door op het gezicht van de prins. Een brede glimlach, van oor tot oor. Een halvemaan.

'Staart van Lucifer! U hebt het niet tegen een leek! De hop was de boodschapper van Salomo. En toevallig bent u de leider van een groep vogelmannen. Kom bij mij niet met allerlei kinderachtige excuses aan. Wilt u me niet vertellen wat er aan de hand is? Dat geeft niets. Ik weet zeker dat ik uw nieuwe leerling vroeg of laat zal zien. Dan kan ik zelf beoordelen of Apollo inderdaad jaloers moet worden...'

Toen veranderde hij van onderwerp. Hij masseerde zijn voorhoofd en vroeg: 'Ik vertrouw op uw gastvrijheid, maar zou u voor vannacht een onderkomen voor mijn lijfknecht kunnen zoeken? Hij zit daarbuiten stijf te worden in de koets. Hij heet Vincenzo Fantoni en ik ben erg aan hem verknocht, omdat hij al drieëntwintig jaar bij me in dienst is. Hij volgt me overal.'

'Nachtegaal vergezelt hem wel naar taveerne De Gouden Moerbei. Het is hier maar een paar minuten vandaan. Ik kan u verzekeren...'

'Dat hoeft niet. Ik vind het prima.'

Terwijl de wijze man het huis uit liep, bleef de Sangro binnen nadenken over zijn onderzoek. Hij ging naar het kastje in de muur, pakte de houweel en ging verder met het breken van de pleisterkalk, waardoor er enkele versleten, doorweekte stellingen zichtbaar werden. Toen haalde hij er een klein boekje uit, in zestiende formaat, met een donker leren kaft zonder titel. Hij sloeg het open en las de enige beschreven bladzijde, die hij uit het Latijn vertaalde:

> De metalen hierbij, en het kwikzilver/ zul je kunnen veranderen in goud, beter misschien/ dan dat van de Natuur. En je zult ook/ levend sperma uit het menselijk lichaam kunnen halen./ Maak een mengsel van lotus en doopwater./ Pak het, snijd het en doe het in een bokaal/ of laat het in een ketel smelten tot de kwintessens./ Als ze bij leven overvallen zijn door een ziekte/ los die dan op met het gloeiende vuur.

Het was het boekje dat werd besproken op het perkament over de Martin-dynastie dat in de geheime holte zat. Het handschrift leek hem heel oud; het was krullerig en stond vol paragraaftekens. Rode letters werden afgewisseld met zwarte. Hij snuffelde aan het boek: een zware, misselijkmakende, muffe geur en iets van rotting. Hij rook nogmaals. 'Bloed,' mompelde hij.

Hij streelde de kaft. Menselijke huid? vroeg hij zich verbijsterd af.

Hij hoorde Upupa aankomen, verborg het boekje onder zijn geborduurde vest en liep de trap op. Daar deed hij alsof hij nog steeds bezig was met het schetsen van het project.

'Nachtegaal,' hoorde hij de wijze op geruststellende toon zeggen, 'is met Vincenzo meegegaan.'

De Sangro sloeg zich voor zijn hoofd. 'Verdorie!' zei hij. 'De taal. Konden jullie elkaar verstaan?'

'Jazeker. Ik spreek Italiaans. Hij zal in De Gouden Moerbei goed ontvangen worden door Raphaël, de waard.'

'Dat doet me deugd, meester. Daar ben ik blij om. Die arme man is moe, dank u dat u een slaapplaats voor hem hebt gevonden.'

82

Na ongeveer twee uur, waarin Sansevero, die zijn zware justaucorps had uitgetrokken, zijn strategische plan aan het schrijven, doorkrassen, herschrijven en lezen was geweest in het huis van Upupa, klonk er een koortsachtig, chaotisch hoefgetrappel van paarden die iets knarsends meesleepten.

De twee wijzen haastten zich naar buiten en zagen dat de koets in een stofwolk als een gek voortraasde, terwijl de appelschimmels met losse teugels, zonder koetsier, woest naar rechts en links sprongen.

Upupa slaakte een kreet. Zwaan kwam, geflankeerd door zijn moor, toesnellen om het voertuig te achtervolgen. Don Raimondo duwde de jongen opzij en sprong in het zadel. Meegesleept door zijn eigen onstuimigheid stond het paardenspan op het punt tegen een boom te botsen omdat er een wiel afbrak.

Behendig bracht de prins een van de paarden tot stilstand. Het dier viel op de trekstang, die afbrak, waarna de prins de andere schimmel bij zijn hoofd greep. Die voelde dat hij gevangen was en ging hinnikend bij zijn metgezel liggen. De treeplank met de drie treden schoot uit zijn sponning en belandde als ballast op de grond, waar hij doorrolde en te pletter sloeg.

De kast van de koets brak in tweeën. De kap buitelde de lucht in en er rolde een lichaam op de grond. Naakt, druipend van het bloed. De prins greep het vast, knielde neer en herkende zijn lakei. Diens gezicht was gefolterd door de klappen die het tijdens die dwaze rit had opgelopen en die iemand anders hem had toegediend. In zijn hart zat de genadedolk waaraan een meidoorntak was vastgemaakt. Zijn geslachtsdelen waren met een chirurgisch instrument afgesneden. Op zijn buik stonden de volgende hiërogliefen getatoeëerd:

ν + ⋕ ᘔ ϶ + ⋕

Wit weggetrokken, aangeslagen en gegriefd tilde Raimondo de Sangro het lichaam op en droeg het langzaam naar het huis van Martin. Upupa liep naar hem toe, terwijl Zwaan de voeten van het lijk vastpakte om de last te verlichten.

Ze legden het op de vloer; ze waren helemaal besmeurd met bloed.

'Hij had een vrouw en een zoon!' schold de prins tegen de maan. 'God, zeg me waarom u het Kwaad geschapen heeft! Maar heeft u dat wel geschapen? Ik geloof het niet. Hoe kan zoiets uit het Volmaakte Wezen voortkomen als Hij dat niet in zich heeft? Nee, u bent het niet geweest. Het Kwaad,' en hij keek Upupa aan, 'is een springveer die in de mens zit. Wanneer hij terugspringt, geven we de schuld aan God of aan Satan.'

Hij liep als een blinde, verward alle kanten uit zigzaggend, en de oude man spoorde hem aan het huis binnen te gaan.

'Mijn komst naar Clisson is al overschaduwd door de dood van een dierbaar persoon. Maar ik zweer je, ik bezorg het hoofd van Rosario, of hoe hij ook mag heten, zonder helm bij de koning van de duisternis.'

De wijze met de witte pij streelde hem over zijn hoofd en beval Zwaan hem een beetje eau de vie te brengen. Raimondo hield zijn handen tegen elkaar en strengelde ze ineen. Zijn gezicht was lijkbleek en ondoorgrondelijk; een spiegelbeeld van een vreemd vat vol tegenstrijdigheden, omdat hij zich enerzijds op het goede wilde richten en anderzijds gedreven werd door wraakzucht.

Upupa vond dat zijn gezicht net een fossiel leek; de ernstige uitdrukking contrasteerde met de roestige spierbewegingen, terwijl zijn gefronste wenkbrauwen het tot een vervormd masker maakten.

Zwaan bracht het heupflesje eau de vie naar de lippen van hun gast.
De prins dronk en er liepen een paar druppeltjes naar zijn mondhoeken. Daarna sprong hij overeind en vroeg aan de jongen: 'Waar is je medebroeder Nachtegaal? Vertel op, Adonis, Apollo, Narcissus. Vertel op!'
'Excellentie,' kwam Upupa tussenbeide. 'Dat weet hij niet. We moeten de weg naar De Gouden Moerbei volgen om hem te zoeken. Ook wij zijn bezorgd.'
De lucht was ongewoon en het mistte behoorlijk. De Sangro wierp een snelle blik omhoog, naar de ruimte, om de sterren die de Drie Koningen werden genoemd te kunnen zien.
Wie hen volgt, zei hij bij zichzelf, komt in de buurt van de waarheid.

Bij de beuk zagen ze een zakje bungelen. Aan hun voeten lag Nachtegaal. Zwaan tilde hem op. Hij ademde. Hij opende langzaam zijn ogen en stamelde: 'D-de man met de helm. Rosario heeft Vincenzo b-buiten westen geslagen. Toen begon hij hem harder te slaan, boven op zijn schedel, vanaf zijn paard. Hij heeft hem tegen de grond gesmeten. En t-toen ik begon te schreeuwen, sloeg hij me met zijn zandzak op mijn hoofd. Verder weet ik niets meer...'
'Ik zal je vertellen hoe die lugubere voorstelling is afgelopen,' brulde de Italiaan. 'Hij heeft zijn hart doorboord met de genadedolk. Daarna heeft hij zijn genitaliën afgesneden voor het obscene doel waar hij naar smacht.'
Tussen zijn tanden door siste hij: 'Ik heb al eens een visioen gehad van deze macabere scène. Ja. Maar ik wist niet dat het om die arme Vincenzo ging, anders...' Hij deed zijn ogen dicht en zag een beekje, als een transparant zijden lint dat in karmijnrode verf was gedoopt.
Upupa pakte hem bij de arm om hem te kalmeren. 'Hij heeft hem op zijn eigen paard naar onze koets gebracht, zoals te zien is aan de bloedvlekken en -druppels op de grond, en heeft hem naar binnen geduwd, waardoor de twee grijze paarden schichtig werden.'
'Voor het oog van iedereen!' schreeuwde de edelman.
Of nee, misschien was het geen schreeuw, maar de herrie van een valse trompet. Zijn longen waren zo uitgezet, dat het boekje dat hij in de kelder had gevonden op de grond viel. Noch hij, noch de anderen merkten het.
Zo leek het althans.
De spullen van de prins, die uit de koets waren geslingerd en her

en der verspreid lagen, werden verzameld.

Zwaan bood aan de vreemdeling te helpen zich uit te kleden, zich te wassen en op het bed in de kamer naast die van hem te gaan liggen. De medebroeders, terug van hun ronde, werden op de hoogte gebracht van de komst van Sansevero en van de nieuwe moord.

In het menselijke beest was de nevel van de laagheid, de onheilspellende, razende spanning van de misdaad weer ontwaakt.

In de oneindige, onbestemde schaduw leefde iets of iemand om te doden. Eraan voorbijgaand dat hetgeen hij doodde deel uitmaakte van zijn leven. En dat zijn leven aan die doden toebehoorde...

83

Dertien dagen na de moord zat de prins, die zijn lijfknecht in de tuin had laten begraven, met Zwaan in de bibliotheek. Het vuur in de open haard knapperde. Vonkjes dansten de schoorsteenkap in. Raimondo bekeek de boekenrekken. De bibliotheek werd veelvuldig gebruikt, dat voelde hij.

De boeken, die twee wanden vulden, stonden er duidelijk niet om esthetische redenen. De roodleren, bruinleren of perkamenten boekbanden in de kast vormden een contrast met de bewust leeg gelaten plekken, waarin de artistieke hand van een decorateur zichtbaar was. Op de schrijftafel stonden een bronzen lamp met leeuwenpoten en een kleine wereldbol. Aan de muur links hing een salonspiegel met een zware, uitgesneden houten lijst.

Zijn groenbruine ogen gleden de hele ruimte rond, tot ze bleven rusten op de veelbesproken holle ruimte, met de sleutel in het slot. De Sangro stond op en draaide het sleuteltje om. Toen de klep omlaag kwam, zag hij de zeven boeken in metaal. Zwaan keek hem nieuwsgierig aan. De atmosfeer was verzadigd van kennis en drukte op hun hoofd.

De detector kon de smaak van de gotische tempel die door de ruimte werd uitgeademd bijna op zijn lippen proeven.

Eindelijk kon de jongen iets uitbrengen.

'Heer, de meester zegt dat u alles kunt, omdat u uw geest op een bepaald punt kunt concentreren. U kunt u zo goed afsluiten dat u een droom over de werkelijkheid kunt vervangen door de werkelijkheid zelf. Ziet u dit boek?' en hij reikte hem *De viribus herbarum* van Macer Floridus.

Sansevero keek hem van onderaf aan en de jongen vervolgde: 'Ik vind het vooral leuk vanwege de poëtische recepten die erin staan en om de zeer vreemde goede eigenschappen die hij aan bepaalde planten en bloemen toeschrijft.'

'Daar ben ik blij om,' antwoordde Raimondo niet zonder zelfingenomenheid. 'Wil je soms apotheker worden? Je hebt vast wel gelezen dat je, bijvoorbeeld, rundvlees met aristolochia tegen de onderbuik van een zwangere vrouw moet leggen om te zorgen dat ze een jongetje baart. En de gemalen wortel van de pioenroos geneest vallende ziekte.'

Zwaan was gefascineerd door deze prins met zijn mooie hoofd vol opmerkelijke kennis. Hij keek toe hoe hij het boek van lood uit het geheime luik van de bibliotheek pakte, het omdraaide, het horlogeslot vond en de zin die erin gekerfd stond hardop voorlas: QUIS EST MATER QUAE PARIT FILIUM QUI PARIT MATREM EAM NECANDO?

Prompt vertaalde de jongen: 'Wie is de moeder die de zoon baart die de moeder baart door haar te doden?' En zonder de ander de kans te geven te reageren, voegde hij eraantoe: 'Dat kan niets anders zijn dan dat wat alchemisten altijd met verschillende namen aanduiden: het kwik, dat hermafrodiet is. Maar dat is ook het lood, dat wordt vertegenwoordigd door de oude Saturnus, die tweeslachtig is. Ze worden overgebracht door de dauw. Want alles lost op en stolt, maar moet worden gefixeerd door zwavel.'

De Sangro keek hem schuins aan. Verontrust.

'Upupa was jubelend over je talent. Hij heeft gelijk. Daarover valt niet te twisten. Ik hou wel van jongens als jij, die scherpe antwoorden geven. Ik heb jaren geploeterd om het alchemistische taalgebruik te herkennen en te ontcijferen. En je bent zelfs extra te prijzen, want ik neem aan dat je dit verboden boek niet gelezen hebt. Klopt dat?'

'Inderdaad. De cijfercombinaties zijn ontelbaar. En, zoals de meester beweert, de demon van het lood zit hierin opgesloten, en daar moeten we ons tegen beschermen.'

'Zeker, jongeman. Zijn naam is Antimimos en hij drijft je tot waanzin. Hij is sterker dan het gif van de cantharel... Zeg, wil je mijn nieuwsgierigheid bevredigen: heb jij Patrijs herkend aan zijn afgehakte arm?'

'De meester heeft hem geïdentificeerd door zijn ring.'

'Zou je kunnen zweren dat hij het echt was?'

'Nu ik erover nadenk, nee. Maar alle andere medebroeders waren er zeker van dat het zijn arm was.'

'Hebben jullie het lijk gezocht?'

'Eerlijk gezegd is het gewoon als vaststaand feit beschouwd. Hij zou ook gevangengenomen kunnen zijn door Rosario...'

'... of hij heeft zelf een dramatische situatie in scène gezet, om definitief het masker van de leider van de tempeliers op te kunnen zetten.'

'Dat lijkt me absurd, excellentie. Al mocht ik hem niet al te graag.'

'Waarom niet?'

'Hij keek me altijd zo vreemd aan... alsof alleen al mijn aanwezigheid hem stoorde.'

'Ik vind het onmogelijk de dood van Patrijs vast te stellen zonder andere elementen. Zijn verdwijning komt me voor als een kunstgreep om ongestoord te kunnen handelen. Kortom, ik zou zeggen dat het een brutale gefingeerde moord is.'

'Waarom ondervraagt u de andere Vogels niet, don Raimondo?'

'Dat lijkt me nutteloos, omdat ze collectief overtuigd waren. Ik wilde jouw mening horen omdat je minder bij de groep betrokken bent. Aan wie stoor je je nog meer, jongen?'

'Een beetje aan Nachtegaal. Die overdreven woordenvloed van hem lijkt soms net een rookgordijn. Veel geschreeuw en weinig wol.'

'Kun je me garanderen dat je absoluut je mond houdt over dit onderonsje?'

'Ik ben de jongste, excellentie. Ik houd me aan de regel van de kleinsten: niets zeggen.'

'Zwaan, mocht je nog iets te binnen schieten over het lijk van Patrijs, bespreek dat dan alleen met mij. Afgesproken?'

'Komt voor elkaar, don Raimondo.'

Zwaan leek een gat in de lucht te springen.

Upupa kwam de bibliotheek binnen. Moe, versleten, krom. Afgemat en gebroken van verdriet. Zijn gezicht gloeide door een koorts die fel door zijn aderen bonkte. Zijn lichaam was stram, zijn aderen waren opgezwollen. Zijn voeten sleepten over de vloer en zijn hele lijf deed pijn. De meester ging in een fauteuil zitten, wendde zich tot de jongste adept en zei: 'Ik moet met onze gast praten. Trek jij je terug op je kamer. Zeg dat ook tegen de andere medebroeders.'

De jongen gehoorzaamde.

84

Of het nu ochtend, middag of nacht was, het kasteel van Clisson koesterde altijd en hoe dan ook de duistere legenden die eromheen waren ontstaan. Het leek op een aanbouw van stenen. En hoe de zon ook scheen, het werd omhuld door ijzige kou.

Twee figuren, ieder met een eigen fakkel in de hand, lieten het licht op de bodem van de put schijnen. De een leek een replica van een lachwekkende stokvis met een driekante steek op zijn hoofd, de ander was net een buldog en praatte niet, maar blafte. Mits hij zijn prooi – bij wijze van spreken – tussen zijn tanden had of iets slechts van plan was, had hij alles wat zijn hartje begeerde. Ze waren daar om iets in de put te zoeken, God mag weten hoe.

Er was niet veel voor nodig om hun identiteit te achterhalen: Badeau en zijn voorbeeldige kanselier Barthélémy Trichet. De laatste had scherpe, turende ogen onder borstelige wenkbrauwen. Het leek wel of zijn ranzig gele gezicht geboetseerd was van kleffe pasta. Uiteindelijk bewoog hij zijn lippen en blafte: 'Ik heb u geroepen, burgemeester, omdat ik het idee had dat het gereutel van de bodem kwam.'

'Belachelijk! Even voor de duidelijkheid, ik heb genoeg op mijn bord. Hier heb ik het lichaam van die hoer, van wie de moordenaar de borsten heeft afgesneden, in laten gooien. Maar dat is al een tijdje geleden...'

'En u denkt niet dat ze weer boven is komen drijven?'

'Absoluut niet. Hoe zou dat nu kunnen; ze is verzwaard met een grote, vierkante steen...'

'Dat wist ik niet. Hoe dan ook, ik heb gereutel gehoord.'

'Reutelen de doden?'

'Dat weet je maar nooit,' antwoordde Trichet weifelend. Hij pakte een kiezelsteen van de grond en gooide die in het water.

Er was geen geluid te horen. In de diepte klonk geen echo.

'Ik denk,' barstte Badeau los, 'dat we hier al veel te lang hebben staan kletsen. We gaan terug. Vocht is slecht voor je botten.'

Ze gingen het kantoor met de zwartfluwelen panelen in en gingen aan de oude, stoffige tafel zitten. De burgemeester haalde een spel kaarten uit de la.

'Eens kijken wie er aan de beurt is,' zei hij, en hij keek de ander met zijn starre, porseleinen ogen aan.

Ze werden afgeleid door een onverstaanbare stem. Die kwam

steeds dichterbij. Mathias gooide zijn stoel in de lucht, zette de deur wijd open en zag met een stomverbaasde blik de laatste die hij had willen zien. Zo zou een dode kijken naar wat er tevoorschijn kwam door een spleet in het deksel van zijn kist...

Hilarion Thenau, lang en dun, kwam mank en zelfs glimlachend met korte, maar snelle passen naar hen toe. Bijna alsof hij hen wilde omhelzen.

'O, mijn God!' riepen ze in koor. 'De gevangene ontsnapt!'

De koster leek net een traan uit een lijkwade die tot leven was gekomen en in beweging kwam. Iemand luidde de klokken om alarm te slaan.

Thenau stond in de deuropening; zijn langwerpige gezicht vertrokken, maar stralend.

'M-mijnheer,' stotterde hij, 'mijnheer, ik b-ben bevrijd d-door de aartsengel Michaël.'

'De aartsengel?'

'Ja. Hij k-kwam en zei: "Ga naar b-b-buiten. Je b-bent onschuldig."'

De wankelende figuur stak af tegen het zonnegeel, terwijl zijn armen wiegden als twee lianen in de wind. Er viel een stilte. Alleen de afschuwwekkend sissende ademhaling van de man was te horen.

De cipier kwam, met zijn geweer in de aanslag, naar de onderafgevaardigde toe, maar die brulde: 'Dat heb je er nou van! Dit sujet had naar de galg gemoeten. Maar op bevel van mijn meerderen moest ik hem opsluiten. En nu probeert die "onschuldige" gewoon te ontsnappen!'

'Burgemeester,' interrumpeerde de bewaker, 'de cel van Thenau is opengemaakt. De deur was niet geforceerd.'

'Wie voor de duivel heeft dat gedaan?' brulde Badeau, en hij sloeg met zijn vuist op tafel, waardoor er een stofwolk opdwarrelde.

'Dat weet ik niet. De bewaker van de mannelijke cellen ligt gedrogeerd op de grond. Iemand heeft zijn sleutels afgepakt om binnen te komen.'

Ze keken allemaal naar de man, wiens rustige houding verwarrend was, omdat die in vreemd contrast stond met de spanning die hij probeerde te beheersen.

'Deze man,' oordeelde Badeau, 'moet kettingen, touwen en boeien krijgen. Ik zie geen andere oplossing, aangezien hij heeft geprobeerd te ontsnappen.' Met gefronst voorhoofd vervolgde hij: 'Hier moet Upupa achter zitten! Hij heeft het vast zelf gedaan, eigenwijs en duivels zeker van zijn eigen onschuld als hij is, of anders heeft hij zo'n ellendige volgeling van hem de gevangenis laten schenden. We gaan hem roepen! Breng hem bij me, hij zal hoe dan ook verantwoording af moeten leggen.'

'Gekkenwerk!' voegde de kanselier eraan toe. 'De deur van elke cel is gemaakt van massief, eeuwenoud eikenhout met grote spijkers. En het is die gekke alchemist vlak voor onze neus gelukt hem gewoon vlotjes met de grendel open te maken! Straf hem snel, Mathias.'

'O, reken daar maar op! Ik verander hem in een ijspegel.'

'Wat?'

'Denk maar na: een lijk is een menselijke ijspegel. Dus vroeg of laat reduceer ik hem daartoe.'

Trichet vertrok zijn gezicht tot een grimas. Hij fronste verontwaardigd zijn voorhoofd en de neusvleugels van zijn scherpe, gewelfde neus stonden strak. 'Dat meent u toch niet serieus? Er is een verschil tussen straffen en doden. Vergeet nooit wie hem beschermt! De hertog van Rohan...'

'Nee, nee, nee! Maar ik zal hem zo hard aanpakken dat hij in een stuk marmer verandert!' Badeau sloeg zijn mantel om. Hij was zo woedend dat hij het gevoel had dat zijn bloed stolde en hij elk moment een hartstilstand kon krijgen...

Zijn haat jegens Upupa was als een trepaan die, dag na dag, een stukje verder in zijn hersenen boorde. Hij kon zich er niet van bevrijden, tenzij hij hem uit zijn schedel rukte. Al met al voelde hij afgunst. En dat maakte hem nog bekrompener en meedogenlozer, waardoor hij steeds dieper wegzonk in dat afschuwelijke, geheime en venijnige gevoel.

85

'Don Raimondo,' begon Upupa, 'u hebt mijn hele huis gezien, ook het Feniksnest. De verbazing die hebt geuit, correspondeert die werkelijk met uw gevoelens?'

'Jazeker. Ik kan niet doen alsof. U beledigt me...'

'U hebt gelijk. Dat was zwak van me. Weet u hoe ik me voel, prins?'

'Moet ik me dat voorstellen?'

'Ik voel me net een leeuwerik die boven zich een wouw ziet vliegen die steeds kleinere, dodelijke cirkels maakt. Ik wil gerechtigheid.'

De prins had die zin al in zijn visioenen gehoord. Maar dat zei hij niet, en hij antwoordde: 'Daar ben ik het mee eens. Ik ben bezig licht te werpen op de misdrijven. Verlies het vertrouwen in de zaak niet,' zei hij resoluut. 'Mijn wil is vertienvoudigd na de moord op die arme Vincenzo. De moordenaar leeft niet lang meer.'

'Prins, het gaat niet goed met mij,' ging Upupa op gereserveerde toon verder. 'De misdrijven, de moord op Perrine en op uw lijfknecht drukken zwaar op me... Ik weet niet hoe lang ik nog te leven heb. Mocht ik wegvallen, dan vertrouw ik u de Broederschap toe totdat u de waarheid weet te achterhalen. U hebt alle ingewijden aangehoord. U bent op de hoogte van hun verdiensten, hun gebreken en hun kennis. U hebt u ongetwijfeld een mening gevormd. Daarom benoem ik u tot mijn vervanger, met de welverdiende naam Pauw. Overigens moet u dan ook een witte pij aantrekken. Als u zo vermomd bent, respecteert u ook de wens tot geheimhouding van de paus...'

'U vleit me door me een naam te geven die zoveel verwachtingen schept. De pauwenstaart symboliseert de voltooiing van het alchemistische werk. Maar ik moet nog zoveel leren.'

Er verscheen een spottend glimlachje op het uitgemergelde gezicht. 'Bescheidenheid past niet bij u. Maar ik praat u niet naar de mond. Voor uw drieënveertig jaar weet u al te veel.'

De prins gaf geen antwoord. Wat ging er in het hoofd van de oude man om? Een voorgevoel van zijn ophanden zijnde dood? Een natuurlijke dood, of door de hand van de vijand? Uiteindelijk stelde hij slechts de vraag die hem al een tijdje bezighield: 'Wat is uw echte naam, meester?'

De ander peinsde langdurig. Er schoten hem brokstukken te binnen uit een verleden dat allang bevroren was. In zijn hersenen tintelde al een afwijzing, maar zwijgen vond hij niet gepast. Don Raimondo was gekwalificeerd als detector! Hij zou de waarheid toch wel achterhalen. Het was beter om het maar gewoon te zeggen.

'Goed,' zei hij, terwijl hij met zijn voeten op de vloer tikte. 'Mijn naam is Godefroy de Nogaret...'

'Ach!' riep de ander vol afschuw uit. 'U stamt af van die vermaledijde Guillaume! Die schoft betuigde respect aan monstransen en hermelijnen, en predikte valsheid. En met het excuus de wonden van de Verlosser te genezen, leverde hij de oude tempeliers, de ware hoeders van de waarheid, over aan de beulen...'

'Geloof het of niet, maar ik ben hier om, eeuwen later, het verraad van Nogaret, dat leidde tot het delict dat dezelfde Kerk wenste en ook heeft uitgevoerd, goed te maken. Ik heb de hele wereld over gezworven. En door mijn denkbeelden te onderzoeken en de losse eindjes aan elkaar te knopen, heb ik virtuoze mannen en arme stakkers om me heen verzameld om, hoe onwaardig ook, in de voetsporen van de tempelridders te treden. En niet bepaald tot in het Heilige Land.'

'Een metaforische, drieste onderneming!' merkte de Sangro wrevelig op. 'En dat vertelt u uitgerekend aan mij! Ik, ik ben van universele komaf en behoor tot een beroemd geslacht... via Merovingen en Karolingen... U beweegt u op explosief terrein, Upupa.'

'Ik ken dat universele geslacht niet. Heeft het banden met de tempeliers?'

Nadenkend antwoordde de ander: 'Met hun geheim. Het is niet aan mij dat te onthullen! Maar uit uw witte haar en uw ogen spreekt oprecht idealisme. Hoe lang bestaat de Broederschap al?'

'Met de huidige leden, op Zwaan na, tien jaar. Drie jaar lang heb ik alleen met Fluiter gewerkt; hij is het oudste lid.'

'Ik begrijp het,' antwoordde hij met gefronst voorhoofd. 'Ik moet de identiteit van uw medebroeders kennen.'

'Nee. Dat druist tegen onze regels in. Dat zeg ik namens hen,' reageerde Upupa gepikeerd.

'Fraai is dat! U komt me uw dood voorspellen, vertrouwt me uw vlucht vogels toe en eist dat ik het verleden negeer!'

'Zeker. Ik zal u alleen een lijst met namen geven, maar niet van de misstappen van elk van hen. Hier komen ze: Urbain Boutier, nooit ingewijd en inmiddels verloren; Feniks, Geoffrey Worth; Buizerd, Laurent Griart; Ral, Charles Sanson; Merel, Ulysses Barré; Mus, of Sperling, Kurt Hamann; Reiger, Alonso de Paredes; Patrijs, Antoine Jeudy; Kolibrie, Nicolas Lévêque; Papegaai, Edme Dondaine; Fluiter, Thomas Foudriat; Nachtegaal, Ugolin Bossuet; Zwaan, Bernabé de Grâce.'

'Bedankt voor de opsomming,' merkte hij spottend op, 'maar juist hun leven vóór de Broederschap interesseert me...'

'U bent toch detector? Nou, zoek het dan zelf uit...'

'U maakt het me niet gemakkelijk.' De prins strekte zijn arm uit en trok de wijze man aan zijn pij. 'Nu heb ik er nog een onderzoek bij, naast dat naar de moorden. Dat is een rotstreek. Of is het een uitdaging?'

‘Geen van beide. Het verleden van iedere medebroeder is inmiddels begraven. Eenmaal Vogels geworden, zijn het... nieuwe mannen.’

‘Dat hebt u me al verteld, Upupa. Maar ik vertrouw het niet...’

‘Wanneer zou ik u dat verteld moeten hebben?’

Don Raimondo hief zijn handen in een afwijzend gebaar en zweeg. Waarom zou hij iets over zijn voorgevoelens zeggen?

De oude man stond moeizaam op. Van de stelling, van achter de boeken, pakte hij een stuk perkament waarop een bijzondere dierenriem geschetst stond. Hij rolde het uit op de schrijftafel en nodigde zijn gast uit een kijkje te nemen.

‘Goed,’ zei die. ‘Een onbegrijpelijke astrologische tekening. In plaats van de traditionele constellaties zie ik heiligen en demonen, en in het midden een groot vraagteken. Om aan te duiden dat al het goede een bijbehorend tegendeel heeft aan de andere kant? Kortom, de Broederschap van de Roos en de Vogels werpt zich op tegen de slechte tempeliers van de Dauw...’

Met zijn pen veranderde Raimondo de Sangro het vraagteken in een U, met daarnaast een B.

‘Wat betekent UB?’

‘Mijn hypothetische oplossing.’

‘Eh,’ zei Upupa, die zijn linkerwenkbrauw optrok. ‘Een raadsel in een raadsel.’ Toen vervolgde hij: ‘Ik zal er iets aan toevoegen dat niemand weet, behalve Fluiter. Er is een luik in het Feniksnest. Nadat u twintig treden bent af gegaan, staat u in een ronde kamer met een spitsbooggewelf met stijgende bogen. In het midden staan vier lage zuilen die een ciborium ondersteunen, als de pinakels die vroeger boven sarcofagen stonden. Aan de sluitsteen van het ciborium hangt een ronde koperen lantaarn met vlechtwerk...’

‘En daarmee...?’

‘Ik heb daar iets weggelegd dat ik geërfd heb, samen met een voorwerp dat ik door een gelukkig toeval in mijn bezit heb gekregen. Het heeft me drie jaar gekost het verband tussen die twee te begrijpen, en ter herinnering aan mijn ontdekking heb ik samen met Fluiter een... kerststal gebouwd.’

‘Een kerststal?’

‘Na mijn dood gaat u daarnaartoe. Beoordeelt u het nut van deze informatie maar...’

Plotsklaps onderbrak de beo de vertrouwelijkheden die de twee wijzen uitwisselden. Ze had haar ketting weer eens doorgebeten en was in het huis aan de wandel. Ze sprong op de armleuning van de fauteuil, naast Upupa, draaide vijf keer om haar as, floot schel en sprak: '*Kijk, daar is de man van universele komaf! Hij is het, dat heeft Jacques me verteld. Tot uw orders, Zeer Eerwaardige Heer Prelati. Denk eraan, Beppe. Ik heb heel veel haast!*'

De prins nam een peinzende houding aan. 'Maar ze imiteert de stem van Zwaan tot in de perfectie!'

'Ja,' zei Upupa. 'En ook die van de arme smid. U hebt hem niet gekend, daarom kon u hem niet herkennen.'

'Maar u wist niet dat ik van universele komaf ben. Dus weet ook geen van de ingewijden dat. Hoe kan de beo dan beweren: "Kijk, daar is de man van universele komaf?" We zijn hier bespied.'

'Weer door diezelfde aanwezigheid?'

'Tja. Hoe dan ook, mijn beste Upupa, ik wil graag beginnen met het grafologische onderzoek waar ik u over verteld heb,' kapte de prins het gesprek af.

De vogel bleef hen echter lastigvallen en floot een wijsje, waarop de oude man riep: 'Zwaan! Kom die kraai eens halen!'

De jongen verscheen in al zijn schoonheid. Zijn krullen, die met een strik in zijn nek waren vastgebonden, vielen weerbarstig over zijn voorhoofd.

'Hallo, jongeman,' zei de prins.

Die hartelijke begroeting trof Zwaan als een zweepslag. Hij werd rood.

De ander ging verder: 'Hoe lang heb je die vogel al?'

'Sinds de dood van de smid.'

'Je hebt hem erg goed afgericht. Hij kan een hoop...'

'Excellentie,' viel hij hem beleefd in de rede, 'Cocca – zo heet ze – leert dat zelf. Ze knaagt de ketting door en gaat aan de wandel door de kamers. Ongezien luistert ze de gesprekken af.'

'En het deuntje *Passant par Paris*, fluit jij dat?'

'Natuurlijk, wie kent het niet? Maar vanwaar al die vragen... wat heeft deze intrigante nog meer gezegd?'

'Beste jongen, haal je geen rare dingen in je hoofd. Ik ben gewoon nieuwsgierig. Ik heb overal belangstelling voor. Wil je me bijvoorbeeld dat speeldoosje dat op de schoorsteenmantel staat even geven?'

'Alstublieft, tot uw dienst.' Zwaan legde het in zijn handen.

De prins bekeek het aandachtig. Hij bewonderde het beschilderde porselein. Liet de dubbele bodem openspringen. Luisterde naar het wijsje en las toen hardop de naam van de ambachtsman. 'Paul Leschot. Die komt toch uit Nantes? Mijn vrouw heeft er zo'n twee jaar geleden eentje gekregen van de abt Nollet, de vermaarde natuurkundige en hoogleraar aan de Academie van Parijs.'

'Ah, hebt u contact met hem vanwege een van uw uitvindingen?'

'Ik noem het liever een ontdekking. Maar ik mag geen tijd verliezen aan dat onderwerp. Ik heb wel iets beters te doen.'

De woorden weergalmden door de ruimte. De jongen liep zachtjes zingend naar de trap toen de edelman hem riep: 'Hé, Zwaan, is dat het wijsje dat de koster floot?'

'Inderdaad, excellentie. Ook de drie bedelaars hebben het gehoord...'

'Je bent echt een gouden knul. De meester heeft groot gelijk dat hij je zoveel lof toezwaait. Je hebt een goed geheugen en bent precies in je getuigenissen. Je zult het ver schoppen, als je leert om overal en altijd bescheiden te zijn.'

86

Meester Upupa moest de bewaker volgen, die hem was komen halen met het bevel mee te gaan naar de gevangenis, dus liet hij de prins thuis, die hem gedag zei met de typische uitdrukking 'we zien wel', waaruit maar weer bleek in wat voor staat van fatalistische rusteloosheid hij verkeerde.

Onderweg zei de oude man geen woord. Zijn gedachten dwaalden geleidelijk af. Het kostte hem moeite de talloze gevoelens die door zijn hoofd schoten een plekje te geven. Toen hij voor Badeau stond, kon hij geen lucht meer krijgen. Wat er gebeurde was als het ware verstikkend.

'Ouwe stijfkop!' beet zijn onverzoenlijke vijand hem toe. 'U hebt uw toevlucht genomen tot lage trucjes. Die imbeciele moordenaar laten ontsnappen en mijn cipier drogeren. Maar we hebben hem alweer in de kraag gevat.'

De oude man dacht na. Eén woord te veel en het hele, hem onbekende raderwerk kon hem door God mag weten welke mangel halen.

'Mijnheer,' zei hij ten slotte, 'ik zou graag, waar u bij bent, met Hilarion praten.'

Zijn vastberadenheid werd benadrukt door zijn intonatie.

'Goed! Laat de koster binnenkomen.'

'M-meester,' stotterde die korte tijd later. Hij straalde en het kloppen van zijn oprechte hart was bijna hoorbaar. 'Sint-Michaël is geweest. Hij h-had een g-gouden aureool om zijn hoofd. Hij zei: "Ga naar b-buiten, als je onschuldig b-bent."'

'En wat deed je toen?'

'Ik b-ben meteen naar mijnheer B-badeau gerend om het hem te vertellen. Zo k-kon ik hem ervan overtuigen dat ik P-perine niet heb vermoord.'

Upupa had het door. De zogenaamde Sint-Michaël moest Rosario geweest zijn. Het stralende aureool, de gouden helm. Een vooropgezet plan om de arme Thenau definitief verdacht te maken. Toch kon de misdadiger niet geweten hebben dat de gehandicapte meteen naar zijn meedogenloze vervolger zou gaan, in plaats van te vluchten.

De wijze keek de onderafgevaardigde en de kanselier aan, met wie hij een verbale strijd aan moest gaan. Nadat hij even zijn ogen ten hemel had geslagen, zei hij: 'Ik wil uw aandacht vestigen op iets vreemds. Als de gevangene echt van plan was geweest te vluchten, zou hij niet eerst naar u zijn gekomen, maar had hij direct het hazenpad gekozen. Misschien had hij bescherming gezocht, maar zeker niet onder de vleugels van degene die hem schuldig achtte.'

'Nee, nee, hooggeachte vogelleider! U hebt het mis. U bouwt luchtkastelen. Ik acht u schuldig aan het drogeren van de cipier, om cel nummer vijf te kunnen openen.'

'Met welk doel? Wanneer en hoe zou ik dat gedaan hebben?'

'Niet u persoonlijk. Een van uw maatjes.'

De cipier was bijgekomen uit zijn roes en kwam bij hen staan.

'Ik kan getuigen, dat zweer ik voor God, dat ik niemand naar de gevangenis heb zien komen. Ik vond een fles wijn op het terras, onder het kijkgaatje. Omdat ik dacht dat het een geschenk was van u, mijnheer Badeau, heb ik hem gepakt en leeggedronken. Ziet u, uren op wacht staan in dat hok, want zo kunnen we het wel noemen, is erger dan opgesloten zitten. Daarna werden mijn oogleden zwaar. Maar al was ik verdoofd, ik hoorde wel wat kelig uitgesproken woorden.'

'Wat werd er gezegd?'

'Ik ben Sint-Michaël en ik kom de onschuldige bevrijden.'

'Heb je niets gezien?' vroeg de kanselier.

'Nee, ik hoorde alleen het knarsen van het slot en de grendel. Het leek een vreugdekreet van de gevangenis, omdat hij een ellendeling bevrijdde.'

'Begin jij nou ook al met die poëzie, vervloekte zuiplap!' schreeuwde Badeau met gefronst voorhoofd, schuimbekkend van nijd.

'Ik wil mijn baan niet kwijt, maar ik vertel de waarheid.'

'De gevangene moet weer achter slot en grendel!' brieste hij. 'En u, Upupa, prent maar in uw hoofd dat ik u en die vlucht vogels waar u de leiding over hebt, in de gaten laat houden. Dit had u niet moeten doen!'

'Wat een onzinnige houding is dat,' antwoordde Upupa met pijnlijke, verstijfde botten. 'U blijft maar ongefundeerde meningen spuien. U achtervolgt me steeds met onnodige verbetenheid. Zoek die zogenaamde Sint-Michaël maar ergens anders!'

De oude man besteeg langzaam zijn paard weer en dacht na over dat absurde verzinsel van – dat wist hij zeker – Rosario. Die om onbekende redenen van plan was Hilaron Thenau uit de gevangenis naar de galg te krijgen. De moedeloze Upupa bekroop het gevoel dat zijn hoofd vastgeklemd zat tussen een gevangenis en een kerkhof.

Toen hij thuiskwam, leek hij verloren in de leegte. Zijn enige hoop was de prins, dat voelde hij met een trillende zekerheid diep vanbinnen. Dankzij diens hulp zou de afslachting ophouden. De Sangro wachtte het juiste moment af om in te grijpen. Hij moest verschillende bruikbare hypothesen in zijn hoofd hebben, maar wilde onweerlegbaar bewijs.

Hij wist het, hij was er zeker van: Sansevero was het kopergroen al van de ijzeren helm aan het afkrabben, terwijl hij het smeltpunt van de gouden zocht. Laffe metalen, die op het punt stonden vernietigd te worden door de alchemistische edelmetalen.

'Maar ik,' zei hij gekweld bij zichzelf, 'ik ben er nog niet in geslaagd het vermoeden tastbaar te maken dat ik, jammer genoeg, in mijn hoofd heb. Hij, don Raimondo, zal het concreet maken!'

87

De Sangro, die op de hoogte was gebracht van de schokkende gebeurtenissen, stelde zijn grafologische onderzoek uit en vond het nuttiger om eerst de koster te gaan ondervragen. Er gonsde een gedachte door zijn hoofd waar hij zijn vinger niet op kon leggen.

Sperling was aan de beurt om hem naar het kasteel te begeleiden. Nadat hij de cipier geld had gegeven, mocht don Raimondo alleen naar binnen in cel nummer vijf, zodat hij oog in oog met Hilarion Thenau kon staan. Voor de gelegenheid had hij een witte pij aangetrokken, opdat Hilarion niet te verlegen zou worden.

Hij vond hem ineengehurkt op de vloer, met zijn schouders tegen de muur met gaten erin, onder het raampje waar één zonnestraal doorheen priemde, die op zijn unieke, gehandicapte hoofd scheen, dat groot was en aan de linkerkant vol bobbels zat. Denkend aan alle kwaaltjes waar de arme man mee opgezadeld was, kreeg de prins medelijden en pakte hij hem geruststellend bij de hand.

'Sta op,' spoorde hij hem zachtjes aan. 'Upupa heeft me gestuurd. Ik zal je geen kwaad doen. Ik ben gekomen om met je over muziek te praten.'

'M-muziek?' mompelde de lange, magere Hilarion.

'Ja. De vrome meester wil je deze nieuwe herdersfluit schenken,' en hij diepte hem op uit de zak van zijn pij. 'Je hoeft niet bang voor me te zijn. Want ik geloof niet dat je Perrine gedood hebt.'

'D-dat is waar, ik heb niets gedaan. Ik heb alleen het sp-speeldoosje gepakt. D-dat heb ik in de t-tuin gevonden. D-dat weet ook Sint-Michaël.'

'Trouwens, tinkelde het aureool van de heilige, net als belletjes?'

'Ja. D-dat klopt.'

'Laten we even terugkomen op de muziek. Beste Thenau, speel je liedje eens helemaal voor me.'

'Goed. Ik k-ken het op mijn d-duimpje.'

'Goed dan, speel het maar!' moedigde hij hem aan met felle ogen; het waren net gloeiende kooltjes.

De koster was gelukkig en tevreden, omdat het geloof hem na zo'n lange tijd in eenzaamheid een verdovingsinjectie had gegeven met het persoonlijke bezoek van de aartsengel. En nu was die aardige vriend van de meester bij hem.

De vijfentwintigjarige stotteraar beschouwde dat verzoek als dé gelegenheid om een exclusief optreden te verzorgen. Dus drukte hij zijn lippen tegen het mondstuk en begon wat valse noten uit te stoten.

Toen hield hij op, sperde zijn ogen open en staarde de edelman aan. Hij nam hem verbijsterd op. Don Raimondo had de foute opeenvolging van noten gehoord en speurde perplex zijn hersenen af.

Staart van Lucifer, dacht hij. Re, mi, fa, fa, mi...

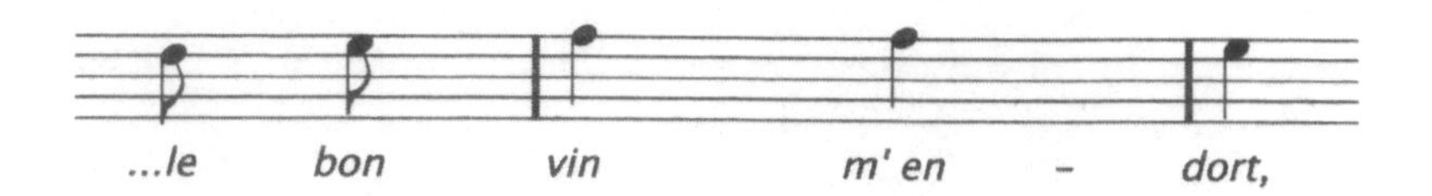

En hij fluit: re, mi, fa, fa kruis, sol kruis...

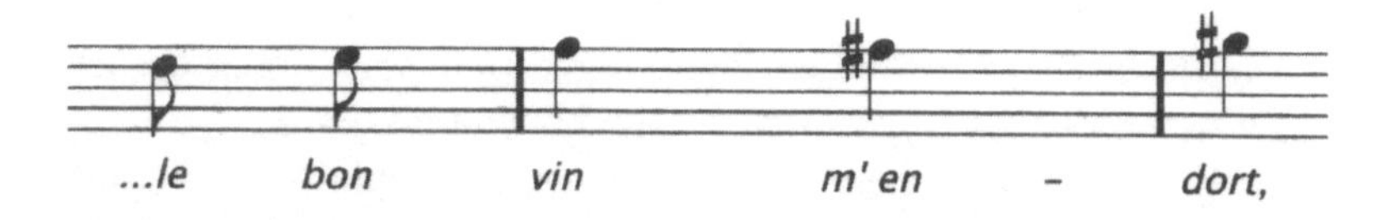

Ongeneeslijk, die arme jongen! Maar zijn hersenen mogen dan traag zijn door zijn aandoening, er is iemand nog imbecieler dan hij.

'Kom op, ga door!'

Thenau begon van voor af aan.

'Niet daar. Begin weer bij het punt waar je was opgehouden. Toe. *L'amour me réveille encore* en dan... hoe gaat het verder?'

'D-dat is alles wat ik weet.'

Geduldig ging de prins verder: 'Hier is de nieuwe fluit. Als je het wijsje speelt, is hij van jou...'

Hilarion protesteerde met teleurgestelde blik en een bedrukt gezicht: 'Hoe m-moet dat? Ik k-ken alleen d-dit stukje.' Weer floot hij, en weer was het: *Bon, bon, bon/ le bon vin m'endort/ l'amour me réveille/ le bon vin m'endort/ l'amour me réveille encore*, om daarna weer in wanhoop te vervallen. Het leek net of hij in een holletje was gekropen. Bedekt met zijn eigen mentale traagheid. Don Raimondo gaf zich niet gewonnen, al stroomde hij over van tederheid. Om elke twijfel weg te nemen, zei hij: 'Doe me na. Ik zing het helemaal voor. Jij luistert en herhaalt het!' Hij liet hem het begeerde instrument zien.

'Luister naar me, Hilarion! *Passant par Paris/ vidant la bouteille/ passant par Paris vidant la bouteille/ un de mes amis/ me dit à l'oreille./ Bon, bon, bon/ le bon vin m'endort/ l'amour me réveille/ le bon vin m'endort/ l'amour me réveille encore./ Un de mes amis/ me dit à l'oreille/ un de mes amis/ me dit à l'oreille/ Jean, prends garde à toi/ on courtise ta belle...*'

Thenau zette zijn lippen op het spleetje. Hij floot. Niets.

'Het lukt n-niet!' klaagde hij.

'Niet opgeven!'

Met frisse moed begon de gevangene weer bij het begin. Hij floot de gebruikelijke vijf verzen van het refrein en verder niets. Hij stond te trillen op zijn benen, als een poppetje op een springveer. Hij keek naar zijn eigen schaduw, gleed weg met zijn verhoogde schoen en al zijn zenuwen verslapten. Uiteindelijk liet hij zich dromerig op de grond zakken.

De prins liep naar hem toe en pakte troostend zijn hand.

'Ik snap het. Je fluit niet het hele liedje, omdat je dat niet kunt. Je speelt vals en je kunt het niet onthouden... Rustig maar, je krijgt de fluit evengoed wel. Maar wacht. Doe me nog één plezier. Zeg eens: heb jij iemand in de tuin van Martin gezien?'

'N-nee. Alleen Sint-Michaël met de b-baard. Maar ik heb op de Bijbel gezworen dat ik het t-tegen niemand zou zeggen. N-nu helpt hij me niet meer.'

'Stil maar, ik ben een vriend van de aartsengel,' antwoordde Raimondo bemoedigend. Toen riep hij de cipier en stak hem nog een muntstuk toe. 'Wilt u alstublieft een tafeltje en papier, inkt en een pen naar cel vijf brengen?' Hij werd op zijn wenken bediend dankzij de geur van dat metaal...

De prins wendde zich nogmaals tot de arme Hilarion, wiens gezicht – gezwollen door de tranen – werd verlicht door die ene zonnestraal.

'Ik weet dat je kunt schrijven,' zei hij op hoogdravende toon. 'Hier heb je alles wat je nodig hebt. Schrijf maar op wat je wilt.'

Hij schreef. Slecht, maar hij schreef: *Ik heb Perine niet vermoort. Het speeldoosje lach in de tuin.*

'Heel goed, heel goed. Hierdoor kom je uit de gevangenis!' Hij wapperde met het papiertje voor zijn neus.

'Wanneer, m-meester?'

Het antwoord was raadselachtig. Overigens sprak de prins tegen zichzelf: 'Wanneer de bloeiende struik afbreekt in het zonlicht. Wanneer de rook van het kwaad, die de schuld vergezelt, te verstikkend wordt voor het geweten. Wanneer de duivel misselijk wordt van zijn eigen hel.'

Sperling, die zich ongerust maakte omdat de prins zo lang wegbleef, wachtte hem buiten de cel op.

'Alles in orde, excellentie?'

'Stomkop, noem me Pauw! Wil je dat ze erachter komen wie ik ben?'

'O ja, neem me niet kwalijk.'

'Laten we het recht voor zijn raap zeggen, Sperling. Het was zeker niet die stotteraar die *Passant par Paris* floot toen de eerste moord werd gepleegd.'

'Ja, Upupa heeft altijd volgehouden dat hij onschuldig is.'

'Maar zijn intuïtie is niet genoeg. Zeg eens, als je het tenminste weet... zeiden die drie bedelaars en Bernabé destijds dat ze dat hele wijsje hadden horen fluiten, en zuiver? Met coupletten en refrein en al?'

'Jazeker. Hoezo, klopt dat niet?'

'Die arme drommel met zijn lange, magere lijf en zijn gebutste hoofd, wat duidt op mentale leegte, kent amper de vijf regels van het refrein en speelt die nog vals ook! Degene die zich voor hem uitgaf, was niet op de hoogte van dat kleine detail. In de machiavellistische ingenieusheid van de moord heeft hij Hilarion overschat. Die kan het hele liedje niet foutloos spelen en zal dat ook nooit kunnen.'

'Pauw, waarom zei je dat iemand zich voor hem uitgaf?'

'Dat lijkt me duidelijk. Iemand anders heeft in zijn plaats gefloten. Met als enige doel de verdenking op Thenau te schuiven. Beste Sperling, de deur van het raadsel gaat langzaam op een kier staan. Als iemand zich verlaat op zijn eigen zekerheid, vergeet hij soms dat hij op een hellend vlak staat. Als hij daar te lang blijft, raakt hij aan het wankelen.'

'Maar waarom wilde Rosario, of iemand die in zijn opdracht handelde, Hilarion laten ontkomen?'

'Twee hypothesen in een: om zijn schuld te bevestigen en Upupa de ontsnapping in de schoenen te schuiven. Twee duiven met één tuinboon, Staart van Lucifer!...'

88

Opgemonterd door de ontdekking van de prins liet Upupa in het laboratorium het tafeltje met mineralen en metalen vrijmaken, waarbij hij de schriftelijke verzoeken van de medebroeders, vier verschillende vergrootglazen en het doosje sigaren op de plank liet liggen. Plus drie potten blauwe, rode en groene inkt, pennen en witte vellen papier.

Twee ronde lantaarns met vlechtwerk verspreidden het licht gelijkmatig. Sansevero was van plan aan zijn onderzoek naar de handschriften te beginnen en wilde alleen worden gelaten. De aanwezigheid van anderen zou hem irriteren en hem uit zijn concentratie halen. Hij ging aan tafel zitten, maar verzocht ook om een kaars. Upupa keek hem verbaasd aan.

'Ja, meester,' zei hij voortvarend. Ik heb wat talg nodig. Dat kan fungeren als ster. Ik kan zo'n onderzoek niet zomaar in elkaar flansen. U komt weer binnen zodra ik zeker weet dat ik de muilkorf van het monster dat om ons heen op de loer ligt, heb afgerukt.'

'Neem me niet kwalijk, maar ik wil het graag begrijpen. Denkt u dat we een vervalser in ons midden hebben?'

'Ik sluit niets uit. In de eerste plaats wil ik me ervan verzekeren dat het walgelijke briefje dat in de hand van Perrine is gestopt werkelijk door de koster is geschreven. Op dit moment zijn mijn gedachten een duizelingwekkende wervelwind van vermoedens en hypothesen. Als een kind dat elk moment geboren kan worden. In mijn geval is echter geen vroedvrouw nodig. Ik moet weten of iemand van jullie kan vervellen.'

'Vervellen? Hoe bedoelt u?'

'Of zich hier een slang schuilhoudt...'

'Meent u dat serieus?'

'Jazeker. Wanneer we handschriften vergelijken, zijn zelfs bekenden van de schrijver niet uitgesloten. Daarom heb ik u gevraagd of elke ingewijde iets over zichzelf wilde opschrijven. Het spijt me dat ik u met de realiteit confronteer. Laat u me alstublieft alleen met deze paperassen. In het leven verwachten we iets, ondanks onszelf. U zult de eerste en de enige zijn die ik roep als ik klaar ben met het vergelijken van de briefjes.

'Dat is goed,' zei Upupa. 'Ook dit keer zal het wachten me afmatten.'

Aan zijn kruk gekluisterd legde de prins de papieren op drie stapeltjes naast elkaar. Vier op elke rij. Ernaast de Bijbelse vervloeking die Perrine in haar hand had gehouden en de brief die Boutier aan haar gegeven had. Daaronder, opengeslagen, de verhandeling van Baldi en een boekje met zijn eigen aantekeningen.

In het zesde hoofdstuk van de arts uit Bologna las hij:

> Verschillende personen schrijven verschillend en ieder heeft in zijn karakter een bepaalde eigenschap waardoor zijn handschrift anders is dan dat van anderen, elke keer, en dat kan niet worden verhuld.

Hij legde het blad waarop Hilarion in zijn bijzijn een paar woorden had geschreven: 'Hier zie ik een onbeholpen, moeilijke en trage hand. Het geschrevene is inderdaad langzaam en grof, en laat mentale instabiliteit zien, wat blijkt uit het onzekere handschrift, de foute woorden (afgezien van de grammaticale blunders) en de manier waarop de pen na elke letter van het papier wordt gehaald. Hij gaat eerder op zijn gevoel af dan op zijn verstand. Vanzelfsprekend! Hij heeft geen verstand,' en hij wreef zich de handen om de rode inkt eraf te halen, waarmee hij enkele woorden had onderstreept en van een asterisk voorzien.

Hij nam het vel met de Bijbelse vervloeking die de dode vrouw in haar vuist had gehad. Hij bekeek het en keerde het om. Daarna pakte hij een vergrootglas en ploos elke letter na met de nauwgezetheid van een mier die geheel in beslag wordt genomen door het kruimeltje dat hij naar het mierennest brengt. Hij bekeek de interpunctie en de manier waarop het geschrevene naar rechts helde.

'O, nee! Mij houd je niet voor de gek, onwetende huichelaar,' zei hij. 'Het handschrift is snel en tegelijkertijd geforceerd. Bij deze r probeer je die van jezelf te veranderen. Je hebt inkt toegevoegd aan het bovenste streepje, om er een blokletter van te maken. In deze paar regels vervang je drie a's door een typische, schuine, ovale vorm en daarna vergeet je er twee, die op de Griekse á lijken. Je maakt de t met twee gekruiste streepjes...'

t

'... en daarna vergeet je de t te veranderen en maak je hem met een soort hoedje dat doet denken aan het symbool van oneindigheid!'

Hij rekte zich uit op zijn kruk. Hij legde het vergrootglas neer en glimlachte. De uitvoerige toepassing van de kunst om dit handschrift uit te pluizen en te kortwieken wierp haar vruchten af... want er kwamen heel wat vergrijpen aan het licht!

Hij ging verder met zijn onderzoek.

'Terwijl de regels van Hilarion grof en wiebelig zijn, is de vervloeking een tekst die eenduidig overkomt. In werkelijkheid wordt de helling naar rechts verhuld en vertoont het geschrevene veel streepjes en een verticale hoek. Op dit moment kan ik nog geen uitspraak doen over de aard van de schrijver en of die opvliegend is. Het is hoe dan ook een ontwikkeld persoon...

Dan gaan we naar de wrede brief die Urbain Boutier aan zijn moeder heeft geschreven. Als ik die vergelijk met het briefje dat ik net heb onderzocht, heeft het daar niets mee gemeen. De manier waarop de letters worden geïnkt is anders door de grotere of kleinere hoeveelheid inkt die door de pen wordt opgenomen. Misschien duidt de schrijfsnelheid op haast. De streepjes van de t, die een kruis vormen, wijzen op ambitie en een neiging tot ruziemaken...

Nu leg ik deze brief naast een andere bladzijde die Boutier geschreven heeft en waarop hij het cinnaber beschrijft. Op het eerste gezicht lijken ze gelijk. Alleen is er een maar...'

Hij hield op om in zijn ogen te kunnen wrijven. Hij haalde zijn zakdoek uit zijn broekzak, vouwde hem open en snoot bijna toeterend zijn neus, alsof hij zo de ideeën naar buiten wilde laten komen. Hij hoestte en nieste nerveus, pakte de lange brief van Urbain weer en hield het vergrootglas boven de rechterkant van het papier. Hij sloeg zich met zijn handpalm op zijn voorhoofd, waardoor het leek alsof hij de radertjes van zijn hersenen in werking zette.

Het gemiauw van de kat leidde hem af.

'Stil!' zei hij. Vervolgens begon hij haar toe te vertrouwen wat hij had ontdekt. 'Snap je waarom je stil moet zijn, grote kat? Ik heb bewijzen van vervalsing gevonden. In deze brief, die de jonge Boutier aan zijn moeder heeft geschreven, staan vier a's en drie t's...'

t

'... die identiek zijn aan die op het briefje dat Perrine Martin in haar vuist had.

En dat is nog niet alles... Kijk eens naar de naam Henri Bertrand... Staart van Lucifer! De schrijver heeft een hoofdletter h gemaakt met een omega in het midden!'

H

'Het riekt naar kerkelijke verluchte codices. Urbain, een vlegel die bladzijden van kopiisten bestudeert? Al zou ik het met eigen ogen zien, dan nog zou ik het niet geloven!'

Hij krabde aan zijn nek. Hij nam een sigaar uit de doos op tafel, beet er met zijn grote tanden de punt van af en spuwde die op de grond. Hij stak hem aan met de vlam van de kaars en begon de lucht te vervuilen.

'Cassandra, niet bewegen!' beval hij, terwijl hij zelf op zijn kruk bewoog en de kat op het tafeltje zat. 'Begrijp je wat we ontdekt hebben? Het briefje dat de dode in haar hand had, is geschreven door dezelfde persoon die het handschrift van Urbain heeft geïmiteerd in de brief aan de moeder. Dat wijkt af van de originele tekst, waarin alle a's min of meer gelijk zijn en bruusk axiaal afbuigen naar de naburige letters...

Bovendien staat er nergens een blokletter r in en ook geen t met een hoedje.'

t

'Kijk.' Hij pakte het verslag over het cinnaber. 'Hier staan wat achterover hellende regels, waarin de assen van de letters naar links buigen. Boutier is niet homogeen, maar spontaan. Dus wie is de vervalser?'

89

De rookkringeltjes namen ronde vormen aan, die de bedompte lucht in dreven. Raimondo deed zijn as in de kleine vijzel en drukte zijn sigaar uit, die bijna op was. Hij pakte een ander vel papier, dat beschreven was door Ral. Hij bestudeerde het nauwgezet. De letters leken hem niet goed afgewerkt, wat duidde op een wat moeizame communicatie. Sperling beoordeelde hij daarentegen als scherp, helder en precies. De tekst van Feniks was kort en rechttoe, rechtaan: hij was dus een pietje-precies met een goed geheugen, in tegenstelling tot Nachtegaal. Door de overdaad aan tekst liet hij juist zijn neiging tot breedsprakigheid en uitstelgedrag doorschemeren.

Eén handschrift maakte hem in het bijzonder nieuwsgierig vanwege het laatste streepje van de letters, dat naar linksonder liep en waaraan een haakje zat. Het was van Papegaai: voorzichtig, terughoudend, te beheerst in zijn gevoelens.

Fluiter schreef excentriek; zijn letters waren nu eens hoog en dan weer laag. Hij was dus levendig en rusteloos van aard. Reiger was traag, gesloten en gereserveerd: iemand die veel piekerde en onvoorspelbaar was in het trekken van conclusies.

Plechtig, hooghartig, verheven en pompeus: dat was Buizerd. 'Een tikkeltje aan de ambitieuze kant, die jongen!' riep de prins uit en wierp Cassandra een sarcastisch glimlachje toe. Maar de kat lag erbij als een sfinx en leek verzonken in eindeloze dromen.

'En voilà, het handschrift van Zwaan! We zien zijn intelligentie, die door Upupa zo de hemel in is geprezen. Eh... neergaande markante bewegingen en opwaartse zachte streken. "Groot gemaakte" leestekens, met vlekjes langs de randen. Pauzes tussen de letters... Hij wil heel graag domineren. Heeft een levendige, intuïtieve intelligentie. Die g met de dubbele buik maakt me nieuwsgierig.'

g

'Die duidt op seksualiteit... Een fraai type!

Merel is helemaal kromlijnig. Hij helt eerst naar links en gaat dan weer terug naar rechts. Hij moet heel uitbundig en trots zijn. Kolibrie helt daarentegen naar rechts. Hij past zich snel aan, maar vanwege zijn pessimisme wil hij aandacht en aanmoediging.'

Na deze afwegingen stond hij op het punt Upupa, als teken van respect, achterwege te laten. Toen bedacht hij zich. 'Ik heb gezegd: iedereen! Dus dat doe ik ook.'

Hij pakte het vel papier en constateerde dat de oude wijze man problemen met zijn gezichtsvermogen moest hebben. Misschien grauwe staar? Het lukte hem niet om recht te schrijven. Aan het eind stonden de woorden over elkaar heen. Toch bleek uit het geheel een oplettende, beschouwende intelligentie. Orde en discipline waren kenmerkend voor de schrijver.

Hij stak een tweede sigaar op. Hij las zijn aantekeningen over. De poes spinde met bijna komische intonatie. Don Raimondo liet zich meevoeren door zijn afdwalende gedachten. Hij dacht weer aan de paus en de belofte die hij hem had gedaan. Aan zijn familie. Aan zijn lijfknecht, die op onvoorstelbare wijze gedood was. Aan de vervalser, wiens profiel nu bijna duidelijk was. Aan de problematische situatie waarin hij zich bevond. Hij dacht na over zijn nieuwe rol als detector.

Zal ik die aan mijn grafschrift toevoegen? vroeg hij zich spottend af. Dat zou origineel zijn. Maar dan zou hij de gipsmal met het negatief van de tekst opnieuw moeten maken... Nee, te veel werk. Nou! Er zijn vier uren verstreken, merkte hij op, nadat hij uit zijn elegante gilet zijn horloge met drie automaten, die de kwartieren aangaven, tevoorschijn had gehaald. Ik moet de vrome Upupa binnen laten komen. Die zal wel op hete kolen zitten...

Hij drukte de sigaar uit in de vijzel, door hem met de stamper te pletten, en aaide Cassandra, die wakker schrok en als een haas van het tafeltje af schoot om zich op de plank te verschansen, waarbij ze twee spiraalbuisjes op de grond stootte.

90

Toen hij de deur open hoorde gaan, schrok Upupa op. Hij had het idee dat het licht en de duisternis met elkaar communiceerden. Raimondo de Sangro nodigde hem uit het laboratorium binnen te gaan. Alleen hij en niemand anders. Hij liet hem op de kruk zitten en ging achter hem staan om hem alles uit de doeken te doen. Toen trok hij er een andere kruk bij en ging naast hem zitten, alsof hij in de biechtstoel zat.

De oude man leek koortsig. Een angst van onbekende aard was door het zwakke punt in zijn pantser gedrongen. De prins beurde hem op door een hand op zijn schouder te leggen. Ze spraken ruim twee uur zachtjes met elkaar. Soms fluisterde de een iets in het oor van de ander. En andersom. Af en toe draaiden ze zich om, om zich ervan te verzekeren dat ze alleen waren. Het gezicht van de meester leek verwrongen van angst.

Hij stond op en vroeg zijn gast hem te volgen naar de kruidenkast. De prins zag er potjes, kannen, flesjes, apothekerspotten en ampullen... Zijn ogen vielen op een doos en hij richtte zijn groenbruine ogen vragend op de waterblauwe kijkers van Upupa, die knikte.

De overdracht van een of ander geheim? De wisseling van de getuige?

Er was niemand aanwezig, niemand hoorde het. Hun stemmen leken echter niet uit hun mond te komen. En ook niet uit hun buik, zoals bij buiksprekers. Toen ze terugkeerden in de bibliotheek, zat de kleine gemeenschap ongeduldig te wachten. Iedereen keek naar de prins.

Die begon met: 'Goed...'

Dat was voldoende om hen eensgezind te laten opschrikken, alsof er een rotsblok op hun maag lag. Hij vertrok geen spier, trok zijn jabot met blauwe en gouden stroken recht en ging verder.

'Goed, Vogelbroeders, gezien jullie geestestoestand wil ik jullie, met toestemming van Upupa, ieder wat sigaren geven. Dat is geen provocatie. Integendeel, met dit gebaar wil ik de spanning wegnemen die jullie geest teistert. Roken kan bij tijd en wijle bevrijdend zijn. Jullie vinden ze op jullie kamer.'

Het groepje sprong weer op, maar don Raimondo had het woord alweer genomen: 'Uit mijn onderzoek is onweerlegbaar naar voren gekomen dat Hilarion Thenau in de problemen is gekomen door een liedje dat hij niet op de herdersfluit kan spelen; niet foutloos en niet in zijn geheel. Om de verdenking op hem te schuiven, heeft iemand zijn plaats ingenomen, zonder op de hoogte te zijn van dat detail. Hij heeft het briefje met de vervloeking, dat in Perrine Martins hand zat, niet geschreven. Zoals ook Urbain de chantagebrief aan dezelfde *de cuius* niet heeft geschreven...

De vervalser, de schrijver van beide brieven, is een en dezelfde persoon. Maar hij moet niet gezocht worden onder de eerlijke medebroeders van de Roos en de Vogels. Er rijzen heel wat vragen: wat heeft hem ertoe bewogen de moord op Boutier af te schuiven, met het verzinsel van de chantagebrief? De kans die hem geboden werd doordat die er met de goudstaven vandoor ging? Wanneer en hoe is het betreffende briefje, dat is opgevouwen tot een harmonica en nooit door Urbain is geschreven, in het speeldoosje terechtgekomen? Zijn de vervalser en de moordenaar dezelfde persoon? Zeker wel, al is de modus operandi bij de moord op Perrine en haar man anders dan die bij de andere vier slachtoffers...

De gek heeft bij de eerste twee moorden gehandeld volgens een logica die me tot nu toe ontgaat. Tenzij het hem erom te doen was in het bezit te komen van de schedel van maarschalk de Rais, die in het huis van het stel verborgen lag, maar – volgens mij – al eerder door anderen gestolen was...

Zoals alle seriemoordenaars volgt hij een leidraad, waardoor hij opzettelijk sporen achterlaat. Dat is ook te zien aan de hiërogliefen. Dankzij de decodering die ik ook op de hiërogliefen in de urn uit huize Martin-Talla heb toegepast, waarop *De heilige schedel van Gilles de Rais* bleek te staan, heb ik ook de tekens die op de lijken waren aangebracht kunnen ontcijferen.

"Dauw", *rosée*, op de buik van het eerste meisje; "gevleugelde draak", *dragon ailé*, op het tweede meisje; medebroeder Patrijs is gemerkt met het woord "kwintessens", *quintessence*, en mijn lijfknecht met "stier", *taureau*. De gebruikte woorden hebben te maken met de alchemie. Een verwrongen alchemie, beoefend door iemand die zich uitsluitend aan het lood laaft en dus wordt besmet met de demon die zich daarin verbergt... Er zijn maar een paar voorbeelden nodig om dat te bevestigen: "gevleugelde draak" staat voor kwik; "dauw" is kwik dat gefixeerd is door zwavel; "stier" staat voor het filosofische goud dat wordt opgelost door de dauw en dat de zwavel opneemt. Ik hoef de aandacht niet opnieuw te vestigen op het feit dat de maniakale moordenaar steeds weer uitkomt bij het mannelijke en vrouwelijke principe. Uit die laatste twee wil hij, volgens een van zijn irrationele bedenksels, misschien de kwintessens halen. Het bewijs ligt in de keuze om zijn slachtoffers van kant te maken en te brandmerken.

Daaruit leiden we af dat de eerste twee misdrijven gepleegd lijken op basis van een andere logica dan de laatste vier, die ritueel van aard zijn. Ik sluit de mogelijkheid van een vooropgezette vendetta tegen uw broederschap uit.'

Sansevero schraapte zijn keel, keek iedereen vorsend aan, legde in doodse stilte het vergrootglas op de schrijftafel en ging verder.

'Ik blijf erbij: de moordenaar is één persoon. Al zal hij wel een medeplichtige hebben. Bijvoorbeeld die Prelati, wiens naam meermalen genoemd is. Hij moet zijn hoofdkwartier naar alle waarschijnlijkheid in de onderaardse gangen van het kasteel in Tiffauges hebben, waar in de vijftiende eeuw Gilles de Rais leefde en stierf. Ook ik heb de ingang proberen te vinden, maar tevergeefs. We moeten de kaarten van Clisson en Tiffauges grondig bestuderen, want Rosario is hoe dan ook, al is hij tot nu toe ongrijpbaar, van vlees en bloed, net als u en ik...

Daarom moeten we eensgezind op een stevig schip de storm van misdrijven het hoofd bieden. We moeten krachtig te werk gaan, opdat we niet omslaan door de sterke stromingen en ons schip geen fragiel wrak wordt in de brullende uitgestrektheid van de afgrond.'

De hele groep knikte overtuigd. Raimondo was trouwens heel goed in de kunst van het oproepen van suggestie... de kunst om een kleine incisie te maken in de geest van anderen, om daar moed, kracht, en vooral zijn eigen ideeën in te kunnen stoppen.

De rust overheerste nog steeds in de groep, toen de prins kil vervolgde: 'Broeders, uw meester zet op de schrijftafel drie bakjes zwarte inkt en twaalf vellen papier. Ieder van jullie doopt de vingertoppen van beide handen in de inkt en drukt die daarna op het papier waarop zijn eigen naam staat.'

In de kamer steeg een geroezemoes op dat werd onderbroken door de stem van Reiger.

'Excellentie, met welk doel moeten we onze handen onderkliederen? Vindt u het niet een beetje merkwaardig?'

Upupa veegde hem met een bleek gezicht de mantel uit: 'Broeder, de prins zal zijn redenen wel hebben. Ik zal de eerste zijn die het voorbeeld geeft.' Hij liep weg om de bakjes en de vellen papier te pakken en begon de door Sansevero opgedragen handelingen uit te voeren.

Iedereen volgde in stilte, maar Sperling richtte zijn blik op zijn eigen vingerafdrukken en vroeg: 'Prins, was het niet de Italiaanse anatoom Malpighi die de huidribbels op de voetzolen en de handpalmen beschreef?'

Don Raimondo wierp hem een glimlachje toe.

'Uitstekende opmerking van je, Sperling. Maar er was iemand voor Malphighi die ons deze, laten we zeggen, handtekening gaf zonder hulp van vreemde voorwerpen.'

'Wie,' vroeg Kolibrie verlegen en bloosde.

'De Eeuwige Vader,' zei de detector. 'Lees allemaal het boek Job, hoofdstuk 37, vers 7: "God schiep de tekenen in de handen der mensen."'

'Prins,' mengde Zwaan zich in het gesprek, rollend met zijn ogen, alsof het twee spiralen waren, 'denkt u echt dat die tekenen zich op onze vingertoppen bevinden? Geef maar toe, wilt u deze handtekeningen van onze huid niet gewoon als aandenken?'

De edelman haalde diep adem en diende hem zelfingenomen van repliek: 'Volkomen onbelangrijk, die sarcastische vragen van je. Je zult zien hoe ik de inktvlekken van jouw handen op de schalen van de weegschaal leg, jongen!'

91

Versleten door de uitputting, de verschrikking van de dood van Patrijs en de noodlottige gebeurtenissen die daarop waren gevolgd, was het ruim zestigjarige hart van de oude Upupa verzwakt. Dat had hij al tegen de prins bekend: 'Het gaat niet goed met mij.'

Ongeveer een maand na het grafologische onderzoek bleef de oude wijze drie dagen in bed liggen. Met zijn witte hemd, dat zorgvuldig was dichtgebonden, stevig om zich heen getrokken, liet hij alleen zijn handen zien. Zwaan week niet van zijn zijde en waakte bij hem. Meermalen observeerde hij die handen, waarop in blauwige vertakkingen een netwerk van aderen te zien was.

Upupa had de koude rillingen en trilde als een rietje. Ook de franje van de rode hemel boven zijn bed leek heen en weer te wiegen onder het licht van de lantaarns die hem van onderaf verlichten. Hij zag bleek, het soort bleekheid dat bijna een reflectie van het goddelijke leven op een aards gezicht is.

De derde nacht, die bijna plotseling inviel, was het geen mooi weer. Witachtige, ijle nevelflarden raasden als snelle schaduwen voorbij, als een dans van ongrijpbare geesten en bleke wezens uit een andere wereld. Het geritsel van de bladeren, die het vensterglas beroerden, leek een mysterieuze harmonie van kussen.

De oude man duwde zichzelf moeizaam overeind op de matras en murmelde met zwakke stem: '*Cludens alchymia flat in rore*', de valse alchemie blaast in de dauw. Toen wendde hij zich tot Zwaan, als een verschijning uit het graf. 'Bernabé,' reutelde hij, 'zweer dat je de tempeliers van de moordende Dauw vernietigt. Ik vertrouw je aan de prins toe. Luister naar hem...'

Terwijl Zwaan het beloofde, viel de meester op zijn kussen en omhelsde met glazige ogen alle medebroeders. De ebbenhouten klok sloeg tien. Uit het gesnik en de tranenstroom van Zwaan sprak een gebroken hart, dat misschien nog niet volwassen genoeg was om de grootsheid van het overgaan van de niet-aardse geest van de wijze naar de drempel van de Eeuwigheid te bevatten.

Sperling liep naar het lichaam toe. Geen ademhaling meer tussen de iets openstaande lippen. Hij sloot de oogleden, die waren gehuld in een paarsachtige gloed die door de huid heen leek te filteren. Een arm bungelde slap buiten het bed. De onderarm, die iets verdraaid was door een spiersamentrekking, en de rechterarm, die wat verstijfd was en waarvan de vingers gespreid waren, leunden op de rand van het bed.

Allen knielden neer en baden in stilte. Sansevero staarde naar hem en dacht aan het schouwspel van de dood, die een onweerstaanbare aantrekkingskracht had zolang er geen sprake was van ontbinding, maar alleen van onbeweeglijkheid.

Voor een dag werd het stoffelijk overschot in de rouwkamer gelegd, die op de begane grond was ingericht, in de bibliotheek, waar de meubels uit waren gehaald en alleen het spinet, de canapé en de boekenverzameling waren blijven staan. En waar de boeken, stille bewaarders, hun baas van bovenaf bewaakten.

Om de dode de laatste eer te bewijzen, snelden – in tranen en vervuld van emoties – de dorpsbewoners toe, die respect hadden voor de oude alchemist van wie ze vaak hulp hadden gekregen. Zo kwamen onder anderen Henriette met haar ouders, en Raphaël, Anne en Louis van De Gouden Moerbei. Pater Sébastien, die zijn verdriet onderdrukte, gaf de zegen. Heel Clisson bracht een laatste groet aan de leider van de Vogels.

Ook burgemeester Badeau kwam opdagen, in een kostuum van zwarte crêpe met een donkergrijze jabot; in zijn hand hield hij drie rode anjers. Nadat hij zijn steek had afgenomen, legde hij de bloemen op het lichaam en verzuchtte: 'Hij is gestorven zonder de onschuld van de koster te bewijzen! Hij heeft zoveel gedaan, te veel... Al met al vind ik het heel erg.'

Toen boorde hij zijn porseleinen ogen in die van de prins, die hetzelfde gekleed was als de anderen. Hij nam hem van top tot teen op en vroeg: 'Ik heb u nooit eerder gezien. Bent u een nieuwe volgeling?'

'Nee, mijnheer,' luidde het antwoord. 'Ik was op een missie in Italië. Na de dramatische gebeurtenissen die hier hebben plaatsgevonden, ben ik teruggeroepen naar Clisson.'

'De meester maakte overal een probleem van. Als je het mij vraagt, is hij nu juist zo verzwakt en uiteindelijk overleden doordat hij zich altijd inleefde in het leed van anderen... Hoe dan ook, de hertog van Rohan-Soubise moet worden ingelicht. Als u wilt, kan ik dat wel doen.'

De Sangro was maar al te goed op de hoogte van zijn kleinhartigheid en hypocrisie, dus verzekerde hij hem: 'Mijnheer, het is mijn taak hem te informeren. Mijn grootvader stond op intieme voet met zijn familie en hij zal het nieuws liever van mij horen.'

De ander verviel in zijn gebruikelijke tic en liet zijn wang opbollen.

De condoleancebezoeken duurden bijna de hele dag. Na afloop legden de twaalf mannen met de witte pijen het stoffelijk overschot in de versierde ebbenhouten kist.

Zwaan, die nog te zwak was om zich bij de dood neer te leggen, pakte een spiegeltje en probeerde dat bij de mond van de meester te houden.

Don Raimondo hield hem tegen. 'Dat is zinloos en oneerbiedig. Denk je soms aan een wederopstanding? Jongen, de ziel heeft zich al losgemaakt van het lichaam.'

De jongen draaide hem de rug toe en liep naar een hoek waar, naast het spinet, de donkerblauwe, satijnen canapé stond en ging erop liggen. Uitgeput, maar met een rood gezicht. Als een gloeiende vuurpot.

In de tussentijd ging Fluiter naar het laboratorium om een mercuriusstaf te halen; het opvallende symbool voor het graf dat al in de tuin was gegraven.

92

Plotseling klonk er buiten het huis in de verte hoefgetrappel, dat steeds luider werd en met de snelheid van de bliksem dichterbij kwam. Woest gehinnik en onduidelijk kabaal maakten dat de medebroeders geschrokken naar buiten renden. Uit de stal vluchtten hun paarden in galop, razend alsof er leeuwenbloed door hun aderen stroomde.

Zwaan schreeuwde tegen de dieren: 'Wat doen jullie? Jullie lijken stuk voor stuk wel ovens vol ontvlambare woede!'

Buizerd trok hem aan zijn arm. Met een in geurende azijn gedrenkte spons in zijn hand greep hij het eerste het beste paard bij de teugels en wreef het over de neus en de slapen, die dropen van het zweet en het schuim. Vrijwel meteen begon het dier luidruchtig te snuiven en over het hele lijf te trillen. Ook de andere paarden werden minder schichtig en nadat Nachtegaal, Reiger en Kolibrie ze hadden vastgepakt, lieten ze zich allemaal met azijn inwrijven, waardoor ze daas tot stilstand kwamen. Ze waren doodsbang.

'Ik dacht even,' zei Zwaan, zijn gezicht zo wit als marmer, 'dat ook de dieren de hel te wachten stond...'

'Laten we teruggaan naar Upupa,' snikte Papegaai in tranen. 'Hij is bij de prins achtergebleven. Geen idee wie ze tot razernij heeft gedreven. Ik hoop dat het niet die schoft van een Rosario was.'

'Kijk wie de boosdoener is,' schreeuwde Nachtegaal met een gezicht dat het midden hield tussen verdrietig en grotesk. 'Deze boef hier. Ik heb haar in het stukje stof gewikkeld waar ze haar poot in had gestoken!'

'Wie? De beo? Heeft ze haar ketting weer doorgebeten?'

'Nee, die heeft iemand losgemaakt, zoals ook de staldeur is opengezet. Ze is naar binnen gegaan, heeft het stuk doek weggeklauwd en is boven de paarden gaan vliegen, waardoor die bang werden.'

Intussen was Fluiter, onwetend van dit alles, de rouwkamer weer binnen komen lopen. De prins had de kist al dichtgespijkerd en zei kil: 'Ik hoop dat jullie het niet erg vinden. Al die herrie leek me storend voor de slaap der rechtvaardigen. Jullie zullen zeggen dat zijn zintuigen al niet meer werkten. Toch komt ook de dood op zijn tenen aangeslopen. Op zijn manier is hij respectvol. Maar als jullie willen, maak ik de kist weer open.'

Fluiter bleef met de mercuriusstaf in zijn handen in de deuropening van de bibliotheek staan. Een schaduw viel over zijn gezicht.

Maar uit zijn stem sprak een oneindige triestheid. 'Broeders, over welk kabaal hebben we het?'

'Dat doet er niet toe,' antwoordde Sperling, terwijl hij zijn blonde haar, waar het zweet in parelde, afdroogde. 'We leggen het je later wel uit. Nu moeten we de meester begraven.'

Het zwakke, rossige kaarslicht, dat al bijna gedoofd was, leek de ijzige kou in de kamer te versterken, al brandden de houtblokken in de haard nog steeds.

Nachtegaal gaf lucht aan een van de kwellingen die hem bezighielden. 'Hij is vertrokken voordat de wedstrijd begonnen is. Misschien heeft de komst van de prins hem bevrijd van vele pijnlijke lasten. Maar, met alle respect voor Zijne Excellentie, ik zie stilstaand water voor me. Misschien is de drassige grond transparant. In vuil water zijn gebreken te zien, in troebel water onbenulligheden.'

Niemand onderbrak hem, niemand gaf antwoord.

Reiger, Fluiter, Sperling en Buizerd hesen de kist op hun schouders en met ritmische passen liepen ze de tuin in. Daar hadden de andere Vogels fakkels in de grond gestoken om het trieste ritueel bij te lichten. Zwaan gooide de eerste handvol aarde, gevolgd door de anderen. Terwijl ze de kist met hun scheppen bedekten, voelden ze allemaal dat een hemelse kracht al tussen de dood en moeder aarde was gekomen.

Raimondo, prins van Sansevero, plantte de mercuriusstaf op de grafheuvel. Onbeweeglijk en ernstig riep hij, in zijn witte pij: 'De boot is vertrokken. Broeders, kijk naar boven. Enkele van de grootste sterren zijn nauwelijks te zien. De een na de andere verduistert. De hemel wordt zwart. Oneindig en zacht.'

93

Don Raimondo wilde niet in de kamer van de overledene slapen. Hij achtte het nuttiger, en voelde zich ook verplicht jegens Upupa, om in zijn eigen kamer te blijven, die grensde aan die van de jonge adept. Hij sliep licht en hoorde hem jammeren, huilen en mompelen. Hij kreeg de indruk dat Zwaan gepijnigde zielen en gezichten voor zich zag.

'Hij zal vreselijke dromen hebben,' zei hij op een nacht bij zichzelf. 'Dat wil ik nagaan.'

Hij deed de deur open en trof hem midden op zijn bed aan, nat van het zweet en buiten adem.

'Wat is er, jongen,' vroeg hij, terwijl hij zijn hand vasthield.

Zwaan draaide zich om en drukte op zijn slapen. 'Ik hoor steeds die Latijnse zin die de meester sprak: *Cludens alchymia flat in rore...* en zijn stem wordt begeleid door een raadselachtige, hysterische en sarcastische lach. Alsof dat nog niet genoeg is, komt die dwerg daar uit de kast en gaat dan weer weg...'

'Welke dwerg?'

'Kameleon.'

Don Raimondo stak de kaars op het nachtkastje aan. Een sombere gloed flakkerde door de halfdonkere ruimte. Hij deed het deurtje open, keek goed en vond, zoals hij al dacht, geen enkele bedreiging.

'Zoals je kunt zien, haalt de suggestie lelijke grappen uit, Zwaan!'

Nadat hij wat talg uit de waskaars had gehaald, maakte hij er twee balletjes van en zei dat Bernabé die in zijn oren moest stoppen. 'Ook Odysseus nam zijn toevlucht tot dit middel, om de betoverende stemmen van de Sirenen niet te horen... Help me morgen onthouden dat ik je nog wat sigaren wil geven. Roken verlicht je ontspannen zenuwen.'

Na een korte groet ging de prins stilletjes de kamer uit, naar de voordeur, waar hij de doek van de beo af haalde. De vogel sperde zijn ogen open, draaide zoals gewoonlijk om haar eigen as en begon te praten: '*Hij is de man van universele komaf... Dat heeft Jacques me verteld...*'

'Sst...' deed de edelman. 'Zachtjes, zeg me zachtjes: wie is Jacques?'

'*Jacques de Molay... Pas op voor het schilderij* Bruiloft in Kana... *Daar is het kind en de gouden troon... Kijk naar het bord in zijn hand...*'

Terwijl het beest zijn monoloog afstak, hield ze af en toe haar kopje scheef, nu eens naar links, dan weer naar rechts. Raimondo hield een vinger bij haar gele snavel, aaide haar en gaf haar een stukje koek. Op haar zwart glanzende veren weerkaatsten de schitteringen van de driepoot, die in de schaduw stond, en het maanlicht dat door het raam scheen.

'*Dank je wèèèèèl...*' zei ze. '*Het schilderij, het schilderij, het schilderij...*'

'Van Bosch?' vroeg de prins met grote ogen van verbazing.

'*Van Bosch...*' herhaalde ze.

'Wie heeft dat schilderij, Cocca?'

'...'

'Wie is je baas?'

'Beppe...'

'En Bernabé?'

'Beppe... vertrokken... vertrokken... Prelati...'

'Waar is Prelati?'

'Hier...'

'Is hij in huis?'

'Hier... nee...'

Toen barstte ze in een schel gelach uit, alsof ze de draak met hem stak, en streek haar pennen glad door ze een voor een tussen haar snavel en haar tong te pakken. Plotseling richtte ze zijn kraaloogjes op Raimondo, schudde zich op door haar pennen op te zetten, en kraste: *'Ik praat niet meer, ik praat niet meer...'*

De edelman dacht na over het vreemde gesprek met de beo.

'Als ze niet meer wil communiceren, kan ik haar natuurlijk niet dwingen,' mompelde hij, terwijl hij aan zijn linkerduim krabde. 'Ze zegt interessante dingen. Ik sluit uit dat de smid – in haar bijzijn – iets heeft gezegd over Jacques de Molay en *Bruiloft in Kana* van Bosch, waarvan ik in Napels een kopie heb. Ze moet het van Bernabé hebben. Maar waarom kent ze hem dan niet? En wie is toch Prelati, die – naar haar zeggen – vandaag niet hier in huis is?'

Daar blijven staan miezemuizen leidde tot niets, dus deed hij de doek weer over de beo en ging terug naar zijn kamer, waarbij hij langs de keuken liep. Zo ontdekte hij dat Zwaan slaapwandelde. Hij stond, met zijn ogen dicht, in melk gedoopte biscuitjes te eten. Don Raimondo bleef onbeweeglijk staan om hem niet te storen. Dat kon gevaarlijk zijn voor zijn gezondheid.

Ook Fluiter kwam erbij. Zonder schoenen, op zijn tenen.

'Hij eet 's nachts, excellentie. Sinds de dood van Upupa.'

'Ah! Dus dat is de aanleiding...'

'Ja. Ik hoop dat hij, als hij het trauma heeft verwerkt, ophoudt met slapend rondzwerven. Voor zijn gezondheid, bedoel ik.'

Deze toevallige ontmoeting bracht de edelman ertoe hem te vragen: 'Broeder, is er hier in huis een schilderij van Bosch?'

'Is het een gobelin?'

'Nee, een olieverfdoek.'

'Absoluut niet. Is het belangrijk?'

'Misschien wel. De beo, die Bernabé overigens niet kent, heeft er iets over gezegd. Ze heeft me bovendien bijna te verstaan gegeven dat Prelati hier woont. Maar op dit moment zou hij afwezig zijn.'

'Een ogenblikje,' zei Fluiter, met een oog op de Sangro gericht en het andere op de slaapwandelaar. 'Misschien kent ze hem als Zwaan. Cocca is hier gekomen na zijn inwijding. Laten we het haar vragen. Maar laten we eerst Bernabé terug naar zijn kamer laten gaan.'

Zo gezegd, zo gedaan. Nadat ze doek van de beo hadden afgehaald, vroeg Fluiter: 'Cocca, waar is Zwaan?'

'*Hier...*'

'Ik begrijp het. En zeg eens... waar is Prelati?'

'*Hier...*'

'Ze is moe,' merkte de prins op. 'Laten we maar ophouden, want ze neemt ons in de maling. Eerst zei ze trouwens dat Prelati nu niet hier in huis was.'

'Waar is Prelati?' ging Fluiter halsstarrig door.

'*Hier...*'

Ze deden de doek weer over haar heen en gingen naar hun eigen kamers. Er gonsde een gedachte in don Raimondo's hoofd. Toen vroeg hij zich, terwijl hij naar bed ging, af: is, tussen al die meteoren en bliksemflitsen, nu de serafijn met zes vleugels afgedaald of de larve die in de modder kruipt?

94

Bij Zwaan kroop het verdriet om de dood van Upupa in de diepste hoeken van zijn hart, zijn geest en zijn verstand. Noch de prins, noch de medebroeders konden die wond in hem genezen. De jongen bleef enkele dagen koortsig in bed. Buizerd probeerde hem met drankjes en gezonde voeding te genezen. Het leek wel alsof hij zich, als een echte vogel, op de wind liet meevoeren. Hij stond alleen op om te kijken of er iets of iemand in de kast zat.

De detector herinnerde zich de woorden van de meester: 'Er is een luik in het Feniksnest. Nadat u twintig treden bent afgegaan, staat u in een ronde kamer... Na mijn dood gaat u daarnaartoe. Beoordeelt u zelf het nut van deze informatie maar...'

Op een ochtend, toen Bernabé nog steeds aan het lijden was, besloot hij naar die plek toe te gaan. Uit de rotsspleet pakte hij de drie sleutels om het hek open te maken. Hij ging het *sancta sanctorum* binnen; het plafondgewelf opende zich en het licht viel vol op de mechanische androgyn. Een halve meter erachter, in de donkerste hoek, zag hij de grote vierkante steen met de ring in het midden.

'Het luik!' riep hij uit.

Hij trok zijn witte pij uit, waaronder hij, uit voorzorg, een werkbroek en -hemd had aangetrokken om te voorkomen dat hij onder de modder zou komen te zitten. Hij pakte de ijzeren cirkel en tilde het vierkant op. Met een fakkel in zijn hand ging hij de twintig treden af. Hij zag het spitsbooggewelf en, tussen vier lage zuilen, het ciborium, waaraan de lantaarn met vlechtwerk bungelde.

Een roodbruine hutkoffer van fijn bewerkt kersenhout met ijzeren hoeken stond midden in de ruimte, die zes bij zes meter groot was. Halverwege hingen twee sloten, een echte en een namaak. Hij zocht vergeefs naar de sleutel, maar toen bedacht hij ineens dat hij de lantaarn misschien om zijn as moest laten draaien. En inderdaad: bij de tweede omwenteling ging het ijzeren mechaniekje omlaag. Hij stak het in het sleutelgat en het slot sprong open. Nadat hij de deksel omhoog had gedaan en de kist vanbinnen verlichtte, ontdekte de Sangro drie vakken. In de eerste twee vond hij twee zakjes; in de derde een opgerold doek van vijftig bij dertig centimeter.

Hij schrok op door wat geluiden. Twee muizen kropen op de massief zilveren stipo die tegen de rechtermuur stond. Daarvoor stond een bed, eveneens van zilver, met smalle, hoge zuilen en een hemel van heel fijn gaas, waarop met vaardige hand vier pauwen waren geschilderd. Aan het hoofdeinde stond een gouden lessenaar met daarop twee kandelaars.

De verrassingsdoos die Upupa gemaakt had leek onuitputtelijk. Hij werd erdoor verbaasd, híj, die gewend was anderen te verbazen...

Don Raimondo nam een besluit en haalde het eerste zakje, van rood satijn, uit de hutkoffer. Hij maakte de strik los en keek erin: een zeer fijn poeder, Siena gebrand van kleur. Hij nam een korreltje tussen duim en wijsvinger. Hij rook eraan. Zijn reukzin raakte geblokkeerd, hij kreeg kippenvel en hij trilde alsof hij dronken was.

'Er zit iets bovenmenselijks in... Laten we eens kijken wat er in het tweede, blauw satijnen, zakje zit.'

Ditmaal rook hij meteen de geur van de zee, vermengd met die van versgebakken brood. Het poeder had ook verschillende kleuren: grijs en zandachtig. Raimondo werd bevangen door een rusteloze vervoering. Zijn geest bedacht verleidelijke redeneringen en liet deze ook weer varen.

Zijn voeten waren als wortels voor de hutkoffer geplant. Hij boog en pakte het doek. Hij rolde het uit. 'Allemachtig!' schreeuwde hij met een ingehouden snik. 'De tweede versie van *Bruiloft in Kana* door de Brabander Hiëronymus Bosch! Daar heb ik via de grootmeester, vrijmetselaar Radcliffe, van gehoord. Dus het was geen fabeltje. De arme Van Aken is hierom in 1516 vermoord, en daarna verdween elk spoor. Het is moeilijk te achterhalen wat er daarna is gebeurd. Maar waar het om gaat, is dat het nu hier is.'

Hij streelde de afbeelding met zijn vingertoppen. Hij talmde boven een vrouwenfiguurtje in groene kleding en volgde de lijn van haar armen. 'Werkelijk onrustbarend... Dus mijn vermoedens waren terecht... Kijk nou, kijk eens wat de waarheid is!'

Hij draaide het doek om. Hij bekeek de achterkant, waarvan de vier hoeken besmeurd waren met lichtblauwe verf. Zijn groenbruine ogen werden naar drie letters en een houtskooltekening getrokken.

F.·. X.·. G.·.

Ik heb al eens een soortgelijke compositie gezien, met de drie puntjes van de vrijmetselaars in een driehoek. Maar waar? vroeg hij zich af en trok zijn rechterwenkbrauw op. 'Ik weet het al. In Napels, in het Conservatorium van de Pietà dei Turchini, op de partituur van violist Francesco Xaverio Geminiani!' riep hij tevreden uit. 'Mijn vermoedens worden bevestigd. Charles Radcliffe en Geminiani, allebei vrijmetselaars. Zoals ik al vermoedde, is dit het schilderij waarover werd gesproken in de depêche die ik met de paus heb gelezen.'

Plotseling daalde er, met veel geknars van katrollen en raderwerk, een korte ophaalbrug neer en kwam er uit dezelfde centrale wand een paneel omhoog. Vastberaden liep don Raimondo eroverheen, en in de kamer die tevoorschijn kwam, verhief zich een groot podium dat open kon draaien. Ervoor stond nu een groots decorontwerp, verlicht door twaalf lantaarns. Een heuse mise-en-scène. Een ingenieus project van een geraffineerde geest, waarin op halve manshoogte de protagonisten waren uitgewerkt, die door de onstuimige Bosch op de *Bruiloft in Kana* waren geschilderd.

Aan de feestelijk gedekte, L-vormige tafel zaten de twaalf disgenoten, naast Christus, de weldoener. Ze waren allemaal vrijwel gelijk aan die op de kopie die hij in zijn bezit had; alleen de broden ontbraken en het mes op de dis lag anders. Maar deze wassen personages, gestut door een metalen geraamte, straalden precies dezelfde magie uit die de schilder, met behulp van speciale effecten, in zijn werk had gelegd. De zuilenrij was identiek, evenals de tovenaar met zijn staf op de achtergrond, de duivelse wezens, de angstaanjagende gerechten waar rook en vlammen uit kwamen, en de zes aardewerken kruiken waarin Jezus het water in wijn veranderde.

De jongen met het rode haar, in een mosgroen ceremoniegewaad met een band over de schouder als teken van hoogwaardigheid, had de kelk in zijn rechterhand, net als op het officiële schilderij. In tegenstelling tot de eerste versie hield hij hier met zijn linkerhand een gouden dienblad omhoog. Daar stonden twee kristallen ampullen op: een met bruin poeder, de ander met zeer fijne, meerkleurige stof. Dezelfde verbindingen als die uit de hutkoffer.

Op deze versie stond bovendien een mand met vissen, brood en een kruikje wijn.

'Het geheim van de tempeliers, doorgegeven door de enigmatische, visionaire schilder! Ongetwijfeld onder invloed van heksenzalf of kyphi, allebei zeer krachtige verdovende middelen die visioenen veroorzaken die maar voor weinig mensen zijn weggelegd! Niemand zal ooit het verborgen symbolisme van de jongen begrijpen. Dat wil zeggen de Rebis, het chemische huwelijk tussen zwavel en kwik, zoals in de rode haardos en de tweeslachtigheid in de kleur van zijn gewaad. Het Grote Werk! Perfect.'

Hij keek naar de gouden stoel rechts van de jongen. Voorzichtig tilde hij het kruikje op en zag er drie minuscule goudklompjes onder liggen. Dus Upupa had niet tegen hem gelogen over de universele afkomst: hij kende het bestaan van de Universa Domus niet. Hij had zich, aangenomen dat hij het officiële schilderij kende, nooit afgevraagd waarom een deel van de rugleuning van de koninklijke stoel koperkleurig was geschilderd, afwijkend van de rest, die de kleur van oude, gouden munten had.

Daar had de Brabander een letter m ingevoegd, als een echo van miniatuurschilderkunst, om de Mater Misteriosa van de universele komaf te stabiliseren.

Iets wat, als het aan het licht was gekomen, de fundamenten van de katholieke kerk in verwarring zou hebben gebracht en tot excommunicatie zou hebben geleid.

Hij, don Raimondo, had voorouders in die familielijn. Dat had hij zelfs op zijn tombe laten schrijven. Maar hoeveel zouden ze ervan begrepen hebben?

'Goed, Bosch heeft de twee geheimen van de tempeliers tijdens zijn eigen siderische reizen doorgekregen,' bromde hij. 'Van het ene ben ik op de hoogte, aangezien dat met mij persoonlijk te maken heeft. Voor het andere heb ik aanwijzingen. Nu heb ik het eerste bewijs. Het mysterie van de transmutatie van water in wijn omvat ook de transmutatie van lood in goud, terwijl de poeders die verkregen zijn uit gedroogde vissen, brood en riet, duiden op de vermenigvuldiging daarvan. In de kelk is de dauw opgevangen. Bovendien duidt het alchemistische werk dat door Bosch is gemaakt op dezelfde Jezus die zich met het goud identificeert. Wat zou de paus zeggen als ik hem die kleine basisbeginselen zou overbrengen?'

Alsof hij zijn redenering kracht bij wilde zetten, tikte hij op zijn voorhoofd.

'In het Grieks leveren de initialen van Jezus Christus, zoon van God en Verlosser, het woord *ichthùs* op: vis. En in de zee van ons alchemisten worden zwavel en kwik uitgerekend in de vis samengevoegd...'

Hij zette zijn vingertoppen tegen elkaar en hield ze in de hoogte. Hij werd bevangen door een bovenmenselijk geluksgevoel dat, indien slecht gedoseerd, onherstelbaar had kunnen zijn. Als een schipbreuk. In dat geval had zijn bewustzijn eraan kapot kunnen gaan.

'Maar hoe is dit schilderij in Frankrijk terechtgekomen?' vroeg hij zich hardop af. 'Stel dat de Italiaanse musicus en kunstverzamelaar het aan de hooggeachte Grootmeester Radcliffe van de Franse vrijmetselarij heeft afgestaan, wat ik me niet kan voorstellen... Hoe dan ook, dit is ongetwijfeld het voorwerp dat Upupa door een gelukkig toeval in handen heeft gekregen!' Hij dacht even na. 'Rohan moet het hem gegeven hebben. Maar dan blijft het nog steeds een raadsel wat er daarvoor is gebeurd...'

De prins leek geschrokken door al die vragen. Zijn wangen waren ingevallen doordat hij te vaak op de binnenkant had gebeten. Hij keek langdurig naar de vloer, plotseling moedeloos, en sloeg toen met zijn vlakke hand op zijn donkerblonde haar.

'Wat stom! Ik heb me laten betoveren en bedwelmen door het lied van dit prachtige paradijs. Maar natuurlijk! De voorouder van Upupa, Guillaume de Nogaret, heeft de strijdlustige monniken niet bedrogen! Of liever gezegd, hij wilde dat men dat dacht, waar Grootmeester Jacques de Molay het volkomen mee eens was. Zij hebben hem de getuige – de poeders – overgebracht, opdat hij ze weer door zou geven. Voor de *militia Templi* had het uur geslagen. Ze moest, voor de ogen van de wereld, van de aardbodem en uit de geschiedenis verdwijnen...

Zo diende Nogaret twee meesters: de koning en de tempeliers. Was er zoveel dat schadelijk voor hen was dat ze hem op de brandstapel lieten gooien? Nu vraag ik me af hoeveel waarheid er in die hele vervloekte gebeurtenis school. Wie zette hen ertoe aan hem te veroordelen? Vast en zeker een lid van de Universa Domus...

Zoals de zaken er nu voor staan, heeft Upupa zijn Broederschap niet gesticht om te boeten voor niet-bestaande wandaden, maar om het ondoorgrondelijke, alchemistische mysterie van de tempeliers te koesteren, inclusief de geheimzinnige poeders die van generatie op generatie werden doorgegeven in zijn familie. Zal hij ze ooit gebruikt hebben? Ik denk van niet. Het schandelijke verleden drukte als een steen op zijn maag. Omdat hij het niet wist... Met wanhopig hart heeft hij me gevraagd om, als hij in de hemel zou zijn, een laffe daad uit te roeien die nooit door Nogaret is gepleegd.'

Zijn stem werd zwakker. Hij ademde drie keer in en uit en schreeuwde toen, alsof de wijze hem kon horen:

'Upupa de Nogaret, ik begrijp het. Je hebt een buitengewoon leven geleid. Onder de purperen kap van het grootste mystieke geheim. Je lichaam mag dan tot as vergaan, maar je geest zal altijd branden!'

Toen alle wonderbaarlijke eigenaardigheden weer door de vloer waren opgeslokt, liep de prins met tegenzin terug. Hij dacht weer aan de beo.

'Ze heeft me waarachtige dingen verteld. Van wie heeft ze die gehoord? Van Zwaan? En wie heeft ze dan in hemelsnaam aan hem verteld? Upupa zeker niet. Maar als de jongen bedwelmd is geweest door de kyphi, zal hij ze in een visioen hebben gezien. Net als Bosch. Bestaat er bovendien een verband met de misdrijven? Heeft die vervloekte overleden maarschalk De Rais iets met deze uiterst geheime feiten te maken? Het lijkt me werkelijk onwaarschijnlijk... Maar de transmuterende poeders zouden vernietigende gevolgen kunnen hebben als iemand die er geen verstand van heeft ze in handen krijgt. Dat zou pas echt tot iets krankzinnigs kunnen leiden...'

Zijn veronderstellingen verenigden zich met de werkelijkheid.

Zoveel waarheid schuilt er in fabeltjes, dacht hij, terwijl hij zijn witte pij weer aantrok. De fatale wetten zijn niet te omzeilen. Als ik Upupa vervang, moet Zwaan me op de hoogte stellen. Een raadsel in een hersenspinsel berokkent schade. Ja, zo zal ik het hem zeggen. Die jongen is al te veel op de proef gesteld. Ik zal hem dwingen zijn hart te luchten en zijn geest te ontlasten. Maar er rest me nog een andere twijfel. Wat bedoelde de beo toen ze zei dat Prelati hier in huis slaapt? Die kraai kan dingen herhalen. Niet zelf bedenken, volgens mij. Ik zal onderzoek doen naar de onverstandige dingen die iemand in dit huis heeft gedaan.

Weer was het in zijn brein een komen en gaan van ingewikkelde redeneringen, zekerheden en vermoedens, met een onverwachte flexibiliteit. Als water.

95

Hoewel hij hersteld was, had de dood van de meester diepgaande veranderingen teweeggebracht bij Bernabé. Zijn brutaliteit, bemoeizuchtige nieuwsgierigheid en betweterigheid waren verdwenen. Verloren en treurig dwaalde hij naar de plekken waar hij met Upupa was geweest, steeds sterker popelend om de moordenaars te ontmaskeren en het ware gezicht van Rosario te ontdekken.

Op die donderdag, de twaalfde april, haalde de prins hem te paard in en bleef naast hem rijden. Hij zag dat het knappe gezicht van de jongen nog steeds bleek was weggetrokken, een teken van diep verdriet. In zijn ogen was de weerloze rusteloosheid van een mysterieuze en onstabiele geest zichtbaar. Als de golven van de zee.

'Jongen,' zei hij op rustige toon, 'sluit de deur naar de doodskist, de ebbenhouten kist in het graf. Doe de andere open. Degene die leidt naar de transfiguratie van de meester, hoog aan het firmament. Want alles begint van daaruit.'

'Excellentie, dat is makkelijk gezegd. Maar in mijn geest ben ik een wees, bijna een weduwnaar van hem, zou ik durven zeggen. Ik heb het gevoel dat ik aan de rand van de afgrond sta...' antwoordde Bernabé, zorgvuldig zijn woorden kiezend.

De ander vervolgde gemaakt onverschillig: 'Ik wil het even met je hebben over de beo.'

'De beo? Wat heeft ze nu weer uitgespookt?'

'Eerlijk gezegd heeft ze me dingen verteld die te maken hebben met Jacques de Molay, de tempeliers, het schilderij van Bosch en een personage van universele komaf. Ik acht het beestje, hoe ontvankelijk ze ook is, niet in staat dergelijke ideeën uit te denken, dus moet ze het wel van jou gehoord hebben.'

'O ja,' antwoordde Bernabé met een ijzige blik. 'Dat was een hallucinatie die werd opgeroepen door de kyphi. Ik heb het er zelfs niet met Upupa over gehad. Het lijkt me allemaal absurd: de Grootmeester gestorven op de brandstapel. Het geheim dat te maken heeft met de alchemistische transmutatie die zich voltrok op de bruiloft in Kana. Bepaalde poeders... En toen... de voorspelling van mijn ontmoeting met een persoon van een bijzondere komaf...'

'Ja, Zwaan. Maar afgaand op de woorden van de kraai moet je zo iemand wel zijn tegengekomen.' De prins wierp hem een steelse blik toe.

'Wie vreemde dingen hoort, kan daar arbitraire conclusies uit trekken. Ik dacht dat u het was, prins.'

'Je hebt geluk. Je hallucinatie berust voor een groot deel op waarheid.'

'O, don Raimondo! U verplicht mijn geest tot een nadere verkenningstocht. Wat is toch die universele afkomst?' Het leek alsof zijn gezicht weer de normale kleur kreeg.

'Beste jongen, ik kan het je niet uitleggen. Zoek voor een keer nu eens geen oplossingen die je schade kunnen berokkenen. Het is een geheim dat niet onthuld kan worden, een nog groter geheim dan de steen der wijzen.'

'Heer, ik geloof niet dat er iets bestaat dat nog occulter is dan de raadsels van de alchemie!' riep Bernabé gebelgd uit.

'Ik doel op gevaar. Daarbij komt dat het juist voor jou onmogelijk is het te onthullen, omdat je uit een klooster komt. Als je me niet gelooft, zul je al je zekerheden in twijfel trekken. Dus sta stil bij het *quia*, Zwaan! Er komt misschien een dag waarop bepaalde onwaarheden die al eeuwenlang verkondigd worden, uit het leugenachtige duister tevoorschijn komen. Alles op zijn tijd. Weet je, je kunt verpletterd worden door een plotselinge onthulling. Wat je wilt weten, zou wel eens onbegrijpelijk afgrijselijk kunnen zijn.'

In de verte luidden de klokken van Clisson het uur van de sexten, maar de twee hoorden het niet. Don Raimondo trok de teugels aan en liet zijn paard stilstaan.

'Stop, Zwaan!' beval hij op militareske toon. 'We bevinden ons op klaarlichte dag op de weg naar Tiffauges... We gaan het jachtgebied van Rosario niet betreden.'

'Het spijt me voor u, excellentie, maar ik ben niet bang. Ik neem de uitdaging aan. Dat heb ik de meester beloofd.'

De toon waarop de jongen sprak riep bij de Sangro visioenen op van een raam waarachter de gordijnen stevig waren dichtgetrokken. 'En als ik je nu eens vertel dat Rosario de seriemoordenaar Gilles de Rais wil imiteren...'

'Dat weet ik, prins.'

'Stil! Waag het niet me in de rede te vallen. Ik zei: net als de misdadige maarschalk eet Rosario paté, dat wil zeggen pasteitjes met rundvlees en konijn. Maar hij propt zich ook graag vol met gebraden reigers, ooievaars, pauwen, roerdompen en zwanen, op smaak gebracht met oregano, nootmuskaat, koriander, salie, rozemarijn en hysop, die lust en moordzucht opwekken. Wij tweeën zijn echt verrukkelijk wild...'

Zwaan keek hem gefascineerd aan en merkte niet eens dat hij zijn paard tot stilstand had gebracht. 'Denkt u me bang te kunnen maken? Bent u er soms bij geweest? U bent wel heel goed op de hoogte van de details!' Hij barstte geforceerd in lachen uit.

'Nee,' luidde het antwoord. 'Ik heb nooit met Gilles getafeld. Maar wat ik je verteld heb, is in een visioen aan me verschenen. Ook ik heb kyphi genomen!'

Al met al vond die kleine, grote edelman Bernabé wel sympathiek. Hij waardeerde het vurige, soms hardvochtige temperament, dat de jongen beheerste door zijn zelfverzekerdheid, en de fascinatie die voortkwam uit zijn scherpe intelligentie. Hij keek hem in de ogen. Onder het bleke zonnetje was een fonkeling te zien.

Bevangen door een vlaag van edelmoedigheid nam de jongen hem mee naar een plek die – dat dacht hij tenminste – alleen hij kende.

'Kom met me mee, excellentie,' fluisterde hij samenzweerderig. 'Ziet u die bocht in de rivier? Daar is een verlaten grot. Volg mij maar.'

Ze gingen de spelonk in en stegen af van hun paarden. Binnen, op de droge rotswand, was door een onbekende hand een oude madonna geschilderd, met een peinzend en melancholiek gezicht. Naast de verschoten afbeelding van deze Vierge Inconnue stond een Latijnse inscriptie: QUONDAM PRÆCLARUS SED NUNC CINIS ATQUE FAVILLA.

'Gisteren beroemd, vandaag as en stof,' vertaalde Zwaan voldaan. En hij voegde eraan toe: 'Ik ben dol op deze heilige, eenvoudige plaats die net als de rivier aan de grote Moeder gewijd is. Ik moet u iets opbiechten. Mag ik?'

'Natuurlijk,' zei de prins met een glimlach.

'Kijk, daar waar die wilde pruimenbomen staan. Twee maanden geleden verborg ik me, in het halfduister, bij de ingang van de grot waar, zoals u gezien hebt, planten in de rotsspleten groeien die als felgroene bosjes omlaag hangen. Daar zag ik twee mannen met kappen op, die op grote stenen voor het vuur zaten dat ze met olijftakken hadden aangestoken. Ze hadden het over martelwerktuigen, over moorden om aan Rosario's kannibalisme te kunnen voldoen. Ik moet bekennen, don Raimondo, dat ik op de vlucht ben geslagen. Ik werd laf en vervloekte mezelf omdat ik nu de geweldige kans had gemist om hen te kunnen volgen en de toegangsweg te vinden naar de onderaardse gangen van dat ellendige kasteel.'

'Maar Zwaan, denk je niet dat je, als je was gebleven, wel meer had moeten missen dan alleen een kans, namelijk je leven? In jouw plaats zou ik me geen lafaard voelen. Voorzichtigheid is de moeder van de deugd. Hoe het ook zij, we hebben een lege maag en ik wil hier niet zijn als de avond valt. Laten we naar huis gaan.'

96

Terwijl ze de grot door liepen, trapte de prins opeens iets plat; hij hoorde het kraken onder zijn schoen. Hij knielde, strekte zijn hand uit en pakte een boogje van verzilverd koper, waarbij hij zijn vinger verwondde aan een glassplinter.

'O, God!' riep de jongen uit. 'Dat is de bril van Georges, de bedelaar. Upupa vertelde dat hij hem die had gegeven. Hij zag geen steek!'

'Staart van Lucifer! Waarom ligt die hier?' reageerde de ander uiterst bezorgd. 'Laten we hier graven.'

'Hoe?'

'Met onze handen.'

'Ze gooiden aarde door de lucht en Zwaan voelde iets onder zijn vingers.'

'Hier, hier...' zei hij met verstikte stem.

Raimondo stak zijn hand diep in het gat, om het groter te maken. Terwijl hij op zijn hurken zat, ontdekte hij het hoofd, dat bedekt was met grijze haren. Daarna de mond, die openstond en niet meer ademde, en die de vragen van de onzichtbare doden leek te beantwoorden. Hij zag het voorhoofd, de gefronste wenkbrauwen, alsof hij zijn laatste adem had uitgeblazen in een moment van verontwaardiging, de dichtgeknepen ogen, de aangekoekte wimpers.

'Herken je hem?' vroeg hij hijgend.

'Ja, het is inderdaad Georges.'

'Hij is onthoofd... Waarom, waarom?' vroeg Raimondo. Zijn keel was kurkdroog.

'Misschien weet ik dat wel, prins. Ziet u, de meester heeft me toevertrouwd dat Georges in de nacht van de eerste moord had gezien dat Reiger vreemde dingen aan het doen was in de tuin van Perrine. Ik weet niet of hij dat ook aan u heeft verteld...'

De edelman zweeg. Hij werd gekweld door de chaotische storm van gedachten in zijn hoofd. De ideeën smolten samen en kwamen uiteindelijk weer tot rust. En al was hij doordrenkt met de misselijkmakende geur die van het afgehakte hoofd af kwam, toch vond hij de kracht om te antwoorden: 'Beste jongen, wat de arme Upupa je ook gezegd heeft, dit hoofd ligt hier nog maar kort! Als Georges op die datum vermoord zou zijn, hadden we echt geen vlees meer op zijn gezicht zien zitten. Laten we deze menselijke resten weer begraven en in vrede laten rusten. God weet welk lot Claude beschoren is.'

Ze verlieten de grot. Sansevero reed voor Bernabé uit en liet het paard langzamer lopen. Beiden leken net peinzende boetelingen in processie, die er op een lugubere manier voor zorgden geen enkel geluid te maken.

Raimondo hield stil bij een kruising, op een van de vele weggetjes van de *bocage* die tussen de hagen was uitgegraven. Zwaan kwam naast hem rijden. 'Volg mij, hierheen. Ook mensen die hier wonen raken soms gedesoriënteerd.' Hij ging in galop voor hem uit.

De ander ging hem achterna en dwong hem met een norse, onderzoekende blik tot draf. De Grâce trok wit weg.

'Rustig!' beet de prins hem bruusk toe. 'Je gedraagt je als een *guarattella*!'

'Wat is een guarattella?'

'Een marionet. Je hebt me toevertrouwd wat de vrome Upupa je verteld heeft. Dat is echt vreemd. Hij heeft er tegen mij niet over gerept. Het zou behoorlijk ernstig zijn, voor Reiger.'

'Daar hebt u gelijk in. Maar er zijn geen bewijzen om hem te beschuldigen...'

Hij werd afgekapt door de intonatie die de Sangro voor bepaalde situaties reserveerde, een angstaanjagende klank in zijn stem. 'Durf je die arme Reiger een misdadiger te noemen? Jij, die als laatste bij de Vogels is gekomen?'

'Ik geloof niet dat het een zonde is om de jongste van de groep te zijn, excellentie. Ik heb mijn medebroeder nooit uitgemaakt voor misdadiger... Ik heb me ertoe beperkt de aandacht te vestigen op het gebrek aan bewijs daarvoor.'

'Die hersenen van jou werken wel heel apart, Zwaan!'

Er viel een stilte tussen hen die de hele weg voortduurde. De prins concentreerde zich verbijsterd op de vreemde sensatie die hem overviel, de gewaarwording dat de damp van zijn eigen, levende lichaam zich vermengde met de verrotte gedachte van het dode hoofd.

97

Thuis aangekomen maakte de detector het nieuws van de laatste macabere vondst bekend. Allen gingen ermee akkoord het feit niet bij de autoriteiten aan te geven. Dat zou hoe dan ook van pas komen...

Nachtegaal was de enige die verder nog iets uit kon brengen: 'Nieuwe wind, zelfde duivel. Gore spetters van de grote, menselijke blubber regenen op ons neer. We zijn allemaal in de macht van Rosario's vraatzucht.'

Op tafel brandden vier kaarsen; het vuur in de open haard was aan het doven.

Met bestudeerde onverschilligheid liet de prins een opmerking vallen. 'Heb vertrouwen. We staan oog in oog met een lot waarvan de duivel de stof heeft gemaakt en God de zoom. En juist die zoom van goedheid, omringd door de immense, kwaadaardige lijkwade, volgen wij.'

Die avond at niemand. Ze dronken allemaal water. De tafel bleef feestelijk gedekt, de borden bleven op hun plek staan en de spijzen bleven onaangeroerd. De Vogels gingen liever naar hun kamer.

Zo niet Sansevero. Hij deed net of hij zich terugtrok in zijn eigen kamer, maar trok daar zijn pij uit en deed werkkleding aan: een bruine broek en een beige vest, met daaroverheen een bordeauxrode mantel.

Met een lantaarn in zijn hand liep hij vervolgens naar het huis van de familie Talla. De duisternis verleende het een sombere werkelijkheid met typische, spookachtige contouren. Terwijl hij in de tuin liep, vroeg hij zich af: zullen het verleden en het heden de toekomst worden? Dat hoop ik niet. Deze mensen verwachten de oplossing van mij. Dus moet ik van het *was* en het *is* een *zal zijn* maken.

Vol zelfspot voegde hij er hardop aan toe: 'Slimmerik die je bent, sla je nu aan het filosoferen? Spreek toch in heldere termen, Staart van Lucifer! Wat zijn het *was* en het *is*? De moorden. En wat bedoel je met het *zal zijn*? Dat niemand het vredige Clisson meer met zijn stinkende adem komt vervuilen.'

Drie windvlagen joegen hem de stuipen op het lijf terwijl hij de tuin door liep, een blauwige vlakte vol spleten, ontsierd door armetierige kolen. Het ijzerkleurige firmament, de dorstige grond en de wilde planten riepen alleen maar beelden van viezigheid en angst op. Met de lantaarn scheen hij op de golven, gecreëerd door aarde die zich had opgehoopt en door verwaarlozing aan elkaar klonterde.

'Dit is geen tuin, maar een karkas. Om hem nieuw leven in te blazen, moeten er weer slasoorten worden geplant, zoals radijs, andijvie, roodlof, malve...'

Terwijl hij zo fantaseerde, botste zijn lichtstraal tegen een andere, die zijn eigen licht weerkaatste. Don Raimondo bleef gefascineerd naar de straalbreking kijken, totdat hij op zijn netvlies het beeld zag dat het fenomeen had opgeroepen: een kleine, glinsterende plaat.

Hij boog zich voorover en probeerde de plaat te pakken, maar die zat stevig in een groef vast, dus om hem eruit te krijgen, moest hij kracht zetten en hard trekken.

'Kijk eens aan, een blinde lantaarn. Een rond lijf en een draaibare ziel, en hij werkt nog. Wie zou hem verloren hebben en hoe lang zou hij hier al liggen?'

Hij draaide hem naar rechts en sperde zijn ogen wagenwijd open.

'Staart van Lucifer!' riep hij uit. 'Er zit een duimafdruk vol bloed op... Op de lamel zit ook een laagje aangekoekte was, met daarin de afdrukken van de lijntjes van een wijsvinger... En hier, aan de zijkant, is met een priem iets ingekrast: "ere Lucien". Wat betekent dat? Het eerste deel van het woord ontbreekt. Is dit de lantaarn die de moordenaar heeft gebruikt om Perrine uit de weg te ruimen? Natuurlijk, ik snap het al. Uit Upupa's reconstructie blijkt dat mevrouw Martin is gevallen toen ze de trap weer op ging. Daarom is ze eraf getuimeld! De moordenaar zal het verblindende licht in haar ogen hebben geschenen, waardoor ze gedesoriënteerd is geraakt en is uitgegleden. De andere, gewone lantaarns die in de kelder zijn gevonden, dienden ook als decor. Maar deze hier, Staart van Lucifer!, heeft dienstgedaan als de eerste stap op het pad van de moord. Dat verklaart de afdrukken op de afdekplaat. Hoe is het mogelijk dat niemand dat ding heeft gezien tijdens de doorzoeking?'

De prins zette koers naar de oplossing. Hij was tevreden, zoals was af te lezen aan zijn ogen, die zelfs in de duisternis vonkten als kooltjes. Toch hield iets hem tegen om naar de rand van de graven te gaan. Niet omdat hij zijn rol niet meer wilde spelen, integendeel. Het ontbrak hem niet aan lef. De situatie vereiste echter niet alleen gezond verstand, maar vooral evenwicht tijdens het wachten.

Want de vijand leek op een paling. Het was zinloos hem in plakken te snijden, want elk stuk bleef leven. Hij moest gevangen worden en in zijn geheel in een pan met kokend water gegooid worden, waar een deksel op moest worden gedaan dat met zware gewichten op zijn plek werd gehouden.

'Jaaa!' schreeuwde hij. 'Rosario is net kwik. Kwik in een paling. Hij glijdt, hij slibbert en hij glibbert.'

De prins verborg de gevonden lamp onder zijn mantel en besloot glimlachend: 'Ik laat je de fanfare van de Apocalyps horen, valse tempelier en ook nog eens een moordenaar.'

98

De prins was op weg naar het laboratorium toen hij Reiger tegenkwam. Ze wisselden een blik, alsof ze elkaar volledig wilden doorvorsen. Toen richtte de medebroeder zijn blik op de twee leren koffertjes die de detector in zijn handen hield en vroeg met vriendelijke, bijna vleiende stem: 'Weer een van uw vondsten, don Raimondo?'

'Jazeker. Een manier om de moordenaar te vinden.'

'En de apparatuur voor de jacht zit daarin?'

'Als je het wilt zien, loop dan maar mee.'

Zwijgend als een geest maakte de Sangro het eerste koffertje op tafel open en haalde er een vierkante plaat van een centimeter of veertig uit.

'Wat is dat?'

'Een vergrootglas.'

'Zo groot? Waar dient het voor?'

'Om dingen oneindig goed te kunnen zien. Ik heb het in Venetië laten maken door de grote opticien Biagio Burlini.'

Uiterst kalm pakte Sansevero het tweede voorwerp, een pantograaf. En vervolgens de twaalf vellen met daarop de vingerafdrukken van de medebroeders. De duistere vasthoudendheid van deze man ademde ernst en mysticisme uit, en dat voelde Reiger aan. Daarom liep hij weg, iets mompelend dat de prins niet verstond. Maar het kon hem ook niets schelen, want het kwam hem goed uit.

Hij sloot zich op in het laboratorium, waar hij de lantaarn had verborgen die hij bij Perrine in de tuin had gevonden. Hij haalde het afdekplaatje eraf en legde dat onder het vergrootglas. Eerst stelde hij scherp op de bloederige vingerafdruk en daarna op die van was, waarop duidelijk de vorm van een wijsvinger zichtbaar werd.

Hij onderzocht de bogen, kringen, lijnen en alle minieme welvingen van de eerste afdruk en vergeleek die met de vierentwintig duimen die in de inkt gedoopt waren. Hetzelfde deed hij om de wijsvingers te vergelijken.

Wat een prachtige handtekeningen, zei hij bij zichzelf. Gods macht is oneindig! En hij pakte de pantograaf.

In vervoering geraakt door een soort magische inspiratie, fixeerde hij de vaste punt en trok hij met de scherpe ivoren naald langzaam de lijnen en contouren over. De scharende benen gingen uit elkaar en weer naar elkaar toe, waardoor de punt van het potlood – dat aan het andere uiterste van het instrument bevestigd was – de te onderzoeken afdruk vergrootte.

Hij ging verder met vergelijken, vergroten en natrekken... Je zou hem fanatiek kunnen noemen. Maar Sansevero bestudeerde deze natuurlijke handtekeningen, die voor elk individu specifiek en uniek zijn, al jaren. Onverslijtbare, onaantastbare, kortom onveranderlijke handtekeningen.

Tevreden over het resultaat barstte hij na afloop in een daverend, onstuitbaar gelach uit. Hij verliet het laboratorium en riep naar de Vogels, die hem met een vragende blik buiten opwachtten: '*Consummatum est.*'

Airone kon zijn mond niet houden.

'Het is volbracht? Maar don Raimondo, dat is een uitspraak van Christus... Soms bent u een godslasteraar.'

'Je hebt gelijk. Maar eenmaal per jaar is waanzin geoorloofd!'

99

Drie ochtenden later, op een zondag, ging Sansevero op zoek naar Henriette Labbé. Toen hij haar vond, was ze net van plan kikkers te gaan koken, terwijl haar moeder druk bezig was een kip te plukken die ze net de nek had omgedraaid. Hun respectieve echtgenoten waren op het land, werd hem verteld.

Ze spraken over de oude meester en zijn reis naar een bovenaards leven. Toen kwam het gesprek op Bernabé en hun korte, maar intense relatie.

'Het was geen gril, mijnheer,' vertrouwde Henriette hem vol nostalgie toe. 'Ik geloof dat ik verliefd op hem was sinds de avond waarop ik hem voor het eerst door het bos naar de rivier zag lopen en hij met een blinde lantaarn het pad verlichtte. Zijn schitterende gezicht met die pupillen waarin het vuur en de nacht met elkaar versmolten, imponeerde me. Maar hij wist van niets, ook al omdat hij me niet had gezien.'

'Hoe kon je hem zien in het donker?'

'Door het licht van mijn fakkel.'

'Ik begrijp het,' zei de Sangro met een glimlachje, verrast door de eerlijkheid van het meisje. 'En jongedame, heb je hem meteen verteld dat je van hem hield?'

'O, nee! Dat zei ik pas toen hij me per toeval buiten de hooischuur tegenkwam en me aansprak. Toen waren er al dagen verstreken... Kijkt u eens', en ze liet hem het miniatuurtje zien dat ze van haar minnaar had gekregen. 'Dat draag ik altijd bij me. Mijn man accepteert het. Overigens begreep ik dat Bernabé zich met lichaam en ziel gaf aan zijn studie bij de brave Upupa. Ik kon en wilde niet met zijn aspiraties wedijveren.'

Daarna ging het gesprek over de vreselijke ervaring die ze had doorgemaakt. Over de man met de gouden helm, over hoe zij zichzelf had gered door de naam 'Bernabé' te roepen op het moment dat de gek haar aan wilde vallen, waarna hij zich, in verwarring gebracht door haar geschreeuw, op haar nicht Jeanne had gestort. Op verzoek van de prins vertelde Henriette wat bijzonderheden. Ze bekende hem dat ze soms slapeloze nachten had omdat ze steeds weer voor zich zag hoe de dolk het hart van het arme meisje doorboorde.

Haar handen trilden toen ze met klagende stem vroeg: 'Mijnheer, denkt u dat ik nog steeds gevaar loop?'

Don Raimondo stelde haar gerust. 'Wij, de vrienden van Upupa, waken over Clisson. We zijn op de goede weg om de moordenaar in de kraag te vatten. We moeten afwachten en strategisch te werk gaan. Meer kan ik niet doen.'

In de bescheiden keuken geurden de van rook doortrokken plafondbalken naar kip aan het spit. Terwijl Henriette met de soeplepel in de kikkerbouillon roerde, vertrouwde don Raimondo haar toe: 'Dat heb ik nog nooit geproefd. Het moet heerlijk zijn.'

De moeder bemoeide zich ermee. Ze streek het schort boven haar rok glad en zei, gebarend met het spit in haar hand: 'Mag ik u een kom aanbieden?'

'Nee dank u, dan zou ik het gevoel hebben dat ik mijn vrienden tekortdoe.'

'Goed, maar mag ik er dan voor vanavond een soepterrine van maken? Dan kom ik die tegen het vallen van de avond brengen, samen met vier mooie geroosterde kippen. Die kunnen jullie met zijn allen delen...'

'Mevrouw,' antwoordde de prins hoofdschuddend, terwijl zijn haar, dat bij zijn nek steil was, op zijn kraag golfde, 'uw vriendelijkheid bij het vuur, het spit en de pannen overtreft die van de dames aan het hof.'

'Maar aristocraten koken niet...'

'Precies,' reageerde haar gast. 'De adel zou een veel verfijndere houding moeten hebben, die ik wel bij u aantref, al bent u dan geen aristocrate.'

De vrouw gloeide van trots. Tegen de schemering klopte ze bij het paleisachtige huis aan en diende het eten op.

'Staart van Lucifer, Raphaël! Denkt u dat een alchemist, die gewend is om oneindig veel elementen te hanteren, niet in staat is een nieuw gerecht te bedenken?'

De waard van De Gouden Moerbei, die er voor de gelegenheid bij was gehaald, wierp een wantrouwende blik op de taartjes die op het grote fornuis midden in de keuken stonden. Ze waren stuk voor stuk hartvormig.

'Dat zeg ik niet, excellentie!' verdedigde hij zich. 'Sterker nog, het cacaopoeder dat u me hebt gegeven voor het deeg was van werkelijk uitstekende kwaliteit. Iets voor hoge heren! Maar voedsel bereiden is veel te simpel voor een geleerde als u...'

'Hou me niet voor de gek, vriend. Uw wantrouwen ligt er duimendik bovenop. Iedereen moet altijd gebruik maken van zijn fantasie, in het leven net zozeer als in de keuken. Fantasie en discipline.

Geen kunst is ooit te eenvoudig wanneer iemand probeert het beste te bereiken, of het nu om alchemie gaat of om gastronomie. Mee eens?'

Raphaël knikte voldaan.

'Dus,' vervolgde de prins, 'als u het nog weet: ik heb u uitgelegd dat de koude en droge aard van de cacao...'

'... moet worden gematigd door de vette vanille en de warme kaneel, om de nodige balans te bewaren.'

'Goed gezegd. Ik heb u al geleerd welke hoeveelheden en ingrediënten er nodig zijn. Maar als ik nu de tegenstellingen wil samenbrengen en een *gattò* wil die vanbuiten gaar is en vanbinnen zacht, wat doe ik dan?'

'Dan verkorten we de kooktijd, zodat de vulling tussen droog en romig in zit. Ik denk dat dat moment nu is aangebroken...'

Hij haalde de gebakjes van het fornuis en legde ze op het marmer. Sansevero bestoof de helft van een taartje met een heel dun laagje sneeuw van suiker en vanille. De ander deed hetzelfde.

'Raphaël, ieder mens lijkt, met zijn goede en slechte kanten, op dat taartje daar,' preciseerde don Raimondo. 'Op het eerste gezicht half wit en half donker. Zullen we er ooit achter komen wat er werkelijk onder de ruwe bolster verborgen is?'

Met een mes maakte hij een snee, precies in het midden van het bord. Een magma van vloeibare chocola gutste warm naar buiten, alsof er een ader was doorgesneden.

'Zwart hart!' riep de waard. 'Zo gaan we het noemen, excellentie. Wilt u dat ik het direct opdien aan uw vrienden?'

Rosario's duistere hart, peinsde de detector, die een dreigende gedachte op voelde wellen. Maar in hem is er een duidelijke scheidslijn tussen wit en zwart. Het probleem is dat hij dat zelf niet weet...

De Vogels rondden het diner af dat madame Labbé hun had aangeboden. Ook het dessert van de prins ontlokte hun enthousiaste reacties. Elke disgenoot maakte zijn taartje open om met een mengeling van bewondering en verbijsterde nieuwsgierigheid de inhoud van het 'zwarte hart' te ontdekken.

Toen Raphaël vertrokken was, begonnen ze allemaal te discussiëren over de ontmoeting van die middag tussen Nachtegaal, Fluiter en een vreemde snuiter.

'Ik zeg je,' benadrukte Fluiter, die met een afgekloven botje zwaaide, 'dat die ouwe een Duitser leek, zoals Sperling, al had hij een vaag gezicht, waarvan de nationaliteit was uitgewist. Hij was kaal en zag er zo ernstig uit dat zijn kaalheid een tonsuur leek!'

'Onzin!' interrumpeerde Nachtegaal, en de andere medebroeders hielden hun hart vast, bang bij de gedachte dat hij weer een van zijn eindeloze monologen ging afsteken, waarvan de logische lijn achter de horizon zou verdwijnen. 'Als je iemand wilt beschrijven, moet je beginnen met zijn fysionomie. Die oude man was lijkbleek onder zijn schedel, waarop een paar witte plukjes haar zaten. De fysionomie is belangrijk omdat die iemands innerlijke staat weerspiegelt: het resultaat van een vreemde mengeling van tegenstellingen die zijn opgegaan in het goede en het kwade. Het was de openbaring van een mensheid die onder de panter kon blijven bestaan of zich boven de mens kon verheffen...'

Sansevero wierp hem een scheve blik toe, met een spottend glimlachje vanwege de rare manier van spreken. Zwaan onderbrak hem echter geërgerd. 'Allemachtig! Nachtegaal, hoe was die man in godsnaam gekleed?'

'Eh... in een zwarte toga met slijtplekken op de schouders, waaronder halverwege zijn gesloten justaucorps zichtbaar was, die hij tot onder zijn kin had dichtgeknoopt...'

'En zijn handen?'

'Hij had de neiging zijn handen te vouwen, alsof hij gewend was te bidden.'

'Ik wil weten,' drong Zwaan aan, 'of hij dikke of magere handen had.'

'Dat wilde ik net zeggen. Knokig, zelfs vel over been. Ook die hadden een fysionomie. De fysionomie van iemand die het kwaad heeft leren kennen. Sterker nog, ze leken als de dood voor het kwaad...'

De jongen sprong met een woedende schreeuw op van zijn stoel. 'Jij, Nachtegaal en jij, Fluiter, hebben die vervloekte Prelati ontmoet. De moordenaar! En dan bazelen jullie over nationaliteit en fysionomie... Nu is het afgelopen! prins, ik, ik ga de tempeliers uit hun schuilplaats verjagen...'

100

Hij kon zijn opmerking niet afmaken, want plotseling klonk er een schot. De kat, die opgerold op de stoel lag, schoot onder tafel. Don

Raimondo haastte zich naar een van de twee ramen, terwijl de anderen zich over de verschillende kamers verspreidden om naar buiten te kunnen kijken.

In de maanloze nacht vluchtte een ransuil het donker in, als een zwarte vlek die de diepzwarte duisternis doorkliefde. Bij het licht van fakkels liepen twee sinistere individuen met kappen op, als klodders donkere zegellak tegen een paarsige achtergrond, bijna alsof ze geschilderd waren door de handen van een beul. Onder de grote hemelstroom, in de door stapelwolken zwaar geworden lucht, tilden de noodlottige types een dikke zak van een karretje op twee wielen.

Sansevero riep de medebroeders terug: 'Niemand gaat naar buiten! Het is een valstrik. Vinden jullie dat schot niet verdacht? Sinds wanneer kondigen ze hun komst schietend aan? De tempeliers van de Dauw dagen ons nu werkelijk uit. En dan te bedenken dat ik ze had uitgesloten...'

De twee doodgravers hingen de zak aan een tak van de boom naast het huis, waar de eerste moord was gepleegd. Het ding werd belaagd door zwermen glimwormen en er lekte rode vloeistof uit.

'Bloed?' vroeg Reiger.

'Wat dacht jij dan? Champagne?' antwoordde Sperling geprikkeld.

'Broeders, we kunnen niet de deur uit! Ze willen ons buiten hebben! We spelen hun spel niet mee. We moeten wachten,' hield de detector vol.

En inderdaad, nadat de twee snuiters hun toortsen hadden gedoofd, verdwenen ze, opgeslokt door de gewillige duisternis, bijna verzwolgen door een onzichtbare grafkelder. Don Raimondo liep onmiddellijk de deur uit, gevolgd door Sperling. Ze haalden de zak van de boom en maakten hem op de drempel open.

Er zaten twaalf dolken in. Twaalf genadedolken, elk druipend van het bloed.

'Zei ik het niet? Het is een valstrik, het meedogenloze moordspel wordt nu veel venijniger. Alles sluit op elkaar aan: de ontmoeting tussen Fluiter, Nachtegaal en Prelati, de twee doodgravers die ons naar buiten moesten lokken... Wie weet waar het kleine leger van Rosario vandaan zou zijn gekomen... Ha, ik hou elke aardkluit in dit gebied in de smiezen!'

'Prins, ik zeg het nogmaals,' hield Zwaan vol. 'Ik wil ze uit hun schuilplaats jagen. Ik moet ze vernietigen. Dat heb ik Upupa beloofd. Ik neem de postduiven mee om met u te kunnen communiceren.'

Papegaai wilde hem ervan weerhouden, maar de Sangro hield hem met zijn arm tegen.

'Ik ben het met Zwaan eens. We moeten dit onder mijn leiding strategisch aanpakken. Eén, en dan bedoel ik ook echt één van ons, mag het kasteel van Tiffauges binnengaan...'

'En mogen wij hem niet volgen, in echelons?' vroeg Kolibrie bezorgd.

'Nee, broeder,' antwoordde de prins, die zijn tong langs zijn boventanden liet glijden. 'Hij is door een stervende uitverkoren. Upupa had een vooruitziende blik. Een vraag, Zwaan: de populier waaraan de zak hing, was dat dezelfde als waar jij in zat op de dag van de moord?'

'Ja. Maar wat betekent dat volgens u?'

'Misschien is het toeval, maar je raakt er wel door in vervoering, met een doodse, onbeweeglijke grijns.'

'Dat begrijp ik niet, prins. U spreekt in metaforen,' protesteerde Nachtegaal klagend.

'Ken je de *ouroboros*? Goed, ik wilde mijn vermoeden bevestigen. Het lijkt erop dat hij iedereen naar buiten wilde laten komen, precies naast de boom die de stille getuige was van de eerste moord. Rosario – dat vermoed ik – wilde het begin en het eind laten samenvallen.'

Niemand zei iets. Alleen Fluiter merkte op: 'Dus dit is de eerste nederlaag van de tempeliers van de Dauw! Hoe dan ook, in Zwaan groeit de vernietigende kracht om ze te verslaan. Voor eeuwig.'

101

Na een laatste bezoek aan het Feniksnest, waar hij twee uur bleef om zijn geest en zijn blik te verrijken met wat Upupa daar had gebouwd, ging de prins naar buiten. Maar hij verdwaalde toen hij naar het paleisachtige huis terug wilde keren. Met glazige ogen en nog in een roes van al dat goede van God, sloeg hij een stoffig paadje in. Hij stampte wel zes keer met zijn voeten op de grond om de aarde ervan af te krijgen, en terwijl hij zich voorover boog om naar de punten van zijn schoenen te kijken, hoorde hij het typische geluid van een graf waarvan het deksel wordt opgetild.

Maar nee, het was iets anders! Het geknars van iets wat over lange groeven schoof. Er was een kruis uit de grond gekomen dat als hefboom diende voor onzichtbare scharnieren. De emotie die hem overviel was dezelfde als die hem overeind hield. Hij bleef roerloos staan, als versteend, met voeten die verstijfd waren als calciumcarbonaat.

Eindelijk slaagde hij erin zijn gewrichten los te maken en hij liep naar het voorwerp dat als bij toverslag was verschenen. Het breedarmige Latijnse kruis, kenmerkend element van de tempeliers, met de uitlopende armen, had als basis een grote, platte steen met daaronder een metalen luik met een ring.

Don Raimondo knielde neer, haakte zijn wijsvinger in de ring en tilde het deksel op. Hij wist niet of hij het lot moest danken omdat hij de weg was kwijtgeraakt, zijn schoenen vuil had gemaakt en op het pad had staan stampen. Hij dacht na en zei bij zichzelf: tot nu toe niets dan noodweer, regen, duisternis, misdrijven... Wie weet is dit eindelijk een goed teken?

Hij zweeg en sperde zijn ogen nog verder open, met groeiende aandacht voor iets wat hij vaag kon onderscheiden in het laatje van het platform waar het tempelierskruis op stond. Het gedeelte dat hij kon zien lichtte op in het blauwige daglicht.

Hij werd bevangen door een onmetelijke energie die hem ertoe dreef een gelig stuk perkament te pakken, dat meermalen was opgevouwen en in het laatje was gestoken. Hij voelde hoe stevig het was en rook eraan. Behalve de muffe, oude lucht bespeurden zijn neusgaten ook de geur van een nieuw raadsel. Wat zat erachter? Een bedreiging?

Hij besloot het open te vouwen en las een soort raadsel in gotische letters, dat hij à vue uit het Frans vertaalde: '*Zoek onder de koningen van de Tempel. Door de zuilengalerij binnen te gaan, zul je de maten aflezen. Tel op de vingers van je hand volgens Pythagoras. Geen paralipomena. Van kruis tot kruis telt niet het gewicht van de passen, maar de maten. Anno Domini* MCCXLI. *Was getekend, Olivier le Vieux, Sire de Clisson.*'

Hij klemde het mysterieuze reliek tussen zijn vingers en probeerde, door weer met zijn voeten op de grond te stampen, het kruis weer onder de grond te krijgen. Maar het bleef parmantig overeind staan, als een initiaal op een bladzijde met de nagalm van een ver verleden.

Hij keek om zich heen, maar zag geen andere wegen. Niets. Op de weg terug naar huis zag hij hier en daar bleke spiraaltjes ronddansen. Het waren wervelingen van fijn poeder, die afkomstig waren van zijn eigen pij.

Fluiter zag hem en merkte de filosofische houding op die de prins af en toe uitstraalde.

'Komt u uit het Feniksnest?' vroeg hij argwanend.
'Weet jij wie de eerste heer van Clisson was?' luidde de wedervraag.
'Olivier de Oude. Hoezo?'
'Zijn er hier in de omgeving tempelierskerken?'
'Er staat er een niet ver hiervandaan. Het kerkje heet Maria Magdalena. Maar het is half vervallen...'
Bij het horen van die naam schrok don Raimondo op. Hij keek Fluiter aan en veegde, bij wijze van spreken, met zijn blik de vragende uitdrukking van diens gezicht. De ander merkte dat hij gekweld werd door zorgen, wat nog eens bevestigd werd toen hij hem hoorde zeggen: 'Ik wil alleen in de bibliotheek zijn. Weet je, ik wil niet dat mijn overpeinzingen in gruzelementen vallen door iets van buitenaf. Ik concentreer me op het onzichtbare en verafschuw elke inmenging via de half openstaande deuren van mijn gedachten. Als iemand me onderbreekt, vallen mijn ideeën uiteen.'
'Prins, ik ben op de hoogte van uw behoeften. U wordt net een schijnbeeld, dat op bepaalde momenten fantasmagorisch wordt en waarin uw geest in beweging komt. Dat zou onsympathiek over kunnen komen, maar ik begrijp het wel: een overdaad aan sensaties is net als te veel olie in een lamp; de gedachte wordt erdoor verstikt. Ik zal erop toezien dat u niet wordt gestoord.'
'Dank je, Fluiter. Ik roep je wel als ik klaar ben met het indrinken van kennis.' Hij wees op de stoffige boeken. Om de een of andere reden kreeg de Sangro een ogenblik de indruk dat het lijken waren die daar marcheerden. Misschien omdat het niet de mensen zijn die de boeken verslinden, maar de boeken die zich met de mensen voeden.
'Nogmaals bedankt, beste Fluiter. Als we niet op elkaar konden rekenen...' zei hij ferm, zonder de zin af te maken, zodat de samenzweerderige, zwijgende ondertoon duidelijk werd.
Hij bekeek de boeken aan alle kanten. Hij pakte het perkament en probeerde een anagram te maken van de woorden. Niets. Hij krabde zijn nek en maakte de strik in zijn haar los, zodat het in lokken over zijn kraag viel. Hij voelde het niet eens kriebelen.
Bovendien werd zijn hele grijze massa in beslag genomen door het avontuur in zijn leven, waarin schaduwen zich vermengden met licht, tegen de achtergrond van de abnormale gebeurtenissen die de bonte intrige van zijn bestaan vormden, en werden zelfs zijn zintuigen slaperig.
Eindelijk ontwaakte hij weer en hij richtte zijn ogen op het eer-

biedwaardige, roestkleurige document, waarvan de gedroogde inkt als motregen op het tapijt begon te spetteren. Als liefhebber van dingen uit het verleden vond hij die ontbinding erg, heel erg. Zelfs het woord 'paralipomena' begon van het stevige perkament te verdwijnen. Maar als dat niet was gebeurd, zou hem ook geen lampje zijn gaan branden!

Hij liet zijn tong langs zijn tanden glijden en sloeg zich voor zijn voorhoofd.

'Staart van Lucifer!' riep hij uit. '*Paralipomena*! Maar dat zijn de Kronieken. Het Oude Testament... Ik heb het. Ik moet het boek Koningen hebben en niet dat van de Kronieken. Dus heb ik de maten nodig van de tempel van Salomo! Logisch. De tempeliers zetelden oorspronkelijk in de buurt van de ruïnes van het paleis van Salomo.'

Daarna sloeg hij, stralend van vreugdevolle glorie, het Oude Testament open bij het eerste boek der Koningen, hoofdstukken 6 en 7. Hij ging aan de schrijftafel zitten en begon op het vel papier, dat hij naast de Bijbel had gelegd, niet de gewichten op te sommen, maar de maten in ellen:

voorhal: 20 lang, 10 diep;
galerij: 5 (onderste), 6 (middelste), 7 (bovenste); hoogte 5 x 3 = 15;
cederhouten tafel: lengte 20;
grote zaal: lengte 40;
achterzaal voor de ark: lengte 20, breedte 20, hoogte 20;
2 cherubs: hoogte van elk 10 x 2 = 20;
hun vleugels: hoogte van elk 5 x 4 = 20;
spanwijdte: 10 x 2 = 20
2 bronzen zuilen: hoogte 18 x 2 = 36;
hun omtrek: 12 x 2 = 24
2 bronzen kapitelen: hoogte 5 x 2 = 10
versiering in de vorm van een lotusbloem: 4;
de bronzen zee: middellijn 10, hoogte 5, omtrek 30;
10 bronzen onderstellen voor verrijdbare spoelbekkens: totale lengte 40, totale breedte 40, totale hoogte 30;
opening onderstellen: totale hoogte 15;
wielen aan de zijkanten: totale hoogte 60;
10 bronzen bekkens: totale middellijn 40.

'Dus,' mompelde hij, 'in totaal is dat 587 el. Op het perkament staat: *Van kruis tot kruis telt niet het gewicht van de passen, maar de maten.*

Recapitulerend: ik moet teruggaan naar het kruis dat uit de grond is gekomen en vanaf daar 587 passen tellen. Dan kom ik bij een ander kruis. Misschien in de kapel die gewijd is aan Maria Magdalena? Eens kijken, eens kijken...' Hij wreef over het kuiltje in zijn kin en nam zijn gebruikelijke spottende houding aan.

'Maria Magdalena is niet zomaar een naam... voor de geheimen van de tempeliers. O! macht van de vrije wil, die soms zo onverantwoordelijk is. Ach nee, wat zeg ik nu? Ze durfden wel. Maar wie begreep dat je, juist door middel van het zichtbare, kon doordringen in het onzichtbare? Dat bewijst trouwens ook het raadsel dat op het perkament geschreven staat. Het sleutelwoord was paralipomena, vlak voor je neus.'

Blij dat hij de onderaardse, cryptische mededeling van tempelier Olivier had opgelost, dankzij het heldere moment dat hij door datzelfde oude, verdroogde stuk papier had gehad, riep hij Fluiter, die zag hoe hij straalde.

'Ik zie dat u weer opgemonterd bent, excellentie...'

'Ja, ja. Luister, ik moet rennen om een onderzoek ter plaatse uit te voeren. Houd de medebroeders tegen, verzin maar een smoes. Als ze maar niet in de buurt komen...'

'... van de tempelierskapel,' maakte Fluiter het bevel glimlachend af.

Opgelucht antwoordde Sansevero op zachte, vriendelijke toon: 'Dank je wel. De Almachtige zal je belonen.' En weg was hij.

102

Bij het kruis aangekomen ging Sansevero er met zijn rug naartoe staan en begon de stappen te tellen. Vanaf de kruising waar Bernabé met Upupa was geweest, ging hij de verlaten kapel binnen. Daar baande hij zich met zijn handen een weg door adventiefplanten, die in promiscue omhelzingen met elkaar verstrengeld waren, en door de *Hedera helix* die zich aan de clematis vastklampte. Niets kon hem tegenhouden totdat hij bij de vijfhonderdzevenentachtigste pas was aanbeland.

Voor hem doemde een hoge muur van donkergroen loof op. Hij stak de blinde lantaarn die hij in de tuin van Perrine had gevonden aan en concentreerde zich op het verblindende licht. Daarna haalde hij een hamertje onder zijn mantel vandaan en begon te bikken. Hij hoorde het typische geluid van stenen die droog op elkaar gestapeld zijn en alleen bedekt zijn met pleisterkalk. Ze vielen een voor een en hij trok ze naar zich toe om een klein stapeltje te maken.

Eindelijk scheen het licht op het kruis dat op het perkament werd genoemd. Het was gemaakt van brons, maar op de plaats van Christus hing een penis met de eikel omhoog. Hij bestudeerde het lid, bekeek het beeldhouwwerk, maar de lucht, die door de omgevallen stenen muf rook, was verstikkend geworden, al zat er bovenin wel een minuscuul spleetje...

Links in de hoek zag hij een heuse rechthoekige crypte, die aan de zijkanten helemaal zilverkleurig was geworden door het korstmos, en vanboven goudkleurig door het mos dat er als een tapijt op groeide. Bovendien was de sarcofaag bedekt met dikke lagen van een verdacht, roodachtig geel poeder, waarvan hij dacht dat het hematiet was.

Hij pakte zijn hamertje en wrikte met de pen onder het deksel. Hij bikte en bikte totdat er beweging in kwam. Hij popelde, onrustig als een echte grafschenner.

Zal het me lukken? vroeg hij zich herhaaldelijk af. Zal ik het open krijgen?

Na de zoveelste klap gleed de afdekplaat eindelijk weg en kwam er, in al zijn monsterlijkheid, een skelet van een tempelier tevoorschijn. Het karkas, dat op het eerste gezicht kleverig en plakkerig leek, kreeg vorm onder de weerkaatsing van de lamp. Het lichaam was gewikkeld, bijna ingezwachteld, in een half beschimmelde, gescheurde, pij, waar een knie uit stak.

Door de bovenste scheuren waren de ribben te zien. De stof, die aan de botten plakte, vertoonde net zo'n soort reliëf als de draperieën van de beelden. De gescheurde en gespleten schedel leek op een rotte vrucht.

Maar de mond, de openstaande mond, was volgepropt met een warwinkel van verfrommeld perkament. Met een snelle beweging trok Sansevero de prop perkament weg en met de lichtbundel scheen hij in het opengesperde keelgat. Daar werd het licht van binnenuit weerkaatst...

Zoals altijd wanneer iemand voor een groot mysterie staat, borrelden er bij de prins zonder enige twijfel weer ideeën op, waardoor zijn hoofd bijna openbarstte, als een vogeltje dat een ei van binnenuit opentikt met zijn snavel.

Zonder er verder bij stil te staan, stak hij zijn hand nogmaals in de wijde holte. Onder zijn vingers voelde hij een hard voorwerp, dat hij eruit haalde, terwijl een restje van een schreeuw leek na te galmen in de open mond. Een kleine pelikaan, helemaal in het rond uitgehakt in muntgoud. Dus iemand had de man doen stikken. Maar waarom? Sansevero rolde het perkament uit, las het en vertaalde hardop:

Wie met zijn mond de geheimen openbaart,
zal hem voor eeuwig dichtdoen.
Wie met zijn hand de geheimen opschrijft,
zal voor eeuwig verminkt worden.
De verdragen en regels van de militie van de Tempel
zijn altijd duidelijk geweest.
Noch het geheim van de m wordt onthuld,
noch het geheim van de poeders wordt gebruikt.
Als dat alles op de wereld zal worden verspreid,
zal de hel van water, aarde, lucht en vuur
de doodsklokken doen luiden.
BAM, BAM, BAM, BAM, BAM
schreeuwen de klokken met hun klepels.
De aarde en het water zullen een verbintenis aangaan
in een verdorven, BRUIN huwelijk.
De lucht zal een draaikolk maken met het vuur
en het rechtvaardige zal boeten met het onrechtvaardige.
Afwijkende golven, aardverschuivingen, opstanden,
hongersnood, pestilentie, waanzin, oorlogen en moorden...
Zo was het, zo is het, en zo zal het altijd blijven
als er onthuld wordt
met wie Hij
het Uitverkoren Geslacht heeft voortgebracht.

De detector wierp nog een laatste blik op de vermoorde dode. Of liever gezegd: de terechtgestelde dode. De angstaanjagende kwelling van de macabere voorspelling hield maar niet op. In Clisson werden de absurde misdrijven verklaard. Een of andere onverlaat had het gewaagd de heilige, mysterieuze poeders te gebruiken.

O, God! Hoeveel rampen konden er worden toegeschreven aan de ontsluiering van de Mysterieuze Mater, deze *Mulier Misteriosa*? Hij wilde, kon, mocht niets zeggen. Tegen niemand.

Hij verliet de tempelierskerk terwijl de wind, die nu tweemaal zo sterk was, binnen in hem wervelde, en hij bekeek het beeldje wat beter. De pelikaan symboliseerde Christus, te herkennen aan de steen, of lapis, der wijzen. Toch vreemd. Er zaten gaatjes in het koppetje, alsof het een zoutvaatje was. Hij rook eraan. Golven van misselijkheid.

Hij voelde het: de rechtschapen tempeliers hadden giftige stoffen in het afgodsbeeldje gedaan, die vrij waren gekomen zodra ze in contact waren gekomen met de lucht. Wie weet wat de gevolgen zouden zijn. Dus het gouden voorwerp was niet afkomstig uit het alchemistische werk. Hij woog het op zijn hand. Het leek wel in gewoon, misschien zelfs puur, goud gesmolten.

Niettemin had de bedriegende monnik met zijn mond de geheimen geschonden door te proberen de geheime poeders te gebruiken, en zo de toorn van die Olivier over zich afgeroepen, die misschien op het idee was gekomen van de valstrik-graftombe, ter vermaning van de medebroeders die in de verleiding waren gekomen door de begeerte.

Maar hij, don Raimondo, had het als eerste geschonden. Hij bleef de giftige dampen inademen en kreeg het gevoel dat zijn lichaam werd doorboord door vurige pijlen. Er liep een rilling over zijn rug, hij wankelde, kreeg een schok, viel bijna, draaide zich om en gooide het beeldje naar de rukwinden, die het opslokten en tot bedaren kwamen.

Sansevero ademde in en uit. Hij bleef een paar minuten met gesloten ogen staan en beval zichzelf: 'Jij, Raimondo, geboren in 1710, behorend tot dat Geslacht, zwijgt voor eeuwig. Beschouw dat privilege maar als een adellijke titel. Je moeder was Cecilia Gaetani dell'Aquila d'Aragona. Je weet heel goed dat je afstamt van die numineuze lijn, van het heilige koppel met de initialen C.M.: een verstrengeling in puur metaal, behoedzaam losgemaakt met een sluier van kristal. Trouwens, op het beeld van Christus in je kapel heb je een androgyn gezicht laten beeldhouwen. En het beeld van Kuisheid is dan wel genoemd naar je moeder, maar in haar sluier en haar dijen is de mysterieuze m verborgen. Ook de vrijmetselaarsloge, de Roos van de Grote Orde, die je volledig in overeenstemming met Ramsey hebt opgezet, heb je aan Haar opgedragen. En de paus weet dat heel goed!'

Rustig besloot hij: 'Het is goed zo. Nu wacht Rosario op mij en zullen we zien of er ooit een verband heeft bestaan tussen de tempeliers en Gilles de Rais.'

103

'Prins, hebt u iets nodig?' vroeg Fluiter toen hij hem op de canapé zag liggen.

'Misschien wel. Ik wil graag iets drinken. Wijn, als het kan,' antwoordde Sansevero met halfgesloten ogen.

Hij merkte de medebroeder niet eens op toen die hem een zilveren, gegraveerd dienblad met een glas erop kwam brengen. Hij nam het mechanisch aan en dronk het mechanisch leeg. Ongeveer een uur lang bleef hij, op afstand, in de ban van de sfeer in de tempelierskapel.

De fascinatie voor het ondoorgrondelijke, en de opnieuw aangewakkerde verleiding van het een of andere laatste geheim dat even om een hoekje was komen kijken – verborgen in de overblijfselen van de tempel – vertegenwoordigden voor hem een belofte en een vermaning. Ironie van het lot, het kruis dat opeens was opgesprongen uit het binnenste van de aarde! Hij zat roerloos en had echt het gevoel dat hij in een put was gevallen. En dat was dan ook werkelijk gebeurd!

Als ze het hem verteld zouden hebben, had hij het niet geloofd. Die vreselijke onzin verontrustte hem ondanks zichzelf, en veroorzaakte een mist vanbinnen waarin elk moment andere contouren zichtbaar werden.

Sansevero onttrok zich eindelijk aan zijn overpeinzingen, stond op en ging naar het voorhuis, waar hij het mozaïek van de enorme dobbelsteen bewonderde, en slenterde vervolgens door de andere kamers, totdat zijn ogen op het middeleeuwse harnas en daarna op de helm vielen, waardoor zijn geest opnieuw afdwaalde naar de vervloekte tempelier, die een vast punt in zijn overdenkingen was geworden.

Vaak is het geheugen bedekt met een dun laagje vergetelheid, dat ons bij gelegenheid opeens laat zien wat eronder zit. Hij stelde zich, onder de wirwar van planten op de muren van het kerkje, wanden vol fresco's voor, waarmee het in het verleden misschien wel verfraaid was geweest. Hij zag absoluut geen dionysische, dithyrambische schilderingen voor zich, noch tekeningen zoals die in Pompeji. Nee. Hij dacht aan iets onbegrijpelijks dat ontcijferd moest worden.

De verbeelding is mysterieus en subtiel als een geur, zei hij binnensmonds. Soms heeft het kronkelen van de fantasie een giftige uitwerking op de geest. Het zou betoverende zelfmoord zijn, zacht en onheilspellend. Het is beter me te laten verlokken door de aan Maria Magdalena gewijde kapel, dan toe te staan dat bepaalde gedachten me om de tuin leiden...

Met die smoes van een valsspeler ging hij, zonder iemand te waarschuwen, opnieuw naar het tempelgebouw.

Hij stapte met een fier, stalen gezicht de drempel over en haalde zijn lantaarn tevoorschijn, waarvan hij de straal meteen op de grijsgroene muren boven de klimplanten en het onkruid richtte. Met een schaar begon hij vervolgens met zijn ontheiligende snoeiwerk. In de hoek tegenover de plek waar de strijdlustige vermoorde monnik lag, zag hij een bruggetje van baksteen, dat echter nergens naartoe ging. De muur stond ervoor.

Maar precies daar, exact op dat punt, was iemand hem voorgegaan. Wanneer? Hij vond een bronzen grafsteen, omlijst met kleingesneden ranken klimop en bladeren die verspreid op de grond lagen, verhuld door donzig witte mist. Daarna twee tempeliers te paard, uitgehouwen met hun wapenschilden en daaronder dertien hiërogliefen. Dus daar kwamen die vandaan.

Het monster met de helm, zei hij met een grimas, heeft de hiërogliefen uit dit kapelletje gestolen. Maar hoe heeft hij ze ontcijferd? Er is hier geen enkel element waarmee ze doorgrond kunnen worden. Ik heb mijn codeboekje nodig voor een vergelijking. Als ik er niet maar wat op los fantaseer, zal de moordenaar de sleutel wel hebben gevonden in een of ander document dat in handen van de Sire de Rais is gevallen. Maar hoe kan ik die relatie achterhalen? Alleen in Tiffauges...

Woedend werd hij zich ervan bewust dat hij het onderzoek misschien al had afgesloten als hij de zaak eerder had ontdekt. Nu moest hij Bernabé echter absoluut naar het kasteel van de schanddaden sturen. Trouwens, om die opoffering had Upupa hem gevraagd.

‘Hij zal er wel een goede reden voor gehad hebben... Er is altijd een reden voor een reden,’ mompelde hij. ‘Die goeie ouwe man wist wel hoe hij het vraagteken bij de misdaden moest wegnemen en hoe hij het bebloede stof uit de drek van de latrine die Rosario heeft gebouwd moest tegenhouden.’

Zelden bevond Sansevero zich in een verwarde en tegenstrijdige geestestoestand. Maar de situatie in Clisson deed denken aan een gebouw van zeldzame stenen, dat verwoest was door een aardbeving. De verachtelijke moorden vroegen om ingrijpen op de plaats waar ze waren gepleegd. In zijn ogen was het net een mozaïek dat van heel dichtbij bestudeerd moest worden. Hij kon niet naar Tiffauges gaan.

Hij moest het huis van de Vogels bewaken, want hij wist en voelde dat de valse tempelier, en moordenaar, terug zou komen.

Als Zwaan daarentegen naar de bron van het stinkende magma ging, zou hij de navelstreng kunnen doorsnijden.

Ja, de jongste telg moet daar een gedaanteverandering ondergaan, de moordenaars verminken en de confrontatie met de helse chaos aangaan zonder er al te diep in te duiken. Daar zal hij Prelati ontmoeten en de strijd met hem aanbinden – dat weet ik zeker – omdat Bernabé er zelf van overtuigd is dat die verduivelde ouwe ellendeling de deus ex machina vertegenwoordigt, dacht hij overtuigd.

Hij vergat de schaar uit de kapel mee te nemen en keerde terug naar huis alsof hij net het theater uit kwam, nadat het doek was gevallen.

Het leek wel of hij zelf de onwetende was.

104

Nadat hij zijn witte pij had uitgetrokken en zich gekleed had in een strakke, knielange broek met opvallend gekleurde streepjes en een hagelwit vest, pakte Zwaan zijn bagage. Een zak met de hoognodige spullen, die voorzien was van gaten, zodat de drie gekooide postduiven konden ademen.

'Vertrek je het liefst overdag?' vroeg de prins oprecht bezorgd.

'Ja, want de spraakzaamheid van de nacht is niet minder angstaanjagend dan zijn stilte. Ik geef er de voorkeur aan om 's ochtends te gaan.'

'Ben je niet bang dat iemand je ziet? Prelati, bijvoorbeeld?'

'Daar zou ik blij om zijn, want dan kan ik hem eindelijk zeggen dat Upupa hem de gevraagde gunst heeft verleend,' beweerde hij met opgeheven hoofd, terwijl hij Sansevero strak in de ogen keek.

'Maar dat is een leugen! Stel dat hij helemaal niet heeft gehoord dat hij dood is...'

'Dat komt me goed uit,' zei hij nadrukkelijk. 'Dan laat ik hem geloven dat de meester me, *in articulo mortis*, heeft gevraagd dat klusje alsnog voor hem op te knappen.'

'Als je niet weet welke belofte hij heeft gedaan, waar kom je dan in hemelsnaam mee op de proppen?'

'Excellentie, dat verzin ik op dat moment wel; ik vertrouw op mijn verbeeldingskracht.'

'Doe wat je goeddunkt. Neem intussen deze sigaren van goede Syrische tabak aan. Die zullen je gezelschap houden,' en hij gaf hem twee dozen, die Bernabé in zijn plunjezak stopte.

'Groet de medebroeders namens mij. Ik word altijd zo triest van afscheid nemen. O, prins! Niet vergeten: het Feniksnest moet regelmatig worden schoongemaakt. De meester vond het heel belangrijk dat het altijd netjes was. Het was dan ook zijn eigen ontwerp,' hielp hij hem herinneren, terwijl hij zich over zijn bagage boog.

Don Raimondo stond een paar seconden te peinzen. Hij deed het lint om zijn haren goed en keek de jongen toen aan.

Zwaan, die zijn blik voelde prikken, bijna als een energiestoot, draaide zich plotsklaps om en keek terug. 'Hemelse goedheid! Wat hébt u in godsnaam?'

De prins draaide hem de rug toe, keek naar het kabinet en stelde hem, met plotseling ongedwongen, nonchalante stem een wedervraag. 'Ken je dit wijsje?' en hij floot *Passant pas Paris.*

De ander barstte in lachen uit. 'Ik dacht dat u op het punt stond iets heel belangrijks te zeggen, excellentie! Ik ken het, en hoe! Iedereen kent het. Zelfs Hilarion Thenau. Uitgerekend door dat deuntje zit hij achter de tralies! Ik was een van de getuigen. Dat heb ik u al verteld... *Bon, bon, bon...*'

'De andere drie zijn de bedelaars. Weet je hoe ik in contact kan komen met Étienne?'

'Met welk doel, als ik vragen mag? De meester heeft al een stokje voor Hilarions proces gestoken.'

'Daar heb je gelijk in, jongeman. Maar ik denk niet dat zijn avontuur in de gevangenis erg plezierig is. Denk je wel? Vooral als hij het niet gedaan heeft,' zei Sansevero op bijtende toon. Hij haalde zijn horloge uit zijn zak, alsof hij de tijd vergeten was. 'Kwart voor tien. Je moet opschieten, Bernabé. Je gedrag lijkt me vreemd, alsof je het nooit met Upupa over de onschuld van de koster hebt gehad.'

'Integendeel. Ik heb de moord op Beppe, en misschien ook die op zijn vrouw, altijd toegeschreven aan Prelati. Het is heel simpel: het lijkt me nutteloos om te bespreken waarom Hilarion in staat van beschuldiging is gesteld, terwijl ik op dit moment uw bescherming nodig heb. Hoe dan ook, het liedje, de voetafdrukken, het speeldoosje... Het lijkt me duidelijk dat ik, door naar Tiffauges te gaan, laat zien wie volgens mij de echte moordenaar is en waar ik die kan vinden.'

'En dat is genoeg voor jou? Je vindt het toch niet overbodig dat ik me bezighoud met het weerleggen van de valse beschuldigingen waar de arme invalide mee is opgezadeld? Het speeldoosje, bijvoorbeeld...'

'Het speeldoosje? Maar iedereen heeft gezien dat het uit zijn zak viel. Hij heeft toegegeven dat hij het in de tuin heeft opgeraapt. Een excuus van likmevestje...'

'Maar wie heeft het er neergelegd?' vroeg Sansevero met een trilling in zijn stem.

'Tja. Dat weet ik niet.'

De prins keek hem zwijgend en peinzend aan. Ondoorgrondelijk. De jongen bloosde, en om zijn emotie te verbergen hoestte hij en bracht hij zijn zakdoek naar zijn mond.

'Wil je me nu vertellen,' voegde Sansevero er geërgerd aan toe, 'waar ik Étienne kan vinden?'

'Vraagt u het maar aan pater Sébastien van de Drievuldigheid. Ik geloof dat hij de vervanger is van Thenau.'

'Voordat je gaat, Zwaan, twee dingen,' brulde hij alsof hij het tegen een dove had. 'Ten eerste: laat me via de postduiven weten hoe het ervoor staat. Je hebt grafiet en perkament om te schrijven. Als je in gevaar bent, laat dit ding dan de lucht in gaan en stuur het de richting van ons huis op...'

'Wat is het?'

'Een vlieger...'

'O, ja, daar heb ik wel eens iets over gehoord. En hoe groot is de kans dat die in Clisson aanbelandt? Nihil, als de wind van de verkeerde kant komt...'

'Daar heb je gelijk in. Maar als je me uit had laten praten, had je geweten dat hij is voorzien van drie sterke spaken, twee onder de vleugels en een aan de voorkant. Weet je, ik hou van vuurwerk. Dus voordat je hem de lucht in laat gaan, moet je eerst de lontjes aansteken die aan de achterkant aan de cilindertjes met de kegelvormige punten zitten. Die fungeren als voortstuwingsmechanisme. In elk geval dient hij als lichtsignaal om mij te alarmeren. Er zullen lichtstrepen in de lucht te zien zijn.'

Moet ik hem dan uit een raam gooien? Maar waar laat ik hem? Hij lijkt me zo kwetsbaar.'

'Hij is gemaakt van heel dun, waterafstotend en elastisch doek – niet brandbaar – dat ikzelf heb ontworpen. Als je hem in vieren vouwt, is hij zo groot als een boek en kun je hem onder in je plunjezak doen. Het geraamte kan er wel tegen.'

'Mooie uitvinding! Is hij van hetzelfde materiaal als de redingote die u aanhad toen u hier aankwam? Goed, en wat is het tweede dat u wilde zeggen?'

De ogen van de prins klaarden op en leken nu eerder groen dan bruin. 'Nadat het lijk van mevrouw Martin was gevonden, hoe lang duurde het toen totdat je *Passant par Paris* hoorde fluiten?'

'Iets van een of twee uur. Dat zeiden de bedelaars ook.'

'En hoorde je alleen het refrein of het hele liedje?'

'Excellentie, volgens mij was het het hele liedje. Het is zo eenvoudig!' Hij lachte geamuseerd.

De ander glimlachte, waardoor zijn hele houding veranderde en bemoedigend werd. 'Sterkte, Zwaan. Je bent een bedreven alchemist, flink gehard door de tegenslagen die je rauw op je dak zijn komen vallen sinds je voet in Clisson hebt gezet. Nu wacht je een proef die zeker niet makkelijk is. Maar jij hebt bij uitstek de eigenschappen en verdiensten om hem tot een goed einde te brengen!'

'Dank u voor uw waardering, meester Raimondo,' antwoordde de jongen in tranen.

De detector kwam dichterbij en omhelsde hem stevig.

'Je zult slagen in deze onderneming, Zwaan. Ik wacht met de anderen op nieuws. Door je angsten en bezieling zul je, terwijl je het opneemt tegen dat kleine leger van duivels, de engelen zien verschijnen in de glimlach die de ware redding brengt.'

Bernabé leek gesterkt door deze verklaring. De edelman, die er geen doekjes om wond, betoonde hem duidelijk vertrouwen en respect. Toen hij vervolgens afscheid van hem nam met het onmiskenbare: 'Veel geluk!' sprak er trots uit de ogen van de jongen.

Bernabé stond op het punt de stal te verlaten, toen hij zich bedacht en de teugels weer aan de omheining vastmaakte, waardoor er een hooivork vol met hooi op de punten naar beneden viel.

O, God! dacht hij met gefronste wenkbrauwen. Door die bemoeizieke prins met zijn chaotische en niet-aflatende ideeën ben ik helemaal vergeten dat ik iets moet innemen om mijn lichaam en geest te versterken...

Een wazige, onjuiste argumentatie, verweet hij zichzelf meteen. Uitgerekend gericht tegen degene die voor een lichtpuntje zorgde in die lugubere mise-en-scène die was georganiseerd door de moordende machine. Zwaan ging de keuken in, naar de kruidenkamer, het kleine, verborgen hokje.

Hij keek kritisch naar potjes, kannen, flesjes en karaffen... Hij las de versierde etiketten: MIRRE, ROOIBOS, MASTIEKBOOM... Zijn ogen bleven rusten op een pot met het opschrift RESURRECTIO. Hij glimlachte verdrietig en ontroerd. Hij dacht terug aan de keer dat Upupa hem gedrogeerd had met de kyphi en hem daarna ongetwijfeld – om hem weer bij te brengen – dit antidotum had moeten toedienen.

Dus zocht de jongen, gealarmeerd en gespannen, naar iets anders. De beroemde pillen die waren verkregen uit kalomel en die de meester vaak geslikt had. Er hadden zes doosjes gestaan...

'En nu zijn ze er niet meer. Hij kan ze niet hebben meegenomen in zijn graf!' zei hij.

Hij tastte langs de wand en verplaatste elk voorwerp. Hij brak een ampul, zocht een verborgen luikje. Niets. Hij ging op een stoel staan en sprong omhoog om ook op de hoogste planken te kunnen kijken.

'Vervloekt! Hier staat zelfs de pot om was te verkorrelen. Wie zou het kalomel toch gepakt hebben? Dat moet Zijne Excellentie wel geweest zijn! Hij snuffelt overal rond, inspecteert, onderzoekt. Hij, de detector! Hij herhaalt eindeloos dezelfde vraag om je op een fout te betrappen. Hij wantrouwt iedereen. En dan ontkent hij weer wat hij gezegd heeft... Ik kan hier geen doeltreffend middel vinden. Ik zal het op eigen kracht moeten doen.'

Waardoor was hij van gedachten veranderd over de edelman die uit Italië was gekomen om hen te helpen? Bernabé wist het wel, maar aarzelde het toe te geven: de angst dat hij in gevaar was. Sterker nog, zijn lafheid, die al tot uiting was gekomen vanaf het moment dat hij in Clisson was aangekomen en hij de boom in was geklommen zodra hij de bedelaars had horen schreeuwen. Toch was het nu zijn trots die hem deed vertrekken.

'Ik heb het de meester op zijn sterfbed beloofd!' riep hij uit. 'Ik moet gaan. Ooit keerde ik Maillezais de rug toe. Nu verlaat ik Clisson met tegenzin. De toekomst wacht, mijns ondanks, in Tiffauges. Als ik daar ooit aankom... en als ik er ooit uit terugkeer.'

105

'We stoppen hier,' zei Bernabé tegen zijn paard. 'Voor dit prachtige, vervallen kasteel.'

Ze waren in Tiffauges aangekomen.

Vanaf zijn positie kon hij de donjon niet zien, omdat die was omringd door een brede slotgracht waarlangs machtige, in elkaar verstrengelde bomen zich als heksenarmen verhieven. Hij wilde net naar het gedeelte gaan dat langs de oever van de Sèvre liep, toen zich op een open plek plotseling een menigte samenpakte. Een groep mannen en vrouwen. Ze klampten zich aan elkaar vast en spraken luid. In zijn oren klonken hun stemmen als een dof, verward geluid. Toen niets meer. Alleen een weldadige warmte die zijn ledematen opwarmde, terwijl hij de ophaalbrug over ging.

Onder het hemelgewelf, de koepel van een onmetelijke zaal, ging een grote, gouden lantaarn langzaam aan. Met onmerkbare bewegingen werd hij, terwijl hij omhoogging, steeds mooier en warmer, terwijl hij licht en verzengende vlammen verspreidde.

Toen het licht het gewelf bereikte, veranderde de geweldige zaal – bevolkt door doorschijnende wezens – van uiterlijk. De schitterende meubels en de bloemen waarmee hij versierd was, raakten misvormd en werden roodachtig transparant. Het vuur bedreigde het kasteel. Bernabé probeerde te vluchten en zich aan de marteling te onttrekken, maar de monsters omringden hem en blokkeerden al zijn bewegingen.

Door een tinkelend geluid kwam de jongen bij uit de kwellende hallucinatie. Hij was nog steeds op de open plek voor het kasteel. Hij keek om zich heen. Alles was verdwenen. Hij zag alleen wat torens, die zilverachtig waren door het korstmos en goudkleurig door het mos. Sponzig en droog als puimsteen. Voor hem stond, lachend, een personage dat hij maar al te goed kende. De nar met de duizend opzichtige kleren, de kameleon van de *hortus animæ*.

De nar groette hem met een buiging, waardoor de zwarte pluimen op zijn hoed zijn voeten raakten. 'Goedendag, welkom in het land van Rais!' zei hij en bewoog een been naar rechts.

Bernabé de Grâce veinsde onverschilligheid, alsof hij die naam niet kende.

'Misschien ruikt de blonde excellentie de stank niet die al drie eeuwen lang uit dit fort komt?' vroeg de dwerg spottend. 'Kent de favoriete leerling van wijlen Upupa de daden van Gilles de Rais, heer van Champtocé en Pouzages, dan niet?'

'Eerlijk gezegd zegt zijn militaire tactiek me niets.'

'Deze grootse man was minder deskundig op het gebied van oorlogsstrategieën dan op het vlak van marteling, slachting en sodomie met jongetjes. Bij duizenden,' verduidelijkte Kameleon met een afschuwelijke grijns.

'En wanneer zou dat gebeurd moeten zijn?'

'Dat zei ik net. Drie eeuwen geleden. Maar van Machecoul tot Champtocé, van Ingrandes tot Tiffauges, hangt nog steeds de scherpe zwavelgeur, vermengd met de stank van de verrotte lichamen, die een aanslag is op de neusgaten. Die stijgt op vanaf het eiland Biesse, waar Gilles zijn aardse triomf hangend aan de galg afsloot.' Het bizarre mannetje sperde zijn fonkelende oogjes open. 'Als je paard het redt en jij genoeg uithoudingsvermogen hebt om twee dagen en twee nachten op je paard te zitten, kun je met me meegaan om een bezoek te brengen aan de Kapel van de Onschuldige Heiligen, die door die gek is gesticht. In de onderaardse gangen bevinden zich nog afgehakte botten en schedels.'

106

Misschien was hij op zoek naar inspiratie, of misschien naar een suggestie het lastige vraagstuk op te lossen dat maar in zijn hoofd bleef malen. Hoe het ook zij, Sansevero joeg een of andere kromme gedachte na.

Hij werd afgeleid door het getinkel van de ramen, dat werd veroorzaakt door de plotselinge, geniepige en aanhoudende wind. Rondom het huis bevonden zich akkers, omheind door muurtjes van onregelmatige stenen, loofrijke hagen en hier en daar een boom. Zijn blik bleef steken bij de schepraderen van een molen. Zonder enthousiasme streelden ze monotoon de lucht. Uiteindelijk liet hij zijn ogen rusten op de rivier, die ingedamd was in de granieten bedding, als een slang die een winterslaap hield. Die dag leek de Sèvre nieuwe gebeurtenissen te verwachten. Misschien vond ze het wel interessant om te zien hoe de aristocraat, die van ver was gekomen, deze wormstekige knoeiboel zou kunnen oplossen...

Een nog sterkere windvlaag duwde het raam wagenwijd open. Hij drong de kamer binnen. Hij deed de gordijnen opbollen, ritselde over de bladzijden van het boek dat open op tafel lag en blies tegen de nek van de man, waardoor zijn haar in de war raakte. Een kandelaar met een kaars erin waaide om. Sansevero deed haastig de luiken dicht en streek zijn haren glad. Toen hij knielde om de kandelaar, die in drie stukken gebroken was, onder het bed van Upupa op te rapen, zag hij een kistje, dat half verborgen was achter de dekens.

Hij pakte het bij een handgreep en trok het naar zich toe. Hij tilde het op en schudde het, om te raden wat erin zat. Het zat vol met voorwerpen die tegen elkaar aan botsten. Hij legde het kluisje voorzichtig op de matras en forceerde het met een briefopener. Uit een eerste inspectie bleek dat er verschillende papieren, die aan elkaar gebonden waren met kleurige linten, en prullaria in zaten. Hij herkende het handschrift van de oude Upupa en besloot er iets van te lezen. Vooral een groot schrift wekte zijn nieuwsgierigheid. Op de voorkant stond met grote letters het opschrift VOGELS. Hij bladerde snel door de bladzijden heen en begreep het. Hij had het register in handen waarin de meester nauwgezet aantekeningen over de medebroeders had gemaakt.

Data, cijfers, verhalen, herinneringen... alles lag hier vlak voor hem. Een gelukkige vondst. Er zou zeker nuttige informatie uit komen. Een spoor, een draadje naar het verleden dat de meester hem niet had willen onthullen, dit om het reglement van de Broederschap te respecteren. Kon hij deze unieke gelegenheid aan zich voorbij laten gaan? Hij ging in de bergère zitten en begon met het lezen van de korte verslagen, uitgewerkt in de beknopte, rechtlijnige stijl van de overledene.

Broeder Feniks, oftewel Geoffrey Worth, is afkomstig uit een klein Engels dorpje in Hampshire. Enig kind, geadoreerd door de grondeigenaars, die hem tot zijn adolescentie hebben gesteund in zijn verlangen naar kunst en hem alle middelen en de beste leermeesters van het graafschap verschaften. Toen Geoffrey zich echter met de zegen van zijn vader en een volledige beurs kon inschrijven bij de academie in Londen, begreep hij dat zijn passie niet genoeg was om een kunstenaar van hem te maken. Hij had wel de techniek, maar het ontbrak hem aan talent en dat was te zien aan zijn doeken, die Geoffrey telkens weer vernietigde voordat ze voltooid waren. Totdat hij de figuratieve kunst de rug toekeerde en besloot zijn rusteloosheid tot bedaren te brengen en, op zoek naar emoties en schoonheid, naar Italië te vertrekken.
Venetië, met haar albasten hemel, palmde hem in. Florence, met haar bloeiende heuvels, betoverde hem. Het majestueuze en in verval geraakte Rome leidde hem af, verleidde hem, behekste hem. Enige tijd kreeg hij nieuwe creatieve inspiratie door de overvloed aan natuurlijke en archeologische schoonheid. Zijn enthousiasme leek hernieuwd. Geoffrey observeerde, schetste en maakte

aantekeningen. Maar algauw keerde de kwellende frustratie terug en de jongen vertrok naar Napels...

Bij het lezen van de naam van zijn stad werd de prins meegevoerd door de bespiegelingen van zijn herinnering. Hij schudde zijn hoofd en begon verder te lezen in Upupa's aantekeningen.

Napels verwelkomde hem in vol jubelende kleuren, klanken en geuren. Van de betoverende kustlijnen tot de gevaarlijke, rokende vulkaan en het gekrioel in de steegjes... Alles leek hem nieuw, origineel, de moeite waard. Gelukkig leerde hij een markies kennen, die mecenas van de schone kunsten was en hem opdracht gaf tot *Het martelaarschap van de heilige Cecilia.* Worth verhuisde naar het paleis van de edelman, waar hij een atelier tot zijn beschikking kreeg en dagenlang werkte. Tevergeefs. Schetsen, ontwerpen, doorhalingen: het doek bleef wit.
Weer een depressie... Op een dag, toen hij afgematter was dan anders, ging Geoffrey de tuin in en zag daar een prachtige vrouw met een vurige blik. Donkere ogen en haren, een bleke huid, een kleine, volle mond. Bevreesd en brandend van passie ging hij naar haar toe, glimlachte, pakte haar bij de hand en zette haar achter het doek. Zo slaagde hij er, bezield door een bovennatuurlijke kracht of de energie van de liefde, eindelijk in een uitzonderlijk doek te schilderen: de intense, levendige heilige Cecilia die prachtig was in haar extatische lijden...

Don Raimondo knikte.

'Dat verhaal ken ik!' riep hij uit. 'De schilder trouwde met zijn muze, die Anna heette en de zus van de markies was, maar zijn geluk duurde slechts kort. Algauw werd hij weer slachtoffer van zijn kwellingen en begreep hij dat hij zijn talent weer verloren was. Angstig besefte hij dat hij zelfs niet meer naar zijn vrouw verlangde, en op een vreselijke nacht, waarin hij zich bewust werd van zijn falen als minnaar, reageerde hij zijn woede af op zijn onschuldige bruid en doorboorde hij haar hart met een dodelijke dolksteek. Geoffrey Worth vluchtte nog diezelfde nacht het land uit. Er is niets meer van hem vernomen. Ik had nooit kunnen denken dat hij zijn heil hier in Clisson had gezocht...'

Van de weeromstuit, bijna als antwoord, las hij de laatste aantekeningen, die Upupa onder aan de bladzijde had gezet:

> Ja, ik heb een moordenaar onderdak verleend. Een moordenaar die er, toen ik hem ontmoette, niet eens spijt van had. Aan die versteende ziel heb ik gewerkt tot de dag waarop Geoffrey, sterk van geest, erkende hoe diep hij in de goot was geraakt. En nu respecteren we hem en houden we van hem als broeder Feniks.

107

Sansevero strekte zijn benen en keek uit het raam. Toen pakte hij het schrift, sloeg de bladzijde om en las verder.

> Broeder Buizerd, oftewel Laurent Griart, heel bijzondere Parijse antiquair. De planken en vitrines in zijn winkel in Saint-Eustache stonden bomvol meubels, schilderijen, kroonluchters, boeken en juwelen. Maar wat zijn zaak werkelijk exclusief maakte, bevond zich in de ruimte achter de winkel, die voor iedereen, behalve voor een handvol zeer trouwe klanten, gesloten bleef: een valse kast waarvan de achterwand open kon en die schuilging achter brokaten gordijnen. Een authentiek *sancta sanctorum*: versierde monstransen, met edelstenen ingelegde reliekhouders, wijwatervaten van grijsblauw marmer, Korinthische hostiekelken, antieke houten lessenaars, overdadige, nog niet ontwijde
> ciboria.
> De antiquair streed rusteloos met de hemel om zijn schatten, stuk voor stuk; de relieken die hij 's nachts goddeloos uit kerken en van kerkhoven haalde.

De prins glimlachte flauwtjes. 'We hebben hier een dief en heiligschennende heler. O, als Zijne Heiligheid dat eens wist!'

> Op een koude dinsdagochtend in oktober voerde de ijskoude, nietaflatende wind een jonge vrouw met haar dochter, op zoek naar een schuilplaats, naar de winkel van Griart. De antiquair bood vriendelijk aan hen thuis te brengen, naar een dorpje even buiten de stad, langs de weg naar Clichy.
> Daar werd het weer nog slechter en het kind pakte instinctief Griarts hand en trok hem mee het huis in. De kleine heette Juliette.

Ze was blond, bleek, tenger en had lieve, doordringende ogen. Laurent ging naar binnen, gefascineerd door haar en nog meer door haar moeder, een nog jonge, aardige en geestige vrouw, weduwe van een kapitein. Een kop warme chocolademelk, een fijn gesprek, gelach... De bezoekjes van Griart werden intenser. Juliette raakte zeer aan hem gehecht, maar niemand kon voorzien dat die band morbide vormen aan zou kunnen nemen...

Er viel een stukje pleisterkalk van het plafond op het schrift. Sansevero blies het weg en wapperde ongeduldig met het papier.

Maar een jaar later, toen de moeder in een andere kamer was, wierp Juliette zich onverwachts aan zijn voeten en verklaarde hem haar liefde. 'Laurent, ik heb u meer lief dan mijn leven. Als u me verlaat, maak ik me van kant, dat zweer ik.' Eerst geamuseerd, maar toen geschrokken door de vastberaden blik van het meisje, probeerde Griart haar zacht, maar resoluut te kalmeren. 'Juliette, kleintje van me... ik hou ook van jou... maar als dochter, begrijp je? En als je het goedvindt, zal ik met vreugde je vader zijn, want ik ben verliefd op je moeder en wil met haar trouwen.'
Het meisje zweeg gekwetst, maar leek daarna rustiger. Een paar dagen voor de bruiloft van Griart en zijn geliefde, kwam de tuinman van de vrouw echter naar de winkel om hem een briefje te overhandigen. Het was geschreven door Juliette. '*U hebt me verlaten en me daarmee ter dood veroordeeld. Kom naar de tuin, onder de plataan, voor de laatste keer. Voor altijd vaarwel.*'
Griart klom haastig in zijn koets, sloeg de paarden met de zweep opdat ze vlogen... Bij het huis aangekomen rende hij de tuin in, naar de plataan. Vol afschuw zag hij iets tussen de bladeren bungelen. Juliette had zich opgehangen. Griart, gek van wroeging, dacht aan een goddelijke straf vanwege zijn heiligschennende diefstal. Hij boette, biechtte en gaf zelfs zijn hele schat terug aan de bisschop, waarna hij erin berustte dat hij voor altijd verloofde-weduwnaar zou blijven. Van dat meisje dat van hem had gehouden met een sterke, pure, verwoestende liefde...

Als afsluiting van dit smartelijke verhaal had Upupa erbij geschreven:

Ik ontmoette Griart tijdens een reis naar Parijs en heb hem langzaam naar de verfijnde weg van de Kennis geleid. Met mij kwam hij weer tot leven. En nu respecteren we hem en houden we van hem als broeder Buizerd.

108

Tijdens de wandeling wisselden de twee pelgrims weinig beleefdheden uit. Aangekomen bij het favoriete verblijf van de maarschalk, ging het dwergje onmiddellijk met een lantaarn de toren in, vlak bij de benedenzaal van het fort.

Bernabé volgde hem met de toorts. Hoewel hij zijn voeten voorzichtig neerzette, voelde hij de doorweekte planken onder zijn zolen kraken. Opeens stond hij stil: hij had het licht per ongeluk op een kleine schedel gericht en kreeg het gevoel dat hij heiligschennis had gepleegd bij dit wezen, dat voor eeuwig was ingeslapen.

Met zijn schelle stem zei de dwerg: 'Weet je waarom Gilles het deed? Om de Rebis te vinden...'

'De Rebis?' vroeg Bernabé verbijsterd.

'Jazeker. Het probleem waar hij geobsedeerd door was, was het verkrijgen van een nieuw, onschuldig mannelijk principe, naast het vrouwelijke. Daarom drong hij binnen in de opening van schande van jongetjes en meisjes... Dit alles overgoten met hun bloed. Warm.'

'Maar dat lijkt niet te rijmen met de alchemistische leer,' protesteerde Zwaan walgend en geschokt.

'Hoe vaak, hoe veel vaker, moet ik het nog zeggen? Voor Beëlzebub en Ariadne bestaan er duizenden, miljoenen waarheden... De dauw bijvoorbeeld, wat is dat volgens jou?'

'Het kwikwater.'

'Goed zo. En waar bevindt zich dat?'

'In ons eigen lichaam. Maar het is een metafoor.'

'Je gaat me toch niet vertellen dat je eigen meester je nooit heeft...'

'Geen vuilbekkerij!' interrumpeerde Bernabé hem bruusk. 'Integendeel. Ik heb geleerd beide principes die in mij aanwezig zijn te doseren. Maar waar wil je naartoe?'

'Beste puritein van me, heb je je dan nooit aan de prins van universele afkomst gegeven?'

'Wat weet jij van de prins?'

'Daar heeft de meester me over verteld.'

'Welke meester?'
'Rosario.'
Bij het horen van die naam werd het Zwaan zwart voor de ogen. De schrik sloeg hem om het hart. Zijn aangeboren lafheid stond op het punt het voortouw te nemen, maar zijn afschuw onderdrukkend, wierp hij zich aan de voeten van de kabouter. 'Kan ik Rosario ontmoeten?'
'Met hem praten, ja. Hem zien, nooit. Zelfs ik heb zijn gezicht nooit gezien, omdat het altijd bedekt is met een gouden of ijzeren masker.'
Toen begon Bernabé de Grâce aan zijn absurde declamatie. 'In naam van de transmuterende dauw wil ik me aan je meerdere geven. Door hem laat ik me snoeien om te groeien en te rijpen. Tot ik een druiventros word.'
Kameleon vond die smeekbede wel leuk. Met zijn ogen samengeknepen als twee opgezwollen streepjes verduidelijkte hij: 'Als je me precies gehoorzaamt, zal ik je helpen. Door je naar een plek te brengen waar je dingen kunt bewonderen die alleen zijn weggelegd voor de weinige uitverkorenen die snakken naar de *mare tenebrarum*.'
'Jaaa,' riep de ander hypocriet uit. 'Ik wil het pad van elke waarheid volgen. Ik zal langzaam voortgaan, op handen en voeten en...'
'Zwijg,' schreeuwde de nar. 'Ik ga je nu blinddoeken. Je zult in de onderaardse gangen rondwandelen, vervallen en krakende wenteltrappen op en af gaan, en in nissen terechtkomen. Je zult zulke nauwe, lage gangen oversteken dat je het zult betreuren dat je geen gnoom bent, zoals ik. Je zult struikelen over de golven die door de grond gevormd zijn en waarin, nu eens in het midden en dan weer aan de zijkanten, de monden van valluiken en putten wijd opengaan. Vind je de reis nog steeds aanlokkelijk?'
'Zeker. Laten we gaan.'
Zachtjes mompelde Bernabé echter: '*Credibile est quia ineptum est; certum est quia impossibile est.*' Het is geloofwaardig omdat het onzinnig is; het is zeker omdat het onmogelijk is.'

109

Aan de schrijftafel gezeten maakte de prins zijn jabot los, dronk nog een glas limonade en ging verder met lezen. Hij werd afgeleid door een groene vlieg, die op het opengeslagen schrift landde. Sansevero glimlachte. Het insect had een aandenken achtergelaten, precies op de hoofdletter B.

Broeder Ral, oftewel Charles Sanson. Beul van beroep en uit familietraditie. Zijn vader, grootvader en overgrootvader hadden hetzelfde gedaan. De beulen Sansone, van Italiaanse oorsprong, waren twee eeuwen eerder vanuit Florence naar Frankrijk gekomen. Charles, die in Marseille geboren was, woonde naast de haven en had van kinds af aan begrepen dat zijn hele familie met de nek werd aangekeken door het beroep van zijn vader. De bakkers bijvoorbeeld, die het brood als een gezegend geschenk uit de hemel beschouwden, weigerden dat te verkopen aan iemand die bloed en pijn veroorzaakte: als ze de moeder van Charles, Louise Sanson, moesten bedienen, gooiden ze onbeschoft een brood op de toonbank, onder zwijgende hoon van de andere klanten.
Toch raakte Charles langzaam maar zeker aan die vijandigheid gewend en begon hij, gefascineerd door het werk van zijn vader, met hem mee te gaan om het op zijn beurt te leren. Toen hij groter werd, was hij een sterke man die bedreven was in het buigen van andermans wil en in staat was de dood langzaam en pijnlijk of juist snel en pijnloos toe te brengen. Begraven was volgens hem het meest efficiënte middel: het slachtoffer, dat goed recht lag, werd in een gat vol ongebluste kalk gegooid. Algauw vatte het witte mengsel vlam door de urine van de ellendeling, met brandwonden en vreselijke pijn als gevolg...
Geen wroeging, geen twijfel over het nemen van het leven van misschien onschuldige mensen. Charles was rustig. Maar op een keer, het was 20 oktober, gebeurde er iets...

Als bewijs zag de prins dat er aan de bladzijde vier door Charles Sanson ondertekende facturen gehecht waren. Vier mislukte executies: bij de eerste was het lemmet afgebroken. Bij een ander had zijn uniform vlam gevat. Bij de derde waren de touwen gebroken. Bij de laatste had hij de folterhamer kapotgeslagen.

Een teken van het lot, waardoor de onaantastbare Sanson ervan overtuigd was geraakt dat hij zijn leven moest veranderen? Het antwoord kwam in Upupa's kleine, precieze handschrift.

Ieder van ons is een stuk brood. Maar gebakken met welk meel? Kastanje of haver, rogge of bonen, graan of gierst? Charles proefde van het mengsel waarvan hij gemaakt was, begreep het en nam een definitieve beslissing: zijn leven veranderen. En vanwege die beslissing respecteren we hem nu en houden we van hem als broeder Ral.

110

Sansevero schonk nog wat citroensap in het vergulde glas. Hij nipte ervan en vervolgde zijn ontdekkingstocht door de geheimen van de Broederschap. Het volgende profiel was verrassend.

> Broeder Merel, oftewel Ulysses Barré. Ambtenaar bij het regiment Dauphin van de Compagnie de Granville, nam in de zomer van 1734 deel aan de belegering van Guastalla langs de rivier de Secchia. Terwijl hij met zijn assistent de bossen verkende, viel hij in een hinderlaag van een stelletje gewapende ontspoorden. De assistent raakte zwaargewond aan zijn nek en ze werden opgesloten in een grot waarvan de ingang met een grote kei geblokkeerd werd. Als gevangene zonder vluchtmogelijkheden keek hij dagenlang naar zijn pijn lijdende wapenbroeder met zijn ingeslagen schedel. In eerste instantie was hij er zeker van dat iemand hen te hulp zou schieten, maar algauw drong het tot hem door dat dat ijdele hoop was. Hij werd gekweld door honger, en aan het begin van de tweede week werd hij kwaad. Tot dan toe had Barré het volgehouden door de paar druppels water die vanuit een bron tussen de rotsen de grot in sijpelden. Op de vijftiende dag had hij daar niet meer genoeg aan. In beslag genomen door een verdorven, onverdraaglijke gedachte wachtte hij tot zijn assistent zijn laatste adem uitblies, waarna hij, evenzeer van streek door honger als door afschuw, zijn tanden in diens nog warme vlees zette.

De prins kon zijn afgrijzen nauwelijks bedwingen. Hij kende wel meer van dit soort extreme verhalen, die van alle tijden en windstreken waren. Hij kon dit kannibalisme niet veroordelen, omdat het in dit geval onvermijdelijk leek. Het was het minste van twee kwaden. En toch, hij kon het niet helpen, kreeg hij er elke keer de rillingen van.

Plotseling bedacht hij, vreemd genoeg, dat Merel het eten van mensen gemeen had met de beruchte Rosario. Toeval? Misschien...

> Op een dag, bij het ochtendgloren, werd die hoek van het platteland door de woeste tegenaanval van het keizerlijke leger veranderd in een inferno. Hongaren, Kroaten en Oostenrijkers regen de manschappen van de wacht, die nog half sliepen, aan het zwaard. En terwijl de vijandige cavalerie de rivier doorwaadde, schoten de kanonnen en veldslangen als gekken. De kei voor de ingang van de grot werd vol geraakt door een artillerieschot. Als Lazarus kwam Barré uit de tombe tevoorschijn, klaar om zich bij de zijnen te voegen, maar een musketschot trof zijn hoofd. Hij viel achterover, raakte buiten bewustzijn en kwam op een tapijt van lijken terecht... Bijna een week later kwam hij bij en wist dat hij het gered had, hoewel hij veel bloed verloren had.

De prins krabde aan zijn nek. Er klopte iets niet. Hoe kon het projectiel de schedel in en uit zijn gegaan zonder schade aan te richten? En waarom had de voormalige ambtenaar, die nu kaal was, geen enkel litteken op zijn hoofd? Hij sloeg de bladzijde om, in de hoop een verklaring te vinden. Dat was het geval...

> Die tegenspoed overtuigde Ulysses ervan dat hij het leger moest verlaten en zijn leven moest veranderen. Zijn gewoonte om altijd een kap van een zilverlegering onder zijn pet te dragen, had hem het leven gered, en dat leven mocht hij nu niet zomaar op het spel zetten. Omdat hij een afschuwelijke situatie heeft weten te trotseren en zich hardnekkig aan het leven vastklampte, respecteren we hem nu en houden we van hem als broeder Merel.

111

De geweldige Kameleon deed Bernabés blinddoek af en zei: 'Nog even en het uur is aangebroken waarop de tempeliers van de Dauw bijeenkomen. Ze brengen allemaal verslag uit aan de leider, Rosario, over hun respectieve missies. Ik mag je nu nog niet vertellen waar we zijn en wie iedereen is. Als je standhoudt, zal ik smeken of je ingewijd mag worden. Maar als ook maar een van je vijf zintuigen bezwijkt, zul je de wreedste martelingen ondergaan.'

De jongen vertrok geen spier. Hij volgde de aanwijzingen op en beklom tweeënveertig treden van hard graniet, die hem naar een hok voerden. In de middelste wand zag hij de relatief smalle, van ribben voorziene deur. Hij bevond zich in een sarcofaag. Vol afgrijzen werd hij zich ervan bewust dat hij de 'ijzeren maagd' was binnengegaan, de doodskist in de vorm van een mens, met twee deurtjes, bedacht door Frederik Barbarossa.

Bij dit exemplaar waren de punten aan de binnenkant afgezaagd en zaten er gaten in de ogen, om erdoorheen te kunnen kijken. Bernabé installeerde zich zo goed en zo kwaad als het ging in de maagd, en toen hij door de ogen gluurde, zag hij de grote zaal eronder, met roetachtige muren die vol scheuren zaten.

De ruimte wekte de indruk van een originele christelijke kapel, die was getransformeerd tot een tempel waarin heiligschennende, onheilspellende verschrikkingen plaatsvonden.

Plotsklaps kwamen er, aangekondigd door plechtige gezangen, *lento pede* twee mannen met kappen binnen, die een zwarte kaars in hun hand hadden. De lange habijten, die eruitzagen als grafkleden, waren luguber en ijzingwekkend.

Met een ijzeren helm waarvan het vizier omlaag was geklapt, kwam vervolgens Rosario binnen, gevolgd door drie begeleiders. Hij ging op de zwartfluwelen stoel zitten, waarboven een dubbele baldakijn was geplaatst met een in rood geborduurde, omgekeerde crucifix erop. Datzelfde symbool prijkte op de habijten van de aanwezigen.

'Uitroeien, voor de Rebis!' riep hij met metalige stem.

De aanwezige tempeliers knikten tevreden.

Aan de rechterkant, op zo'n twee meter hoogte, hing halverhoogte een apparaat met katrollen en haken, terwijl boven het podium in het midden huiveringwekkende martelwerktuigen troonden: zagen, tangen, schedelkrakers, ijzeren knotsen...

Tussen deze apparaten stond op grote brandende houtblokken een enorme smeltkroes te pruttelen. Bernabé zag zijn beschermer, Kameleon, er als een kikker in springen. Hij hupte van rechts naar links en smoesde in Rosario's oor.

Er kwamen twee sujetten zonder kap de zaal in; hun gezichten waren grotesk bij het licht van de fakkels. De een was lang, de ander gedrongen.

'Meester, de expeditie tegen de Broederschap van de Roos en de Vogels heeft geen resultaat opgeleverd,' zeiden ze in koor.

'Hoezo? Wat is er misgegaan?' vroeg de leider met een keelstem waarvan het hart De Grâce in de schoenen zonk.

'Baas,' antwoordde de man met het zwarte haar en de sperwerneus. 'Upupa is overleden. Maar hij wordt vervangen door een vreemde edelman. Te geslepen. Veel sluwer dan de Vogels.'

'Ik wil weten wat er is misgegaan. Ik weet zeker dat het falen te wijten is aan mijn afwezigheid. Hoe dan ook, die hele broederschap moet worden uitgeroeid.'

'We hebben een schot afgevuurd, zoals u had opgedragen. Maar ze zijn er niet ingetrapt.'

Stilte. Toen fluisterde Rosario iets tegen de dwerg, die het woord nam.

'Ik spreek namens onze meerdere. Er bestaat geen andere manier om de dauw en de kwintessens te verkrijgen dan het doden door middel van blanke wapens of marteling. Het is verboden de lichamen te besmetten, anders zouden we gif gebruiken,' vonniste hij, alsof het om een Bijbelse uitspraak ging. 'Wij gehoorzamen altijd. Hierbuiten staat de jongen, klaar voor de marteling aan de paal,' antwoordde de gedrongen man. 'Maar in ruil willen we getuige zijn van de transmutatie van lood in goud, zoals Rosario beloofd heeft.'

'Dat is voor mij een erekwestie,' merkte de leider op wrange toon op. 'Breng de jongen binnen! Heeft hij familie?'

'Dat weten we niet. Het is een vreemdeling, uit Rennes.'

De Grâce bekeek het slachtoffer. Een blonde jongen, ongeveer van zijn eigen leeftijd. Lang en slank. Zijn gezicht was vertrokken van angst.

Twee aanhangers regen hem aan de spies. De arme, doorboorde jongen stierf onbeschrijflijk, met gruwelijke spasmen en hartverscheurend geschreeuw.

Rosario stond op, lang en plechtig met zijn ijzeren helm, en bekeek de menselijke spies vrijwel onverschillig. Toen gebeurde er iets vreemds: Kameleon zwaaide met de gebruikelijke genadedolk om iets af te snijden... Hoewel Rosario met zijn rug naar hem toe stond, voelde Bernabé dat hij van dat mensenvlees at.

Hij viel bijna flauw, maar pijnigde zijn hoofd met de volgende vragen: met welk doel stilde de leider van de Dauw zijn honger op deze manier? Om de eigenschappen van de overledene over te nemen? Of ze af te weren? Wat ging er werkelijk schuil achter deze honger naar smerigheid?

Hallucinerend, versteend en verward, omdat hij deze afwijking maar niet kon bevatten, riep hij met zijn geest Upupa op en dacht aan die lieve Henriette, die aan deze bezetene was ontkomen. Hij herinnerde zich het klooster in Maillezais en de biechtvader die hem vaak zei: 'Jongen, het verlangen naar de zonde kruipt voort om zijn heerser, Satan, te voeden.'

Terwijl hij met zijn ogen rolde in de lege oogkassen van de sarcofaag, bleef zijn blik rusten op iets wat hij op de muur zag, achteraan, halverwege het plafond. Het was een glazen hanglamp in de vorm van een schedel, waarop een wit, rooddooraderd oog geschilderd was, en een ander met een rode iris en een zwarte pupil. Het leek net of de doodskop hem aankeek en zijn blik wilde vasthouden.

Intussen klonk er een melopee uit de monden van de schurken, waarna allen achter hun leider aan de zaal, of liever gezegd de afgrond, uit liepen.

112

De volgende bladzijde ging over broeder Sperling, de Duitse mus. De prins telde op zijn vingers: 'Dat brengt ons al bij de vijfde medebroeder met een onstuimig verleden.'

> Broeder Sperling, oftewel Kurt Hamann, is geboren en getogen in Stuttgart. Zijn hypochondrische vader dwong hem er min of meer toe medicijnen te gaan studeren aan de oude, prestigieuze faculteit van Wenen. Kurt kreeg echter een hekel aan de universiteit en de jezuïeten die er de leiding hadden, maar niet in staat waren de studenten een opleiding te bieden die meer was dan louter theorie. Teleurgesteld begon hij chirurgen te bezoeken om meer te leren, niet wetend dat die ervaringen zijn duistere kant aan het licht zouden brengen...
>
> Algauw begreep Kurt dat het openmaken van zieken hem in een onverklaarbare staat van koortsachtige opwinding bracht en dat hij het leuk vond zijn handen in de opengereten lichamen te steken. Hij frummelde, wroette, raakte in een roes en werd opgewonden... In het vlees snijden en de botten tot aan het levende weefsel inkerven, teneinde de vuiligheid eruit te halen en het te genezen, vertegenwoordigde voor hem zowel een menselijke overwinning als de bestrijding van een niet volmaakt wezen. Zo begon Kurt zichzelf

langzaam maar zeker als een surrogaat-God te beschouwen, in het goede en het kwade.

'Redden of doden, wakker maken of naar de andere wereld sturen...' merkte de prins aandachtig op. 'Het lijkt evident dat de roes van de almachtigheid sommige werkers wel treft en andere niet. Een beroepsziekte, zoals loodvergiftiging voor bepaalde alchemisten en typografen.' Met een wrange glimlach keerde hij terug naar het verleden van de Teutoon:

> Op een dag sloot Kurt vriendschap met een barbier uit Metz, die zich, net als al zijn collega's, ook bezighield met het verzorgen van wonden, bloedverlies, gaatjes in tanden en kiezen, botbreuken, maagzweren, grauwe staar, gal- en nierstenen en hernia's... Kurt liep een paar maanden met hem mee en leerde meer van hem dan hij ooit had kunnen vermoeden. Daarna begon hij de wereld over te reizen. Ik ontmoette hem in Turijn, toen zijn primitieve, ongefundeerde agressie al tot bedaren was gekomen omdat hij geconfronteerd werd met verschillende mensen en mentaliteiten. De nieuwe man die in hem was geboren, kon de beweegredenen en de doelstellingen van onze Broederschap wel waarderen. Sinds die dag respecteren we hem en houden we van hem als broeder Sperling.

113

Op een nieuwe bladzijde begon, met andere inkt, het volgende verslag.

> Broeder Reiger, oftewel Alonso de Paredes, werd geboren in Barcelona en leerde daar de apothekerskunst volgens eeuwenoude familietraditie. Er bestond al een apotheker de Paredes ten tijde van de verovering van de Nieuwe Wereld! Alonso trouwde nooit en beperkte zich tot een leven als stuurse misantroop. Hij was afwisselend thuis, waar hij met zijn moeder woonde, in de kerk, waar hij obsessief tot God bad opdat die hem geen onheil zou brengen en in de winkel, waar hij met zijn ongevoelige hart elke zieke cliënt als bron van inkomsten zag. Verder niets.

Het moment waarop hij radicaal het roer omgooide kwam op 13 juni. Alonso observeerde de timmerman die met moeite het uithangbord, een karmijnrode vijzel, boven de ingang van de apotheek hees. Die ochtend had de apotheker weer een van de vreselijke migraineaanvallen waar hij veelvuldig last van had, aanvallen die zo hevig waren dat hij erdoor in een prikkelbaar menselijk wrak veranderde. Terwijl hij met de timmerman aan het bekvechten was, kwam de koster zoals elke vrijdag de salie voor de pastoor ophalen, en verlegen waagde hij Alonso ernaar te vragen. Die werd zozeer in beslag genomen door zijn hoofdpijn en de discussie met de timmerman, dat hij onbeschoft antwoordde: 'Zie je niet dat ik bezig ben? Pak die salie zelf maar! Hij zit in dezelfde pot als altijd, op dezelfde plek als altijd. Op dezelfde plank!' De koster gehoorzaamde. Hij vond twee potten naast elkaar, de ene leeg, de andere vol met blaadjes. De kostbare majolicavazen waren identiek. Maar omdat hij analfabeet was, kon hij niet lezen wat erop stond, dus pakte hij een handvol blaadjes en ging weg...

Sansevero nam zich voor tegen broeder Reiger te zeggen dat hij een onfeilbare kuur tegen migraine had, waar hij zelf mee had geëxperimenteerd. Daarna las hij verder.

Later, bij het middagmaal, at Alonso heel weinig en trok hij zich terug op zijn kamer, waar hij de Maagd de litanie voordroeg en daarna een dutje probeerde te doen. Maar de slaap kwam niet. Dommelend zag Alonso op een gegeven moment de koster, die hem half afgestompt aankeek, terwijl hij op blaadjes kauwde die hij walgend uitspuwde. De apotheker begreep het onmiddellijk, slaakte een gesmoorde kreet en sprong zijn bed uit. Zijn bloed verstijfde toen hij hoorde dat de doodsklokken in de kerk geluid werden, terwijl hij in de winkel de twee potten greep en zich slap voelde worden. De lege pot, die van de salie, rolde op de toonbank. De andere, halfvol, glipte uit zijn handen en tussen de scherven lagen honderd en nog wat blaadjes van het dodelijke *Digitalis lanata*, dat door de natuur zo is geschapen dat het vreselijk veel op salie lijkt. Voor een lekenoog, althans.
Er werd geklopt. Alonso begreep het. Door de onopzettelijke verwisseling had de oude priester een hartstilstand gehad, en dat was geheel zijn schuld. Doodsbang ging hij terug naar huis, gaf zijn moeder, die in slaap was gevallen, een kus, pakte haastig zijn spullen en verliet het land zonder ooit nog iets van zich te laten horen...

Onder aan de bladzijde zorgden de laatste woorden die Upupa had opgeschreven voor een verrassende ontknoping.

> Vanaf die dag was hij echter veranderd. Het verdriet vanwege het veroorzaken van de dood van een onschuldige man veranderde zijn cynisme en kleingeestigheid in volledig tegenovergestelde eigenschappen. Toen ik hem leerde kennen, in Marseille, was hij alweer bezig met het helpen van de zoveelste zieke. Op zoek naar antwoorden en innerlijke rust stemde hij ermee in om ons pad te delen. Vandaar dat we hem nu respecteren en van hem houden als broeder Reiger.

Don Raimondo kreeg een schok toen hij een bijlage van de oude meester aantrof, die te maken had met zijn onderzoek naar enkele vreemde zaken.

> Naar aanleiding van de getuigenis van Étienne (die zegt dat Georges hem in de nacht voorafgaand aan de ontdekking van het lichaam van Perrine in haar tuin heeft zien ronddwalen en lichtjes heeft zien aansteken), heb ik Reiger meermalen ondervraagd. Uiteindelijk bekende hij, onder druk, dat hij nooit naar Cholet was gegaan, zoals hij eerder had beweerd, maar dat hij op de dertiende van elke maand, dus met een zekere regelmaat, de onbedoelde moord herdacht. Gedreven door wroeging ging hij telkens naar de plekken waar salie geplant was en omringde die met zuiverende vlammen. Hij hoopte dat het slachtoffer hem daarvoor vanuit de hemel vergiffenis zou schenken. Ik geloofde zijn bekentenis en heb hem herhaaldelijk gevraagd of hij in de nacht van 13 op 14 april 1751 iemand in de tuin van de Talla's heeft gezien. Behalve Hilarion Thenau zou hij een meisje met een blinde lantaarn door de velden hebben zien lopen. Maar hij kon niet zien wie het was.

De prins merkte op: 'Fraai hysterisch type, die beste Reiger! Wie weet...' en hij bladerde door naar de volgende pagina's.

Uit de overige beschrijvingen kwamen geen bijzondere verdenkingen naar voren, tot de korte aantekeningen over Bernabé, degene die het laatst was aangekomen. Zwaan kwam uit Maillezais in de Marais-Poitevin.

> Zijn moeder stierf toen ze hem op de wereld zette. Op zijn tiende

werd hij door zijn stiefmoeder op heterdaad betrapt toen hij zich met een jongen van zijn leeftijd bezondigde aan zwakheid. De vrouw spoorde hem aan tot zelfmoord en eiste vervolgens dat zijn vader hem het huis uit zette. Hij werd toevertrouwd aan de benedictijnen van de plaatselijke abdij, waaruit hij ontsnapt is om de gelofte niet te hoeven afleggen. Hij is op woensdag 14 april 1751 bij het ochtendgloren in Clisson aangekomen.

Verder niets, behalve de namen van de andere Vogels met hun respectieve beroepen.

De prins maakte snel de balans op. Talloze elementen uit die aantekeningen wezen erop dat de helft van de Vogels een discutabel verleden had. Hetgeen veel wilde zeggen, of niets. De prins was niet hypocriet. Wie heeft er per slot van rekening geen lijk, of op zijn minst een hoofd, in de kast?

Hij kon beter vaststellen of er een verband bestond tussen de 'verlosten' en de verschrikkingen die de streek met bloed bevlekten. Had hun toetreding tot de Broederschap, vroeg hij zich af, de driften en gebreken die in dit boek van de meester stonden, werkelijk uitgeroeid? De ontmoeting met Upupa – daar kon hij niet omheen – vertegenwoordigde voor hen allen de scheidslijn tussen hun oude en hun nieuwe leven, dus een wedergeboorte.

Maar wie kon zweren dat de alchemie en de liefdadigheid werkelijk al die kwaadaardige neigingen hadden uitgebannen? De ongewone staat van bewustzijn, de diefstal, de heiligschennis, de moorden, het kannibalisme? Allemaal elementen die niet wezenlijk verschilden van het afwijkende gedrag van Rosario.

Voor de zekerheid leerde hij de namen en de beroepen van de resterende vijf medebroeders ook uit zijn hoofd. Patrijs, Antoine Jeudy, meester-spijkermaker van de Broederschap van Saint-Cloud in Parijs; Kolibrie, Nicolas Lévêque, notaris in Vermenton; Papegaai, Edme Dondaine, koopman en procureur-fiscaal in Angers; Fluiter, Thomas Foudriat, ambachtsman, maakte houten en benen crucifixen in Auvergne; en Nachtegaal, Ugolin Bossuet, schrijver van een verzameling briefmodellen voor de adel en de bourgeoisie in Parijs.

114

'Goed!' riep Kameleon uit, nadat hij de ijzeren maagd had geopend en Bernabé met uitpuilende ogen had aangetroffen. 'Ik zie dat je een goed aanpassingsvermogen hebt. Je zintuigen hebben het niet begeven. Om aan de inwijding te beginnen, moet je je uitkleden.'

'Waarom?' vroeg hij doodsbang.

'Ben je soms bang dat ik je opeet? Je bent geen slachtoffer. Tenminste, nog niet.' Hij lachte spottend. 'Je desertie uit de geurige vogelkooi van de Roos was een uitstekende aanbeveling. Mijn geliefde leider is dan ook van plan je welkom te heten in de familie. Ik zal de baas spelen. Dus kleed je uit! Dat zijn de regels.'

Hij trok zijn broek, vest en hemd uit. Het uitkleden werd nog benadrukt door de ironie van de dwerg. De jongen verkeerde bijna in doodsangst. Een doodsangst die niet gevolgd zou worden door de dood.

Hij zocht zijn plunjezak, maar toen hij die niet zag, liet hij zich ontvallen: 'O nee, de duiven!'

'Tja!' antwoordde de kabouter prompt. 'Dus jij dacht dat ik je met die torteltjes zou laten spelen. Ik heb wel dit gekke ding voor je bewaard,' en hij liet hem de vlieger zien, die tot een boekje gevouwen was. 'Wanneer je officieel bij de groep hoort, mag je me uitleggen wat het is.'

De ander vatte weer moed. Hij had nog een manier om hulp te roepen. Toen begon hij te lachen. Kameleon keek hem eens goed aan en bekende: 'Weet je, jouw gelach lijkt op dat van onze leider. De lach van sommige mannen is in staat te doden.'

Bernabé, die rilde van de kou, dwong zichzelf te antwoorden: 'Je hebt gelijk wat de macht van de lach betreft. Lachen met vernuft of als een imbeciel duidt op het vermijden van feiten in plaats van ze te bestuderen, en het uit de weg gaan van problemen in plaats van ze op te lossen.'

'Bravo, Bernabé! Hang jij maar de filosoof uit. Maar zwijg nu en smeer dit mengsel op je.'

'Wat is dat?'

'Olie, peper en geplette brandnetelzaadjes. Ik moet je navel pijnigen, zodat je gaat plassen.' Hij liet een hostiekelk zien waar de vloeistof in moest worden opgevangen.

'Met welk doel? Neem me niet kwalijk, maar ik schaam me,' klaagde hij afwerend.

'Dat is niet nodig. Je zult naakt worden ingewijd. En je goudkleurige urine is de dauw, vermengd met het vaginale vocht van geofferde vrouwen. Dat is toch het water dat brandt?'

'Wat praat je voor onzin? De dauw is heel iets anders.'

'Echt? En wat mag het dan wel zijn, volgens jou? Dat wat er in mei uit de hemel valt soms, en dat je samen met die Upupa van je hebt opgevangen?'

'Voor mij is het allemaal een metafoor voor kwik.'

'Heel goed! En zit het kwik, het cinnaber, niet in de onderbuik?'

Moedeloos bereidde de jongen zich erop voor dat hij gegeseld zou worden met een scherpe meidoorntak. Toen ving hij zijn eigen urine op in de hostiekelk. Kameleon proefde ervan, als een deskundige alchemist, en zei: 'Bernabé, je dauw is honingzoet. Zie je die bij? Die wordt erdoor aangetrokken en staat op het punt op de rand van de kelk te gaan zitten. Ik vergis me niet.'

De zaal waar de jongen zou worden ingewijd, was niet dezelfde als die hij had gezien vanuit de ijzeren maagd. De witmarmeren zuilen die de boog steunden, waren heel hoog en deels bedekt met zwarte draperieën. Een overdaad aan rozen versierde een ongewoon altaar van travertijn, in de vorm van een vis. Boven de bidstoel hing een loden crucifix, ondersteboven.

Een ijzingwekkende gedachte schoot door Bernabés hoofd: willen deze bezeten dwazen het werk van Christus belachelijk maken?

Kameleon sleurde hem mee naar een marmeren plaat aan de muur, waarop te lezen stond: GROT VAN DE DEMON BAÄL. ABYSSUS ABYSSUM CLAMAT.

De jongen kreeg het gevoel dat er een gloeiend hete hand op die van hem, die ijskoud was, werd gelegd. In het kabaal van het orgel fluisterde een barse, spottende, helse stem in zijn oor: 'Kom!'

Rosario, die op zijn troon zat, beval met zijn gebruikelijke metalige stem: 'Laat de inwijdingsrituelen aanvangen.'

Naakt en bibberend werd Bernabé door de luid rinkelende Kameleon begeleid tot aan de muur, waarop een roos met twee rijen van acht bloemblaadjes geschilderd was, in een vlammende cirkel.

Vier mannen met kappen tilden hem op, draaiden hem ondersteboven en hingen hem als een x aan de ringen die in de muur waren bevestigd. Over zijn voeten goten ze het mengsel van pseudodauw, terwijl hij onder zijn hoofd de vlammen hoorde knetteren.

Rosario kwam dichterbij en sprak de formule uit die de jongen moest herhalen: *'In naam van de wrekende dolk van de Heilige Vehm, zal ik gehoorzamen aan de wetten van de tempeliers van de Dauw, op straffe van de dood door middel van de wreedste martelingen, uiteindelijk gevolgd door de doodssteek. Ik zweer dat ik het hoofd van de Sire de Rais en het reliek van de vrouw van het licht altijd zal beschermen. Dat zweer ik op de meidoorn.'*

Er was geen alchemistische waarheid te bekennen in deze initiatie, en in de eed ontbrak elke samenhang. Toch sprak hij hem uit, terwijl hij vanuit zijn positie stiekem, met zijn hoofd omlaag, naar het gezicht van de leider gluurde. Onder de helm. Het leek wel of dat monster in plaats van een hoofd iets ongrijpbaars had. Of eigenlijk was het een leegte...

Er wachtte hem echter nog een verontrustender ontdekking. Toen hij weer rechtop stond, zag hij naast de troon een bak vol water staan, waarin twee mechanische visjes bewogen. Identiek aan die van de vrome Upupa.

115

Met zijn handen op zijn rug liep Sansevero langzaam door Upupa's kamer. Hij hoorde Sperling op luide toon vragen: 'Reiger, is de prins hier komen roken? Wat een misselijkmakende stank! Ruik jij het ook?'

De ander antwoordde: 'Ach! Volgens mij is het de geur van wierook vermengd met gerookt vlees. Maar praat niet zo hard. Straks hoort die edelman je nog. We kunnen hem moeilijk de les lezen omdat hij de huisregels heeft overtreden.'

De prins liep de trap af, ging voor de twee medebroeders staan, bonkte met zijn stok op de vloer en zei vriendelijk: 'Ik hou niet van overtredingen en toegeeflijkheid. Ik rook alleen in het laboratorium en buiten de deur, en ik heb het per ongeluk ook in de kamer van de betreurde Upupa gedaan. Het zou verachtelijk zijn als ik jullie gastvrijheid zou schofferen. Laten we zeggen dat ik, omdat ik me de luxe heb veroorloofd Morlaix-sigaren met kostbare tabak mee te nemen, er af en toe een opsteek. Maar ik wilde zeker geen misbruik maken van de situatie.'

De twee, die wel door de grond konden gaan, knielden neer en vroegen meermalen excuses, te veel, net zo lang tot het hem irriteerde en hij de gewraakte kamer binnenging. Het was uitgerekend die van Zwaan. Hij hief zijn hoofd op en snoof. Hij ademde in en uit.

'Denk eens na, broeders, mijn sigaren ruiken zoals die welke ik jullie gegeven heb. Ze stinken niet zo walgelijk. Ik heb het idee dat hier ergens iets ligt te rotten. Laten we onder het bed kijken. Ik weet niet, misschien een dode muis...'

Sperling boog zich omlaag. Hij tilde de dekens op, maar zag niets. Ze doorzochten de kamer. Helemaal niets.

'Was het raam open of dicht?' vroeg de edelman peinzend.

'Net als nu. Op een kier.'

'Dus die geur kan ook van buiten komen...'

'Wij gaan wel kijken. Doet u geen moeite.'

'Wat is er gebeurd?' vroeg Fluiter verstrooid. Hij was in de tuin en duwde van buitenaf tegen de luiken.

'Stinkt het daar?' vroeg Reiger.

'Ja, naar kaas.'

'Wat denk jij,' riep De Sangro, die zijn tong langs zijn boventanden liet glijden en met zijn stok op de grond sloeg, 'komt die lucht van buiten of van binnen?'

'Volgens mij hangt hij zo'n beetje overal. Hij is niet makkelijk te lokaliseren. Leeft de beo nog? Is ze in de keuken?'

'Ja, ik heb haar net nog gezien,' zei Sperling nadrukkelijk. 'Maar uit je vraag blijkt dat jij, net als de prins, het vermoeden hebt dat er ergens iets ligt te rotten.'

'Daar lijkt het wel op. Wie weet, misschien de dode relmuizen in de vallen die Zwaan regelmatig heeft neergezet...'

En daarmee was de kous af. De geur vervloog langzaam maar zeker.

Don Raimondo staarde naar een bepaald punt. Om precies te zijn, naar de kast waar Zwaan, ijlend, de dwerg in en uit had zien gaan. Hij wachtte tot Fluiter het Feniksnest ging schoonmaken en de andere twee medebroeders naar de keuken gingen. Toen hij alleen was, deed hij de kast open en boog zich voorover om, tussen duim en wijsvinger, een bruin cilindertje te pakken. Vervolgens trok hij alle laatjes van de schrijftafel open, totdat hij een vel papier vond, waar hij het vreemde ding dat hij gevonden had in wikkelde. Het leek uiterst belangrijk voor hem te zijn, want hij declameerde op de gezwollen toon waarmee grootse ontdekkingen gepaard gaan: 'Kijk aan, hier sta ik oog in oog met de waarheid. Voorhoofd tegen voorhoofd, neus tegen neus, oog tegen oog. Helemaal tegen elkaar aan geplakt. Amper een halve duim is al voldoende... om de waarheid te aanschouwen.'

Hij had de onmiskenbare blik in zijn ogen van iemand die zich zo sterk als Hercules en zo onaantastbaar als goud voelt. Als iemand die hem kende hem op dat moment had aangekeken, zou die – zonder op de hoogte te zijn van wat er allemaal in Clisson was voorgevallen – hebben aangevoeld dat Raimondo de Sangro een van zijn wonderbaarlijke ontdekkingen of uitvindingen voor zich had, die hij aan niemand zou onthullen.

Hij liep een paar passen achteruit, naar de kast tegen de muur, en pakte een kleine gobelin die een kasteel voorstelde. Hij liet hem door zijn handen gaan, keek naar de wand aan de westkant en zag dat het eerst daar had gehangen. Waarom was hij verplaatst?'

Hij riep Reiger, keek hem wantrouwend aan en vroeg: 'Heb jij die weggehaald?'

Met een onschuldig gezicht en opengesperde ogen ontkende Reiger.

'Ik geloof je. Maar vraag of de anderen er iets van weten.'

Een kleine rondvraag leverde niets op. Niemand kon de onlogische verplaatsing van het wandtapijt verklaren.

Kolibrie wreef zich over zijn voorhoofd. 'Zwaan is een paar dagen geleden vertrokken, en voor zover ik me kan herinneren hing het ding nog aan de muur toen ik zijn kamer heb opgeruimd, na zijn vertrek naar Tiffauges,' zei hij.

Sansevero maakte, strenger nu, hardop duidelijk hoe hij erover dacht.

'Het lijkt iets onbenulligs. Maar er zijn mentale veranderingen nodig om de ernstige vergissing aan het licht te brengen van iemand die misschien dacht iedereen om de tuin te leiden met list en bedrog...'

'Wilt u via deze bedrieglijke omweg,' merkte Sperling geërgerd op, 'soms zeggen dat u de moordenaar al in uw zak hebt?'

'Dat hangt ervan af wat je bedoelt met "in mijn zak hebben". Op de hypothetische vraag "of hij nu bij mij is", zou ik kunnen antwoorden dat we hier op het gebied van moordenaars, dieven en menseneters niets te kort komen...' en zijn gebruikelijke, in het geheel niet geruststellende, glimlachje speelde om zijn mond. 'Als de uitdrukking echter bedoeld is om me te vragen of ik de identiteit ken van de misdadiger die tot nu toe zeker acht mensen om het leven heeft gebracht, zeg ik ja. Maar ik ga nog niet onthullen wie het is. Er zijn veel aanwijzingen, dat is waar. Maar het echte, onomstotelijke bewijs – van dit specifieke geval – ontbreekt me. Ik ken dus de waarheid. Maar alleen de waarheid is niet voldoende.'

'Prins,' zei een boze Sperling, die stilzwijgend was verkozen tot spreekbuis van de groep, 'uw toespelingen op ons verleden, dat wij al jaren als dood en begraven beschouwen, treffen ons als zweepslagen. Upupa zou nooit geheimen doorvertellen, al zijn ze in de vergetelheid geraakt. Als u er zelf, dankzij uw uitmuntende intuïtie, achter bent gekomen, moeten we u complimenteren. Maar omdat we onszelf allemaal als herboren beschouwen door de lessen van de meester, wijzen we insinuaties en eventuele verdenkingen van de hand. Ongeacht van wie.'

'Het verleden kan niet sterven. Als we dat niet hadden, zouden we al dood zijn. Daarom,' vervolgde de Sangro snel, terwijl hij nogmaals met zijn stok op de vloer sloeg, 'wilde ik u provoceren. Laten we het zo stellen: bij dezen hebben jullie elke samenhang afgekapt. Jullie hebben je ervan gedistantieerd. En dat strekt jullie tot eer en lof.' Hij kneep zijn groenbruine, ongewoon schitterende ogen toe en ging verder: 'In mijn rol als detector heb ik geen andere keuze dan de vroegere ervaringen van elke Vogel te onderzoeken. Dat impliceert echter niet dat ik vooroordelen heb.'

'Maar u insinueerde...' zei Reiger vreesachtig.

'Je vergist je. Het is een constatering. Voor ieder ander, een Badeau bijvoorbeeld, zouden de verschrikkelijke gebeurtenissen die de jeugd van sommigen van jullie karakteriseren, absoluut onweerlegbaar bewijs zijn om jullie te beschuldigen. Voor mij niet.'

Fluiter, die terugkeerde uit het Feniksnest, liep in volmaakte stilte om de schrijftafel heen en posteerde zich voor de edelman, om hem van top tot teen op te nemen.

'Prins, u hebt mijn verbazing gewekt,' zei hij. De toch al kille sfeer was nu echt om te snijden.

De Sangro leek verbijsterd. 'In goede zin, hoop ik.'

'Helemaal niet. U hebt de waarheid over enkelen van ons achterhaald. Tevreden? Maar wat hebt u aan dat opgerakelde verleden?'

Raimondo nam, in zijn groenfluwelen kostuum, echt de uitstraling van een imposante edelman aan. Iedereen zag het, het was onmiskenbaar. Toen verduidelijkte hij, zonder een krimp te geven: 'De Broederschap van de Roos en de Vogels blijkt gemengd en veelkleurig. De vroegere gewoonten of neigingen doen niets af aan mijn mening over de identiteit van de misdadiger, die handelt onder de naam Rosario. Maar de persoonlijke achtergrond van zes Vogels kan ik niet negeren. Als jullie mijn overwegingen, of provocaties, zonder commentaar hadden aanvaard, zouden we minder tijd hebben verloren...'

'Wilt u zeggen dat we ze zwijgend hadden moeten incasseren?' vroeg Kolibrie ferm.

'Jazeker, als het verleden inderdaad lichtjaren van jullie verwijderd is, zoals jullie beweren. Fluiter, loop met me mee naar het Feniksnest. Ik wil controleren of het goed schoon is.'

Nu de betovering plaats had gemaakt voor angst, maakte de groep ruim baan voor de prins, die de drempel overstapte en nog een duidelijk bevel gaf: 'Sperling, Merel, Kolibrie en Reiger weven van biezen een vloermat. Nachtegaal en Papegaai graven voor het raam van Zwaans kamer een vierkant gat van twee bij twee vadem. Daarop wordt de rieten mat gelegd en het geheel wordt bedekt met aarde.'

'Een val?' vroeg Merel verward.

'Ja. In de hallucinaties van Zwaan kwam ook een dwerg voor, ene Kameleon. Of dat ventje nu echt een mens is of dat hij alleen in de nachtmerries van de arme Bernabé thuishoort, kunnen we alleen op deze manier achterhalen. Als we hem verstrikt in het net aantreffen, wil dat zeggen dat het geen visioen was.'

'De postduiven hebben ons berichten bezorgd van de medebroeder die vastzit in Tiffauges,' vertelde Feniks. 'Wordt er geen plan opgesteld om hem te helpen?'

'Op dit moment niet. Uit wat hij schrijft, blijkt dat de jongen nog geen toegang heeft tot de onderaardse gangen van dat vervloekte kasteel. Zwaan is momenteel een vrijwillige gevangene. We hebben ook vastgesteld dat de mechanische visjes uit het laboratorium verdwenen zijn. Rest de vraag: wie heeft ze naar het tempeliershol gebracht?' besloot Sansevero, wiens hart zwaar was onder het gewicht van een vreselijk geheim.

116

Toen hij met Fluiter in het eivormige gebouw aankwam, kreeg Raimondo dezelfde misselijkmakende geur in zijn neus die hij al geroken had in de kamer van Zwaan. Argwanend als een kat gaf de prins de medebroeder een teken dat hij weg moest gaan en zette hij in zijn eentje alle mechanismen van de hermafrodiet in werking, waarna hij naar de onderaardse ruimte afdaalde waar de kerststal met de personages van Bosch stond.

Niet alles stond op de juiste plek. Daarom stapelden zich in zijn hoofd diverse vermoedens op. Toen hij Fluiter weer trof, haalde hij uit de zak van zijn groene broek een stuk zegellak, een kaars, een vuurslag en een bolletje touw. Hij bond een aantal draden om elk van de drie sloten die de twaalf grendels van het hek tegenhielden. Hij stak de kleine kaars aan, liet hem boven de rode zegellak smelten, deed er iets van op elke streng draden en drukte daar met zijn ring een zegel in.

Intussen werd Fluiter gekweld door stormachtige gedachten. In zijn ogen leek de prins een duizelingwekkende bron van wel en niet geuite ideeën. Het leek wel of hij een onaantastbaar masker op zijn gezicht had. Don Raimondo vertegenwoordigde naar zijn mening de meteoren en de bliksemflitsen van wat verboden was, en de hoogste serafijn met zes vleugels uit de hemelsfeer. Plotseling deed de Vogel zijn ogen dicht, overmand door een zekerheid: de detector had de volledige waarheid achterhaald.

117

'Begrijp je nu, tempelier De Grâce,' begon Rosario, die steeds een beetje meer bezield raakte door het geluid van zijn eigen woorden, 'hoezeer ik in woede ontsteek als je een zwakkeling en een nietsnut blijkt te zijn? Als je de eed niet nakomt, staan de dolken van het hele genootschap klaar om met je af te rekenen. Nadat je gefolterd bent, uiteraard.'

De novice wist, geschokt, nog net uit te brengen: 'Ik kus zelfs het stof onder je voeten, want jij bent de juiste heer, door wie ik vandaag eindelijk echt gedoopt word.'

Onmiddellijk trokken vier mannen met kappen de jongen een zwarte habijt aan. Ze duwden hem tegen een andere muur in de zaal aan, waarop een doodshoofd geschilderd stond, en bevalen hem onbeweeglijk stil te blijven staan.

Kameleon stelde de hogepriester voor, die aan het hoofd stond van die tempeliers. Deze zette zijn kap af en toonde zijn gezicht, dat Bernabé al tijden kende. Het rimpelige gezicht dat hem maar niet losliet... De oude, half kale Prelati begon met geforceerde stem: 'Wij tweeën kennen elkaar al, nietwaar? In het leven kom je elkaar vroeg of laat tegen. Voordat ik je vertel wat je wilt weten, zal ik je wat vragen stellen.'

De jongen besloot zijn toevlucht te nemen tot de strategie van het zwijgen, om te voorkomen dat hij zou aarzelen of in paniek zou raken, wat waarschijnlijk zou gebeuren. Toen hij begreep dat hij in plaats daarvan had moeten spreken, bedacht hij iets: als Rosario de aanvoerder is van deze valse alchemisten, is Prelati dus niet de moordenaar van Beppe Talla. De beo heeft gelogen, of misschien heeft ze de dingen door elkaar gehaald. Maar wie is dat monster dat zich onder die constructie van goud en ijzer verbergt? En hoe kan het dat hij dezelfde mechanische visjes heeft als Upupa?

Intussen had de oude man een nieuwe fakkel aangestoken en zei: 'Het licht is de verblindende kariatide die de wereld overeind houdt. Daarom geven wij de voorkeur aan deze vlam, die de duisternis, van wie wij toegewijde zonen zijn, openrijt. We vermijden de zuiverheid en adoreren de dikte van het vlees. Onze harten, die leven van de materie waarin alle verleidingen huizen, worden gevoed door dat wat niet opgebiecht kan worden. Goed, Bernabé, let nu op! Wie is de alchemist?'

De jongen besloot voorzichtig en sluw te antwoorden. 'Dat is het enige wezen dat lood in goud kan veranderen.'

'Welk geheim maakt die operatie mogelijk?'

'Dat weet niemand, behalve Rosario.'

'Welke vorm heeft een smeltkroes?'

'Rond.'

'Waarmee redeneert de alchemist?'

De ondervraagde dacht: ik kan niet antwoorden met 'de wijsheid van het hart'. Voor deze verdorven beesten, die erop gericht zijn elke oprechtheid en zuiverheid te verduisteren door de natuur geweld aan te doen, zal die regel niet gelden. Dus zeg ik maar het meest voor de hand liggende en banale, dat bovendien de oorzaak is van de beklemming die ik voel in mijn hersenpan.

Per ongeluk liet hij zich dat laatste woord ontvallen. Hardop.

'Perfect! Hersenpan...' riep Prelati uit. 'Weet dat wij, afstammelingen van de tempeliers, net als zij een idool adoreren, namelijk een met goud bedekte schedel. Die is ons orakel geworden, dankzij Rosario, geprezen zij zijn naam. Hij heeft namelijk voor het ontbrekende reliek gezorgd door er spraakvermogen aan te geven. Het betreffende reliek is meermalen door mij aan jouw meester gevraagd.

Maar Upupa, die mijn verzoeken in de wind sloeg, had zich het al toegeëigend...'

Bernabé voelde bij die beschuldiging het vreemde, koortsachtige en ziekelijke verlangen om Upupa in een oogwenk te vervloeken. Als de oude man Prelati tevreden had gesteld, zou hij zich nu misschien niet in deze zee van duisternis bevinden. Toen herstelde hij zich en vroeg met onverwachte moed: 'Aan wie behoren de heilige resten toe, als ik vragen mag?'

'Het hoofd aan maarschalk Gilles de Rais,' antwoordde die sprekende mummie. 'De tong aan de Maagd van het vuur, Jeanne d'Arc. Samen streden ze tegen de Engelsen, onder auspiciën van hun androgynie; of liever gezegd, Gilles wilde die graag hebben en Jeanne bezat haar al van nature.'

Bernabé dacht na over het absurde daarvan en peinsde: als het klopt wat die ouwe gek zegt, is daar waar het mannelijke in overvloed is, ook de deugd in overvloed. Zeker, als Gilles een verleidelijke komediant was, was Jeanne de vrouw van de betovering. Samen vormden ze de alchemie van de geschiedenis waarin het licht de duisternis ontmoette, terwijl er een charismatische heldendaad werd verricht.

Een klok sloeg middernacht. De slagen scandeerden de gedachten naar de jongen. En voordat de laatste echo van de laatste klank stilviel, zag hij een man van ongeveer zijn eigen leeftijd. Hij was bruin en slank en zou een knap uiterlijk hebben gehad, als zijn rechteroog niet had ontbroken. Misschien had hij daarom geen kap op. In zijn handen had hij een rechthoekige schrijn, ingelegd met gouden sierknoppen.

Zijn hazelnootkleurige ogen en rode appelwangen deden hem aan iemand denken, maar hij wist niet wie. De ander wierp ook hem een blik toe, die Bernabé echter niet kon verdragen. Sterker nog, hij voelde zich verkillen. In zijn bewustzijn sloop, daar waar de verleidingen huizen, iets binnen wat niet opgebiecht kon worden. Met gloeiende huid kreeg hij het gevoel dat hij een duizelingwekkende, onherkenbare herinnering in werd gezogen...

Hij voelde schaamte zonder te weten waarom. Door die verwarrende gewaarwordingen heen hoorde hij de stem van de priester: 'Kijk, dit is Bagoa. Hij is gecastreerd, daarom heeft hij een hoge, ijle sopranenstem. Hij bewaakt de heilige relieken,' en hij maakte de schrijn open, terwijl hij een blinde lantaarn omhooghield.

De luikjes gingen open en het licht viel eerst op de bleekblauwe ogen van de oude man en daarna op de schedel, die op faraonische wijze bedekt was met goud. In de oogkassen waren twee roodvlammend fonkelende robijnen gevat. In de neusholte zat een saffier, waaruit heldere, koude vonkjes water leken te spatten, terwijl in de mond tanden van smaragd werden ontbloot. De oude man vervolgde met beheerste stem, alsof hij Euripides voordroeg: 'Ik, Gilles Francesco Maria Prelati, zevende directe afstammeling van Catherine de Thouars, de echtgenote van de maarschalk en later van Francesco Prelati, een Italiaanse alchemist in dienst van Sire de Rais, vertel het verhaal voor zover dat niet bekend is. Het is namelijk zo dat Ruggero, de eerstgeborene, op zijn veertiende in de kerk van Notre Dame des Carmes in Nantes het graf van Gilles schond om de schedel mee te nemen. Die werd toevertrouwd aan het nichtje van Perrine Martin, die dezelfde naam had als haar tante en werd benoemd tot schedelbewaakster. Dit werd tot op heden van generatie op generatie doorgegeven. Zo'n tien jaar geleden heb ik het heilige hoofd ontvreemd uit het huis van de laatste kleindochter, mevrouw Martin, die twee jaar geleden gedood is.'

Na dit pseudohistorische pleidooi stak de priester zijn hand in de schrijn en haalde er een genadedolk met zilveren handvat uit. Dat draaide hij los en met twee vingers trok hij er een stuk perkament uit. Hij legde het op de schrijn, rolde het af en Bernabé zag dat hij er een gemummificeerde tong in wikkelde.

'Onze nieuwe leider Rosario heeft de vermaarde dolk en de schede van Jeannes tong teruggehaald. Daarin was bovendien de formule van het narcoticum dat Gilles gebruikt heeft, de kyphi, verborgen. Eveneens dankzij hem is dit manuscript teruggehaald.' Hij liet de pas ingewijde een in rood leer gebonden boek met een bruin geworden slot zien. Op de kaft stond het wapen van de voorvader van de maarschalk, Robert de Craon, tweede grootmeester van de oude orde der tempeliers.

Prelati begon het boek door te bladeren.

'Goed, in de alchemistische tekst die hier geschreven staat, wisselen tekeningen en hiërogliefen elkaar af. Met die laatste heeft onze hoogste baas de lichamen gemerkt van degenen die hij persoonlijk gedood heeft, of heeft laten doden.'

De Grâce slaagde erin, in zijn verwarde mentale staat, een zwakke smeekbede aan God te mompelen, voordat hij het bewustzijn verloor. Kameleon schoot hem te hulp. Hij werd bijgebracht met een scherp geurende ampul en was gedwongen naar het vervolg te luisteren.

'Welnu, door de tong van de Maagd in de heilige schedel te steken, kreeg Gilles, door dit sympathieke fenomeen of door de algemene aantrekkingskracht en harmonie, zijn spraakvermogen terug. Daardoor kon hij ons vertellen welke weg we in moesten slaan.'

Bernabé kon uiteindelijk de aanblik van die macabere voorwerpen niet meer verdragen en voelde zijn krachten afnemen, alsof hij op de drempel van de vernietiging stond.

118

De orakelmond bulderde met een stem die leek op kanongeraas.

Bernabé draaide zich om naar Rosario, die op de met dubieuze sculpturen ingelegde eikenhouten schrijn zat. Hij droeg zijn ijzeren helm met het beweegbare vizier. De jongen gluurde naar zijn gezicht – tevergeefs. Hij had het gevoel dat er zowel uit de schedel als uit het gemaskerde monster een gereutel kwam.

'Gegroet, mijn aanbidders,' sprak het met juwelen bedekte hoofd indringend. 'Elk misdrijf kent zijn eigen terugkerende gebeurtenissen. Ook in de tijd dat het lijkt of het afgelopen is. In deze geweldige zaal heb ik kinderen meegesleurd. Ik heb ze verkracht en daarna langzaam gemarteld. Om hun onschuld voor God te immobiliseren en het androgyne te verkrijgen dat onontbeerlijk is voor mensen die uitverkoren zijn zich met Hem te vereenzelvigen. Als jullie voeten mensenhoofden vertrappen, is dat geen zonde. Het is een noodzaak, om uit de gevangenis van de middelmatigheid te ontsnappen.' Zijn stem barstte in een schril gelach uit, waarna hij zich herstelde. 'Ik ben in mijn nopjes met mijn navolger Rosario. Hij heeft alle alchemistische geheimen verworven. Upupa, van de Broederschap van de Roos en de Vogels, heeft geen recht op de dood van zijn Patrijs.'

Hierop volgde een explosie van gelach. Onder het lachen door was voortdurend dat lage gerommel te horen, dat leek op darmgeruis. In het tumult van het hoongelach klonken verwarde uitroepen: 'Ik ben net een Gorgoon. Pas op, Bernabé! Ik laat je verstenen! Ik ben Janus met de twee gezichten. Bernabééééé, je hangt aan een richel boven een duizelingwekkende afgrond. Je voelt de grip onder je handen wegbrokkelen. Wat heb je onder je nagels? Wat is dat voor stof?'

Verward staarde De Grâce, die aangesproken werd, naar de helm, waaruit hij een stroom van vijandige haat en algemene wanhoop voelde komen. Uiteindelijk keek hij indringend naar Kameleon, die om hem heen sprong en hem toefluisterde: 'Luister naar het orakel!'

De schedel vervolgde: 'Ik ben teruggekeerd om mijn spraakvermogen terug te krijgen met de tong van mijn wapenzuster Jeanne. Rosario, je bent tot nu toe uitstekend te werk gegaan! Als je de Rebis door middel van de dauw hebt verkregen, is de Kwintessens incompleet. Je hebt de projectiepoeders die je uit het Feniksnest hebt gestolen. Je kunt aan de slag om goud te verwerven. Want de baas van het geheim was niet de Heer van het Leger, maar de Heer Verlosser, die de grote macht in bruikleen had...'

Rosario luisterde roerloos naar de complimenten uit het hiernamaals.

De stem vervolgde: 'Het doek dat Bosch geschilderd heeft, kan de oppervlakkige toeschouwer om de tuin leiden. Maar aan ons onthult het de synthese van elk magisch geheim. Vervloekte Upupa, die mijn mond zo lang heeft gesnoerd! Kom op, Rosario, beloon je aanhangers tegenover die stomme Vogels. Pas op voor de prins van Sansevero! Mijn allertrouwste, jij bent de sterkste. Ik zie dat je de kyphi gedronken hebt, die je hebt verkregen dankzij de formule die ik in het handvat van de genadedolk had verstopt. Prelati, degene van wie jij afstamt, is zwak, dom en onwetend!'

Daarna kwam er niets meer uit die grijns vol tanden, die inactieve smaragden.

Het groteske gebazel, de mengeling van ontelbare absurditeiten en enkele werkelijke feiten, was afgelopen. Bernabé had het gevoel dat hij vermorzeld was. De woorden die de met juwelen behangen schedel had uitgekraamd, hadden hem iets in herinnering gebracht wat hij al over Jacques de Molay had gehoord...

In de stilte die over de grote zaal afdaalde, hoorde Bernabé de geruisloze tred van de leider, die op zijn tenen leek te lopen. Hij liep naar een tafeltje, waarop Kameleon een stuk lood en twee kleine karaffen met verschillende poeders had gezet.

Aan de muur had de dwerg het schilderij van de hallucinerende schilder gehangen.

'Ah! Daar is *Bruiloft in Kana*, waar tempelier de Molay op doelde. Dus Rosario heeft het,' murmelde de jongen. 'Mijn God! De jongen die van achteren is afgebeeld, lijkt op Kameleon. Wat een dubbelzinnigheid komt er vanaf...' en hij voelde een druk op zijn slapen.

Zes figuren, die op hun eigen plaats zaten, leken net uilen die op een of ander wonder zaten te wachten. Door de gaten in hun kappen waren hun open monden en opengesperde ogen te zien. Rosa-

rio gooide het terrakleurige poeder op het blokje lood.
Terwijl hij de formule '*Fiat trasmutio*' uitsprak, waarna de transmutatie zou moeten plaatsvinden, was er een gepruttel te horen alsof ze in een smidse waren.
Een compleet fiasco. Het parallellepipedum van lood bleef hetzelfde. Werkeloos, bijna alsof het de hoogste baas ten overstaan van zijn aanhangers belachelijk wilde maken, bleef het bewegingloos als een stalactiet. Een storm van woede raasde over de uitvoerder heen. Bernabé zag zijn lijkbleke handen, die een onbegrijpelijke kwaadheid leken te weerspiegelen.
Kameleon gaf hem een schaal. 'Meester, hier is de dauw,' zei hij.
De ander keerde de kelk boven het lood om. Geen licht, geen mutatie. Slechts een zwarte massa. Toen gaf Prelati Bagoa de opdracht de schedel en de tong weer in de schrijn te leggen en die naar de geheime plek te brengen. En de grote baas trok zich bijna kruipend terug tegen de muur, ging de hoek om en verdween.
Geen stemmen meer, geen geluid meer te horen.
Er parelden ijzige zweetdruppeltjes op het voorhoofd van De Grâce. 'Als ik de boodschap die Jacques de Molay me gegeven heeft goed begrepen heb,' fluisterde hij, 'is er een zuiver hart en een verlichte geest voor nodig. Hoe kan Rosario, met zijn woeste duisternis vol delicten, de onschuld van Christus nu evenaren? Er kan nooit een transmutatie plaatsvinden. Wat betekent dat? Ik zal niet vertellen wat ik weet. Aan niemand. De prins heeft gezegd dat ik voorzichtigheid moet betrachten. Het is mijn taak om de helm van het beest af te halen en hem uit de weg te ruimen.'
Hij voelde dat hij bij de arm werd gegrepen. Het was de dwerg, razend. Hij sleurde hem mee door beschimmelde gangen en smeet hem in een hok.
'Dit is jouw kamer. Het was een gevangenis, in de tijd van de maarschalk.'
Muren vol gaten. In een hoek zag hij de mand met duiven. Hij slaakte een zucht van opluchting. Hij kon nog steeds communiceren met de buitenwereld, zoals hij al eerder had gedaan. Kameleon sloot hem in. Door het hoge, nauwe raam zag de jongen de roodachtige hemel. Gegrepen door een koortsachtige onrust voelde hij de mysterieuze onbeweeglijkheid van de leegte en de vage afschuw die wil zeggen: 'Je bent alleen met je angst.'
Een dwaze angst maakte zich van hem meester. Hij pakte het perkament uit zijn plunjezak, scheurde er een stuk af en krabbelde in het donker met het grafiet, helpend met zijn linkerhand, als een blin-

de: *Dit is mijn tweede briefje. Ik ben ingewijd. De valse tempeliers willen onze Broederschap uitroeien. De dwerg heeft me onderweg een blinddoek omgedaan. Hier aanbidden ze het orakelhoofd van de gekke misdadiger Gilles de Rais, die spreekt omdat ze hem de gemummificeerde tong van Jeanne d'Arc hebben gegeven. Ik weet nog niet waar de ingang naar de onderaardse gangen is. Ik kan alleen maar wachten en hopen.*

Op de tast pakte hij een duif. Hij trok een draadje uit zijn broek, bond het aan het perkament en maakte dat aan de poot van het dier vast, dat hij het raam uit liet vliegen. Hij dacht aan Icarus, aan Daedalus, aan de Minotaurus... en concludeerde dat Theseus zich in een betere positie bevond dan hij.

Uiteindelijk ging hij op de met stoppels gevulde strozak liggen. Hij viel in een treurige slaap.

119

26 april 1753

In de schemerige stilte die over het bos was neergedaald, lieten Fluiter, Nachtegaal en de prins hun paarden in draf gaan. Het gras was vochtig en weerspiegelde het blauwviolet van de hemel. Aan de linkerkant van het paadje dat naar de grot van de Vierge Inconnue leidde, vonden ze, vastgebonden aan een kastanjeboom, een magere merrie. Nachtegaal verlichtte haar met zijn toorts. Het dier leek staand te slapen en haar grote hoofd hing vermoeid naar de grond. Maar ze had haar ogen wagenwijd open; twee zwarte, betoverde spiegels.

Fluiter sprong uit het zadel en liep op het dier af.

'Verdraaid!' riep hij. 'Hier achter de boom, tussen de bosjes, staat een soort dierenkooi op vier wielen.'

De Vogel zette zijn voet op het opstapje met zes treden, dat om een scharnier draaide en omlaagging. Het deurtje zat stevig vergrendeld. De andere twee kwamen dichterbij en forceerden de ketting met de punt van hun zwaard, zodat de deur openging. Binnen, op de wagon, zagen ze een grote, in jute verpakte bundel met strakke, meermalen dichtgeknoopte touwen eromheen.

Sansevero mompelde bezorgd: 'Het heeft de vorm van een klein menselijk lichaam. Snel, we maken de touwen los!'

Uit de bundel kwam, alsof hij uit de volledige duisternis van de bodem van een put kroop, een kind tevoorschijn, dat half gestikt en half onderkoeld door de kou was. De prins zette zijn flacon cognac aan de mond van de jongen en liet hem een paar slokken drinken. Het ukkie kwam een beetje bij, maar zei niets. Bij het maanlicht, onder de vodden die hij aanhad, waren zijn omtrekken duidelijk te zien. Zijn ogen keken strak, verbijsterd, maar aandachtig. Hij gaf geen kik.

Toen Nachtegaal hem streelde en vroeg: 'Wie ben je? Wie heeft je hier gebracht?' verstijfde het kind.

Hij kon niet antwoorden, het lukte hem niet, want hij was doofstom.

'Vragen stellen heeft geen zin,' concludeerde don Raimondo, die hem in zijn mantel wikkelde. 'Hij is duidelijk gehandicapt. Hij voelt zich uitgestoten. Het lijkt net of dit wezen in de woestijn leeft.'

'Prins,' kreunde Nachtegaal, 'waar zouden die doodgravers zijn, die we altijd zien? Want zij hebben dit gedaan, of niet?'

'Hebt u het over ons?' riep een stem achter hen.

De twee mannen met kappen keken nu eens naar Nachtegaal, dan weer naar Fluiter. Don Raimondo, die in de schaduw van de kooi was blijven staan, sprong als een eekhoorn op de hals van de langste van de twee en stond op het punt hem te wurgen. Zijn kameraad dacht dat hij maar beter op zijn versufte paard kon klimmen, maar Nachtegaal prikte haar in haar zij en ze smeet de man met de kap voorover, zodat hij over haar magere hoofd heen in de dunne heidestruiken terechtkwam. Schichtig sprong het dier van rechts naar links, waardoor het touw brak, en vertrapte het hoofd van Rosario's afgezant, die op slag dood was door een schedelbreuk.

'Dat is er eentje minder!' zei de detector, terwijl hij zijn greep om de valse tempelier verstevigde. 'Je vriendje heeft je verlaten,' zei hij, en hij rukte de kap weg. 'Wil je hem achterna? Of blijf je liever, goed vastgebonden, bij ons om wat informatie te verschaffen over Rosario met de gouden helm?'

De man was een lelijke boerenkinkel met vettig, stinkend haar; groot, maar mismaakt. Zoals bij zwakbegaafden ging zijn voorhoofd zonder welving over in zijn rechte neus. Hij had onduidelijke, zware, boosaardige en perverse gelaatstrekken en diepliggende, harde en felle ogen.

'Als jullie willen, ga ik met jullie mee,' zei hij met een keelstem. 'Maar net als iedereen ken ik het gezicht van mijn baas niet. Denk er goed over na: ik kan u niet van dienst zijn.'

'Dat maken wij wel uit, verdorie!' barstte Nachtegaal uit en gaf een ruk aan zijn handen, die achter zijn rug waren vastgebonden.

'Waar gingen jullie met dat kind naartoe?'

'Hierheen. Hij was lokaas voor jullie, om jullie naar buiten te laten komen. Dat had de baas ons opgedragen.'

'Dan hebben jij en je maat het er slecht van afgebracht. Waar hadden jullie die jongen vandaan gehaald?'

'Uit Maillezais. Hij speelde in de tuin van het klooster van de benedictijner broeders. Maar niet vandaag, hoor. Drie dagen geleden heeft Rosario hem zelf gevangen.'

'Ach!' zei de Sangro. 'Een wees, een arm, doofstom kind... Heeft hij geweld gebruikt?' vroeg hij en zette het pistool tegen de slaap van de tempelier.

Die werd lijkbleek.

'Haal dat wapen weg. U jaagt me de stuipen op het lijf. Bij ons gebruiken ze alleen blanke wapens om de lichamen niet te besmetten. Maar hij is niet verkracht, als u dat soms bedoelt.'

Een ijzige wind sneed over hun gezichten, terwijl er van alle kanten een dichte mist opkwam en er over de zijweggetjes bleke strepen en melkachtige schaduwen verschenen. Onder zijn schoenen voelde de prins de glibberige, vochtige grond, waarop zijn stappen vreemd doordreunden.

'Vrienden,' fluisterde hij zachtjes tegen Fluiter en Nachtegaal. 'Ondanks de duisternis breng ik de jongen terug naar Maillezais. Het lijkt me niet goed hem bij ons te houden. Laten we ons andere indrukwekkende taferelen besparen.'

'Maar het is echt laat, excellentie,' zeurde Nachtegaal.

'Rustig maar. Houd die lomperik in bedwang en trek zoveel mogelijk uit hem. Maar pas op, er wordt geen druppel bloed vergoten, al kan het geen kwaad hem een beetje pijn te doen. Zeg tegen Sperling dat hij hem een beetje moet cauteriseren...'

120

Sinds een week of twee verdroeg Bernabé, opgesloten in het bouwvallige landhuis, in stilte de last van de tirannie, de onwetendheid en de macht van een man die dacht dat hij Gods gelijke was.

Als het mogelijk was geweest de ellende van de mensheid op zijn schouders te nemen, had hij het graag gedaan. Maar hoe? Rosario leek geboren in het graf, in de afgrond, in de duisternis. En zijn aanhangers? Die waren van uiteenlopende soort. Ze waren afkomstig uit de duistere nacht. Als hun baas iets van de geest van Gilles de Rais in zich had, gehoorzaamden zijn volgelingen hem. In de meester huisde het zwarte, op zijn gezicht droeg hij een masker. De schaduwen van de leider straalden af op zijn adepten.

Wat De Grâce dwarszat, was de afwezigheid van het uiterlijk, het verdwenen gezicht van die misdadiger.

Wanneer Kameleon hem met rust liet, dacht Bernabé lang na. Al hun kracht lag in die verdraaide talisman, het hoofd van Gilles de Rais, de kyphi, de gemummificeerde tong van de Maagd en het schilderij van Bosch. Die moest hij van ze af zien te pakken.

Ja, hij moest de groteske, met juwelen bedekte schedel en alles wat erbij hoorde wegnemen. Maar hoe? Prelati bewaarde het schilderij en de reliek-amulet in een kluis in de afgesloten initiatiezaal. Overdag werden ze bewaakt door de twee mannen met kappen die hij in de grot van de Vierge Inconnue had ontmoet. 's Nachts hield Bagoa de wacht over de schrijn.

Over dat mannetje deed een ongelofelijk verhaal de ronde; Kameleon had het hem verteld. Vijf jaar eerder had hij, als jongeman met een adembenemende schoonheid, het leven van de hogepriester gered. Gilles Francesco Maria Prelati was, toen hij met zijn paard op een vrachtschuit over de Maris-Poitevin voer, door een ondoordacht gebaar in het moeras gevallen. De jongen, die hem vanaf de oever gezien had, was zonder zich te bedenken in het water gesprongen. De oude man was echter in paniek geraakt en had zich aan de enkel van de jongen vastgeklemd, waardoor hij hem met zich mee onder water trok en er veel tijd verstreek voordat ze allebei de kant bereikten. Toen bij navraag bleek dat de jongen, met zijn blanke, tegennatuurlijke castratenstem, uit het San Giovanni Crisostomo-theater in Venetië gevlucht was, wilde Prelati hem meenemen naar Tiffauges en noemde hij hem Bagoa, naar de favoriet van Alexander de Grote.

Toen Rosario jaren na dat voorval zijn debuut had gemaakt bij het geheime genootschap, had hij, om redenen die altijd onduidelijk zijn gebleven, met een gloeiend stuk ijzer Bagoa's rechteroog eruit gewipt met de woorden: 'Ik ben al jaren op zoek naar jouw trillende vlees. Om het te vernietigen. Maar misschien zou ik je alleen maar een plezier doen door je te doden. Je zult met slechts één oog de duisternis zien waarin ik ben weggedoken. Ik laat je alleen het halve licht.'

Niemand had ooit iets begrepen van dat gebaar, ook de jongen zelf niet. Bagoa, die verminkt bleef, werd de wacht over de heilige schedel toevertrouwd, en op die manier onttrok de leider hem het grootste deel van de tijd aan het oog.

Misschien, bedacht Bernabé, wordt voor iemand die in leugens leeft, zoals Rosario, de waarheid wel verdorven. Misschien deed Bagoa hem wel aan iets van vroeger denken en had hij nu een masker geplaatst tussen het verleden en zijn eigen gezicht. In elk geval moet ik die eenoog uit de weg ruimen. Dat zal mijn eerste moord worden, die door de hemel zal worden berecht. Ik heb geen ander alternatief om de talisman weg te nemen. Het is de enige hoop om de noodlottige wervelwind van de waanzin tot stilstand te brengen.

Om zijn plan te vergemakkelijken, deed De Grâce tijdens die lange week heel dienstbaar tegen Bagoa. Elke nacht draaide hij aan de deurknop die toegang gaf tot het heilige der heiligen, zette er de volkomen blinde lantaarn neer, die hij zo goed had afgesloten dat er zelfs geen sprankje licht door filterde, en dan riep de bewaker, die heel goede oren had: 'Wie is daar?'

De derde keer antwoordde de jongen met gedempte stem: 'Ik ben het, de pas ingewijde. Ik wil zo graag jouw Rebis op de proef stellen. Je neemt nooit deel aan de rituelen. Maar elke adept zou van jou moeten leren, zegt de meester.'

'Heeft hij dat echt gezegd? Herinnert hij zich me nog steeds?'

'Het is de waarheid,' loog Zwaan schaamteloos. 'Hij heeft het in mijn oor gefluisterd. Maar hij wil het nu nog niet aan de anderen vertellen. Omdat ik je vervanger word. Kun je me vertellen waarom hij je blind heeft gemaakt?'

'Nee, echt niet. Ik geloof niet dat ik vijanden heb. Misschien moet ik het vervloekte schilderij dat in deze schrijn zit wel beschouwen als de aanstoker van de woede die in Rosario tekeergaat. Weet je, hij zendt vreemde boodschappen: geweld vermengd met smart...'

'Je hebt gelijk, Bagoa. Die heb ik ook ontvangen.'

'Of misschien mag hij me wel niet vanwege mijn castratie. Ik was zeker niet degene die dat wilde. Mijn vader heeft me aan een paar Italianen verkocht, rondzwervende kunstenmakers. Ik ben gevlucht. Ik weet niet... wie zou ik leed berokkenen? Ik heb een herinnering van heel, heel lang geleden... Maar nee... dat kan ik niet geloven... Degene die ik in mijn geheugen zoek, was liefdevol, zacht en bang.'

Terwijl Bagoa praatte, lichtte hij op als de dageraad. Het kwam Bernabé van pas hem zijn hart te laten luchten. Plotseling deed hij de lantaarn open, net lang genoeg om met een enkele lichtstraal zijn goede oog te treffen. Na hem op die manier tijdelijk te hebben verblind, wierp hij zich op hem en stak hij de genadedolk recht in zijn hart, waarna hij zijn rechterarm in een rechte hoek boog en zijn hand op de dolk legde. Een zelfmoord, voor iedereen.

Maar niet voor hem. Het was moord! Hij had gedood... De wroeging deed zijn hart wild kloppen, maar toen kreeg het belang van de onderneming de overhand.

Toen hij haastige voetstappen naderbij hoorde komen, ging Bernabé snel de onderaardse gangen weer in om de mannen met kappen niet achter zich aan te krijgen.

Nadat hij zijn eigen cel weer binnen was gegaan, sloeg de angst hem koud om het hart. Zijn lichaam werd week, zwaar en slap. Terwijl hij in slaap viel, zocht de jongen zijn ster: Upupa. De wijze verscheen in zijn slaap en wendde zich af van de moord.

Maar waarom lachte hij nou?

121

De prins reed te paard weg onder de heldere, welwillende blik van de maan, met het kind voor hem. Behoedzaam en snel galoppeerde hij zigzaggend, terwijl de wijde mantel waarin het wezentje zat bij elke windvlaag opbolde.

Gelukkig, zei hij bij zichzelf, is slapeloosheid mijn nachtelijke vriend, al is hij voor anderen een kwelling van de duisternis. Het idee om het doek te marmeren en daar het beeld van Christus mee te bedekken, is me bijvoorbeeld midden in de nacht te binnen geschoten. De gedachte is een vloeistof die omhoogkomt en iets uitstoot, net als het doffe gebrul van de zee!

Zijn gebruikelijke glimlach speelde weer om zijn lippen en in zijn ogen, maar de bedrukte sfeer vanwege de herinnering aan de tempeliers van de Dauw maakte hem van streek. Met één arm trok hij het kind naar zich toe.

Natuurlijk kan ik niet op dit tijdstip in Maillezais aankomen, vervolgde hij bij zichzelf. Daar zie ik een herberg. Eerlijk gezegd is hij zo grijs en oud dat het eerder een gevangenis lijkt. Niets aan te doen.

Hij was in La Bruffière. In de weinige huizen die hier en daar stonden, zag hij donkere figuren voor de verlichte rechthoeken van de ramen bewegen, maar er hing zo'n stilte dat Raimondo het idee kreeg dat er in de steegjes ondefinieerbare monsters rondwaarden. Een stilte die zo diep was dat hij zijn eigen heimelijke en glasheldere gedachten kon horen.

Hij maakte de teugels aan de houten afrastering vast en steeg van zijn paard af met de kleine doofstomme in zijn armen. De waardin, een bleke, ziekelijke vrouw die over haar kwaaltjes zeurde terwijl ze de wacht hield bij de deur, maakte een hoop drukte toen ze de elegante edelman tussen een paar dunne boompjes door de straat zag oversteken.

Raimondo stopte haar meteen wat klinkende munten toe en vroeg haar, behalve een kamer, ook om wat bouillon voor het kind.

'En u, mijnheer, wilt u niet iets sterks?'

'Breng me een fles van je beste wijn. Wek me morgenochtend bij de dageraad,' antwoordde hij, en hij liet zich naar zijn kamer brengen.

De volgende ochtend heel vroeg vertrok hij naar Luçon, waar hij zijn paard bij het postkantoor verving. Toen hij aan de postbeambte vroeg: 'Wat is de kortste weg naar Maillezais?' luidde het antwoord: 'U bent een vreemdeling, nietwaar? Het zal niet eenvoudig zijn. Maxime, mijn hulpje, kan uw gids en matroos wel zijn. Ook matroos, ja, want u moet zowel over land als over het water. U betaalt hem een scudo.'

Sansevero nam het aanbod graag aan, want hij maakte zich zorgen om de gezondheid van de kleine. Maxime zei dat hij hem moest volgen. In het begin liepen de paarden ver uit elkaar, maar later gingen ze naast elkaar lopen langs de dichtbegroeide, moerassige kanalen van de Marais-Poitevin. In het prachtige labyrint van velden, weiden en baaien spoorde Maxime zijn klant aan verder te rijden, op een natuurlijke, vrolijke wijze die hem blij stemde. De prins vergat zijn aangeboren aristocratische trekjes en begon over de visvangst in de Parthenopeïsche Golf te praten. De ander zei dat hij een oude oom eens lovend over Napels had horen praten. En Sansevero vertelde hem dat hij op papier een zeekoets had ontworpen, die de zee doorkliefde met vier schoepenwielen en werd voortgetrokken door paarden van kurk. Toen zijn gids hem vroeg welk mechanisme hem in beweging zette, antwoordde de ander: 'Dat is geheim. Maar ik zal je uitnodigen voor de tewaterlating.'

Twee vrolijke, donkere ogen schitterden in het vierkante gezicht van de jongen, die zei: 'Daar reken ik op! Maar nu moeten we van onze paarden af en aan boord gaan van een platbodem. We steken een mooi stuk van de Marais over. Het is geen zeekoets, en hij loopt over het water dankzij een lange roeispaan en door deze twee...' en hij toonde hem lachend zijn eeltige handen.

Een gigantische zwarte paling dook op vanaf de bodem en zigzagde nieuwsgierig langs de romp van de boot, totdat Maxime hem, zelf zo snel als een aal, met een paal buiten westen sloeg.

'Vertel eens, de beroemde slangenvrouw kwam toch uit deze contreien?'

'Wie? Mélusine?'

'Die ja, de fee.'

'Ja. Ze is getrouwd met een prins uit deze streek. Maar toen haar man haar geheim ontdekte, ging hij ervandoor. Toch hield ze van hem en sindsdien achtervolgen die twee elkaar, zonder elkaar ooit tegen te komen.'

'Een oude legende,' knikte don Raimondo.

'Niet zomaar een verhaal!' reageerde de ander. 'Ik heb hem echt gezien.'

'O, werkelijk? Verkleed als een grote paling, zeker?'

De gids werd serieus. Hij keek argwanend om zich heen en vervolgde op fluistertoon: 'Twee jaar geleden was ik in Clisson fruit aan het plukken. Ik zag hem te voet langskomen, ongeveer tien vadem bij me vandaan, met een gouden helm die metalig schitterde in de junizon. Hij straalde een mysterieus licht uit, als cinnaber...'

'Weet jij wat cinnaber is?'

'Heb ik het daarover gehad?'

'Ja, zojuist.'

'Och! Misschien heb ik dat van iemand anders overgenomen... Als je geen opleiding hebt genoten, zeg je vaak maar wat. Maar terugkomend op mijn verhaal... Ik zei bij mezelf: wat moet ik nu doen? Stel dat zijn vrouw nu ook aan komt zetten?'

'Was hij bang voor haar?' vroeg de prins.

'Weet u, de fee heeft een opvliegend karakter. En verder gebeurden er in dit dorp vreemde zaken...'

'Toverij?'

'Nee, moorden... Van één dode is alleen de arm teruggevonden. De rest van het lichaam heb ik in de Sèvre zien drijven...' Weer was Maxime even stil en keek zijn klant doordringend aan. Toen voegde hij eraan toe: 'Zeg eens eerlijk, excellentie, denkt u dat ik dit verhaal heb verzonnen?'

'Nee,' antwoordde Sansevero. 'Maar je denkt toch zeker niet dat ik in die mysterieuze ridder te voet van je geloof?'

'Dat zou ik maar wel doen, want uiteindelijk zette die geestesverschijning zijn helm af om het zweet van zich af te vegen. Zo kon ik zijn gezicht goed zien. Hij was net zo levend als u en ik. Ik kende hem zelfs, hij heette...'

Precies op het moment dat de man de naam zei, vloog er een groep blauwe reigers op. Alleen degene die in de boot zat, kon hem horen, want het rumoer kwam plotseling en overstemde alle andere geluiden. De prins glimlachte van oor tot oor en bewonderde daarna het schitterende landschap dat rustig aan de boot voorbijgleed.

In het labyrint van duister water, biezen en groene planten voelde hij zich bedwelmd en terwijl hij het doofstomme kind bij de hand pakte, merkte hij op: 'Maxime, wat een kunstwerk is de Marais-Poitevin! Het ontwerp, de compositie, licht en schaduw, poëzie en sentiment... Het heeft alles!'

'Dat doet me deugd. Er zijn er ook die bang zijn voor de onbetrouwbaarheid ervan. Vooral als ze van zee komen.'

'Hoezo?' vroeg hij ongelovig.

'De rivier en het moeras zijn stil en zitten vol verborgen valstrikken. De zee daarentegen schreeuwt je toe en vertelt je dat ze je een streek gaat leveren.'

'Daar heb je gelijk in: na de woede glimlacht de zee. Er is niets wat sneller tot rust komt dan de diepte. Dat komt door hun vermogen dingen te verzwelgen. Zo'n beetje hetzelfde als een mensenhart...'

'Sterkte, mijnheer de dichter,' zei de gids. 'Nog een klein eindje te paard over de weg, en dan nog een stukje met de boot. Waar gaan we naartoe?'

'Naar het benedictijnenklooster.'

'Is het weer zover? Van tijd tot tijd ontsnapt er weer eentje.'

De ander knipperde nieuwsgierig en verwonderd met zijn ogen. 'Wanneer dan?'

'Misschien overdrijf ik een beetje. Maar er zit een tamelijk brede scheur in de tuinmuur. Als de vrome benedictijnen die niet dichtmaken, omdat ze er geen zin in hebben of om een andere reden, ontsnappen de jongetjes. En dan is er altijd wel een brave borst als u die zich geroepen voelt hen terug te brengen.'

Sansevero zweeg en dacht na over de woorden van Maxime, maar inmiddels waren ze, over land en over water, bij het klooster aangekomen. Het was vroeg in de middag.

122

Hij klopte op de imposante poort en de broeder van de wacht deed open.

Toen deze de edelman voor zich zag staan, zei hij niets. Geïntimideerd zag hij dat de man het kind dat zo'n vier dagen eerder was verdwenen bij de hand had.

'Wilt u de prior spreken, mijnheer?'

'Graag. Zegt u hem maar dat prins Raimondo de Sangro een onderhoud wenst,' zei de ander op de strenge toon die hij bij sommige gelegenheden gebruikte.

'Maakt u het zich gemakkelijk in de kloostergang.' De broeder liep kromgebogen, bijna in een rechte hoek, weg.

Sansevero keek om zich heen. De put, de wastobbe... Zijn groenbruine ogen werden naar de fresco's over het leven van Benedictus van Nursia getrokken. Ze bleven lang rusten op een van de beroemde verleidingen waaraan de heilige was blootgesteld: de duivel in de gedaante van een merel, een naakte Benedictus en, in de derde scène, de heilige die zich op puntige doornen werpt. De doofstomme jongen maakte zijn hand los en rende tussen de seringen door, die met de rozen de ommuring verfraaiden.

Raimondo mat met zijn handpalm de scheur in de muur. Er kon inderdaad een klein kind doorheen.

'God zij met u, prins!' begroette de prior, Guillaume de Fresne, hem bijna met een falsetstem. Een lange, kale man die ongelofelijk mager was en er opvallend uitzag, vooral door de diepe rimpels die, droog en schraal als oud hout, groeven trokken in zijn gezicht.

De bezoeker maakte een lichte, eerbiedige buiging.

'Volgt u mij met de kleine voortvluchtige maar naar de kapittelzaal.'

De prins, die liever niet over Clisson, Tiffauges en de moorden wilde beginnen, hield zich voor het gemak maar aan de versie van het kind dat op eigen houtje was gevlucht, dus sprak hij zonder problemen tegen de broeder over de gevaarlijke scheur in de muur. Verbijsterd hoorde hij de ander antwoorden: 'Wij noemen dat de proeve van de roeping. Eerst was hij zelfs op manhoogte. Wie de zware discipline niet aankon, wurmde zich daardoorheen.' Hij onderstreepte zijn woorden met een soort gegrinnik.

'Ja, ik begrijp het nut ervan. Maar als het om zulke kleintjes gaat...'

'We kunnen ze van kleins af aan op het rechte pad brengen. Ze lopen toch geen gevaar, want vroeg of laat worden ze teruggebracht. Vertelt u me liever, prins van buiten, hoe u te weten bent gekomen dat Vincent uit Maillezais kwam?'

Sluw als een lynx verzon Raimondo snel een antwoord. 'Door het kettinkje dat hij om zijn hals heeft: Sint-Benedictus met gespreide armen en de tekst *ora et labora*.'

'Ach, natuurlijk, natuurlijk!' De prior trok de kleine naar zich toe en wreef diens hoofd tegen zijn habijt.

Er schoot de Sangro iets te binnen en uit zijn justaucorps haalde hij een ketting die identiek was aan die van Vincent.

De prior keek ootmoedig, alsof het hele verleden plots aan hem voorbijtrok. Een herinnering, dus... Sansevero stond op van het bankje en begon door de kapittelzaal te ijsberen, herhaaldelijk kuchend om de oude monnik terug naar het heden te roepen.

De prior leek echter niet tot zichzelf te komen.

'Voelt u zich wel goed, eerwaarde?' vroeg de prins nu echt bezorgd.

'Na twee jaar, excellentie, is er een steen die me nog steeds zwaar op het hart ligt. Ach, als die scheur er toch niet was geweest... Maar nee. Het moest zo zijn...' beklaagde frater Guillaume zich, en zijn gezicht leek nog uitgemergelder.

'Kan ik uw lijden op de een of andere manier verlichten?'

Er liep een traan over de wang van de oude benedictijn, die zijn hand op zijn tonsuur legde en mompelde: 'Die versleten ketting doet me denken aan een jonge novice. Hij werd hierheen gebracht door zijn vader, een winkelier; een opmerkelijk knappe en intelligente jongen. Hij had een tegennatuurlijke zonde begaan. Maar ja, met slechts één ouder, beïnvloed door de wellustige grillen van zijn geliefde... Goed, daarover wil ik me niet uitlaten. Zoals ik al zei, excellentie, een welbespraakte, rijke, beschaafde jongen... We verwelkomden hem met open armen en de heilige Benedictus leek hem oprecht te inspireren. Maar daarna kreeg langzamerhand zijn trots de overhand. Zijn gesprekken begonnen enigszins onduidelijk te worden, waardoor hij het een beetje hoog in zijn bol kreeg. Hij was nogal ingenomen met zijn eigen woorden, en hij sprak als een vroegrijpe, enthousiaste redenaar.'

Sansevero liet de ketting tussen duim en wijsvinger slingeren, alsof hij de oude man wilde hypnotiseren, en hij interrumpeerde hem met honingzoete stem: 'En u hebt de nevel die uit de mond van die novice kwam niet ingedamd?'

'O, jawel! Frater Bertrand – God hebbe zijn ziel! – probeerde zijn preken te rekken om de verwaandheid tot zwijgen te brengen. Maar Bernabé (zo heette de jongen) leek een weerspiegeling van alle raadsels in zich te hebben. Dag en nacht, zwart en wit... Twee geesten, dat was het. Hij beloofde... maar viel terug...'

'Echt vreemd,' merkte de detector achteloos op.

'O, heer! Er is nog meer... de novice, die van de broeder-bibliothecaris toestemming had gekregen het archief te raadplegen, werd aangetrokken door de verluchte alchemistische codices. Hij verdiepte zich in hun lectuur en wilde met ons discussiëren over de afbeeldingen, symbolen en moeilijk te bevatten formules...'

'O ja? Ik weet niets van het onderwerp af... Het moet een wetenschap zijn waarin er altijd gevaar op de loer ligt...'

'Zeker, excellentie. Daarom veegde broeder Bertrand hem zachtjes de mantel uit. Hij drong door tot zijn geest en paste zijn woorden en zijn lessen aan. Hij benoemde hem zelfs tot assistent van de broeder-apotheker. Weet u, omdat hij het aan zijn hart had, moest hij dagelijks een drankje op basis van vingerhoedskruid innemen.'

'En wat heeft dat met de jongen te maken?'

'Het heeft met hem te maken, en hoe! Om de jongen bezig te houden, spoorde de oude man hem aan zich te verdiepen in medicinale kruiden, en hij slaagde werkelijk in zijn opzet. Maar helaas werd hij, oud als hij was, plotseling getroffen door een fatale hartaanval.'

Raimondo keerde de prior de rug toe en stelde, terwijl hij naar een punt in de verte staarde, de vraag die hem bezighield: 'Was Bernabé erbij toen hij overleed?'

'Helaas wel,' zuchtte de ander met een treurige grimas. 'Ik denk echt dat hij van streek was en daarom is gevlucht. Hij was degene die hem – dat was de gewoonte – de beker bracht met het drankje dat broeder Lucien had bereid. Wie weet...' Hij wachtte even en haalde langzaam adem. 'Misschien ging hij wel helemaal kapot. Begrijpt u, de dood van een geliefd persoon is niet makkelijk te aanvaarden. En voor de novice was het misschien net een noodlottige storm. Ik hoop dat hij, waar hij nu ook mag zijn, innerlijke rust heeft gevonden.'

'Amen,' antwoordde Sansevero berouwvol. Het leek hem echter beter om niets te vertellen, om te voorkomen dat hij verwikkeld zou raken in het dialectische conflict tussen alchemie en religieuze roeping. Bernabé de Grâce had de juiste keuze gemaakt. Naar zijn onherroepelijke mening.

'Vader, Gods wegen zijn ondoorgrondelijk... Maar wanneer is die jongen uit het klooster ontsnapt?'

De prior zette een vinger tegen zijn voorhoofd, alsof hij in zijn geheugen groef. 'Dat was om precies te zijn op Goede Vrijdag 1751, toen broeder Bertrand stierf. Hij stal een boot van ons broeders en, als ik me niet vergis, een of twee lantaarns van de pater-apotheker. Hij heeft ook geld meegenomen.'

'Ik denk dat de heilige Benedictus blij mag zijn dat hij geen volgeling heeft gekregen die nooit een roeping heeft gevoeld. Hoe het ook zij, deze ketting is niet van uw Bernabé. Ik heb hem gekregen van een benedictijn uit mijn stad.'

'Welke stad?'

'Napels, in Italië.'

Het antwoord ontlokte geen enkele reactie. De prior bleef roerloos zitten, vervreemd van het heden, verdiept in het vage schemergebied tussen nu en vroeger.

De detector liet hem daar op het bankje in de kapittelzaal zitten. Buiten wachtte de glimlachende Maxime op hem.

123

'Die stomme eenoog heeft zich van het leven beroofd. Een zeer relatief verlies. Niet alle mensen hebben recht op leven. Dat is een van onze geboden.'

Dat was, in de vergaderzaal, Rosario's commentaar op de dood van Bagoa.

Bernabé voelde zich opgelucht bij het horen van die woorden, maar maakte zich zorgen toen de oude Prelati zich ermee bemoeide.

'U weet hoe graag ik Bagoa mocht. Ik wil dan ook graag dat mijn verdriet gerespecteerd wordt. Het enige positieve in de chaos van het lijden is dat de heilige relieken niet beschadigd zijn geraakt. Ik zal ze, omdat dat mijn verantwoordelijkheid is, naar een andere ruimte overbrengen. De nieuwste novice zal me alle zeven dagen begeleiden en samen met mij tot de schedel bidden. Bernabé,' en hij keek de jongen met matte ogen aan, waardoor die van streek raakte, 'aan jou dus de eer!'

Nadat de vergadering was afgelopen, bewoog De Grâce zich krampachtig bij het kaarslicht. Zijn schaduw leek te trillen voor zijn voeten.

Waarom uitgerekend ik? vroeg hij zich gekweld af. Vermoedde de oude man iets? Ik heb maar zeven dagen om te handelen. En waar zal die ellendige schedel neergelegd worden?

Voordat hij bij zijn hok aankwam, werd hij tegengehouden door het schrille stemmetje van Kameleon: 'Bernabé, Bernabééé... Kom. De oppermachtige Rosario en de eerbiedwaardige Prelati vragen naar je.'

Hij knikte en deed zijn best onverschillig over te komen.

Drie mannen met kappen liepen voor Prelati uit met de schrijn in hun handen, en Rosario's gouden helm weerkaatste het licht. Allen hielden stil voor een ingewikkeld hek. Het kostte even moeite de baard van de grote sleutel die de hogepriester in het roestige sleutelgat had gestoken, om te draaien.

Toen het traliewerk openging, draaide de oude man zich om en spoorde Bernabé aan hem te volgen. Ze kwamen bij een kleine zaal die vroeger prachtig moest zijn geweest, maar nu volkomen vervallen was. De muren zaten vol waterdruppeltjes en door het vocht stonk het er als in een verlaten kelder.

Het plafond was heel hoog en omdat de wandpanelen van de muren af waren gevallen, waren de kale, natte stenen zichtbaar. De kamer – trillend van de spinnenwebben – werd verlicht door twaalf kaarsen, die in dubbele kandelaars waren gestoken. In een hoek was een open haard, die uit was, maar waarnaast wel een stapel hout lag. Prelati zette de schrijn op de imposante, doorweekte tafel in het midden en knielde neer. De Grâce deed hem na en ze bleven ongeveer een halfuur in die houding zitten. Prelati prevelde niet echt gebeden, maar eerder vreemde vragen: 'Allerhoogste Gilles, wat gaat er schuil achter Bagoa's zelfmoord? Een draconisch raadsel? Welke impliciete betekenis zit erachter?'

Na de korte liturgie stonden ze allebei op. In de schaduw achter hen zag de jongen een zware deur. Er zat geen slot in, maar hij was vergrendeld met een grote, houten spanjolet die aan een dikke, halvemaanvormige ring in de muur hing. De situatie leek niet bepaald gunstig. Hoe zou hij de relieken kunnen stelen? En waar moest hij naartoe vluchten?

Aan de oostelijke muur zag hij een hendeltje. Als hij dat omlaag trok, ging de muur open. Negen treden voerden hem naar de zijruimte, waar hem een afgrijselijk tafereel wachtte.

In een glazen, minstens twee meter hoog, parallelepipedum vol alcohol stond een duivelse poppenkastpop, die met behulp van verstrengelde boomtakken tot onder de oksels op zijn plaats werd gehouden en bestond uit menselijke delen, die slordig aan elkaar waren genaaid. Een hybride wezen met twee hoofden op één nek.

Bij het zien van zoveel onverdraaglijke monsterlijkheid ging Bernabé bijna onderuit. De hermafrodiet! dacht hij. Een afschuwelijke parodie op het Feniksnest! Moet dit weerzinwekkende wezen de alchemistische Rebis voorstellen? En die wil Rosario verkrijgen door onschuldige mensen te vermoorden! We hebben hier te maken met een levensgrote ramp...

Hij hing nog over de leuning en vroeg zich af hoe de Eeuwige Vader toch zulke daden kon toestaan, toen achter hem de stem van Prelati klonk: 'Doe het alchemistische ei weer dicht. Laat de androgyne afgod met rust. Het is Rosario's Grote Werk.'

124

Tweehonderd meter voorbij de donjon van Tiffauges verrees een vierkant gebouw als een soort architectonische tegenstrijdigheid, gescheiden van het kasteel. Het gebouw was amper zichtbaar achter een vijandig gordijn – authenthieke virtuositeit van grafbeplanting – gemaakt van struiken en adventieve kruiden, clematis en andere klimplanten die onwettige stelletjes vormden en zich al jaren langs de vier muren wortelden. Om langs die barrière te komen, was het niet voldoende om die wirwar van groen te omzeilen, maar moest je ook door je knieën gaan en je hoofd laaghouden.

De dichte duisternis van het hol werd verlicht door brandende houtblokken, waarop een smeltkroes stond. Daarin stond een romige, rottende, brij te pruttelen, waar stinkende dampen vanaf kwamen en die overkookte.

De muren lieten vocht door en in de hoek sijpelden waterdruppeltjes vanaf het gewelf omlaag. Hoog aan de rechtermuur kwam er licht door een vierkante scheur, als het luikje van een muizenval.

Een geluid, of liever gezegd een gepiep, overstemde het geknetter van het vuur. Het gepiep van iets wat over groeven kraste. Iemand was bezig de grote steen tussen de zuilen van het gewelf te verplaatsen. Eerst werd er een vaag schijnsel zichtbaar en toen een toorts met een gehandschoende hand. Uiteindelijk verschenen ook de gouden helm en het atletische lichaam van Rosario.

Hij daalde twintig hoge, rechte treden zonder leuning af. Een soort granieten kruin, als een schuin aflopende muur, boorde zich in het onderaardse gedeelte, heel diep. Daar, in grote, vierhoekige schalen, vormden ijsblokken de sneeuwkelder waarin – met de ijskoude bleekheid van het lijk – drie menselijke ledematen lagen.

Het monster verlichtte ze en boog zich voorover om ze te kunnen bekijken. Daarna draaide hij zich om en richtte de lichtbundel op het bed waarin hij 's nachts sliep. Hij zette de fakkel in de houder aan de muur, trok zijn mantel uit en gooide die op de matras, die hij optilde om er een zak onder vandaan te halen. Daarin deed hij, bijna liefdevol, de menselijke stompjes die hij uit de ijskelder had gehaald.

Hij pakte nog een toorts en liep weer naar de bovenverdieping. Daar gooide hij zijn 'wild' in de smeltkroes en roerde het met een schep tot een caustische soda. Uit de ritmische, steeds sneller wordende draaibeweging van zijn arm, steeds in dezelfde richting, bleek de maniakale obsessie die zijn geest verwoestte, zoals een worm dat met een stuk fruit kan doen. Zijn waanzin, zijn idee-fixe, zat daar onder zijn helm, waaruit gereutel, soms gezucht en soms gekreun kwam.

Wat voor vreemde, afgrijselijke en dodelijke droom stond er toch in dat onzichtbare, ongrijpbare hoofd gegrift?

Zijn tête-à-tête met het vettige bocht deed hem opschrikken.

'*Pak ze, snijd ze en doe ze in een bokaal/ of los ze in een ketel op in de Kwintessens*... Wat is het leven toch mooi! Want ik hou, ik hou van dit oude parfum, die de geest van een geur lijkt te zijn... O, Kwintessens, het vijfde element dat zo moeilijk te behalen is, vijfde element dat het *summa* van de lucht, het water, de aarde en het vuur in de mens vertegenwoordigt, ik heb je in mijn bezit! Je staat hier te koken, vrucht van dode lichamen. Ik verslind je elke nacht en jij herleeft in mij en verschaft me de eeuwigheid...'

Met de houten pollepel schepte hij met trillende hand een druipende portie op en hij had het deksel nog niet opgetild of hij blies erop en slurpte haar op. Hij wendde zijn blik omhoog, ademde in en sprak de formule uit: '*Hye,*' daal af, en sloot het ritueel af met een diepe uitademing en de aanroep: '*Kye,*' draag vrucht. Hij ging weer voor de smeltkroes staan, liet een spons vollopen met de brij en tilde zijn mantel op.

Hij droeg geen broek en had ook niets anders aan wat zijn buik bedekte. Alsof hij zich waste, besprenkelde hij zijn geslachtsdeel en bad driftig: 'Androgyne vrucht van de maan, geef me de dubbele aard van de Rebis! Zo worden er net als bij een spons kiemen en knoppen gevormd. Zonder huwelijk!'

Toen draaide hij zich zoals altijd om en zette zijn helm af. Zijn haar, dat in een strak haarnetje was gewikkeld, leek met teer besmeurd en de kleur was niet te onderscheiden. In dezelfde houding, alsof hij tegen de muur stond te lezen, stortte Rosario een stortvloed van woorden uit.

'Doden, ik heb jullie beroofd van jullie gedachten en jullie ziel. Ik heb jullie beroofd van het diepste van de mens, waarvan men denkt dat het ondoordringbaar is. Het toevluchtsoord van ideeën die niet opgebiecht kunnen worden, van alles wat iemand verborgen wil houden, van alles waar iemand van houdt... Dat is de Kwintessens. O, duizelingwekkende bestijging, duizelingwekkende nieuwe horizon. O, formidabele lichtheid die ons naar de woestijn leidt waar Satan Jezus in bekoring bracht! Maar ik, ik ben de onderwereld, waaruit ik dankzij de Kwintessens helemaal omhoog ben geklommen om het paradijs te gronde te richten. Als ik dus de duivel ben, richt ik God te gronde.'

Boven zijn hoofd zweefde een trosje zeepbelletjes, die hij als een onschuldig kind probeerde vast te pakken. Want Rosario had, in zijn necrofage waanzin, van die meelijwekkende dode ledematen die hij in de caustische soda had opgelost, zeep gemaakt, alleen maar zeep. Voor hem was de raadselachtige Kwintessens, waar grote alchemisten als Albertus Magnus en Theophrastus Bombastus Paracelsus naar op zoek waren geweest, niets anders dan zeep waarmee hij zijn hoofd inwreef met een suggestieve doodsstreling.

'De almachtigheid is mijn huis,' vervolgde hij. 'Ik bewoon het ontoegankelijke.'

Alle minderwaardige zaken, elke afbreuk aan de deugd, elke hinderlaag van de menselijke zwakheid, de ambities en de grimmige wil van zijn instinct grepen zijn hart. De verdoving overviel hem en hij genoot ervan. En terwijl de gevleugelde wolk van inkt op de rand van de duisternis schommelde, schrok hij op door een geritsel.

Rosario pakte de kap uit zijn zwarte pij en zette die op. Hij die tot nu toe niet had geaarzeld het menselijke ras te vernietigen, hij die onschuldige wezens in de afgrond van de dood had gegooid, wankelde.

Was er een onvoorziene hinderlaag gelegd voor het monster?

125

Met de fakkels in zijn hand liep hij naar het donkere achterste deel van de grot, in de hoek waar het water sijpelde. Achter een oude, gammele kast zag hij twee nonnen, die hun gesluierde gezichten in hun handen verborgen, opgerold op natte strozakken lagen.

Met barse, metalige en uitzinnige stem beval Rosario de kloosterzusters op te staan en hun gezicht te laten zien. De arme vrouwen schrokken op door die plotselinge verschijning en gehoorzaamden. Hij deinsde achteruit bij het zien van de afschrikwekkende menselijke metamorfose die duidelijk zichtbaar was in het halfduister van het flakkerende licht van de toortsen.

Onder hun sluier en hun witte kinband waren de gezichten van de haveloze indringsters getekend door roodachtige huidvlekken, puisten en knobbels zo groot als noten.

'Lepra...' bulderde de duivelse tempelier vol afschuw en greep zijn fakkels, bijna alsof de nonnen uitgehongerde wolven waren die hij wilde wegjagen.

De twee clarissen, die hem voor een frater hielden en omdat zijn kap zijn gelaatstrekken verhulde, dachten dat hij getroffen was door hetzelfde kwaad als zij, smeekten: 'Pater, geef ons niet aan! De moeder-overste van het klooster in Nantes heeft ons opgedragen naar het nonnenklooster in Saint-Loup, bij Tours, te gaan om ons te laten behandelen. Maar we zijn de geschreven toestemming van gehoorzaamheid kwijtgeraakt. Zonder die permissie lopen we het risico dat ze ons weigeren. Ze zouden ons zelfs als verklede prostituees kunnen beschouwen...'

Ze lagen verzwakt aan de voeten van dat menselijke wilde beest en smeekten hem met schorre stem om hen te helpen in naam van de Almachtige. Ze waren hier alleen komen schuilen, legden ze uit, om uit te rusten.

Rosario, schuimbekkend van woede uit angst besmet te raken, voelde de meest wrede moordneigingen in zich opborrelen, maar wist zich te beheersen. Het waren opwindende neigingen, dat zeker, maar hij zou er volstrekt geen baat bij hebben. Hij mocht zijn plannen niet in gevaar brengen.

Waarom zou hij de bouillon van de Kwintessens vervuilen met levende lichamen die al in ontbinding verkeerden? vroeg hij bij zichzelf. Bovendien zou ik mijn gevolg moeten roepen om ze te doden. Ik durf ze niet aan te raken... Maar dan moet ik mijn geheime schuilplaats prijsgeven.

Hij talmde nog, om naar die afzichtelijke wezens te kunnen kijken, en was alleen toegeeflijk omdat hij op hun gezichten de nabije dood en de ontbinding van het vlees al kon zien. In die afstotelijke vrouwen zag hij een soort laatste oordeel, gekruid met het subtiele, zondige genoegen van de rijpe vormen die op het punt stonden te verrotten.

'Hoe bent u deze plek binnengedrongen?' vroeg hij razend.

'Door die wirwar van klimplanten!' antwoordden ze met trillende stem. 'Pater, we zweren u dat we van buitenaf uw schuilplaats zijn binnengekomen. De puntige takken hebben onze handen opengehaald en onze kleren gescheurd. Kijk maar...'

Rosario verhief zijn stem en sprak plotseling op redenaarstoon: 'Blijf staan! Ik laat jullie gaan, menselijke resten! De mens is geboren om in de samenleving te leven. Zet hem in het bos, en hij wordt wild. In het klooster, waar slavernij noodzakelijk wordt geacht, is het nog erger. In het bos is hij vrij. In het klooster is hij slaaf. Bestudeer hem en de waanzin zal dichtbij komen. Laat hem in onwetendheid en er zullen braamstruiken groeien in zijn ongecultiveerde geest... Ga heen, zusters! Voordat jullie met jullie meelijwekkende aardse schilderij het tegenwicht vormen van een schildering van de hemelse gelukzaligheid...'

Na dat onsamenhangende, raadselachtige gezwets sloeg de langste en magerste non haar vermoeide, zieke oogleden op en staarde met haar bleekblauwe ogen naar de man met de kap. Door de gaten in zijn kap voelde Rosario haar onderzoekende, maar niet geschokte blik. Hij deinsde verder achteruit, wankelde en er viel een metalen boekje uit zijn zak.

De kleinste non raapte het op, maar hij schreeuwde: 'Blijf staan! Leg het op de schrijftafel.'

De clarisse gehoorzaamde en legde het vreemde boekje met een lichte, spijtige zucht naast een ander, in leer gebonden exemplaar in zestiende formaat. 'U boft, pater! Kunnen lezen is een groot voorrecht. Het verrijkt de geest. Wij twee leren de gebeden uit ons hoofd als we het klooster aan het schoonmaken zijn. Misschien was trots wel mijn zonde. Kunt u me vergeven?'

De valse monnik, die inmiddels helemaal niet meer helder kon denken, wist alleen dit uit te kramen: *''k Weet dat dit hier op deez'aarde voor dit doel reeds dertig jaren in handen was van de Sancti Benedicti,'* en nadat hij zijn handschoenen had uitgetrokken, doorkliefde hij de lucht met zijn vingers. Aan zijn ringvinger schitterde een ring met een zon en een maan naast elkaar.

'*Laus Deo*, pater. Bent u benedictijn?' vroeg de kleinste non en knielde neer.

'Nee. Ik behoor tot de orde van Saint-Gilles!' Hij onderstreepte zijn woorden met een grijnslach waar geen eind aan kwam.

De twee arme drommels gingen langzaam, met gekromde ruggen door dezelfde nauwe gang naar buiten als waardoor ze gekomen waren.

De leider van de valse tempeliers bleef alleen achter. Verteerd door een hardnekkige, kwellende, overheersende, bijna tastbare gedachte. Geagiteerd duwde hij tegen de grote steen, waarachter een korte, smalle trap verborgen was. Snel daalde hij de treden af, waarna hij in een doolhof van spelonken kwam waar hij dubbelgevouwen doorheen liep, terwijl hij met zijn handen steun zocht bij de puntige wanden. Op de kap over zijn hoofd haalden springspinnen acrobatische toeren uit.

Toen hij voor de muur stond die zo zwart was als zijn bezeten geest, sloeg hij er met zijn knokkels op, driemaal. Totdat de geheime doorgang, die alleen hij kende, openging.

Terug in Tiffauges was zijn psyche voor het eerst wankelmoedig. Hij werd bevangen door duizelingen en misselijkheid en alles om hem heen draaide. Hij kreeg braakneigingen en zeeg neer op de grond. Daar bleef hij de hele nacht liggen. Verstijfd door het lange stilstaan in de duisternis, met alle parasieten van zijn eigen zonden.

126

Die nacht zag Bernabé de Grâce in zijn slaap het monster, het mozaïek dat bestond uit menselijke reepjes, weer voor zich. De jongen had angstaanjagende nachtmerries, die alleen werden onderbroken door het schokken van zijn lichaam dat op de bodem van de afgrond neerstortte. Onder de smerige deken kreeg hij het gevoel dat hij stikte. Zijn ledematen tintelden, zijn bloed prikte en zijn hersenen werden in een wurggreep genomen.

Hij stond op en hij stak zijn hoofd in het koude water in de emmer. Opgefrist door de ijskoude vloeistof kreeg hij eindelijk de bijna bovenmenselijke inspiratie om zijn plan uit te voeren.

Met de laatste postduif verborgen onder zijn pij daalde Bernabé de wenteltrap af, die uitkwam in een rond, triest en bloedstollend vertrek, dat was uitgehakt in het graniet en werd overspannen door een kielvormig gewelf.

In de ruimte, met zijn pokdalige muren, bevond zich een altaar dat vroeger geheiligd was geweest en waarop hij een paar mineralen zag liggen die hij kende. Het waren blokken steenzout, om de geest te verlichten. Hij kende de eigenschappen ervan dankzij de lessen van de vrome Upupa.

Drie nachten spande hij zich tot het uiterste in en werkte hij keihard, vol energie en razendsnel. Hij polijstte en sleep, zodat hij scherpe pijlen kreeg. En toen hij de laatste zo had gepolijst en gescherpt als hij wilde, mompelde hij: 'Voor de goede vrede van de laatste Prelati zal een van deze zijn einde betekenen.'

Toen liet hij op bijna religieuze wijze een lemmet van steenzout van zijn ene hand in zijn andere hand gaan en riep uit: 'Jij neemt daarentegen de grendel onder handen. Mijn redding hangt van jou af.'

En dan nu de duif... Bernabé haalde hem onder het krakkemikkige tafeltje vandaan, beroerde zijn koppetje even met zijn lippen en bedacht hoe uitstekend Upupa het beestje had afgericht.

'De volgende posthalte! Al sinds de oudheid zijn deze razendsnelle vogels de mens van dienst geweest met het bezorgen van geheime boodschappen. Als Julius Caesar er gebruik van maakte voor de verovering van Gallië, waarom zouden ze mij dan niet tot nut zijn?'

De jongen schreef koortsachtig een boodschap voor zijn medebroeders op het perkament. *Als het steenzout zijn werk doet, bezoedel ik mezelf met een tweede moord. Maar alleen zo zal ik de uitgang van het kasteel kunnen vinden. Helaas ken ik de identiteit van Rosario nog niet. Bid voor me. Bernabé.*

En hij liet de vogel het raam uit vliegen, richting Clisson.

De laatste dag van de wake hield Prelati – die zoals gewoonlijk voor het orakelhoofd neerknielde – peinzend zijn hoofd tussen zijn handen. Geluidloos glipte Bernabé naast de haard en stak het vuur aan. Na een tijdje vroeg de oude man, afgeleid door de knetterende vlammen, geërgerd: 'Wat voor de duivel ben je aan het doen?'

'Dit!' Bernabé haalde vanonder zijn lelijke zwarte pij een handboog tevoorschijn, de kleine draagbare kruisboog die hij in de vergaderzaal aan een haak had zien hangen. Hij liet de pees prompt terugschieten. De scherpe pijl boorde zich recht in het hart van Gilles

Francesco Maria Prelati, die voor de haard in elkaar zakte.

Bernabé klom over de oude man heen, maakte de schrijn open, wierp een blik vol haat op de schedel, de gemummificeerde tong, het schilderij en greep ze vast, waarna hij de relieken in de zak stopte die hij bij zich had. *Bruiloft in Kana* verborg hij echter onder zijn inktzwarte vest.

Vanaf dat precieze ogenblik restte hem, volgens zijn berekeningen, niet veel tijd meer om de ruimte te verlaten, dus ging hij over op het tweede deel van zijn plan, dat hij de hele week in zijn hoofd had geprent. De mogelijkheid om via de trap te vluchten en het hek met de roestige sleutel open te maken, was niet uitvoerbaar. Op die manier zou hij in de onderaardse gangen terechtkomen, en dat was gevaarlijk omdat de kans groot was dat hij een tempelier tegen het lijf zou lopen. Hoe zou hij de dood van Prelati en alles wat hij in zijn zak verborgen hield, kunnen rechtvaardigen? Ook de zogenaamde zelfmoord van Bagoa zou uitkomen.

Het enige alternatief was de andere uitgang, de stevige deur, die van buitenaf ondoordringbaar was en vergrendeld werd door een spanjolet die altijd omlaag stond. Van daaruit zou hij in het verlaten gedeelte van het landgoed uitkomen en kon hij verder vluchten via onbekende gangen en verlaten doorgangen. Bovendien had hij, om zijn vlucht te verdoezelen en zijn achtervolgers op afstand te houden, een aantal trucjes uitgehaald die zijn tegenstanders op het verkeerde been zouden zetten. Het projectiel van steenzout, dat Prelati fataal was geworden, zou smelten door de warmte van het bloed, en des te sneller omdat het lichaam naast de brandende open haard lag, waardoor er alleen een gat te zien zou zijn, verder niets.

Als de moordende tempeliers het hek, dat van binnenuit was afgesloten, eenmaal geforceerd zouden hebben, zouden ze ontsteld bij de priester blijven zitten, die op mysterieuze wijze vermoord was bij de vlammen in de open haard, die buiten het seizoen was aangestoken. En direct daarna zouden die krankzinnigen een zenuwinzinking krijgen als ze zouden merken dat de relieken verdwenen waren.

Met zekere bewegingen zette De Grâce de spanjolet verticaal omhoog. Hij duwde tegen de deur, die moeizaam openging en waarvan de scharnieren vreselijk knarsten. Hij wreef met de wig van zout – zo dun als een mes en zo lang als een hand – over de vochtige muren. Toen stak hij hem in een spleet in de muur: in de brede deurlijst, naast de grendel die, vastgeklemd door de punt, diagonaal omhoog bleef staan.

De jongen verliet zich op God. Hoewel hij er zeker van was dat de kleine pijl door de lichaamswarmte zou smelten, wist hij niet zo zeker hoe het mineraal op een niet-menselijk element zou reageren. Hij haastte zich om het vuur op te porren, kroop onder de grendel door en ging toen de deur uit, die hij achter zich sloot.

Als alles volgens plan verliep, zou het lemmet het ongeveer een halfuur uithouden. Daarna zou het door het vocht in de muur en het doorweekte hout dunner worden en zouden de hygroscopische eigenschappen van het steenzout ervoor zorgen dat het uit elkaar zou vallen en vloeibaar zou worden, waardoor de grendel in zijn eigen beugel terug zou vallen.

127

Fluiter sleurde de vijand, wiens handen vastgebonden waren, te voet de tuin voor het huis van Upupa in. Toen ze bijna bij de ingang waren, dacht Nachtegaal, die hem een duw in zijn rug gaf, dat hij Bernabé in de deuropening zag staan en schreeuwde: 'Fluiter, Zwaan is terug. Hij staat daar, gezond en wel!' en hij gaf hem een knikje.

'Deze ontmoeting is je zeker naar het hoofd gestegen. Als je zo begint, wordt je geest een valkuil,' antwoordde zijn medebroeder terwijl hij de gevangene een harde ruk gaf.

'Hij is vast in rook opgegaan. Jij zag hem toch ook een keer blootsvoets lopen? En dat was ook niet waar. Weet je nog?'

'Kan zijn. Maar nu hebben we al onze krachten en hersenen nodig om de strijd aan te binden met de gek die we hier op sleeptouw hebben. Roep de anderen,' beval hij, terwijl de tempelier God vervloekte en alle heiligen erbij haalde.

'Hou je kop! Vervloek de hemel niet! Denk liever aan je eigen geest!'

Fluiter trok hem de kap van het hoofd.

Al was er voldoende licht in het laboratorium, toch bleef het gezicht van de man in het halfduister.

'Vuile schoft!' beet Sperling hem toe. 'Hoe heet je?'

Het meedogenloze beest antwoordde spottend: 'Genade!'

'Genade is de dolk die in de riem van die akelige pij van je gestoken is.' Hij trok hem eruit en zette de punt tegen de borst van de gevangene.

Uit de mond van de tempelier klonk een woedende schreeuw. 'Wat kan jou het schelen hoe ik heet? Of het nu Henri, Pascal of Hugues is, jullie zijn toch alleen maar geïnteresseerd in de identiteit van Rosario. Over hem weet ik niets. Hij verbergt zich achter zijn helm, misschien om een of andere misvorming te verhullen. Hij geeft leiding aan tien mensen, maar is een vleesgeworden mysterie. Ik weet ook niet waar hij gaat slapen...'

'Hoezo? Slaapt hij dan niet in Tiffauges?' vroeg Merel met vertrokken mond.

'Hij verdwijnt onverhoeds. Niemand kent zijn schuilplaats. Als jullie me geloven, prima. Als jullie me niet geloven, kan ik er niets aan doen. Híj is de misdadiger...'

'En jij wilt beweren,' reageerde Nachtegaal, 'dat wat jij doet niet net zo laag is als wat hij doet? Alleen omdat jij bevelen opvolgt? Zegt het woord "geweten" je iets?'

'Wat wil je van me? Je leest me de les te midden van alambieken en distilleerkolven. Ook Rosario gebruikt die instrumenten. Met één klein verschil: personen als jij elimineert hij, hij snijdt ze in stukken en van de bruikbare stukken vlees maakt hij nieuwe mensen.'

'Hoe maakt hij die?' vroeg Sperling, die de ellendeling op de tafel kwakte en zijn handen rond diens nek klemde.

'Rustig! Hij kookt de stukken. Van meerdere individuen maakt hij er een die beide geslachten heeft. Zo probeert hij God te overvleugelen...'

Even was het stil. Terwijl hij de heldendaden van zijn baas beschreef, pakte de tempelier de genadedolk die Sperling op de plank had gelegd. Prompt zorgde de Duitser er echter voor dat hij hem uit zijn handen liet glijden, en in de schermutseling die volgde, trof hij hem onbedoeld in de schouder. De ander vertrok geen spier.

'Stuk ongeluk!' vervolgde de Duitser nadat hij weer op adem was gekomen. 'Waar is de ingang naar de onderaardse gangen?'

De schurk draaide om de tafel heen, de draak stekend met zijn tegenstander, die de dolk tussen zijn handen ronddraaide, en smakte toen tegen de grond. Geen druppeltje bloed op de vloer!

De Vogels stonden elkaar roerloos als standbeelden ongelovig aan te kijken. Sperling stootte een kreet uit en wierp zich op het lichaam. Hij controleerde de bleek geworden lippen en de ogen, die in een witte waas waren weggezonken. Hij keek onderzoekend naar het gezicht, dat duidelijk volkomen beweginglooos was. Hij legde zijn rechterhand op het hart. Zwijgend en ferm. Geen twijfel. Sperling bracht gedurende enkele lange, trage minuten geen woord uit, verstijfd van wroeging omdat hij, al was het dan onbedoeld, een moord had gepleegd.

De lantaarn met rasterwerk, waarin de kaarsen gereduceerd waren tot drie stompjes, slingerde zachtjes aan het plafond in een spel van lange, rossige schaduwen op de witte muren en van denkbeeldige, trillende schijven op het eveneens witte plafond. In dat schouwspel van schaduwen ging de arts van de Broederschap staan en liep op de tast naar de tafel, waarop hij zijn handen plat neerlegde en, met het angstzweet op zijn voorhoofd, de diagnose stelde: 'Overleden aan inwendige verwondingen, toegebracht door een steekwapen. Dit!'

En hij liet allen de genadedolk zien.

128

Terwijl hij uit het labyrint van onderaardse gangen vluchtte, draaide Bernabé zich af en toe om, omdat hij zeker wist dat hij getinkel hoorde, alsof er metalen voorwerpen tegen elkaar stootten. Hij was bang dat hij gevolgd werd door Kameleon of Rosario. Ondanks die angst moest hij echter even ophouden met rennen om op adem te komen.

Plotseling kreeg hij het gevoel dat hij met open ogen werd meegevoerd in een mysterieuze, diepe droom. De tegenslagen in zijn leven, holle beelden uit het verleden, doken levensecht in zijn gedachten op. Ze veroorzaakten walging en leegte in hem.

Ik heb de relieken gestolen, dacht hij. Maar ik ken Rosario's ware gezicht niet. Twee moorden, twee moorden drukken op mijn geweten!

Ging zijn leven soms in rook op? En Bagoa, wie was dat eigenlijk?

Waarom verontrustte hij me al de eerste keer dat ik hem zag?

Bernabé riep Upupa, zijn welwillende en zorgzame geest, op hem te leiden, waarna hij zijn vlucht voortzette en de onbewaakte uitgang vond in de vleugel van het kasteel naast de Sèvre. Hij rende en bleef rennen totdat hij vond dat hij redelijk veilig was. Nog steeds hoorde hij het getinkel. Toch was er niemand.

'O, clemente en barmhartige God, dank u wel!' riep hij uit, terwijl hij achter een struik stond na te hijgen. Het kasteel tekende zich luguber af tegen de hemel. Maar nu hij er van een afstand naar keek, vervaagde de zekerheid van de jongen meteen. Die fonkeling van vreugde werd gedoofd door iets wat opdook in zijn geheugen.

Een vage, kwellende herinnering die steeds vastere vormen aannam. Gegrepen door een krampachtige opwinding ging de jongen in gedachten door het huis van de vrome Upupa. Hij zag de muren vol gobelins voor zich, versierd met heraldische trofeeën... En hij zag, in zijn kamer, het tapijt dat het skelet van een doodse donjon voorstelde.

Hij had herhaaldelijk aan de meester gevraagd of ook dat bastion bijna helemaal was afgebroken door kardinaal Richelieu, net als dat in het duivelse Loudun, dat niet ver weg was, maar Upupa had rustig geantwoord: 'Het heeft niets met politiek te maken. De gobelin is het inferieure werk van een of andere amateur. Zijn handen, die bij lange na niet het echte werk kunnen imiteren, hebben de vrucht van zijn eigen fantasie weergegeven.'

Nu merkte hij dat Upupa gelogen had: het borduurwerk was precies het hol van Gilles de Rais, gezien vanaf de kant boven het dal en de rivier. Wankelend, verbijsterd door zijn innerlijke verwarring, werd Bernabé bevangen door gerechtvaardigde vermoedens, en gek van verdriet haastte hij zich langs de steile helling. Uit de opbollende zak puilden de relieken, die in een modderige sloot vielen.

Bernabé draaide zich om, keek naar het grimmige kasteel, een granieten karkas onder een ijzerkleurige hemel, en riep een vloek van de Almachtige uit over die plek. Moge het bolwerk neerstorten op de tempeliers van de Dauw, valse alchemisten, allemaal glasblazers!

Terwijl hij daarover doorredeneerde, hoorde hij geklos achter zich. Onder de stralen van de zon – halverwege de hemel – viel de verblindende glinstering van de gouden helm op zijn netvlies... Geschrokken begreep hij dat hij geen hulp kon zoeken bij de duiven, noch bij de vlieger, die hij in Tiffauges had laten liggen. Hij was alleen. Met zijn eigen schaduw. Hij dacht terug aan het visioen waarin Jacques de Molay hem Janus met de twee gezichten had genoemd. Wie was die figuur toch?

'Ja, misschien snap ik het,' zei hij, en hij liet zijn hoofd in zijn handen rusten.

Een kabaal van hoeven en metaal slokte die gedachte *in fieri* echter op. Bernabé draaide zich om en zag degene die hij nooit meer had willen zien: Rosario, die zijn sterke paard opdracht gaf te steigeren. Meermalen, zodat er grote stofwolken opstoven, alsof hij er een circensisch spektakel van wilde maken, met gesloten vizier en getrokken zwaard.

Met op elkaar geklemde tanden onderdrukte Bernabé zijn woede. Een woede die hem niet dwong om te vluchten, maar die zich omzette in bewondering, in een niet te bevatten afgunst jegens die gemaskerde man die opschepperig op zijn paard om hem heen draaide. Toen pas ging hij tegen hem tekeer: 'Als je zo dapper bent, zet dan je helm af, schoft! Valse alchemist, glasblazer, meervoudig moordenaar, laat je zien! Vijand van het goede, wil je mijn leven? Dat krijg je niet.'

De diepe stem gaf Zwaan antwoord terwijl deze zijn hand ophief om een grote steen naar het paard te slingeren. 'Bernabé, van een mislukte monnik als jij accepteer ik geen beledigingen!'

De ridder stortte zich op hem en raakte hem licht op zijn rechterbovenarm. 'Denk eraan! Ik heb je gemerkt, broeder.'

Nadat hij dat had gezegd, liet hij nog meer stofwolken opwaaien en ging ervandoor. Hij verdween.

Verbijsterd greep de jongen naar zijn schouder. Vreemd genoeg waren zijn kleren nog heel, maar was zijn huid beschadigd. Hij plukte wat gemengde kruiden om de schram te deppen en dacht: waarom heeft hij me niet gedood?

Zijn lippen trilden. 'Nee, nee, het was geen verschijning uit het graf. Of misschien toch wel...' Geschokt viel hij zichzelf in de rede en sloeg zich op zijn voorhoofd. 'Kan ik werkelijk zo stom zijn? Nu pas, nu pas komt de wrede twijfel in me op of ik misschien wel altijd Rosario's leerling ben geweest. Dit verhaal behoort niet tot de wetenschap van waarzegsters of tovenaars, maar tot de trieste boeken die over demonologie geschreven zijn... Ik ben driemaal stom geweest en scheld op de elementen!'

Er gebeurde niets. Bernabé ergerde zich en verwenste de stilte, maar voelde toen aan zichzelf, als om zich ervan te vergewissen dat hij nog leefde.

'O, God, ik dacht dat ik de hel verlaten had om in de hemel te komen. Maar in plaats daarvan keer ik terug naar de chaos.'

Hij vervloekte de hemel, de rivier, de wind en het bod. Omdat zijn aanvankelijke vermoeden, dat nu zekerheid was geworden, hem naar Clisson terugriep. Hij moest teruggaan, terug naar het huis waar hij zoveel maanden van zijn leven had doorgebracht.

129

Hoefgetrappel, hevig kabaal, gevolgd door een heel hoog gehinnik, dat plotseling overging in een lange jammerkreet die bijna uit meerdere monden leek te komen. Ze kregen allemaal de indruk dat de hele aarde gilde, alsof een onduidelijk aantal klanken samenkwam in één schreeuw. Smekend om bevrijd te worden.

Het lawaai kwam uit de tuin voor de kamer van Zwaan.

'O God, de valkuil die de prins heeft laten maken!' riep Reiger uit.

De groep rende naar buiten met fakkels en geweren. Onder het raam met de openstaande luiken lagen in de valkuil een wit paard, waarbij uit de mond een beetje rood schuim kwam, en het lichaam van een man met een zwarte pij en een ooglapje voor zijn rechteroog.

Fluiter pakte de ladder om in de kuil te kunnen afdalen. De rieten mat was in tweeën gebroken. Terwijl de anderen hem met de fakkels bijlichtten, waagde hij zich in de val.

'Broeders, ik begrijp het niet. De prins wilde de dwerg vangen. Maar hier ligt een paard met gebroken benen en een zwaard in zijn hart gestoken. Daarnaast ligt het lijk van een eenogige jongen met bruin haar, misschien al in het eerste stadium van ontbinding. Ik denk dat Rosario hem hier heeft gebracht. Jammer... we hadden hem moeten vangen.'

'Er is in het onbekende,' mompelde Nachtegaal, 'iets wat getemd kan worden, maar wat deel uitmaakt van het kwaad.'

'Kom op, broeders, laten we deze touwen aan het lijk vastmaken en het omhoog hijsen. Het paard komt later wel,' spoorde Sperling de anderen aan.

Het leek wel of er in de valkuil een orkaan had gewoed; het was een chaos die zelfs de duisternis van slag deed raken.

'Die gek moet een reden gehad hebben om dat stoffelijk overschot hierheen te brengen. Maar bij wie hoort hij?'

Niemand had er nog aan gedacht een kijkje te nemen in de kamer van Zwaan. Dat deed de kleine Kolibrie. Met zijn toorts in de hand klom hij op de vensterbank en ging door het openstaande raam naar binnen.

Het licht van de fakkel scheen op een tafereeltje dat door een naargeestige, zieke en duivelse geest was uitgedacht: een halve cirkel van zes kaarsen als een onheilspellend eerbetoon rondom het lege bed van de arme Bernabé. De kaarsen waren aan geweest. Dat rook Kolibrie toen hij eraan snuffelde. Het was echter niet de geur van de verbrande lontjes die hij rook, want die was ongetwijfeld vervlogen door de wind die er die nacht stond, maar eerder een walm van wierook, vermengd met de stank van doorrookt vlees.

Ook Sperling en Fluiter sprongen de kamer in. Op het bed was een purperfluwelen kleed gelegd. Daarop waren de letters G.B. ingebrand. Een verborgen boodschap, dat was duidelijk, maar welke? Waarom werd Zwaan (die intussen God mocht weten waar uithing) zo gekweld? vroegen de Vogels zich in stilte af.

Fluiter pakte iets van de vloer op wat hij in zijn witte pij verborg en merkte op: 'In zijn boodschap had onze medebroeder het over twee moorden die hij had gepleegd. Misschien is deze jongen hier door hem gedood en is dit een vergeldingsactie?'

Eén ding leek zeker: Rosario had het stoffelijk overschot, waarin ter hoogte van de borst het gat te zien was dat was veroorzaakt door de genadedolk en waar opgedroogd bloed omheen kleefde, op Bernabés bed willen leggen.

Alles wees erop dat hij in de kamer was geweest, misschien wel via de voordeur. Nadat hij zijn voorbereidingen had getroffen, was hij de kamer weer uit gelopen. Toen hij daarna weer was teruggekomen, moest hij met zijn paard in de valkuil zijn gevallen. En zoals in die dagen al ontelbare andere keren het geval was geweest, werden de Vogels ook nu weer heen en weer geslingerd tussen volledig begrip van de situatie en opperste desoriëntatie.

Kolibries gezicht zag er verontrustend uit: twee opengesperde ogen, twee oren die alles hoorden, twee ogen die roodachtig fonkelden, zijn lippen die krampachtig bewogen. Maar uit zijn wijd open mond kwam geen enkel geluid. Die was rond en zwart als een muizenhol.

Sperling liep naar hem toe. Door de toortsen, die flakkerden in de duisternis, leek zijn blonde haar nu eens oranje en dan weer citroengeel. Hij pakte Kolibrie bij een elleboog en fluisterde hem toe: 'In deze immense, sombere puinhopen moeten we allemaal proberen de moed erin te houden. Ik weet wat je denkt: we zijn Upupa kwijt en wanneer komt de prins terug? Je zult zien dat hij gauw weer hier is...'

Fluiter, die zijn emotie inslikte, richtte zich tot de groep: 'Broeders, wat er is gebeurd vervult ons hart en ons hoofd met gevoelens waar geen woorden voor zijn. We geven lucht aan onze emoties om plaats te maken voor begrip! Er is veel te veel gebeurd. Maar laten we hier niet afgestompt blijven staan! Kolibrie, haal jij alle resten van dit lugubere schouwspel weg uit deze kamer. Reiger, Merel, Feniks en Papegaai, jullie begraven het lijk van de eenogige jongen. De anderen en ik zorgen voor de tempelier die per ongeluk door Sperling gedood is. Daarna brengen we het paardenlijk naar het deel van de tuin waar ook de beerput is. Het spijt me het te moeten toegeven, maar onze taak als doodgravers achtervolgt ons nu al twee jaar.'

Allen stemden zwijgend in, in de wetenschap dat één door angst ingegeven woord als voldoende kon zijn om in de moordmachine terecht te komen die door Rosario was gecreëerd.

Nachtegaal besloot uitgeput en moedeloos: 'Broeders, laten we alles bewaren wat de prins van Sansevero tot nut kan zijn. Ik denk dat het handig is om het rode kleed met de initialen G.B. en de kaarsen naar het laboratorium te brengen. We laten ons niet klein krijgen door de schaduw van de angst. We moeten eraan denken dat de alchemie gewapende mannen van ons heeft gemaakt. Dat moet onze geest ervan weerhouden te breken.'

Toen de prins twee ochtenden na dit pandemonium terugkwam uit Maillezais, bekenden alle Vogels hem dat ze zich sinds de dood van de meester nooit meer zo ellendig en bang hadden gevoeld.

'Het recht op verdriet verjaart nooit,' merkte de prins op, 'evenmin als het in werking stellen ervan.' Toen bestudeerde hij de voorwerpen die Rosario had achtergelaten, inclusief het minuscule dingetje dat Fluiter in de kamer van Zwaan had opgeraapt.

'Vogels, jullie moeten niet met open ogen slapen! Dit is het moment waarop ik jullie deelgenoot maak van mijn gevolgtrekkingen. Laten we naar de bibliotheek gaan.'

De anderen volgden hem. Daar aangekomen, pakte de prins een boek van de derde plank. 'Dit is een traktaat van de beroemde professor Martorelli. Daarin staat de oplossing van wat er is gebeurd, en nog steeds gebeurt, in Clisson. Ik heb het door de Academie van Natuurwetenschappen in Parijs naar Raphaël van De Gouden Moerbei laten sturen.'

'Waarom niet hierheen?' vroeg Kolibrie teleurgesteld.

De prins zette zijn handpalm op de schrijftafel, met de vijf vingers goed gespreid in een prachtig autoritair gebaar.

'Dat zou natuurlijk niet handig zijn geweest,' antwoordde hij op autoritaire toon. Hij nam een slokje van het water dat Fluiter hem had gegeven en fluisterde hem iets in zijn oor. Toen keek hij uit het raam. De zon leek alles te dwarsbomen.

'Ieder van jullie krijgt een blad met instructies over de strategie die ik heb uitgewerkt, om complicaties en vragen te vermijden. In ieders belang...' en hij legde met een knipoog de nadruk op 'ieders', '... moeten jullie doen wat ik jullie opdraag! Doe het voor de herinnering aan de vrome Upupa. Ik heb gezegd. Helaas is haast in dit geval juist een goede raadgever. Vergeet ook vooral de arme Zwaan niet, die nu misschien wel in gevaar verkeert.' Hij haalde adem en vervolgde: 'Hij is in zijn eentje de duivel gaan trotseren. In het duister.'

Het was eerder een monoloog dan een dialoog. Hij deelde de vellen papier aan de medebroeders uit, wachtte tot ze waren uitgelezen en zag dat ze ontsteld en ongelovig keken, als overlevenden van een ramp. Toen nam hij opnieuw het woord.

'Beste broeders, laat je niet bedwelmen door deze onthullingen. Er moet er toch minstens een tussen zitten die jullie opbeurt, of niet soms?'

Sperling staarde hem aan. Uit de ogen van don Raimondo sprak het vuur en de nacht. Ook tekende zich iets bovenaards af op zijn knappe, onvergelijkelijke gezicht.

'Prins, is er nog iets wat u ons moet zeggen?'

'Je hebt gelijk, vriendelijke Duitser van me!' Hij ging achter hem staan en gaf hem een gemoedelijke klap op zijn rug. 'Ja, nog één ding... veel geluk!'

130

Toen hij in La Bruffière bij de eerste posthalte aankwam, huurde Bernabé een paard. Op het uur van de vesper hield hij stil bij een herberg, om zich te verkwikken en de nacht door te brengen.

De eigenaar, een kleine, onvolgroeide oude man met een gelige huidskleur, verwelkomde hem bars en zei dat hij hem moest volgen. Hij liep net zo mank als Hilarion. Bernabé kreeg een brok in zijn keel, maar wist dat te verbergen. De ander hield hem voor een monnik. 'Het is hier een slangenkuil,' gromde hij. 'Blijf zo kort mogelijk, is mijn advies. Ik zou niet willen dat uw gezegende oren ontheiligd zouden worden.'

De jongen wendde onverschilligheid voor. 'Ik vertrek morgenochtend. Ik zou graag iets te eten krijgen op mijn kamer. Ik ben te moe.'

De herbergier keek naar zijn rode ogen en stemde met tegenzin in.

'Ik geef u brood, kaas en een beker melk,' en hij maakte lomp de deur open.

Bernabé had zijn ogen nog maar net gesloten of hij deed ze geschrokken weer open. Achter zijn deur maakte iemand een hoop lawaai.

'Wakker worden! Drink een glas eau de vie met ons. Doe open! We weten dat je uit dat vervloekte kasteel komt.'

De paniek sloeg toe. Wie kan dat zijn? dacht hij. De stem komt me bekend voor. Rosario? Dat kan niet.

Een ander zei op rauwe toon: 'We kennen jou! Ben je misschien een merel, een zwaan, een reiger of een papegaai?'

Hemelse goedheid! kreunde hij inwendig. Die snuiters hebben het over Tiffauges en de Broederschap. Ze hebben me gevonden. Ze zullen wel gestuurd zijn door het monster. Ze helpen me om zeep omdat ik Prelati heb vermoord en de relieken heb gestolen. Dit had ik werkelijk niet voorzien...

Het smerige gordijn in zijn kamer begon te wapperen door de tocht die tussen de spleten van het gehavende raam door kwam. Zo vlug als een kat kleedde De Grâce zich aan en gluurde door het sleutelgat. Niemand te zien. Hij besefte dat zijn verbeelding op zijn zenuwen begon te werken. Hij deed de deur open en liep vlak langs de muur. Hij stond op het punt te vluchten toen de herbergier, gewapend met een stok, ineens voor hem stond.

'Geen zorgen, hier is het geld,' zei hij, en hij liet het rinkelend in de hand van de man vallen.

De ander keek hem met een gretige blik aan. 'Gaat u al weg? Hebt u u bedacht? De losbandigen zijn anders nog niet gekomen, hoor.'

'O nee?' riep hij met opengesperde ogen. 'Wat was dat dan allemaal voor kabaal achter mijn deur?'

'Ach! U zult wel een visioen hebben gehad!' De oude man streek met zijn vingers over de rand van de tafel. 'Priesters als u zien altijd en overal de duivel. Daarom wilde ik u die kamer ook weigeren...'

Bernabé ergerde zich eraan dat hij er zo overduidelijk van werd beticht dat hij hallucineerde, maar dwong zichzelf zijn mond te houden. Hij voelde de aderen in zijn hals luid, snel en onverdraaglijk kloppen.

Toen hij in Clisson arriveerde, ging hij direct naar het bloedrode huis met het witte dak. Hij trof er niemand aan, noch de medebroeders, noch de prins, dus begaf hij zich naar de bibliotheek. Hij bekeek de boeken en zag het iets scheefstaande boek met de fletse kaft en de titel *Thesaurum thesaurorum Alchymistarum* van Paracelsus.

Hij pakte het en draaide het om, waardoor er een bedrukt velletje, een zogenaamde *canard*, tussen de dun geworden, bruinige bladzijden uit gleed. Vol afgrijzen bekeek hij de afbeelding: een man met een kap martelde zijn slachtoffer. Hij las hardop en scandeerde de woorden: '*Waarachtig portret en summiere beschrijving van een miserabele, valse bezetene die berecht werd door de vreselijke Vehm van de Rechtvaardige Rechters.*'

'Vuile schoft!' gromde hij. 'Uitgerekend bij de grote, gezegende Paracelsus verstopte je de sporen van je valse alchemistenkunst. Deze schuilplaats is echt een mes in zijn rug, en ook in die van mij en de andere medebroeders. Te veel aanwijzingen, kwaadaardige Upupa! Met die Salomosnaam moet ik je nog terechtwijzen. Maar niet lang meer. Ik kom je halen, snoever! En ik ontmasker je identiteit, gewapend met het bloed van de slachtoffers die door jou zijn geofferd.'

Hij keek nog eenmaal om zich heen en ging toen meteen naar zijn kamer.

'Waar is de gobelin met het kasteel? Heeft die vuile massa in je zieke geest je ertoe aangezet hem weg te halen? Waar heb je hem verstopt, Upupa?'

Door een heldere ingeving liep hij naar de kast. Toen hij de deurtjes opendeed om het doek van Bosch erin te leggen, vond hij daar het wandtapijt met de afbeelding van het kasteel van de maarschalk.

Bernabé knielde wanhopig neer, met zijn hoofd tussen zijn handen. 'O, mijn God! Mijn meester, dat is Janus met de twee gezichten! Ik zag hem aan voor een heilige, maar hij verborg zijn lichaam in een zwarte habijt en zijn gezicht onder een gouden helm, en hij leeft, hij leeft als een verrader en een beul...'

Zonder zich af te vragen waarom het huis verlaten was, ging hij naar de bovenverdieping. Naar Upupa's kamer. Hij schopte de deur open. Hij rukte de absurde gobelin met het Merovingische hoofd van de muur, bekeek de achterkant en zag dat er tussen het houten raamwerk en de stof een lang stuk diagonaal gevouwen papier gestoken was. Hij vouwde het open.

'Kijk,' schreeuwde hij, 'hier hebben we de giftige doorn van de trouweloosheid en de hypocrisie, meester Upupa! Je kende Prelati niet, hè? Je wist niet van zijn bestaan, zozeer dat ik het gevoel kreeg dat ík degene was die gek was! Ja ja, nu zal ik het met luider stem lezen. Opdat de vier elementen die door jou zo geroemd werden, de waarheid over jouw dubbele bestaan zullen horen. Een bestaan op de grens van de alchemistische wetenschap en de charlatanerie van de glasblazers. Enerzijds filantropisch werk en anderzijds talloze misdrijven, verborgen in de plooien van je diepe rimpels. Ouwe klootzak! Je wilde me gewoon de geheimen ontfutselen die Jacques de Molay me had toevertrouwd...'

De inhoud van de missive luidde als volgt:

Nantes, 11 december 1746,

Heer Godefroy de Nogaret, ik schrijf u, afstammeling van de Guillaume die met leugens en laster heeft bijgedragen aan de beschuldiging van de tempeliers, zodat u nu moet boeten voor de wandaden van uw voorouders. Aan u, die naar Bretagne is verhuisd na lange omzwervingen over de hele wereld, leg ik, Gilles Francesco Maria Prelati, afstammeling van de alchemist die zijn kennis ten dienste stelde aan Gilles de Rais, een probleem voor dat mijn geest verteert en dat alleen u kunt oplossen.
Zo nodig acht ik het wenselijk u eraan te herinneren dat Robert de Craon, in 1136 de tweede grootmeester van de tempeliers, een van de voorvaders van de beroemde Gilles was. Dat zou u ertoe moeten bewegen mij te hulp te schieten, gezien de zuiverende missie die u onderneemt.
Momenteel bevind ik me in Nantes met een nog kleine kring van aanhangers om de grootmaarschalk van Frankrijk, die als een heilige aan de galg is overleden, te herdenken. Hiervandaan doe ik een beroep op u om me te helpen.
Het huis in Clisson, waarin u woont, werd naast de Sèvre gebouwd, daar waar de rivier een rustige bocht maakt. Daar, naast de steiger, heeft Sire de Rais, die voorzag dat hij gevangengenomen zou worden, een schrijn tot zinken gebracht met daarin zijn eigen talisman. Om precies te zijn een zogenaamde genadedolk met een afschroefbare, verzilverde handgreep. Binnenin had hij een stuk perkament verborgen met daarop de formule van een eeuwenoud verdovend middel, de kyphi, die hij had gekregen van mijn voorvader Francesco Prelati, en tevens een klein reliek waar ik u niets over kan vertellen. Daarmee deden beiden een beroep op het hiernamaals om hun daden te verlichten.
Het doel van mijn bescheiden schrijven is u te smeken uw onovertroffen talent aan te wenden om de geest van de maarschalk

op te roepen en hem om de gegevens te vragen omtrent de plek waar de schrijn met de genadedolk te vinden is.
Dit alles smeek ik u in naam van het verleden. Deze koorts zit in mijn bloed en blijft maar branden, zolang het kwellende probleem niet is opgelost.
Ik hoop dat Uwedele mij dit verzoek niet kwalijk neemt. Gelooft u mij, ik acht u zeer hoog en sta tot uw dienst,
Broeder Gilles Francesco Maria Prelati

Onder aan de brief stond het volgende Bijbelse postscriptum:

Gij zult de angst van de duisternis niet duchten en evenmin de pijl die overdag vliegt, noch de nachtelijke pestilentie, noch het verval dat op het middaguur toeslaat.

Op dezelfde kast lag een lang, opgerold, stuk perkament, dat daar was neergelegd alsof er een nis was. Maar het duivelse van het tafereeltje drong plots tot Bernabé door bij het zien van de kleine gobelin met de titel *Lucifer Triumphans*. Hij rolde het perkament af en bekeek de vreemde tekening van de dierenriem die Upupa had geschetst en waarin het goede en het kwade tegenover elkaar stonden. Hij begreep de betekenis ervan niet meteen en zijn schouders gingen omhoog en omlaag op de manier van iemand die volkomen verzadigd is. Hij raakte in verwarring door de blokletters UB.

Razend verliet hij de kamer en zei nadrukkelijk: 'Dat zal de prins wel gedaan hebben. Wat betekent UB? Upupa en Bernabé! Maar waarom? Wat heb ik hiermee te maken? Of nee, wacht eens... Ja, ik heb het: Upupa en Buizerd!'

131

Wakker geschud, al was hij dan bevangen door overweldigende emoties, ging Bernabé met het angstzweet op zijn voorhoofd naar de keuken. De beo zat op haar driepoot en beantwoordde zijn blik met ogen die zo fel keken dat hij erdoor geïmponeerd raakte.

'Dag Cocca,' begroette hij haar.

Het beest antwoordde niet. Ze leek wel van was.

'Ook jij,' vervolgde hij, 'voelt de loodzware sfeer die op dit huis drukt. Misschien weet je vandaag wie Beppe Talla heeft vermoord...'

Cocca's oogjes lichtten bloedrood op, alsof ze ermee instemde. Dat leek Bernabé in elk geval zo, voordat hij weer verbitterd raakte door haat en verdriet. De jongen rende de tuin in en pakte de schop, waarna hij zich naast het graf van de meester posteerde, een hand door zijn haar haalde om te kalmeren en zijn gedachten op een rijtje te zetten, en opnieuw zijn beschuldigingen voor hem opsomde.

1. Je hebt altijd van het bestaan van de volgelingen van Gilles de Rais en hun priester Prelati af geweten.

2. Je hebt het mengsel van de kyphi gevonden in de genadedolk die de maarschalk toebehoorde.

3. Je hebt net gedaan alsof je niet wist waar het geheime genootschap van de moordende tempeliers opereerde, hoewel het voor jou heel eenvoudig was om Gilles in verband te brengen met Tiffauges.

4. Je hebt me gedrogeerd in de hoop dat je – via mij – de ware tempeliersgeheimen, die in het Brabantse schilderij verborgen zaten, kon achterhalen. Die voor jou, als afstammeling van Nogaret de bedrieger, verboden waren.

5. Met je talent ben je de leider van dat miserabele genootschap geworden om daden te verrichten die in strijd waren met de Kerk, met het doel de *militia Templi* te wreken.

6. Je hebt mij aangespoord de androgynie te veroveren om in de voetsporen van de tempeliers te treden met betrekking tot de heilige sodomie.

7. Je hebt Perrine Martin gedood om die vervloekte schedel te bemachtigen, en ook haar man Beppe Talla, omdat ook hij wellicht op de hoogte was van het geheim dat zijn vrouw met hem deelde.

8. Je hebt het handschrift van Urbain Boutier vervalst om hem een moord in de schoenen te schuiven, en zo een zondebok te vinden.

9. Je hebt Hilarion Thenau, die echt onschuldig is, verdedigd om zo je zogenaamde morele nauwgezetheid aan te tonen en elke mogelijke verdenking van jou af te leiden.

10. Je hebt altijd op de grens geleefd van de Broederschap van de Roos en de Vogels en het genootschap van de tempeliers van de Dauw. Enerzijds Salamonsvogels, geïnspireerd door de hemelse wijsheid, en anderzijds moordenaars, ingefluisterd door het kwaad, dat altijd in jou huisde.

11. Je hebt de aanval op de prins geopend en was er zeker van dat je hem om de tuin kon leiden, omdat je hem altijd je filantropische kant en je grote kennis toonde.

Verward na die vermetele beschuldigingen aan het adres van Upupa kwam de jongen voorzichtig tot inkeer.

'Maar dat is allemaal niet logisch. De meester is dood. Ik heb hem zijn laatste adem zien uitblazen. Ik heb hem samen met de medebroeders en Sansevero begraven...'

Terwijl zijn ziekelijke koorts leek af te nemen, verscheen als bij toverslag Kameleon, die een perfide lachje liet horen. 'Arm broedertje!' hoonde hij. 'Ik zei het je toch? Er zijn duizenden waarheden... En het zijn merendeels illusies... Betoon daarom respect aan schijnvertoningen. Verstoor het legioen van onheilspellende angsten voor het graf niet.'

Geërgerd legde Bernabé de plunjezak die hij tijdens zijn vlucht had meegesleept naast een struik en begon met de schop de meidoornen te ontwortelen die rondom de grafheuvel waren gegroeid, totdat hij op het hout stuitte. Hij voelde een ondraaglijke druk op zijn longen, maar gaf zich niet gewonnen. Hij duwde het deksel op een kier, knielde neer en zag in de kist de versleten pij en een paar stukjes van de gerafelde, verbleekte rode roos liggen.

Verblind door tranen schreeuwde hij, over de kist gebogen: 'Wat een ellendige discipel, die aan zijn eigen meester twijfelt, al was het dan maar een ogenblik! Ik heb de ene vergissing na de andere begaan!'

Hij was inderdaad onnodig trots geweest. Niks complot ten koste van hem, niks opgelost mysterie. Niks aanwijzingen over Rosario's identiteit. Gebakken lucht, meer niet. Hij was het labyrint binnengegaan, dacht dat hij in het hart van het mysterie was doorgedrongen, maar nu stond hij weer aan het begin van de doolhof, alsof hij nooit weg was geweest.

'Parasiet, nu snap ik het!' beet hij Kameleon minachtend toe. 'Jij bent Rosario!'

'Werkelijk?' luidde het spottende antwoord. 'Ik, met mijn misvormde, dwergachtige uiterlijk?' Zijn stem werd hees. 'Zie je mij al, met mijn vooruitstekende buik, mijn lange gezicht en mijn miezerige armen en benen, met een helm die nog groter is dan ik? Waar laat ik dan de schoonheid en het atletische lijf van de gemaskerde man? Ik ben de schuldige niet. Je moet beter zoeken, en verder weg.'

'Hoe ver?'

'Zoek in de tijd, Bernabé! Maar denk na... Ook aan jouw handen kleeft bloed. Ook jij hebt moorden gepleegd...' Hij peperde het hem in terwijl hij zijn ogen opensperde en met zijn hoofd schudde om de belletjes te laten rinkelen.

'Hou op met dat getinkel, vuile dwerg.'
'Maar ook jij rinkelt, broeder van me. Of eigenlijk is het je zak die tinkelt...'
'Stommeling, weet je niet dat ik de schedel in de sloot heb laten vallen? Ik heb hem niet meer,' antwoordde hij en duwde hem op de grond.
Kameleon stond op, trok een grimas en maakte zich met grote sprongen uit de voeten. Als een kikker.

132

Paleis van Versailles
De onsterfelijke Zonnekoning was al een hele poos dood. Maar elke centimeter van het plafond, dat ter ere van hem met fresco's was beschilderd, vierde zijn glorie tot in de eeuwigheid. Vijfenzeventig meter stucwerk, trompe-l'oeils en medaillons die op de hemel in de grote zaal waren geschilderd, onder tientallen kristallen kroonluchters, als omgekeerde kwallen met tentakels. Hun felle licht viel op de gasten van het grote bal, de orkestleden, het marmer van de zuilen, de druk in de weer zijnde bedienden en het vergulde brons van de kapitelen.
Alles schitterde in deze fonkelende galerij en vertegenwoordige de trots van de huisbaas, die tevens de baas van Frankrijk was.
Tussen de menigte edelmannen en edelvrouwen steunde de markiezin van Pompadour, nippend aan een glas van haar lievelingswijn, beminnelijk op de arm van de hertog van Soubise. De twee converseerden vertrouwelijk. Frivool gebabbel, gefluisterde namen.
De kleine, elegante en lenige minnares van Zijne Majesteit was een en al aantrekkingskracht en sensualiteit. In haar royale decolleté, omrand door kant en borduursels, pronkte een collier met briljanten en een hanger.
'Kom op, hertog! Twee zijn niet genoeg!' protesteerde ze ondeugend. 'Als het bed een paleis van Venus wordt, zijn er minimaal drie matrassen nodig. Vindt u ook niet? Als uw echtgenotes daar anders over denken, heb ik medelijden met hun ruggen...'
Het antwoord van de galante edelman, een fluistering in haar oor, ontlokte haar een zilverachtig gelach dat verloren ging in het ge-

roezemoes. Toen gaf iemand een teken, waardoor de aanwezigen in beroering werden gebracht. Madame de Pompadour en Charles de Soubise keken elkaar aan en haastten zich naar een bepaald punt in de zaal. Toen de eerste noten weerklonken van een menuet dat erg in de mode was, waren ze al naast de andere paren gaan staan, klaar om te dansen.

De hertog van Rohan-Soubise, onberispelijk in zijn groene kostuum en zijn damasten gilet met borduursels en gouden en emaillen knopen, was een jeugdvriend van de koning. Hij was in Versailles geboren en het paleis was bijna zijn tweede huis. Hij was stevig gebouwd, zijn sterke lichaam was gehard in de strijd en hij kon bogen op een volmaakt hoofse levenshouding die geenszins was afgestompt door de ongemakken van het militaire leven. Als liefhebber van mondaine geneugten en van het leven aan het hof deelden hij en de koning bovendien sinds jaar en dag een waanzinnige, onbeteugelde passie voor vrouwen, koken en honden.

Zijn vijanden kenden hem geen bijzondere talenten toe en schreven zijn bliksemcarrière in het koninklijke leger en de hoge functies die hij probleemloos had verkregen toe aan zijn vriendschap met de koning. Maar de meesten hadden waardering voor hem omdat hij vrijgevig, ijverig en vooral trouw was.

De dans was ten einde en er werd geapplaudisseerd. Na enkele minuten verscheen de meest elegante en gerespecteerde gast van de avond. De man bleef voor de eerste spiegel staan en nam zichzelf tevreden van top tot teen op. Toen stak hij zijn met kant versierde zakdoekje van Brabants linnen in een mouw van zijn kostbare goudkleurige kostuum en liep, nadat hij zijn zilverwitte pruik gefatsoeneerd had, met een gezaghebbende manier van doen naar het stel.

'Mijn vriend, wilt u me eindelijk de vrouw geven van wie ik hou?' vroeg Zijne Majesteit. 'En u, Madame de Pompadour, verwaardigt u zich de volgende dans toe te staan aan een eenvoudige koning?'

Rohan beantwoordde zijn glimlach en voegde er een overdreven buiging aan toe. Toen hij weer overeind kwam, was het koninklijke paar al in het midden gaan staan, in afwachting van de muziek. Onder een van de laatste bogen zag de hertog zijn assistent staan, die hem indringend aankeek. Vreemd dat hij daar was. Was er soms iets aan de hand? Hij liep naar hem toe en kreeg zonder woorden een gesloten missive in zijn handen gedrukt, die aan hem geadresseerd was. Hij was afkomstig uit Clisson en leek urgent. De twee glipten de aangrenzende Vredeszaal in, die verlaten was. Daar vouwde Charles het papier open en las, eenmaal, tweemaal, en daarna vouwde hij het weer op en stopte het in zijn zak. Ontsteld beet hij lange tijd op zijn onderlip. Het ene na het andere idee schoot door zijn hoofd en het juiste liet niet lang op zich wachten. Hij had een goede vriend nodig, zei hij bij zichzelf, terwijl hij zijn blik snel door de hele zaal liet gaan. Als je een gunst nodig hebt, moet je aan het hof komen dansen, knikte hij vastberaden. Op dit soort feesten vond je altijd wel iemand die je om hulp kon vragen.

Uiteindelijk bleven zijn ogen rusten op de man die hij zocht: de hertog van Penthièvre en Rambouillet, groot-admiraal en bovendien een wettige neef van de vorige vorst. De jongen kon zich beroemen op talloze prestigieuze functies die van zijn vader op hem waren overgegaan of hem door de koning waren verleend, maar Soubise was alleen geïnteresseerd in die van gouverneur en algemeen plaatsvervanger van Bretagne. Hij legde hem de feiten voor en deed zonder al te veel omhaal zijn verzoek uit de doeken. De gouverneur, die besluitvaardig van aard was, kwam in een mum van tijd met de oplossing.

'Wees gerust, Soubise. Morgenochtend laat ik de luitenant van de militaire politie in Vannes waarschuwen,' besloot hij. 'Binnen twee dagen hebt u een hele compagnie van gewapende mannen tot uw beschikking. U wordt zodra u dat wilt naar Bretagne geëscorteerd.'

Toen ze terugkeerden, werd er nog steeds gedanst. Een passepied of een sarabande. Penthriève ging naar zijn aanbidders, terwijl Rohan het einde van de muziek afwachtte om, met de eerste de beste smoes die hem te binnen schoot, afscheid te nemen van de koning.

Hij liep de spiegelgalerij uit aan de andere kant dan die waar hij zijn assistent naartoe had gestuurd, en terwijl hij de Oorlogszaal overstak, keek hij terloops naar boven, bijna bezorgd. Maar de geruststellende blik van het zegevierende Frankrijk, dat op de muur stond afgebeeld met een bliksemschicht in de hand, leek hem een uitstekend voorteken.

133

Nog steeds van slag door emoties en vreemde overpeinzingen, begaf Bernabé zich opnieuw op het hobbelige pad van de mogelijke verdachten. Elke medebroeder kwam in aanmerking. Ieder van hen had de treurige brief van de oude Prelati kunnen lezen en het misdadige plan kunnen beramen met behulp van omgekeerde alchemie. Elk van de Vogels had de bak met de mechanische visjes naar Tiffauges kunnen brengen. Ze waren allemaal in staat hun eigen leven onkreukbaar te laten lijken. Aan zijn bloeddoorlopen ogen trokken de gezichten van Sperling, Nachtegaal, Fluiter, Papegaai, Reiger, Kolibrie, Feniks, Buizerd en Merel voorbij...

Hij voelde de radertjes in zijn hersenen tevergeefs werken. Het lampje in zijn geest knipperde steeds aan en uit, want elk vermoeden dat als een vuurtje werd aangestoken, doofde weer net zo snel.

Een nieuw gerommel drong als het gedreun van een draaibank door tot zijn hersenpan. Hij stelde zich voor hoe Boutier op de vlucht sloeg met de gestolen goudstaven. Hij riep het beeld op van de onheilspellend lege smidse, het gereedschap dat her en der op de grond lag en het stukje goud dat Upupa had opgeraapt. Uiteindelijk probeerde hij – in zijn fantasie – de gouden helm op Urbains hoofd te zetten. In zijn gedachten kwam hij volmaakt overeen met het figuur van Rosario. Nog zo'n inval: het perkament met daarop de dierenriem met duivels, heiligen en in het midden de afkorting UB.

'Ik heb het! De grote Sansevero heeft zijn aangifte schriftelijk bekrachtigd. UB ... de initialen van Urbain Boutier, precies. Zo pleit de raadselachtige Latijnse uitdrukking *Cludens alchymia flat in rore*, die de meester *in articulo mortis* uitsprak, alle Vogels vrij. De prins en hij hadden begrepen aan wie de misdadige geest die de reeks moorden had uitgedacht, toebehoorde. Daarom kon Upupa's uitgeputte hart het niet meer aan, dat is duidelijk.'

De jongen voelde zich geheel voldaan. En het lege huis? De medebroeders hadden het klaarblijkelijk verlaten om de meervoudige moordenaar uit zijn hol te verdrijven.

O, dat hij nu eindelijk de waarheid kende! Zijn hart klopte in zijn aderen. Overspoeld door al die onthullingen richtte Bernabé zijn blik tot de zachte, intens blauwe lucht: de hemel van een betoverd dorp.

Gekalmeerd, maar vol energie hield hij zijn ogen omhooggericht en zag een draadvormige wolk die in het hemelgewelf een volmaakte cirkel trok.

Is dat het einde van het begin of het begin van het einde? vroeg hij zich af.

En tegen elke aardse logica in scheen het hem toe dat de dauw, die uit de hemel was neergedaald, tranen van bloed op de meidoorn liet vallen.

134

In Tiffauges scheen de maan op het landgoed, de wachttorens en de bouwvallige kapel. Alles leek in orde. Net als de nacht daarvoor. En die daarvoor. Maar... vlak om de hoek verschenen hoeden met zilveren biesjes, glanzende galons en tientallen sabels, musketten en pistolen. Vier brigades van de militaire politie, in totaal twintig strijders, verdeeld over twee rijen, marcheerden daar in de nacht. Alle paarden liepen stap voor stap in volmaakte stilte, op twee na, die op een open plek in de buurt waren achtergelaten.

De maan keek toe hoe twee mannen voor de colonnes uit liepen en de divisies commandeerden. Ze manoeuvreerden eensgezind, volgens een vooraf in het geheugen geprent plan.

Op een teken van de hertog van Rohan hield het eerste manipel stil. De prins van Sansevero reageerde en liet de zijnen halt houden. Toen ze bij de ommuring waren aangekomen stelden ze de troepen in waaiervorm op vanaf het gedeelte tegenover de rivier die één kant van het fort bespoelde. Ze laadden voorzichtig de bepakking van de paarden af en vormden toen zes groepen van drie mannen. Elke groep kreeg een pakket. Uit de manier waarop ze het aanpakten was op te maken dat het zwaar en broos was; uit het respect waarmee ze ernaar keken, bleek dat het kostbaar materiaal was.

Rustig haalde don Raimondo zijn horloge met automaten uit zijn zak en riep de tijden. Om de twee minuten gaf hij een signaal en liet een groep vertrekken. Uiteindelijk waren alle troepen tot de binnenplaats doorgedrongen. Ze waren op weg naar de donjon, waarvan de bouwvallige schaduw zich tegen de sterren aftekende. Ze konden alleen nog maar afwachten...

'Het lijkt hier verlaten,' fluisterde Charles de Soubise. 'Weten we zeker dat ze hier echt bijeenkomen?'

'Laat u niet in de luren leggen, hertog. In een mooie noot kunnen een heleboel maden verborgen zitten. We moeten alleen beslissen of we ze eruit trekken of met schil en al weggooien.'

'Daar hebben we het al over gehad. We konden ze belegeren of proberen naar binnen te gaan. Maar met welk doel? Met het risico ze aan een andere kant te laten ontsnappen? O, ik ken dit gebied zo goed, er zijn overal grotten. En de kastelen van Gilles de Rais hebben ook nog eens gangen die overal naartoe leiden, tot de hel aan toe!'

Het was een reëel gevaar, dat moest Sansevero toegeven.

'Dus hebt u gekozen voor de verrassing,' mompelde hij.

'Van wat ik uit de brief heb begrepen, beste prins, geloof ik niet dat ik een andere keus heb. Perseus versloeg Medusa door haar de keel door te snijden. Ik zal niet anders handelen om dit gezwel uit te roeien. En aangezien veel misdrijven zijn gepleegd in Clisson, dat mij toebehoort, trek ik elke beslissing naar me toe. Daartoe heb ik de bevoegdheid...'

'Gerechtigheid gaat in het wit gekleed, mijn vriend, en Wraak in het rood... Maar beide godinnen zijn gewapend en dreigend...' fluisterde don Raimondo.

'In plaats van het zwaard van de eerste heb ik liever de dolk van de tweede. Die maakt minder kabaal en lost de zaken eerder op. En trouwens, zoals ik al zei, ik heb totaal geen belangstelling voor het arresteren van de schuldigen. Voor een tribunaal zouden die beesten afschuwelijke daden bekennen waar het volk niets van weet. Dan zou een dorp dat in het verleden te lijden heeft gehad onder de wandaden van een bastaardzoon van de duivel, in diskrediet worden gebracht. We zouden koopwaar worden voor het geroddel in de kranten en de zieke fantasie van romanschrijvers... Nee, het enige wat ik wil is dat dit verhaal snel tot een einde komt en niemand er meer iets over te horen krijgt.'

'Staart van Lucifer! We zijn hier juist om de wedstrijd af te sluiten zoals u dat wilt, Soubise.'

'Elk tribunaal zou hen ter dood veroordelen. Maar God heeft ze al veroordeeld en Satan wil ze terug. Het is aan mij om ze onmiddellijk naar hem terug te sturen. Met uw hulp, bedoel ik...'

Sansevero zweeg. Hij had nooit gedacht dat de ander tot deze conclusie zou komen. Hij had er een hekel aan om voor eigen rechter te spelen en de wet naar zijn hand te zetten. Maar kon hij, als gast op vreemd grondgebied, die hier incognito naartoe was gestuurd met een duidelijke missie, anders handelen? Goed, de paus had hem opgedragen deze vuile affaire 'koste wat het kost' op te lossen, maar kon hij echt zover gaan? Zou hij niet tot het uiterste moeten gaan om de heilige transmutatiepoeders terug te krijgen?

De gewetenskwestie werd al meteen de kop in gedrukt. Zijn ergernis zweefde zachtjes weg, voortgeblazen door de nachtelijke bries. Beslissen over het lot van de moordenaars behoorde niet tot zijn taken als detector. En ook al werd hij nu gedwongen tot een aanval in het kamp van de machtige hertog van Rohan, de ondankbare taak werd hem nu van zijn schouders genomen.

De ampullen met de poeders, die uit het Feniksnest gestolen waren, hadden Rosario's waanzin bovendien alleen maar groter gemaakt. Na al die heiligschennende vervuiling was het maar beter ze in een zuiverend vuur te offeren.

Soubise nam opnieuw het woord. 'Sinds wanneer bent u geïnteresseerd in explosieven?'

'Ik ben altijd al gefascineerd geweest door vuurwerk. Een tijdje geleden bedacht ik dat het ons van pas zou kunnen komen als de tempeliers van de Dauw ons zouden aanvallen. Dus hebben we in het laboratorium van de goede Upupa een beetje van dat poeder dat dondert en bliksemt samengesteld...'

'Aan het front heb ik horen zeggen dat je een uitmuntende samenstelling verkrijgt door salpeter op te lossen in de urine van roodharige mannen.'

De ander keek hem ongelovig aan.

'Ik zou uw fantasierijke pyrotechnici wel eens willen ontmoeten, hertog. Maar als u een recept wilt hebben dat zeker werkt, doet u dan droog salpeter uit Peru, houtskool van notenhout en Siciliaanse zwavel in een vijzel. Daar voegt u kwik, eau de vie, azijn, kamferolie...'

Hij brak de formule af omdat de militairen weer mondjesmaat verschenen. Luitenant Pineau bracht snel verslag uit: de bommen waren rondom de donjon op stabiele plekken geplaatst. De lonten waren op volgorde met de vuurslagen aangestoken. Zoals afgesproken.

'Heel goed,' knikte de hertog. 'We hebben slechts twee minuten om ons uit de voeten te maken voordat het spektakel begint.'

Don Raimondo keek weer op zijn horloge. 'Een minuut dertig, daar gaan we. Laten we ons snel terugtrekken...'

Langs de omtrek van het gebouw verschenen, met uitgekiende tussenruimtes, enkele felle vlammen. Zes duivelsstaarten spoten vonken op het gras. Pal onder de muur brandden gretig zes lange lonten.

Een minuut... Met gespannen gezichten en hijgende ademhaling renden ze zonder om te kijken weg.

Dertig seconden... Bezorgd zwijgend klommen de ridders in het zadel.

Vijftien seconden... Toen ze op een aanvaardbare afstand waren, liet de hertog zijn paard stoppen. Ze draaiden zich allen om naar de plaats waarvandaan ze gevlucht waren.

Drie, twee, een...

Stilte. De nacht werd loom vervolgd. De kalme rivier bespoelde het landgoed zonder schokken. De mannen keken de hertog onzeker aan. De hertog staarde perplex naar de prins. De prins keek volstrekt onbezorgd op zijn horloge.

'Staart van Lucifer! Nu!' riep Sansevero uit en riep het verzengende vuur op.

Een oorverdovend lawaai reet de duisternis open. Een verblindende flits deed de nacht geweld aan. Onnatuurlijke windvlagen bulderden tegen mensen en dieren en bestookten hen met een walm van zwavel. Het panische gehinnik van de paarden steeg op naar de hemel. De soldaten grijnslachten.

Bij het licht van een onverschillige maan brandden de resten van het kasteel van Tiffauges. Vele maanden lang hadden de tempeliers van de Dauw er gewerkt. In de onderaardse gangen hadden ze gedood, gevloekt en geweld gepleegd. Maar nu was het favoriete huis van de waanzinnige Gilles de Rais getransmuteerd tot een vervloekte eeuwige catacombe.

Alleen een deel van de donjon bleef zijn gif verspreiden...

135

Bij Bernabé was de haat jegens Upupa en de Broederschap verslapt; die jegens Urbain daarentegen niet. Hoewel zijn geest op volle toeren werkte, gold dat niet voor zijn ziel, die zo ongedurig was als de zee waarvan het water zich terugtrekt. De twee moorden die hij in Tiffauges had gepleegd, maakten hem angstig, maar vooral van streek door wroeging, vervuld van een vage desillusie omdat hij die vervloekte Boutier zijn helm niet had afgerukt. De jongen bracht een onrustige nacht door in zijn eigen bed, alleen in het huis van zijn betreurde Upupa.

Hij liep naar het raam en doorkliefde het donker met zijn blik. Hij ademde de naamloze geuren van de siderische duisternis in. Hij wankelde onder het gewicht van zijn hart, dat zwaar was van verbittering. Ten slotte sprak hij zichzelf streng toe. Als hij niet tevreden was over de gang van zaken, had hij dat aan zichzelf te wijten. Hij voelde dat zijn lichaam versleten was en zijn geest verslapte. Hij probeerde zijn bed weer in orde te maken door de dekens in te stoppen die hij had losgewoeld. Hij wachtte het eerste uur van de dageraad af en begaf zich te paard naar de kerk van de Drievuldigheid.

Ja, ik zal bij pater Sébastien te biecht gaan, zei hij bij zichzelf. Ik moet mijn hart verlichten. Ik heb Bagoa en Prelati vermoord, ik heb getwijfeld aan Upupa, die dood en begraven is. En ik heb zijn graf geschonden... O, mijn God! Hoe kan ik nog in vrede leven?

Zo dacht hij telkens opnieuw, terwijl hij de vaart erin zette tot hij buiten adem was. Die vlucht verwarmde hem. Dat had hij nodig. Toen hij het gevoel had dat hij geen lucht meer kreeg, stopte hij, maar hij durfde zich niet om te draaien. Hij had het gevoel dat de twee lijken met hem meeliepen. Toen hij eindelijk bij de kerk aankwam, ging hij als een geslagen hond naar binnen.

De pastoor droeg de heilige mis op. Wat een opluchting! Onder de vleugels van deze priester voelde hij zich nu al beschermd. Hij knielde neer in een bankje. De klaaglijke liturgische woorden werden gewiegd door de klanken van het orgel. De Grâce riep de Oneindige op hem te verlichten en een eind te maken aan de afgrijselijke daden van die ellendige Urbain-Rosario.

Rechts van hem zaten een paar visitandinnenzusters. De twee die het dichtst bij hem zaten, herhaalden met falsetstem een passage uit de homilie: 'De zondaar die denkt dat zijn zonde na de biecht verdwenen is, laat zien dat zijn spijt niet oprecht is. Hij moet alle vertrouwen hebben in de goddelijke gratie.'

Na het 'amen' liet hij zich op zijn knieën vallen, sloeg een kruis en draaide zijn rug naar het hoofdaltaar, waarna hij wachtte totdat de priester zich verkleed had. Hij richtte zijn ogen op het middenschip en dacht aan de gewaagde architectuur van de abdij in Maillezais, waaruit hij ontsnapt was. Hij liep door de zijbeuken en bekeek de schilderijen, waarop heiligen stonden afgebeeld. Hij ging de kapel aan de linkerkant binnen, die werd verlicht door stralen als razende poken. Hij liep enkele treden van majolica af en bleef staan voor het schilderij van Sint-Michiel en de draak. Hier voelde hij een steek in zijn borst. De diabolische afbeelding vervulde hem met een woest verdriet. Hij had het liefst in een hol weg willen kruipen, toen... hij plotseling opmonterde. De barmhartige God bedankte hem op bijzondere wijze. Hij wreef in zijn ogen.

Nee, zei hij bij zichzelf. Ik ben niet aan het hallucineren. En ook word ik niet gekweld door een angstige droom vol moeilijkheden.

Hij keek eens goed naar de zandloper die naast de klep van de bidstoel hing. Het zand stond stil. Hij strekte zijn arm uit en draaide het ding om. Maar het fijne stof trok zich niets aan van de zwaartekracht. Het bleef halverwege in de lucht hangen.

'De tijd staat stil,' fluisterde hij. 'En toch maken alle minuten een uur. Maar hier gaat het anders.'

Wat was er toch aan de hand?

Ook de tien medebroeders waren in de kerk aan het bidden.

Bernabés ontroering was niet te beschrijven. Vreugde ontstaat door het onverwachte en niets kwam onverwachter voor hem dan deze ontmoeting. Een glimlach lichtte zijn uitgemergelde, vermoeide en door het lijden vertrokken gezicht op. In zijn geest vermengde de nacht zich met het licht, bijna in een goddelijke transparantie. Meteen voelde hij zich echter gegrepen door de ingewikkelde chaos van de moorden die Rosario gepleegd had. Wat moest hij de medebroeders vertellen? Welbeschouwd had hij het gezicht van het monster niet één keer gezien. Hij vermoedde dat het Urbain was, ja, maar waar was die?

In dat lastige parket, een ware sifon die de vreugde uit zijn hart liet stromen, waarin de aanwezigheid van zijn kameraden hem een stralend lichtpuntje toescheen, dat door de Voorzienigheid was aangestoken, maakte zijn brein onverwachts een sprongetje. Bernabés hart ging sneller kloppen toen hij de gehate aanwezigheid van Urbain met zijn beestachtige snuit opmerkte. Met zijn handen kruiselings over zijn buik gebonden, stond Boutier tussen Nachtegaal en Reiger in.

Hij nam hem van top tot teen op. Hij vond hem net een dier in nood, rondzwervend in schijnbare onbeweeglijkheid, geflankeerd door twee Vogels als wachters.

Buiten de kerk omhelsden de broeders elkaar en werd er een onvergelijkelijk gevoel van welbehagen over hun hoofden uitgestort. Hun geest bevrijdde zich dankzij de eerst doffe gedachten die nu vloeibaar werden.

'Daar ben je, Rosario!' beet Zwaan hem met rauwe stem toe.

'Laat hem maar. We zijn hier bij elkaar. Hij kan geen kwaad meer doen, denk je wel? Kom, haal adem en vertel... Van deze schoft krijgen we niets te horen. We wachten op jouw getuigenis, dappere Zwaan,' zei Sperling kalmerend, en hij trok hem naar zich toe.

De jongen keek strak naar de ketting waarmee Urbains polsen waren vastgemaakt en zijn handen, die door Reiger en Nachtegaal werden vastgehouden, terwijl Merel van achteren zijn pistool op hem gericht hield.

'Waarom is de prins niet bij jullie?'

'Die is het genootschap een halt aan het toeroepen. Voor eeuwig.'

‘Hoe dan?’

‘Hij heeft een uiterst gewaagd plan uitgedokterd om het hoofd te bieden aan al het bloed dat door deze schurk vergoten is en de menselijke huid die door hem aan flarden gereten, meegenomen en opgegeten is. Hij laat Tiffauges met alle onderkruipsels de lucht in vliegen, daarbij geholpen door de hertog van Rohan, die de leiding heeft over zijn soldaten. De twee edelmannen kunnen elk moment hier zijn.’

De onzekerheid, het wantrouwen en de wanhopige melancholie verdwenen van Bernabés gezicht. Wat hij had willen doen, was de detector gelukt.

Nachtegaal nam het woord: ‘In de onzichtbare duisternis staan sommige deuren op een kier. Don Raimondo is erin geslaagd daardoor binnen te dringen. Ik beschouw hem als een spil in de oneindige ruimte, waarop iets immens leunt...’

‘Genoeg, broeder,’ viel Papegaai hem in de rede. ‘Laten we te paard naar huis gaan. Merel, zet jij Rosario voor je terwijl Reiger en Nachtegaal naast je gaan rijden om de ketting vast te houden.’

‘Goed, maar ik walg ervan om dit samenraapsel van syfilis, waanzin en perversie tegen me aan te voelen.’

‘Kom op!’ spoorde Sperling hem aan. ‘Een laatste krachtsinspanning. Het is onze plicht het graf van de meester te eerbiedigen.’

Onderweg liepen de rillingen echter over Bernabés rug. Zijn oren gonsden en hij hoorde doodsklokken luiden. Het leek wel of de klokken weeklaagden. In de zwoele lucht riepen Nachtegaals woorden en de lofuitingen over zijn moed een vreemd onbehagen bij hem op. Waarom? Was zijn eigen, superieure intelligente nog niet tevreden? Had hij Urbain zelf willen pakken? Of hadden de afgrijselijke dingen die hij in de onderaardse gangen van Tiffauges had meegemaakt hem getransformeerd tot iemand die alleen binnen wilde leven?

136

Toen ze de stal uit kwamen, maakten Reiger, Nachtegaal en Merel de ketting van Rosario vast aan de populier in de tuin van Perrine. Toen voegden ze zich bij de anderen, die om Upupa’s graf heen stonden.

'Als de dode materie ons van streek maakt, moet de geest van streek geraakt zijn,' begon Nachtegaal. 'Die toont de wetten van hierbeneden aan de hoogste wetten...'

'Een moment!' onderbrak Sperling hem; zijn gezicht was vertrokken tot een grimas. 'Het graf is geschonden. Wie heeft het gewaagd zoiets laag-bij-de-gronds te doen?'

Ontsteld loog De Grâce schaamteloos: 'Dat zal Rosario wel geweest zijn, of anders een van zijn volgelingen.'

'Dat weet ik wel zeker,' zei Fluiter. 'Het lijkt wel of ik het geluid hoor dat de stilte maakt als het graf instort. Hebben jullie dat ook, broeders?'

Merel zei, terwijl zijn hart in zijn keel klopte: 'Alleen bezetenen voelen zich geroepen de eeuwige slaap te verstoren. Over het algemeen gedragen die zich spontaan en duidelijk. Maar opeens breken ze door een gedachte heen die tegen de buitenkant van hun waanzin stoot. Dan vallen ze uiteen. En zinken ze weg in de woeste, angstaanjagende zee vol afwijkende golven, mist en noodweer, die krankzinnigheid heet.'

'Ik deel je mening,' antwoordde Zwaan treurig en streek zijn inktzwarte pij glad. 'Merel, als je de schanddaden had gezien die door dat stelletje... door die glasblazers begaan worden, zouden je hersenen zo'n klap hebben gekregen dat je...'

'... gek zou worden? Misschien wel, mijn beste. Maar er is iemand wiens herseninhoud al gereduceerd was tot het niveau van een slaaf, voordat hij een rol ging spelen in wat jij nu net verteld hebt. Genoeg nu. Laten we de goddelijke gratie oproepen om de meester te bevrijden van de zwaveldampen die de schender heeft achtergelaten.'

Onverwacht paardengetrappel en het geratel van een gammele koets maakten dat de Vogels zich als één man omdraaiden.

Pater Sébastien was niet alleen, maar met twee zusters van de orde van de Visitatie, opgericht door Sint-Franciscus van Sales. De pastoor hielp de nonnen de trap afgaan. Bernabé herkende in hen de zusters die in de kerk vlak naast hem hadden gezeten. Hij had geen idee waarom hij niet de vrouwelijke aantrekkingskracht voelde die mannen overal en altijd nieuwsgierig maakt, vooral bij gesluierde vrouwen. Niet eens door hun schoonheid, maar door de betovering die gelijk is aan de geur van een bloem of de smaak van een vrucht.

'O, hemel!' zei hij binnensmonds. 'Het komt door mijn vijandigheid jegens iedereen die in het klooster woont. Voor mij hebben monniken en nonnen geen geslacht. Dat is ook wat. De getallen, de metalen en de mineralen hebben het wel, maar de kloosterlingen niet. Hoe zou Upupa daarover gedacht hebben?'

En zijn hart glimlachte omdat hij zoiets stoms had bedacht.

'Zusters,' zei Kolibrie weemoedig, 'kunnen we u ergens mee van dienst zijn?'

'Deze nonnen hier,' zei de priester met een gezicht zo rood als een sterappel, 'hebben me gevraagd of we niet naar jullie toe konden gaan, want ze zijn nogal in de war...'

'Waardoor?'

'Door die jonge frater daar,' verklaarde de langste, en hij wees op Bernabé. 'We willen hem iets laten zien... Als pater Sébastien zo vriendelijk zou willen zijn het voorwerp dat we hem te leen hebben gevraagd uit de kar te halen...'

Alle ogen, niet in de laatste plaats die van Zwaan, waren in gespannen afwachting op de priester gericht.

Niemand had echter kunnen denken dat Louis Choumin zich in de wagen verborgen had gehouden. Hij tilde een grote tafel op, die bedekt was met een wollen stof. Langzaam verplaatste hij hem, totdat de pastoor hem aan een kant kon vastpakken. Ze zetten hem voorzichtig op zijn kant op de grond.

De visitandinnen, wier gezicht bedekt was met een dikke sluier, tilden de stof op en daar kwam het mysterieuze voorwerp tevoorschijn: een passpiegel.

Toen Louis uit de wagen was geklommen, spoorden de bruiden des Heren Bernabé eensgezind aan: 'Jonge monnik, we willen dat u uzelf bekijkt. Met die lichtblonde krullen lijkt u verrassend veel op de aartsengel Michaël, die hier in de Drievuldigheid staat afgebeeld.'

'Dat lijkt me wat overdreven, eerwaarde moeders...' merkte De Grâce met een glimlach op.

'Nee, nee,' viel Kolibrie hem in de rede. 'De gelijkenis is er echt. We zouden ons moeten verheugen de dubbelganger van een engel tot een van ons te mogen rekenen.'

Maar de ogen van de jongen zagen er ineens spookachtig ingevallen uit en hij wierp zich huilend op de grond.

'Broeders, ik ben een zondaar. Ik heb twee mannen gedood om uit dat vervloekte kasteel te ontsnappen. En al had ik geen alternatief, toch kan ik niet bij jullie blijven. Er kleeft bloed aan mijn handen. Daarom ga ik weg,' en hij boog zich voorover om zijn plunjezak te pakken.

Sperling pakte hem bij de schouders en hield hem tegen. 'Zwaan, dappere medebroeder van ons, ook ik heb zo'n walgelijke tempelier omgebracht. We zijn er allebei toe gedreven. De eerlijkheid en het verdriet waarmee je die misdrijven hebt opgebiecht, maken ons duidelijk dat je iemand bent die altijd in het licht opereert.'

De treurwilg die door Bernabé zelf ondersteboven was geplant, was omgevallen. Intussen wrong Urbain Boutier, vastgebonden aan de populier, zich als een bange marionet brullend in allerlei bochten.

'Waarom schreeuwt die bezetene zo?' vroeg Zwaan aan Sperling.

'Let maar niet op hem. Misschien denkt hij aan de galg, waar de kraaien over niet al te lange tijd bijeen zullen komen om in hem te pikken. Zie je, er zit er al een op Perrines huisje. Die roept zijn vriendjes erbij. Zijn gekras is verschrikkelijk.'

'Ja, je hebt gelijk. Schreeuwen, fluiten en brullen is leven. Krassen betekent de tevreden aanvaarding van de ontbinding.'

'Ik begrijp de aanwezigheid van Urbain,' vervolgde de held van Tiffauges. 'Maar ik stoor me aan die nonnen. Jullie weten: als ik aan Maillezais denk, schieten er meteen allerlei zwarte flitsen door mijn hoofd. Zo'n beloning heb ik volgens mij niet verdiend na alles wat ik heb doorstaan...'

De visitandinnen kwamen naderbij. Ze leken hem geen nederige kloosterlingen meer, maar twee spaanders die uit de hel gesprongen waren, met die lugubere sluiers van hen. De rillingen liepen hem over de rug en hij beefde toen de zusters dichterbij kwamen. 'Geloof je nu echt dat we hier zijn om je te aanbidden als aartsengel?'

'Dat kan me niet schelen! Wegwezen, menselijke wrakken!' antwoordde hij schuimbekkend.

'Je bent afgepeigerd, Bernabé, echt.' Sperling gaf hem een veeg uit de pan. 'Hou je een beetje in. Je staat hier oog in oog met twee bruiden des Heren. Laten we eens horen wat ze willen...'

'Jongen,' begon de langste van de twee, 'alleen in de mythologie liet Ajax zijn vuisten aan de goden zien...'

'U hebt het mis. Ook in de Bijbel durfden hoogmoedige mannen de hemel te bestormen... En wat dan nog?'

'Wij zijn hier om de dood van de draak die jij verslagen hebt te begeleiden.'

Zwaan barstte in een waanzinnig gelach uit. 'Nee, het beest is nog daar, geketend en wel. Ik heb hem niet gevangengenomen en ook niet gedood.'

'Denk je?'

'Het lijkt me zo klaar als een klontje.'

'Schijn bedriegt. En te veel geflakker verblindt.'

'Zeg gewoon waar het op staat. Jullie beweren dat jullie hier zijn om de dood te begeleiden. In welke zin?'

'In slechts één zin.'

'Maar dat is uw stem niet. Daarnet klonk hij veel scherper, nu is hij krachtig en trilt hij...'

'Inderdaad,' antwoordde de non, en ze haalde, als een vingervlugge goochelaar, uit haar wijde, zwarte mouw een kaars tevoorschijn, terwijl haar medezuster de lont aanstak en haar sluier aftrok. De eerste hield de vlam bij haar gezicht. Het begon te smelten; druppels witte en roze was vielen op de grond. De andere non deed hetzelfde bij haar eigen gezicht.

Zo zag Zwaan twee besmeurde gezichten: een laag gesublimeerd loodwit.

'Maar wie voor de duivel zijn jullie?'

En terwijl de twee het goedje om beurten van hun gezicht haalden met een mengsel van rozenwater, riepen ze samen uit: 'Bernabé de Grâce, kijk beter en van dichterbij!'

'Die stemmen! Waar heb ik die eerder gehoord? Niet in de kerk...'

'Je hebt ze zo'n twee jaar geleden voor het eerst gehoord, Bernabé, onbeduidend speeltje in de handen van de alchemisten,' en ze draaiden zich naar hem toe in dat schemergebied tussen dromen en ontwaken.

Buiten zichzelf, met zijn voeten aan de grond gekluisterd, zijn ogen wijd open en zijn vingers in zijn borst gekromd, slaakte Zwaan twee woeste schreeuwen: 'Upupa! Buizerd!'

137

De vlucht Vogels sleurde, aangevoerd door Upupa, die uit de dood herrezen was, de geketende Urbain mee en ging, met Bernabé bijna aan zijn armen opgetild door Sperling en Merel, naar de achthoekige initiatiezaal.

Aan het openstaande luik bovenin hingen de lantaarns die het witte paneel verlichtten. De Grâce zag weer de geschilderde dierenriemtekens met daarnaast de twaalf fasen van het alchemistische werk, en hij begon hoofdschuddend tekeer te gaan tegen Upupa.

'Schoft! Jij bent het duivelse brein. Jij hebt die moordmachine in

Tiffauges gecreëerd en je handlanger was Urbain, die je nu uit de weg wilt ruimen! Smeerlap. Je hebt zelfs don Raimondo de Sangro beetgenomen. En jullie, ellendige Vogels, wisten overal van en hebben me naar die afschuwelijke onderaardse gangen van de heer van Rais gestuurd.'

De medebroeders bonden hem aan een paal, die voor de gelegenheid voor een zilveren spiegel met een deur erachter was neergezet.

'Wat willen jullie van me, noodlottige grafschenners die zijn overgelopen naar de leugenachtige alchemie, sodomie en misdrijven?' blafte hij, om zich heen trappend.

De meester vroeg rustig: 'Wat heb je in je plunjezak, jongen?'

De ander leek te kalmeren.

'Niets meer. Ik had de relieken die Prelati bewaakte. De met juwelen bezette schedel van de maarschalk en de tong van de Maagd van Orléans.'

'Fluiter, pak de zak en breng hem naar me toe.'

De Vogel gehoorzaamde. De oude man haalde er een ijzeren en een gouden helm uit, en vervolgens het loden boekje.

'Ik... ik... ik snap het niet,' hakkelde De Grâce.

'Van wie zijn deze voorwerpen?'

'De helmen werden om beurten door Rosario gedragen en het loden boekje is van jou.'

'Goed zo! Je hebt de moordenaar zijn metalen hoofddeksels ontfutseld...'

'Je vergist je, Upupa. Daar had ik geen tijd en gelegenheid voor. Ik heb alleen Bagoa en Prelati kunnen uitschakelen om de talisman te stelen,' antwoordde hij met uitpuilende ogen. 'Ik denk trouwens dat je me wel het een en ander uit te leggen hebt, beste meester. Hoe heb je het voor elkaar gekregen om je mechanische visjes en je ontoegankelijke loden boekje in Tiffauges te krijgen?'

Upupa liep naar de tafel waar twee jaar eerder het verbluffende diner voor de net ingewijde Bernabé had gestaan, pakte een potje met een versierd etiket, hield het onder de ogen van de gevangene en beval: 'Lees!'

'*Resurrectio*. Dat heb ik al gezien. Heb je dat niet gebruikt om me weer bij mijn positieven te brengen, na de kyphi?'

'Helemaal niet.' Hij liet hem een op borax lijkende, witte substantie zien die hij op zijn vinger had. 'Dit wordt verkregen uit tropische vissen. Ik heb het gekregen van een medicijnman in het Verre Oosten. Als je het in de juiste dosering inhaleert, wekt het spierverlammingen op, die zich manifesteren als een tijdelijke staat van schijndood...'

De jongen slaakte een kreet, maar bleef de meester onverzoenlijk aankijken.

'Dus als medeplichtige van de medebroeders ben je je eigen beul geworden om mij verscheurd te laten raken van verdriet. Toen jij daar zo wit als een spook op de lijkbaar lag, heb ik om je gehuild alsof je mijn vader was. Welke botten heb ik dan geschonden toen ik je leugenachtige graf door de lucht liet vliegen?'

Een stem in het halfduister antwoordde: 'Geen botten, geen lichaam. Alleen een lang stuk steenzout omhuld met een oude, versleten pij.'

'Wie zei dat?' vroeg de jongen schuimbekkend van haat.

'Daar kom je straks wel achter. Wacht af en hoop, Bernabé de Grâce. Wij Vogels hebben er schoon genoeg van. We werden gek van jouw onbeheerstheid en het slechte dat je in je hebt. Dit is jouw moment, wacht op het oordeel,' zei Sperling met een fluitende ademhaling die voor iedereen hoorbaar was.

'Maak mijn touwen los, schoft! Waarom hebben jullie me aan de paal gebonden? Dat is dan mijn dank. Maar ja, dank waarvoor? Jullie zijn hier de misdadigers.'

'Als je nu je mond niet houdt,' zei Fluiter woedend, 'zul je een pijnlijke dood sterven. Niemand zal je helpen wanneer het bloed uit je mond, je gezicht, je oksels en al je lichaamsopeningen stroomt. Van je mond tot je lendenen...'

Toen kwam hij dichterbij, terwijl de lantaarns uitgingen. De spiegeldeur kraakte en de jongen schrok op van het geluid van zware voetstappen, voor zover iemand met een steen op zijn maag kan opschrikken. Bernabé begon in het donker te worstelen om los te komen, totdat de lichten weer werden aangestoken.

138

In de achthoekige zaal, tegenover de jongen, richtten don Raimondo de Sangro, prins van Sansevero, en hertog Charles de Rohan-Soubise zich op in hun adellijke kleding. Naast hen zat op een draagstoel de oude, graatmagere Prelati. Onder zijn kleding was te zien dat hij een verband om zijn borst had.

Zwaan was als versteend en verroerde zich niet. Hij riep niet. Hij gaf geen kik. Niet eens een groet in de richting van die mannen. Zijn verbijstering werd nog gecompliceerder door de sombere constatering van de gebeurtenissen, waar hij inmiddels helemaal niets meer van snapte. In zijn hoofd woog hij op een enorme weegschaal zijn eigen onschuld en zijn onvermogen om de aanwezigheid van de zojuist gearriveerde mannen te verklaren. Bovendien vroeg hij zich af of ook de sidderende Prelati, die hij had vermoord, een of ander levensopwekkend mengseltje toegediend had gekregen.

'Bernabé de Grâce,' begon de prins met ferme, onaangedane en listige stem. 'Ben jij de zoon van Antoine en Madeleine Constant?'

'Ja, maar ik ben duizelig.'

'Maak hem los!' droeg hij Papegaai op. 'We zijn flink gehard tegen de verleidingen en zitten niet bepaald krap in de wapens, toch, broeders?'

Allen richtten hun genadedolken op hem.

Don Raimondo en de hertog legden elk hun pistool op tafel.

'Goed,' vervolgde de detector, 'mijn taak is lastig. Het is een lange rozenkrans om te bidden, die aaneenschakeling van jouw perverse daden, arme jongen.'

'Ook u bent een smeerlap!' grauwde hij. 'Excellentie, u bent met teer besmeurd door de verrotte mengsels die Upupa en zijn gevolg hebben samengesteld. De mummie op de draagstoel is door mij vermoord. En toch is hij hier. Uit de dood herréééézen!' schreeuwde hij.

'De mummie waar je op doelt, Bernabé, heb je gemist. Kijk maar eens goed. De pijl waarmee je hem hebt aangevallen, heeft zijn hart niet bereikt. Hij heeft hem slechts een oppervlakkige wond bezorgd. Daarna is Prelati je gevolgd en heeft dezelfde vluchtroute als jij gebruikt.'

Hij sloeg met zijn stok op de vloer en ging verder: 'Ik zinspeelde zojuist op de rozenkrans van perfide daden die je gepleegd hebt. Ik zal met de belangrijkste beginnen. En jij beantwoordt mijn vragen. Zonder uit te weiden. Wie is Miou?'

De ander verstijfde en focuste zich op de verre, vage contouren van zijn jeugdherinneringen.

'Mijn vaders minnares heette Miou.'

'Herinner je je hoe ze eruitzag?' vroeg hij op zachte, insinuerende toon.

'Klein, dik, slap.'

'Goed zo, echt heel goed. Probeer die persoon nu eens later in de

tijd te plaatsen. Laten we zeggen minstens twee jaar geleden.'
De ondervraagde begon de kamer op en neer te lopen. De verwarring die tot nu toe bezit van hem had genomen werd minder, en met matte stem wist hij te bekennen: 'Ja, twee jaar geleden zag ik haar op de drempel. Ik herkende haar, mijnheer. Ik vroeg haar iets te eten en te drinken. En zij...'
Hier stokte hij. De ideeën stapelden zich op in zijn hoofd. De recente herinnering schoof over het verleden. De logica die een kind voor zich ziet, wordt voor een man een sluitrede.
De detector stelde hem plotseling een vraag waar hij van schrok. 'En zij, Miou, nodigde je uit in haar huis... Ze daalde de houten trap af... Jij volgde haar...'
'Ja, ja, excellentie, u begrijpt alles. Ik zag Miou weer, met haar wrede ogen... toen ze me liet opsluiten in het klooster van Maillezais. En toen...'
'En toen, Bernabé? Je raakte haar met een welgemikte schop in haar nek.'
'Mijnheer de prins, u vergist u. U bent in de war met Perrine Martin, die gedood is door Hilarion Thenau. Maar ik, ik heb het over Miou.'
'Jazeker, jongen. Je hebt gelijk. Maar er ontgaat je iets: ze zijn een en dezelfde persoon.'
'Wat?' schreeuwde hij met het schuim op de lippen van woede.
'Beste De Grâce, jij bent in de nacht van 12 april 1751 in Clisson aangekomen. Door een ongelukkig toeval zag het meisje dat haar hart aan jou verloor, Henriette, je in de omgeving rondzwerven met een blinde lantaarn.' Hij liet het ding aan hem zien. 'Die had je gepikt van frère Lucien, de apotheker van Maillezais. Zie je, de monnik had zijn eigen naam er aan de onderkant in gekrast... De volgende ochtend herkende je Miou, die op de drempel van haar eigen woning stond. Toen kwam het idee bij je op om haar de volgende nacht te doden. Motief: de uitgestelde wraak uit het verleden.'
'Dat klopt niet. Ik heb Hilarion *Passant par Paris* horen fluiten; híj heeft haar vermoord om dat stomme speeldoosje...'
'Ploert! Je hebt hem gehoord en gezien, de koster. In je moordzuchtige geestdrift heb je de stakker razendsnel bestudeerd. Je zat hem op de huid en bespiedde zijn zielige gewoonten. Je deed je voor als de heilige Michaël, gecamoufleerd met de valse baard die je had gemaakt van draadjes uit het hennepstro dat je uit huize Martin had gestolen. Dat heb ik op een dag in de tuin gevonden, verstrikt in een meidoornstruik. Na de moord gaf je Hilarion – in ruil voor de her-

dersfluit – het speeldoosje. Dat had je doelbewust meegenomen in de overtuiging dat Hilarion gefascineerd zou zijn door het melodietje. Toen eiste je dat hij, op straffe van goddelijke vervloeking, op je zakbijbel zwoer absoluut te zwijgen over jullie ontmoeting. Dezelfde Bijbel die gevonden is tussen de eenvoudige spullen die de arme drommel in de bidstoel had verstopt. Jij floot in zijn plaats *Bon, bon, bon*. Zonder echter te weten dat Thenau geen wijs kan houden en niet het hele refrein kent...'

Het gezicht van de jongen leek te verstijven als een gedroogde vijg. Rimpels van woede groefden zijn gezicht. 'Wat is dat voor onzin? Ik wil me hier verdedigen. Ik ben me alleen bewust van de moord op Bagoa, aangezien de mummie uit het graf is herrezen.'

Fluiter, die achter een zuil vandaan kwam, knielde voor de twee edelmannen neer en bracht met bureaucratische intonatie verslag uit.

'Gezien het grafologische onderzoek dat de prins van Sansevero heeft uitgevoerd, en kennis nemend van wat de betreurde Patrijs heeft ontdekt over de ambachtsman die het speeldoosje heeft gemaakt, is het duidelijk dat de hier aanwezige De Grâce liegt over de volgende feiten.

Uit de vergelijking van de teksten die op de vellen papier geschreven zijn, waar er een van de hand van mevrouw Martin tussen is gevoegd, een tweede die in het speeldoosje gepropt was en een derde op vergépapier van Bernabé zelf, is onherroepelijk af te leiden dat hij degene is die het handschrift op zowel het briefje van Perrine als op dat van Boutier vervalst heeft. Uit het originele, plompe handschrift blijkt dezelfde onvoorwaardelijke neiging tot huichelen en tot geweld tegen zichzelf en zijn naasten. Bovendien lijkt de missive aan het adres van de overledene bol te staan van de wrok die Bernabé jegens de vrouw koestert en die tot uitdrukking komt in de ongegronde, niet-bestaande misdrijven die hij aan de eerdergenoemde Perrine Martin toeschreef. De enige verwijzing die op waarheid berust, betreft het bestaan van frater Bertrand. Toen Zwaan door de meester werd ondervraagd, verklaarde hij echter dat hij zich geen enkele monnik met die naam herinnerde.. Maar prior Guillaume onderstreept dat de genoemde frater de begeleider en raadgever van de jonge De Grâce was.

Om nog maar te zwijgen over de Bijbelse passage uit Deuteronomium die in de vuist van het slachtoffer werd gevonden: die verraadt dat Bernabé vertrouwd is met de de Heilige Schrift en hij met die oudtestamentische verzen het onvermogen van Martin om moeder te zijn weergeeft.

De arme Patrijs, die door de tempeliers van de Dauw in stukken werd gesneden, had vastgesteld dat ambachtsman Paul Leschot in 1745 in Nantes begon met het maken van deze speeldoosjes. Dus was het antwoord op de vraag die de meester hem stelde niet: *Mijn vader had er net zo een. Als kind vond ik het leuk om het open te maken en naar de muziek te luisteren.* Als Bernabé in 1741 het klooster in is gegaan, kan hij er als kind nooit net zo een hebben gezien. Dat bevestigt dat hij het in het huis van Perrine Martin heeft gezien en meegenomen, om de schuld op Hilarion af te schuiven.'

'Wat een rotstreek!' riep de jongen uit. 'Jullie willen me een moord in de schoenen schuiven die ik nooit gepleegd heb. Jullie vermorzelen me in perfide raderwerken waarin mijn bewustzijn – zuiver als water – verstrikt raakt.'

Zijn gezichtsuitdrukking gaf duidelijk weer hoe verwonderd en ongelovig hij was. Maar de verwarring die de onthullingen van de prins teweeg hadden gebracht werd nog heviger door wat er volgde.

'Laten we nu de moord op de smid eens bekijken. Die vond plaats in de nacht van 5 op 6 juni 1751 in de onderhoudsruimte van dit huis. De man had een klap op zijn hoofd gekregen, viel flauw en werd in het water gegooid, zodat hij verdronk. Bernabé, jij hebt altijd volgehouden dat Prelati de dader was. Maar samen, en met jouw concrete medewerking, zullen we de waarheid achterhalen...'

Zwaan zweeg. Verbaasd, maar instinctief met een defensieve houding. Hertog Charles, die terzijde stond, volgde het tafereeltje in stilte.

'Sperling en Reiger,' vervolgde de detector afstandelijk maar zelfverzekerd, 'willen jullie de heer Prelati naar de vestibule begeleiden, waar de beo is? Upupa, Papegaai en ik volgen jullie samen met De Grâce.'

139

De zeven mannen, plus Soubise, stonden voor de levendige Cocca.

'Francesco Prelati, ik verzoek u vriendelijk de volgende woorden uit te spreken: *Denk eraan, Beppe. Ik heb heel veel haast.*'

De oude man keek Raimondo, die zijn mooie rijtje glimlachende tanden liet zien, schuins aan, mopperde wat en deed het. En toen de kraai de hele zin nazei en zijn stem tot in de perfectie imiteerde, was zijn borstwond de enige reden dat hij niet van zijn draagstoel opsprong.

'Hemeltjelief! Dat beest aapt de menselijke stem na!'

'Inderdaad,' zei Upupa, die hem een schouderklopje gaf. 'Prelati, u hebt geen idee hoe belangrijk dit voor u is.'

Plukjes haar hingen over het voorhoofd van zijn doodshoofdachtige gezicht. 'Werkelijk? En waarom dan wel?'

'De beo,' verduidelijkte de Sangro, 'heeft u zojuist vrijgepleit van een moord.'

Gelukkig stond de oude hogepriester, die gewend was aan Rosario's ongebreidelde waanzin, niet stil bij de paradoxale situatie waarin hij verkeerde. Als bewoner van de duisternis genoot hij juist van het licht.

Een vergelijking met een kraai! dacht hij. Nog nooit vertoond...

Bernabé ging ervan uit dat hij nu aan de beurt was. Maar de prins liet hem door Reiger de mond snoeren. Raimondo zelf zei tegen de beo: 'Tot uw orders, Zeer Eerwaardige heer Prelati,' en ze draaide zich om haar as en antwoordde: '*Denk eraan, Beppe. Ik heb heel veel haast.*'

'Goed,' zei Prelati. 'Wat hebt u nu aangetoond?'

'Dat zult u nu zien.'

Don Raimondo wendde zich tot Zwaan en verzocht hem met harde, onbuigzame stem of hij de zin wilde herhalen die de oude mummie eerder had uitgesproken. De jongen dacht na, hield zijn hoofd tussen zijn handen, deed de doek om zijn mond omhoog en herhaalde de woorden: 'Denk eraan, Beppe. Ik heb heel veel haast.'

'Huh!' riep de tempelierspriester uit. 'Dit keer heeft het beest de stem van Bernabé geïmiteerd en exact hetzelfde antwoord gegeven. Voordat die de zin geformuleerd had. Maar waarom hebt u hem een doek om zijn mond gedaan?'

'Allerbeste Prelati,' antwoordde Sansevero glimlachend. 'De jongen heeft zich voor u uitgegeven, maar zijn eigen stem gebruikt. De kraai is echter – dat heeft u zojuist bewezen – een volmaakte echo van woorden, timbre en intonatie. Als hij dat antwoord nu gegeven zou hebben, had ik niet kunnen aantonen dat het dier allang alles van onze moordenaar in haar geheugen had geprent.'

'Maar waarom heeft hij zich voor mij uitgegeven?'

Upupa gaf met een treurig, wit weggetrokken gezicht antwoord: 'Om een moord te plegen. Hij moest de smid, Beppe Talla, doden omdat die twee helmen en een genadedolk voor hem had gesmeed en daardoor een lastige getuige was.'

De beklaagde keek strak naar voren en kon maar niet begrijpen wat er gebeurde. Als de medebroeders Urbain, die zich uitdoste als Rosario, de medeplichtige van Upupa, hadden gevangen, waarom keerden ze zich dan tegen hem? Hij dacht: het verwondert me dat de prins zo koppig is. Hij zal er wel zijn redenen voor hebben. Hij weet veel, veel meer dan wij allemaal. Maar hoe slaagt hij erin het echte van het onechte te onderscheiden? Ik heb noch Perrine, noch haar man vermoord. Ik zal hun spelletje maar meespelen. Misschien volgt die edelman, die zo slim is, wel een strategisch plan...

De meester haalde hem weer terug naar de werkelijkheid met de vraag: 'Zwaan, herken je deze ketting?'

'Natuurlijk. Die is van mij. Ik heb hem van de prior van Maillezais gekregen.'

'Ik heb hem in de bergruimte gevonden, waar het deerlijk verminkte lijk van de smid is gevonden.'

'Upupa, het groteske van dit alles is dat ik me absoluut niets kan herinneren. Denk je niet dat ik de laaghartige daden waarvan ik wordt beschuldigd in mijn geheugen geprent zou moeten hebben? Maar nee hoor, niks. Daarom is mijn bewustzijn heel rustig.'

De hertog van Rohan keek geschokt, als een kegel die door de bal geraakt wordt, en Sansevero keek de jongen met mysterieuze, maar expressieve en doordringende ogen aan. 'Je hebt gelijk,' zei hij en ging wijdbeens voor hem staan. 'Je geheugen is als was, Bernabé. Het smelt al bij de laagste temperaturen. Maar wie zich alles wél herinnert, is Rosario.'

'Eindelijk zegt u iets zinnigs. Goed, ondervraag hem dan. Hij is daar, in de initiatiezaal,' antwoordde Bernabé, die met duidelijke bijbedoelingen zijn ogen uitwreef.

140

Ze voegden zich weer bij de groep in de achthoekige zaal. Ze maakten Bernabé los, terwijl Buizerd de gouden helm op diens hoofd zette. De prins liet hem aan Prelati zien. 'Kijk, hier hebben we uw Rosario. Herkent u hem?'

'Hoort u eens,' zei die vanaf zijn draagstoel, 'u hebt me beloofd dat ik ongestraft zou blijven, omdat ik nog nooit van mijn leven iemand heb vermoord, behalve dan de hennen uit Upupa's kippenhok. Daarom doe ik mijn best de dingen zo goed mogelijk te beoordelen. Ja, het zou Rosario kunnen zijn. Laat me zijn handen eens zien. Die ellendeling kwam altijd heel even en was dan heel gauw weer weg. Maar ik heb hem gadegeslagen terwijl hij de menselijke reepjes aan elkaar naaide om de androgyn te maken.'

Urbain legde ze plat op de rand van de draagstoel en het oude geraamte bestudeerde ze. Zijn omfloerste ogen gleden van duim naar wijsvinger, omhoog en omlaag. Toen zei hij: 'Die werkhandjes van jou waren heel goed in het villen van een heleboel menselijke lichamen. Snoodaard, je wilde me vermoorden, hè? Je hebt niet alleen Upupa's goudstaven gestolen, maar ook mij van de heilige relieken beroofd. Laat ze je maar in de eeuwigheid laten branden, schoft!'

Boutier zweeg.

'Dus,' hervatte don Raimondo, 'dat wat niet opgebiecht kan worden is uw bewustzijn binnengeglipt? Het gebied waar al die verachtelijkheden zich bevinden, huist dus in Urbain Boutier, Prelati met het witte haar? Weet u dat zeker?' Hij kwam dichterbij en riep Sperling bij zich. Die opende op zijn teken met twee vingers de oogleden van de voormalige priester van de valse tempeliers, bekeek de pupillen en zei treurig: 'Och jee! Grauwe staar. De doffe kristallens zorgt ervoor dat hij alleen maar wazige omtrekken kan onderscheiden...'

De andere Vogels, met hun genadedolken in de aanslag, waren verbijsterd. Kolibrie had een idee en fluisterde dat tegen de prins, die knikte. Uit een zak werden de heilige schedel van Gilles de Rais en de tong van de Maagd gehaald. Onmiddellijk sperde de hertog van Rohan zijn ogen open en riep nadrukkelijk uit: 'Die relikwieën behoren Frankrijk toe. Nu ik ze gezien en herkend heb, eis ik in naam van Zijne Majesteit Lodewijk xv dat ze worden teruggegeven.'

'Staart van Lucifer!' fluisterde de detector hem toe. 'Als je hier iets over naar buiten brengt, Soubise... Dan begrijpt u...'

De ander reageerde prompt en glimlachte: 'Rustig maar. Als dit relletje achter de rug is, neem ik die ouwe en de twee relieken mee. Die zal ik dan beschouwen als mijn persoonlijke antiquarische vondsten en overwinningstrofeeën.'

Bij het zien van de juweeltjes die de Vogels uit de sloot hadden gevist waar De Grâce ze in had laten rollen, klopte Prelati zich met twee vuisten op zijn hoofd en daarna nog tweemaal met zijn knokkels, met hernieuwde energie. Hij stond zelfs op uit de draagstoel, terwijl hij schreeuwde: 'De heilige beeltenis, allemachtig, de heilige tong! Kom hier, jonge Boutier. Laten we samen onder die lantaarn, achterin rechts, gaan staan. Zo te zien valt het licht daar loodrecht op je. Kom, strek je handen uit!'

Zodra hij ze van dichtbij bestudeerde, zei jij: 'Deze handen zijn olijfkleurig. Die zijn niet van Rosario, prins.'

Bernabé keek Urbain onaangedaan aan. Fluiter ging met de genadedolk op hem gericht naast hem staan en vroeg: 'Herinner je je die plechtige initiatie nog?'

'Jazeker.'

'Met welke naam ben je herdoopt?'

'Zwaan, vanwege mijn mooie gelaatstrekken.'

'Je vergist je. De zwaan staat voor hypocrisie.'

'Nooit geweten,' zei De Grâce ironisch. 'Integendeel, zijn witte veren symboliseren zuiverheid.'

'Ja, maar onder dat witte uiterlijk gaat zwart, zondig vlees schuil.'

'Waarom hebben jullie me dan ingewijd?'

'Dat had de meester je beloofd. Maar hij voelde een ondefinieerbare onrust en heeft je daarom op voorhand maar Zwaan genoemd.'

De monotone, bijna metalige stem van de medebroeder werd overvleugeld door Upupa, die de jongen de gouden helm liet opzetten. Toen hij dat brutaal weigerde, zorgden Sperling en Merel ervoor dat het ding met het vizier omhoog op zijn hoofd werd gezet. Papegaai en Kolibrie brachten hem naar de spiegel met de zilveren rand.

'Kijk! Ziehier het onderkruipsel dat je verbergt.'

'Ik zie niemand anders dan mezelf.'

'Mijn beste...' De prins bemoeide zich ermee op de berustende toon die zijn gesprekspartner zo goed om de tuin kon leiden. 'Upupa en ik hebben je, verkleed als aan lepra lijdende clarissen, in je hol menselijke ledematen zien oplossen. In caustische soda om, zoals je zei, de Kwintessens te verkrijgen. En aan de ringvinger van je rechterhand schitterde in het licht van de fakkels de ring die je van Patrijs had afgenomen nadat je hem in stukken had gereten.'

Zwaan schoot onvoorstelbaar vlug overeind en hing een onsamenhangend verhaal op, dat wemelde van de profane kwinkslagen en van een christelijk delirium: '*De Madonna van de Goddelijke Liefde maakt zilveren scheurtjes in je hart! Want de regenboog, Vogels, staat niet alleen aan de hemel van de Eeuwige Vader, die ons heeft gemaakt uit het slijk der aarde!... En alleen de engelen die hoorntjes op hun hoofd dra-*

gen weten hoe bedroevend hoorns zijn! Er komt een dag waarop de rechtschapen mens rust vindt bij een bosje acacia en nooit meer zal weggaan om alleen maar te graven... en ook nooit het voorbeeld zal volgen van jullie, laaghartige tempeliers die het niet beneden hun waardigheid achten om de ingewanden van anderen te verscheuren!' In tegenstelling tot de andere toehoorders bleef de prins onbewogen bij het aanhoren van die onsamenhangende woordenstroom. Weer tot zichzelf gekomen vroeg Bernabé: 'Zijn we in het theater? Jullie verkleden me, laten me als een marionet bewegen en beschuldigen me. Waarom? Zoeken jullie dan werkelijk een zondebok? Op wie jullie, verachtelijke vogels met jullie boosaardige gekwetter, jullie misdaden kunnen afschuiven? Maar waarom speelt u, Sansevero, het spel mee?'

'Ik ben degene die het misdrijf gepleegd heeft,' verklaarde Upupa plotseling. 'Ik, door je de alchemie te onderwijzen, al had je daar ook al iets van opgestoken in de bibliotheek van Maillezais. De denkbeeldige reis door de Zeven Dalen van het Bewustzijn heeft een funeste uitwerking gehad. Daar heb je het onjuiste concept van een dubbele seksualiteit in je hoofd geprent. Je bent voorbijgegaan aan de metafoor en bent volledig opgegaan in de onbeschaamdheid van de twee geslachten... waardoor je ze beide bedorven hebt. Om nog maar te zwijgen over het loden boek. Tegen mijn orders in heb je het opengemaakt, nadat je de combinatie van het hangslot had geraden. Je hebt de oplossing gelezen zonder de ondoorzichtige fasen te doorlopen die je – stapsgewijs – naar de conclusie zouden hebben geleid. Op die manier had je niet, zoals je nu wel hebt gedaan, gesleuteld aan de strikt noodzakelijke route om er te komen. Maar het idee dat ik je heb bijgebracht en waardoor je toch al verwrongen brein nog meer is ontwricht, is het volgende: *Ik heb je gedood opdat je een overdadig leven kun leiden... Maar je hoofd houd ik verborgen, zodat de wereld je niet ziet...*'

'Dat weet ik nog, dat zei je toen Sperling dat marsepeinen poppetje uit elkaar trok. Nou en?'

'Dat idee heeft, als een hongerige houtworm van de laagste soort, jouw grijze massa aangevreten. Het heeft je ertoe aangezet menselijke lichamen te verminken en je hoofd onder een helm te verbergen. Je hebt de allegorie niet begrepen. Alles wat ik je geleerd heb, heb je letterlijk genomen.'

'Je vergist je, meester. Ik heb de alchemie volgens de regels gevolgd. Ik ben doorgedrongen tot de essentie. Jouw zogenaamde dood is al net zo laakbaar als de minne daden die je samen met Urbain gepleegd hebt. Eerst geloofde ik echt dat je Prelati niet kende, maar door de feiten van vandaag kan ik hem alleen maar als je maatje beschouwen.'

141

In de zaal steeg een geroezemoes op. Op dat moment riep Bernabé onbewust de hulp in van een buitengewoon buikspreekkoor. Het leek wel of een een enorm orkest van menselijke en dierlijke stemmen in hem zat.

De prins deed zijn ogen dicht, alsof hij in een opstand verzeild was geraakt. Prelati brulde, ontstemd en verward, met een vertrokken gezicht: 'Bernabé, hoeveel mensen huizen er in dat vervloekte lichaam van je? Je bent in je eentje en met zijn allen. Ellendeling, hou eens op!'

'Genoeg!' Sansevero greep op beschaafde en resolute toon in. 'We zijn hier bijeengekomen om een oordeel te vellen over een meervoudige moordenaar. Als iemand bezwaren heeft, maak die dan nu kenbaar. Want zodra ik aan de *redde rationem* begin, mag niemand me onderbreken, tenzij hij ondervraagd wordt. Duidelijk?'

Feniks schoof heen en weer op zijn stoel, duidelijk verlangend om iets te zeggen. Het geluid van de pendule overstemde zijn hijgende ademhaling.

De detector liep naar hem toe. 'Heb je iets op je hart?'

'Ja. Hoe is het gelukt de begrafenisplechtigheid van de meester te simuleren?'

'In goed overleg met hem en Fluiter. Herinner je je de paniek van de paarden, die veroorzaakt werd door de beo?'

'Jazeker, als de dag van gisteren.'

'Goed, dat was allemaal door ons drieën bekokstoofd. Jullie gingen naar buiten om de dieren te sussen en ik hielp de meester uit de doodskist te klimmen. Samen met Fluiter legden we het lange stuk steenzout, dat we in een witte pij hadden gewikkeld en onder de canapé hadden verstopt, in de kist; daarna spijkerde ik het deksel dicht. Het lijkt misschien of we jullie in de maling hebben genomen, maar het was noodzakelijk.'

'Dus jullie hebben gebruikgemaakt van het tumult...'

'Zeker. We konden de enige mogelijkheid om de identiteit van

Rosario aan het licht te brengen niet aan ons voorbij laten gaan.'

Nachtegaal stak zijn hand op om iets te zeggen. Voor één keer verving hij zijn gebruikelijke redenaarstoontje door een bescheidener manier van praten.

'Excellentie, u voelt Bernabé aan de tand alsof hij de moordenaar is. Op zijn beurt beschuldigt hij Upupa. Maar ik herinner me dat ze, toen de vierde moord gepleegd werd (ik heb het over de verschrikkelijke dood van Jeanne), allebei bij mij waren. Dat zweer ik. Daarom kloppen de beschuldigingen volgens mij niet.'

Toen hij zweeg, klonk er luid: '*Wat is Bernabé mooi!*'

Het was de beo. Ze had de ketting doorgeknaagd en was hierheen gekomen.

'Allemachtig!' barstte Prelati los. 'De kraai is los...'

Maar de vogel deed hem nog meer versteld staan. Hij sprong op de schouder van De Grâce, draaide vijf keer om zijn as en zei: '*Zwaan, Prelati, Bernabé.*'

'Goed,' merkte de prins op. 'Hij heeft er een drie-eenheid van gemaakt. Maar dat is voor jou niet afdoende, hè, Nachtegaal?'

'Nee, mijnheer,' zei hij. 'Deze sprekende vogel blijft nog altijd een beest. Maar om op de moordenaar terug te komen: laten we aan de oude priester van de Dauw meer bijzonderheden over Rosario vragen.'

Don Raimondo pakte Zwaan bij de arm, zette hem onder de lantaarn en liet hem zijn handen uitstrekken om die te laten bestuderen door het levende geraamte.

'Allemachtig, mijnheer! Die lijken er meer op. Maar het is nogal wat om hier zomaar te zeggen of ze van het monster zijn. In elk geval is me wel iets opgevallen aan de jongeman die verdacht wordt...' Hij ging zachter praten en legde op bijna tedere toon uit: 'Hij kan buikspreken, net als Rosario. In werkelijkheid had de schedel van de maarschalk zijn spraakvermogen niet teruggekregen dankzij de tong van de Maagd, maar doordat onze leider buikspreker was.'

Upupa zag zo wit als een doek, terwijl de detector zei: 'Net als optisch bedrog bestaat er ook akoestisch bedrog. Bernabé is een en al illusie, op zijn misdaden na. Sperling, waar staat hier een leistenen bord?'

'In het laboratorium. Het is ingemetseld in de muur. We moeten daarnaartoe verkassen.'

'Laten we de komedie voortzetten,' mompelde Bernabé honend.

142

Upupa liep voorop en de anderen gingen op de stoelen rondom de krakkemikkige tafel zitten. De hertog van Rohan-Soubise stootte een alambiek om, waarna Cassandra tussen zijn benen door glipte.

Sansevero liep naar het schoolbord, pakte een wit krijtje tussen duim en wijsvinger en schreef op:

BEBÉ GARDE CRÂNE

Niemand verroerde zich. Niemand gaf commentaar, behalve De Grâce.

'Neem me niet kwalijk, prins, maar dat is wel heel onnozel. *Het kind bewaakt de schedel*... U bent kwaad op me, maar vleit me wel door me jaren terug in de tijd te laten gaan. Is die zin een verjongingselixer? Dan heeft de gemummificeerde Prelati er meer aan. Tussen zijn schedel en die van Gilles de Rais zit nauwelijks verschil!'

De ander haalde zijn horloge met automaten uit zijn justaucorps, keek hoe laat het was en wachtte tot het klokje vier uur sloeg. Toen schudde hij zijn hoofd, alsof hij die opmerking maar niets vond en beperkte zich tot een verduidelijking. 'Ik kan het je niet kwalijk nemen, Zwaan, Adonis, Narcissus... Je bent nu eenmaal niet in staat om ergens goed over na te denken. Ware kennis veroorzaakt rimpels. Over het algemeen moet je kiezen: wijs zijn en lelijk worden, of jezelf bewonderen in de spiegel en domme praat uitslaan. Ik leg de zin voor aan alle aanwezigen. Als iemand een idee heeft, mag hij het zeggen.'

Twaalf handen werden omhooggestoken en gingen ook een voor een weer omlaag. Ook Charles de Rohan had het woord gevraagd en hij ging voor.

'Sansevero, dankzij een voorval uit mijn jeugd, waarbij ik de zeer eerbiedwaardige Upupa heb leren kennen, ben ik expert op het gebied van breinbrekers. De uitdrukking die u hebt opgeschreven, is niets anders dan het anagram van de naam Bernabé de Grâce!'

'Heel goed. De jongeman uit het anagram is dus niet verder gekomen dan de oppervlakte. Hij ziet altijd alleen het letterlijke. Hij verdiept zich nooit in de betekenis, ongeacht waarvan. Voor hem vertegenwoordigt de beroemde Rebis een fysieke dubbele sekse...'

'U beledigt me, detector! U bespot me omdat u jaloers bent op mijn schoonheid. Uw ambitie bestaat eruit dat u wilt laten zien dat u tot het onmogelijke in staat bent,' reageerde De Grâce dom.

'Jij zegt het, Bernabé. Onmogelijk is precies het juiste woord.'

Rohan kreeg een schok die zijn kleding deed schudden, zo erg dat de knopen op zijn strepen tegen elkaar aan rinkelden.

Don Raimondo had zich in het hoofd gezet meer raadsels op het schoolbord te zetten. Daarmee had hij een precieze, uitgesproken en vooropgezette bedoeling. Zijn gezicht was ongenaakbaar als dat van een sfinx. Alleen toen hij opschreef:

A B C GÉRARD ÉBÈNE

... richtte hij zijn blik eerst op Prelati en daarna op de zwarte ogen van Bernabé.

De tweede keek stuurs, de eerste werd kwaad. Zijn doffe ogen draaiden rond en hij stoof op: 'Mijn arme Bagoa, van een oog beroofd door Rosario en gedood door Bernabé. Een mooie jongen die dankzij zijn vader gecastreerd is. En dan te bedenken dat hij me uit de Sèvre heeft gehaald en mijn leven heeft gered!'

Zwaan deed een duit in het zakje. 'Prins, is dit ook weer een breinbreker? Zo bent u weinig verheffend bezig! U steekt wel, maar strijdt niet. Tenzij de speld giftig is.'

'Jongen, je kortzichtigheid strekt zich uit van je geest naar je ziel. Hier zijn de zinspelingen tweeledig. De eerste betreft het abc van je bestaan; de tweede is gewoon een anagram. *Nomen est omen*, Bernabé; elke naam is een voorteken.

'Excellentie,' zei het oude geraamte, 'wat wilt u daarmee zeggen? Het anagram betreft nog steeds de jonge De Grâce. Maar als we de woorden, Gérard Ebène, ongewijzigd laten, krijgen we de voor- en achternaam van mijn pupil. Die werd – zoals ik al zei – uit wraak door Rosario aanvaard. Gérard deed hem ergens aan denken dat hem naar de drempel van de vernietiging had gevoerd. Wat heeft dat met Bernabé te maken?'

Felle drift tekende zich af op Zwaans gezicht. Met een strakke blik, ver terug in de tijd gericht, drukte hij met zijn duimen tegen zijn slapen en barstte los: 'Vervloekte de Sangro, waarom moest u zo nodig in mijn verleden wroeten? Dat behoort aan mij toe. U bent dol op laaghartigheid. U hebt het hart van een beul.'

'Wat een woede!' mengde Upupa zich erin. 'Is die Gérard soms het vriendje met wie je een tegennatuurlijke zonde beging? En met wie je werd betrapt door Miou, waarna je vader je in het klooster stopte?'

'Ja, ja. Maar ik wist niet dat het Bagoa was. Ik herkende hem niet...'
'Had die Gérard van jou een aangename stem?'
'Zeker. Hoezo?'
'Rosario herkende in de jonge castraat zijn oude speelkameraadje, die Bagoa heette, net als de favoriet van Alexander de Grote. En als hij hem, zoals Prelati bevestigde, een oog uitstak omdat met hem alle ellende was begonnen, dan... dan komen we bij de algebra,' zei de onaantastbare Raimondo recht voor zijn raap, terwijl hij bleef schrijven. 'Als jij hem dus als Bernabé (aangeduid met de A) niet herkende, maar Rosario (die we B noemen) in jouw plaats wel, komen we tot de conclusie dat A qua vorm altijd, en in essentie soms, gelijk is aan B.

Een pijnlijke stilte daalde neer over de beklaagde en Prelati.

De detector vervolgde voortvarend: 'Met je dierlijke trots voel je je in een hoek gedrukt en reageer je je grenzeloze woede af op een wandluis. Och, Bernabé, je liefde voor Gérard heeft Rosario verraden, terwijl de liefde voor Henriette juist De Grâce heeft vastgepind.'

De ander brieste: 'Wat heeft Henriette er nu weer mee te maken?'

'Is het niet zo dat je, gedrogeerd en verkleed als Rosario, op het punt stond haar te doden, maar van slachtoffer veranderde toen zij – onwetend – je naam schreeuwde en om hulp riep? Op dat moment kwam – al was het dan vaag – Bernabé even boven. En die wilde zijn liefje niet uit de weg ruimen. Een schram is niets, vergeleken bij al het onschuldige bloed dat je vergoten hebt bij het doden en in stukken hakken van lichamen. Toch is de liefde voor jou slechts een schram, maar dan wel een die je hart, dat gehard is door de tegenslagen van je miserabele leven, kan beschadigen. Toen kwam de alchemie erbij. Daar heb je je op ziekelijke wijze door laten inpakken, maar je hebt alleen het oppervlakkige aspect ervan opgepikt. Voeg daarbij je waanzin en je perversie... Hoe het ook zij, als ik een verzachtende omstandigheid moet aandragen, is dat de liefde, waarvan je sinds je jeugd verstoken bent geweest.'

De pauze die de prins inlaste, werd opgevuld door het steeds luider wordende gemompel van de toeschouwers. Toen er plotseling driemaal met de stok op de vloer werd gebonkt, bedaarde het geroezemoes. Iedereen keek naar de detector.

'Nu vraag ik het hele gezelschap om stilte,' zei hij, de woorden scanderend. 'We zijn aanbeland bij de dag des oordeels... Nachtegaal, breng me de kyphi... In die hele misdadige chaos is het meest belachelijke element nog wel de door jou gekozen bijnaam, waarmee je leidinggeeft aan die schurken van je: Rosario, oftewel rozenkrans!

Ontleend aan de alchemistische tekst *Rosarium Philosophorum*. Je hebt dit alles geleerd door die te lezen! Ook het loden boek heb je geschonden, door de geuren in te ademen die de demon Antimimos erin heeft achtergelaten...'

'Maar hoe kan ik Rosario zijn, als ik hem met mijn eigen ogen heb geobserveerd toen hij in Tiffauges zijn perfide rol speelde? Prelati is getuige. Kameleon heeft me daarheen gebracht, dat gedrochtje dat zelfs jij hebt gezien, Upupa!' Hij wendde zich smekend tot de meester.

Alle Vogels deinden langzaam heen en weer bij het horen van die gerechtvaardigde vragen, alsof ze aanwezig waren bij een religieuze plechtigheid. Sansevero ging verder, op hoge, heel hoge toon.

'Niemand heeft die dwerg ooit gezien. De dwerg bestaat niet. Het is de vervormde projectie van het kind dat Bosch op zijn vervloekte schilderij van achteren heeft geschilderd. Rosario heeft hem gekozen tot bemiddelaar tussen hem en jou.'

'Hoe kun je zo zeker zijn over zoiets absurds?'

'Door jou. Je hebt het in mijn schoot geworpen toen je in je slaap de Slang met de vele verschijningsvormen aanriep. En zijn suggesties herhaalde: hoe je bijvoorbeeld kon profiteren van de gaven die je door God gegeven zijn, om de transmutatiepoeders die in het Feniksnest verborgen waren in je bezit te krijgen. Het was je streven om de wonderen van de Verlosser met het lood te herhalen. En dat alles voor een duidelijk omlijnd doel: het overvleugelen van de meester. Dat blijkt uit het feit dat je niet hebt verteld wat Jacques de Molay je in je droomvisioen heeft gezegd. De vreselijke geheimen van de machtige poeders, die ook op *Bruiloft in Kana* van Bosch in ampullen verstopt waren en die jij gestolen had, veroorzaakten weer een delirium in je hersenen. Streefde je er soms naar legers aan te voeren, of de heilige macht te krijgen, waarvan het geheim was voorbehouden aan de echte tempeliers?'

'Prins, wilt u me vertellen wat voor gunst de Almachtige me verleend zou hebben?'

'Een geweldige gave, waar je een smet op hebt geworpen. En helaas heeft de alchemie – die daarmee gepaard ging – bijgedragen aan het versterken van je waanzin. De deugd zou niet bestaan als hij niet bestond uit de overwinning van het goede op het kwade. Jij hebt hem echter andersom gebruikt door de ene zonde op de andere te stapelen.'

'Wilt u me onthullen welke bijzondere gave ik van de Heer heb gekregen?'

Hij kreeg geen antwoord, want Sansevero riep met een knip van zijn vingers Sperling bij zich. Die kwam naar voren met een doos en een pot. Hij deed de eerste open, nam er een sigaar uit, en nadat hij de punt eraf had gesneden, deed hij hem in de mond van de jongen.

'Rook, Bernabé! Ik steek hem meteen voor je aan met de vuurslag.'

'Ik weiger.'

'Ik zei: rook! Je zult straks begrijpen waarom.'

Op dat moment steeg er onder de toeschouwers een opgewonden geroezemoes op en trokken ze een vies gezicht.

'Wat is dat voor stank?'

'Ik ken die lucht,' brulde Prelati, die het kleine beetje huid op zijn voorhoofd fronste. 'Rosario rookte diezelfde troep.'

'Die troep, zoals u het terecht noemt, zit in sigaren met Syrische tabak erin, die me uitsluitend door Bernabé zijn aangeboden. Ze worden gerold in Morlaix en er worden kleine blaadjes *Latakia* aan toegevoegd, die worden gefermenteerd met geurige kruiden. Ik heb ze in Napels wel gebruikt om degene die me beroofde te pakken te krijgen. Dat mengseltje laat een weerzinwekkende geur achter. Dezelfde geur die, na het vertrek van Bernabé, hier in huis en zelfs in het Feniksnest te ruiken was. Daarmee wordt aangetoond dat hij hierheen is teruggekeerd, dankzij de eigenschap die de Eeuwige Vader hem heeft gegeven. Om zijn kamer overhoop te halen en het lichaam van Bagoa in zijn eigen bed te leggen. Dit is het bewijs!'

Hij diepte uit dezelfde doos twee peuken op en liet die aan iedereen zien, waarbij hij de aandacht vestigde op de bijzondere uiteinden: eerder wigvormig dan cilindrisch. Toen toonde hij het roodfluwelen kleed met de letters G.B., die erin waren gebrand.

'Dit is de lijkwade waarmee Rosario het lichaam van de overleden Bagoa toedekte. G als in Gérard, B als in Bagoa. Bovendien,' vervolgde hij, 'heb ik hier de wassen mal van de dolk van Gilles de Rais, die door Beppe Talla werd gebruikt om de genadedolk na te maken. Daarbij voegen we het stukje goud (dat Upupa in de werkplaats heeft gevonden) en dat perfect overeenkomt met het ontbrekende stukje in het vizier van de helm. Al die dingen heb je in de kast verstopt, in de dubbele bodem.'

143

De Grâce werd verblind door een pijnlijk, groot licht. Bijtende zweetdruppels biggelden over zijn wangen. Zijn brutale houding veranderde in deemoed. Hij geloofde geen enkele beschuldiging. Hij beschouwde zichzelf als slachtoffer van de hinderlagen die waren gelegd door de detector, omdat die hem tot elke prijs als de schuldige wilde aanwijzen. De jongen begon Sansevero te bedreigen en uit te schelden, terwijl hij hem op één lijn stelde met Upupa. Hij beschouwde hen als samenzweerders en zag zichzelf als Caesar die verraden wordt door Brutus.

Verteerd door wrok brulde hij: 'Ik ben niet gek, Upupa! Ik zie zoveel boosaardige rimpels in je hart! Ik laat ze de revue passeren. Zoveel ellende en onoprecht onthaal! Een ervan, eentje, laat op bijzondere wijze je onbetrouwbaarheid zien. Weet je welke? De brief die Prelati aan jou heeft geschreven. Die kende je niet, hè?'

De meester voelde het volle gewicht van die beschuldiging. Hij nam er notitie van en zei: 'Jij probeert op de bodem van de duisternis te kijken, naar al mijn nutteloze, zieltogende pogingen jou ervan te weerhouden in contact te komen met de heksenketel die geschapen is door die vervloekte Gilles de Rais, en dus ook door Prelati. Dat vond ik waanzin en daarom wees ik elk verzoek af. Dat deed ik ook bij de andere medebroeders. Maar aangezien hij hier is, kun je hem zelf vragen of hij ooit antwoord op zijn schrijven heeft gekregen.'

In de stilte van de kleine bijeenkomst was alleen de hijgende ademhaling van Prelati, die chronische bronchitis had, te horen. Rohan, in zijn bordeauxrode kostuum, bleef perplex zitten. Hij had nog nooit zo'n proces bijgewoond, al was het dan informeel.

'Nooit!' barstte de voormalige priester van de tempeliers los, en hij trok een grimas. 'Deze zogenaamde filantroop heeft me nooit een woord waardig geacht. Misschien zag hij in mij de mens die langzaam in een beest verandert. En nu is uitgerekend Upupa de wegrottende wond aan het bewonderen, die hij in de Broederschap heeft gemaakt.'

De oude man hield zijn vertrokken gezicht tussen zijn handen toen Raimondo het deksel optilde van de keramieken bak waar een mengsel in zat. Hij nam drie doses, diende die toe aan Zwaan en benadrukte waarom: 'Bernabé, aangezien jij de kyphi te pas en te onpas hebt gebruikt, neem je nu de drievoudige dosis. Zo word je opnieuw de leider van de tempeliers van de Dauw!'

En terwijl hij tot voor de spiegel werd geduwd, zag de jongen de sinistere herhaling van zichzelf.

'O, God!' schold hij. 'Ik voel de heimelijkste gedachten in me opborrelen. Ik voel hoe ze zich transformeren tot een afschuwelijk wezen... Daar heeft Jacques de Molay me voor gewaarschuwd: *de man van het universele geslacht zal het dubbele hoofd afhakken van het wilde dier dat de sterren omlaaghaalt en de vogels verjaagt...*'

Hij bevond zich nog in de fase vóór de geboorte van zijn andere ik, die op het punt stond zich samen te voegen met zijn Ik. Zijn furieuze, onbeschaamde, woeste dubbelganger.

Upupa profiteerde ervan en moedigde hem aan: 'Kom op, Bernabé! Het mannelijke en het vrouwelijke staan in contrast tot elkaar. Hoe word je ze de baas? Jij bent het instrument van de duisternis. Zij hebben je halverwege het licht de weg geblokkeerd. Ik hoopte dat je je tot alchemist zou opwerken, maar je blaast op het glas. Je bent *glasblazer* geworden. Schoft, je hebt de melk genomen die uit de borsten van een gecastreerde satan gutste. Als offer heb je hem je lichaam en je geest geboden.'

Bedwelmd door die beschuldigingen begon De Grâce te wankelen. Vervolgens barstte hij, bevangen door zijn trots en een onzinnig delirium, in woede uit. Inwendig werd hij in stilte bestookt met vragen, waardoor hij vanbinnen bijna rood werd van woede.

Nerveus, plotseling bevangen door kwaadheid, vervolgde Raimondo: 'Heren, deze gek heeft, bezield door een onverzoenlijke wellust, elke alchemistische en menselijke wet overtreden door zijn sperma uit te spuiten. Waarbij hij in de *mare tenebrarum* ter herinnering aan de Heer van Rais een kleine schaapskudde van stommelingen met zich meesleepte. Hij kwam zelfs tot antropofagie om zijn mannelijke deel te versterken en de amorele kiemen van de haat en de beheersing van anderen te verspreiden. Door het opvangen van de vaginale vloeistoffen van de vrouwen die hij drogeerde, bezat en doodde, dacht hij een onmogelijke "mannelijke vrouw" te verkrijgen. Daarin bestond voor hem de heilige Rebis.'

Toen wendde hij zich tot Bernabé en rolde een vel perkament voor hem af. 'Dit heb jij geschreven. Punt voor punt heb je elke schanddaad voor ons opgetekend. Was je bang dat je een draadje van je bloederige spinnenweb zou vergeten?'

'Waar hebt u dat gevonden?'

'In de grot waar je menselijke ledematen in kokende soda gooide, terwijl je formules opzei uit het boekje met de leren omslag, dat ik in huize Martin had gevonden. Ik heb het verloren toen je mijn lijfknecht had vermoord. Alleen jij kon het toen pakken. De waanzin die je in zijn greep houdt, staat hier zwart op wit. Moge God je ervan bevrijden! Je hebt zelfs de inwijding van ene De Grâce, een welgevormde jongen die uitstekende seksuele prestaties leverde, beschreven. Garant stond... Kameleon.'

Terwijl Rosario werkelijk tevoorschijn kwam, met brede schouders en opengesperde ogen, smeekte de jongen nog als Bernabé: 'Van welke gave heb ik – onbewust – misbruik gemaakt? Zeg het me, prins!' Maar zijn smeekbede veranderde in razende verbijstering. 'Hoe zou ik Rosario kunnen zijn? Ik heb hem in Tiffauges aan het werk gezien! Hij heeft me ingewijd... Hij wilde me vermoorden toen ik uit het kasteel ontsnapt was...'

'En als jijzelf nu eens het slachtoffer en je eigen scherprechter was?'

'U spreekt altijd in raadsels, zeer eerwaardige prins,' antwoordde hij met ontblote tanden. 'Hoe oordeelt u nu over Urbain Boutier?'

Don Raimondo sloeg hem op zijn rug. 'Het is toch waar dat je, voordat je de vrouw in de put vond, iemand het huis binnen zag gaan?'

'Dat klopt. Maar ik kon hem niet goed onderscheiden.'

'Goed. Dat was de jonge Boutier. Hij was van plan de gestolen goudstaven terug te brengen. Even later zag hij een strijder zijn helm afzetten. Zijn gezicht, dat intussen weer bedekt was, kwam overeen met het jouwe.'

'Urbain is dus verlost? Waar hebt u hem opgevist, excellentie?' vroeg hij weifelend.

'Op de boot naar Maillezais. Hij stelde zich aan me voor als een zekere Maxime.'

'Dit is een complot tegen mij,' schreeuwde De Grâce, die met zijn voeten op de vloer stampte.

Terwijl Upupa uitgeput leek, ging Sansevero resoluut verder: 'Herinner je je de dierenriem die de meester heeft getekend, en de letters UB?'

'Ja. Welke andere onthulling bekrachtigt mijn ondergang in de afgrond?' tierde hij, terwijl zijn ogen de leegte in dwaalden en een andere, honende stem als een echo van de zijne klonk. Een stem die anders van toon was, maar in wezen gelijk was aan de eerste. 'Ik weet het nog. Duivels en heiligen tegenover elkaar, en de tekens UB.'

De duistere veranderingen die in zijn brein plaatsvonden, zijn bijna niet te beschrijven. Het leek net of er een grens om zijn gedachten werd getrokken. Zijn hart zonk weg in een immense duisternis. Toch wist hij uit te brengen: 'Ja. De initialen van Urbain Boutier, of Upupa en Buizerd, of...' Hij hield opeens op en zijn gezichtsuitdrukking werd zielsgelukkig. Zijn ogen lichtten op en hij riep uit: 'Ik heb het! In Upupa's kamer heb ik in een schrijn het verleden en de identiteit van alle medebroeders gevonden, don Raimondo. Ineens begrijp ik wat de initialen UB betekenen. Uit die minieme gegevens haal ik Ral, alias Ulysses Barré, of Nachtegaal, Ugolin Bossuet...'

Het antwoord van de detector kwam bliksemsnel. 'Bravo, jongeman, ook ik verdacht hen. Maar ze staan erbuiten. De feiten spreken voor zich. En de feiten zeggen dat je, door de aantekeningen die je over Reiger gelezen hebt (die door Georges, de bedelaar, in de tuin van Perrine Martin gezien is), ook Georges hebt vermoord. Uit angst dat hij je twee jaar geleden op 13 april heeft gezien.'

'Daar herinner ik me helemaal niets van. Dat zijn alleen maar vermoedens om mij erbij te lappen. Ik ontken de beschuldigingen die u hebt geuit en die grenzen aan fantasie. Inhoudsloze fantasieën, prins.'

'Inhoudsloos, Bernabé?' vroeg Sansevero bruusk. En hij wapperde met een vel papier, dat hij uit zijn vest had gehaald, voor zijn gezicht. 'Vertel eens, van wie is de vingerafdruk die hier vergroot is?'

'Ach, het beroemde merkteken dat God op onze vingers heeft aangebracht...' grinnikte hij.

En terwijl iedereen de ogen opensperde van verbazing, vervolgde de detector: 'Dit, Bernabé, is de afdruk van jouw duim, die je hebt achtergelaten op de blinde lantaarn nadat je Perrine hebt omgebracht. Jij hebt onschuldige mensen met bloed gemerkt, maar de Eeuwige Vader heeft jou al vanaf je geboorte gemerkt. En met deze handtekening heb je, zonder het te weten, in stilte je eerste misdrijf opgebiecht.'

De jongen voelde voor het eerst zijn bloed verkillen.

'Ik ben niet de enige aan wie het lot een zegel op zijn vingertoppen heeft toebedeeld. Maar misschien is dit wel weer een van uw trucjes? Vertel me liever wat nu de sleutel is waarmee ik kan begrijpen wat die gave is die God me heeft geschonken. Dus de letters UB ...'

'... vormen het begin van het woord UBiquiteit. Hij schonk je het charisma van de Alomtegenwoordige,' antwoordde de detector langs zijn neus weg.

144

Bilocatie! Dat was het geheim! Een donkere sluier daalde neer over de ogen van de jongen. Elke gedachte die bij hem opkwam, werd weer bedekt met een grijzige deken, als nevel die boven de velden hangt.

Met moeite wist Bernabé uit te brengen: 'U-b-i-q-u-i-t-e-i-t?'

'Net zoals een aantal heiligen: Franciscus van Assisi, Antonius van Padua, Petrus van Alcantara, Filippus Neri... Maar waar zij – dankzij de *replicatio*, dus doordat ze zich tegelijkertijd op twee verschillende plaatsen bevonden – hulp boden aan de behoeftigen, heb jij je laten lokken door de misdaad. Door een dubbelganger te creëren, een kwaadaardig alter ego. Met een duidelijk onderscheid: Bernabé is de dubbelganger van Rosario geworden. Dus dat verdorven wezen heeft de overhand over jou. En dan te bedenken dat je het charisma dat je door God is gegeven, ook had kunnen gebruiken om filantropisch en prijzenswaardig werk te doen...'

'Hoe is het mogelijk? Ik heb er nooit iets van geweten...'

'De kyphi scherpte je verbeeldingskracht. Toen je erachter kwam dat je libido en je moordzuchtige driften erdoor versterkt werden, verhoogde je de doses. Daardoor raakten je geest en bepaalde gewaarwordingen beneveld. Je zag je replica als *corpus alienum*. De gepleegde moorden, waar je werkelijk niets vanaf weet, zouden perfect zijn geweest als de medebroeders je tegelijkertijd op twee plaatsen hadden gezien. Trouwens, ook ik heb het fenomeen aangevoeld toen ik net in Clisson was aangekomen. Je dubbelganger kwam Upupa en mij bespioneren toen we in huize Martin overlegden over een plan om Rosario te pakken te krijgen.'

'D-daar herinner ik me niets van. Wat was ik toen aan het doen?'

'Je stond af te wassen.'

Overspoeld door een groeiende golf onuitsprekelijke droefheid mengde Upupa zich in het gesprek. 'Bernabé, hoe kón je onschuldige mensen ter dood veroordelen? En met hun ledematen een monsterlijke androgyn construeren? En hunkeren naar een bedrieglijke Kwintessens? Helaas ben ik zo stom en blind geweest om te denken dat je, door middel van alchemistische lessen, een superieure staat van bewustzijn zou kunnen bereiken. Ook ik ben schuldig! Ik heb een onverantwoordelijke jongleur van je gemaakt, die op de rand van de ondergang balanceerde. In ongeveer twee jaar heb je, met het masker en de machtswellust van Rosario, ongelofelijk veel mensen gedood. Je narcistische trekjes kwamen tot uitdrukking in je alchemistische termen en de hiërogliefen die met Gilles de Rais te maken hadden.'

Intussen brulde Rosario – met een keelstem – terwijl hij zijn helmen telkens haastig verwisselde: 'Gedachte is actie. Voor mij is niets onmogelijk. Er bestaat een recht dat bepaalt dat je een mens van het leven mag beroven, maar er is er niet een die stelt dat je hem de dood mag ontnemen... Ouwe klootzaak, ik, Rosario, heb jouw Feniksnest gekopieerd en je overvleugeld. De lichamen die jij hebt gebouwd zijn belachelijke marionetten zonder levende kracht. De mijne hijgen, rochelen en kronkelen. Aan elkaar genaaid waren ze klaar voor de palingenese, de wedergeboorte...'

'Zwijg, valse Prometheus! Je gooit een mengelmoes van waarden bij elkaar. Je vertegenwoordigt de afschuw met je absurde toetreding tot het domein van de eeuwigheid.'

'Dat is waar. Net als Gilles de Rais ben ik geboren onder een zodanig gesternte dat niemand op de wereld heeft gedaan of ooit zal kunnen doen wat ik heb gedaan.'

145

'Dit wezen is het gif van Satan,' zei een warme stem.

Het was pater Sébastien, die met het wijwater en de kwast aan kwam zetten, nadat hij zich al die tijd had schuilgehouden achter de spiegeldeur.

De prins reageerde niet. Dankzij hem zou er misschien binnenkort een einde gemaakt worden aan de moordende waanzin in Clisson. 'Ik ben niet bepaald een theoloog. Maar misschien begrijp ik in mijn eenvoud hoe Bernabé bezeten is geraakt.'

Sansevero schudde zijn hoofd. 'Pater, deze man is gek. Laten we de naam van Satan niet ijdel gebruiken.'

'We hebben het hier over ubiquiteit...'

'Inderdaad. Volgens de *De Servorum Dei Beatificatione*, geschreven door onze paus, is dat een eigenschap die wordt verleend aan uitverkorenen. Als Bernabé daartoe behoorde, is er daarna iets geweest wat zijn hersenen heeft aangetast. En dat iets is de waanzin. Die kent zoveel schakeringen dat de geneeskunde, als die zich ermee bezig wil gaan houden, altijd te laat is. Het kan een erfelijke afwijking zijn, misschien zit het in de familie, of wellicht moeten we het toeschrijven aan de slechte leermeesters die hem onderwezen hebben. Voor mij zijn al die veronderstellingen maar op één ding terug te voeren.'

'De duivel?'

'Het is mijn schuld,' verklaarde Upupa met gefronst voorhoofd.

'Pater Sébastien,' zei de detector geërgerd. 'Zegen hem! Straks stort hij nog in.'

De pastoor prevelde enkele gebeden: 'Laat de Heer verrijzen, mogen je vijanden verdwijnen en degenen die Hem haten verdwijnen uit Zijn aangezicht. Laat hen vervliegen zoals rook vervliegt. Zoals was in het vuur smelt, zo sneuvelen de zondigen bij het aanschouwen van God. Dat is het kruis van de Heer...'

En hij besprenkelde alle aanwezigen met wijwater.

Tijdens de zegening begon Rosario om zijn as te draaien, alsof hij gekweld werd door duizelingen. De omtrekken van zijn figuur vervaagden en vormden een axiale zuil. Meegesleurd door de waanzinnige snelheid, leek hij van boven breder te worden, als een tol. En toen hij minder hard ging draaien, vond er een transmutatiefenomeen plaats dat door iedereen herkend werd, bijna als een onbeschrijfelijke collectieve hallucinatie: het lichaam leek verdubbeld, als munten op een weegbrug. Aan de ene kant het engelachtige, aantrekkelijke gezicht van de jongen en aan de andere kant de helm. De twee partijen begonnen met elkaar te bekvechten.

'Nu is het me duidelijk wat er gebeurd is, Rosario. Door de ubiquiteit had ik altijd het gevoel dat je ver bij me vandaan stond,' sprak De Grâce.

'Je hebt er goed aan gedaan altijd in een hoekje te blijven staan,' wuifde zijn replica hem toe. 'Miezerige mislukte monnik, je kon niet bij me in de buurt komen, bedwelmd door de elixers van sperma en heilig bloed...'

Heen en weer geslingerd in die draaikolk van verdorvenheid, fluisterde Bernabé de Grâce, inmiddels bijna blind, met een grauw gezicht, een hortende ademhaling, opgezwollen en droge lippen, een ruwe tong door de kyphi en een klein stemmetje:

IK ZOU NU NIET GRAAG IN GODS SCHOENEN STAAN.

Hij boog zijn hoofd naar achteren alsof hij door een onzichtbare hand werd vastgepakt. Hij reutelde tweemaal luid. Een derde keer kort. Het bloed stroomde terug naar zijn wangen – die eerst net was hadden geleken – en kleurde ze bloedrood. Zijn mond en zijn keel schokten in extreem spastische samentrekkingen.

Met uitpuilende ogen ademde hij in en uit... en blies zijn laatste adem uit.

146

Een onbeschrijflijke ontzetting deed de groep verkillen in die reële atmosfeer die toch zo onwerkelijk leek. Terwijl Buizerd en Papegaai het lijk van Bernabé naar zijn kamer brachten, wendde Sperling zich ontstemd tot de prins.

'Prins, lijkt het u niet tamelijk irrationeel om over *bis locatio* te spreken? U denkt toch zeker niet dat ik met mijn wetenschappelijke achtergrond *sic et simpliciter* zoiets onbewijsbaars kan aanvaarden? Het is een belediging van onze intelligentie...'

'Spreek voor jezelf,' viel Fluiter hem kwaad in de rede.

Upupa wiste het zweet van zijn voorhoofd en don Raimondo sloeg met zijn stok op de grond.

'Mijn beste Sperling, dat een fenomeen irrationeel lijkt of onzichtbaar is, wil nog niet zeggen dat het niet bestaat.'

'Hebben we het hier over geesten?'

'Nee, over natuurkunde. Ook lucht zien we niet, maar toch ademen we het in en kunnen we het wegen. Een eeuw geleden heeft de chemicus Boyle zelfs de elasticiteit ervan aangetoond, waardoor het lege ruimtes vult. Ook de leegte zien we niet. Toch zijn we niet zo arrogant dat we het bestaan daarvan ontkennen.'

'U hebt gelijk, prins,' zei Kolibrie, die zijn haar fatsoeneerde. 'De ongeloofwaardigheid van een feit is altijd relatief. De inwoners van Sumatra zouden het bevriezen van water bijvoorbeeld als een wonder beschouwen, omdat het water in hun klimaat altijd vloeibaar blijft...'

'Nou en?' interrumpeerde Sperling ongeduldig.

'... dus heeft dat oosterse volk nooit het water in Moskou gezien tijdens de winter, dus kent het de gevolgen van de kou niet. Kortom,' concludeerde hij, 'ijs bestaat ook als je het nooit gezien hebt of het je niet kunt voorstellen. Net als die mysterieuze bis locatio!'

'Daar heb je gelijk in, Kolibrie,' antwoordde de detector. 'De feiten die hier hebben plaatsgevonden, hebben Sperling in verwarring gebracht en hij kan niet geloven wat hij gezien heeft. Maar hij zou het verhaal ook niet geloven als Sint-Franciscus het hem persoonlijk vertelde...'

Nachtegaal zei op kalmerende toon: 'Zelfs de zwaartekracht van de aarde is onzichtbaar, al trekt hij alles naar de grond. Maar na wat we gezien hebben, vraag ik me af: is de bis locatio een eigenschap van de geest die gestalte krijgt in een lichaam? Of haalt het lichaam het uit de geest?'

Sansevero bracht zijn wijsvinger naar zijn wenkbrauw, bijna alsof hij er een gedachte uit wilde plukken, en verklaarde resoluut: 'Ik zal mijn uitleg vervolgen nadat het lichaam begraven is. Nu beperk ik me ertoe jullie dit beeld te schetsen: de dubbele status van de overleden Zwaan was als de monding van een rivier waarin, door de dichtheid, het zoete water (Bernabé) boven het zoute water (Rosario) stroomde. Periodiek verstoorde het noodweer dat evenwicht en bracht wat aan de onderkant tekeerging naar de oppervlakte.'

Na een korte pauze, waarin hij de peinzende gezichten van de Vogels bestudeerde, bijna alsof hij de nog verborgen waarheid of hun diepste kern eruit wilde trekken, vervolgde de detector: 'Hoe het ook zij, aan de andere kant hangt de laatste, beslissende beoordeling altijd af van de mening van het individu, zoals bij een boek de lezer. Iedereen zal zijn eigen keuze kunnen maken en zijn eigen idee moeten vormen.'

147

Upupa, die zijn mond vertrok tot een bittere streep, gaf don Raimondo de pij waarop de roos en het kruis geborduurd stonden. Het was een weloverwogen beslissing.

'Excellentie de Sangro, u weet dat het noodzakelijk is dat het Feniksnest vernietigd wordt vanwege de machtige geheimen die er verborgen zijn. Ik heb lang over deze beslissing nagedacht in de tijd die ik er tijdens mijn zogenaamde dood heb doorgebracht. Ik heb Rosario er meermalen gezien, de ene keer om de kostbare poeders te halen, de andere keer met het schilderij van Bosch, weer een andere keer met de mechanische androgyn...'

Er ging een schok door de toeschouwers, die niet voorbereid waren op dit onverwachte testament.

'Geeft u, vriend Rohan, het bevel om Hilarion Thenau vrij te laten. Mijn zoons, de Vogels, begraaf Bernabé, wiens hart niet bestand was tegen de zoveelste dosis kyphi en de onthullingen die als sabels op zijn vitale spier inhakten. Wat van hem rest is die omgekeerde treurwilg: een weerspiegeling van zijn lichaam, zijn geest en zijn ziel. Geef hem water, verzorg hem. Laat hem niet ook sterven. Ik vraag jullie me niet langer als jullie meester te erkennen.'

'Waarom niet?' vroeg Nachtegaal voorzichtig.

Terneergeslagen door duistere gedachten antwoordde Upupa met gebogen hoofd:

'Ik heb gefaald. Wie zijn eigen leerling laat zakken, laat zichzelf zakken. We moeten niet voorbijgaan aan de zaken die ons innerlijke oog ziet, maar die te doorzichtig zijn om met de grove oppervlakkigheid van ons fysieke oog te bekijken. Ik heb te laat aangevoeld dat er onder het ogenschijnlijk normale uiterlijk van die arme Bernabé een groot, duister kwaad schuilging. Maar in plaats van de kiemen van de verdorvenheid te vernietigen, heb ik ze vermenigvuldigd met de kunst van de alchemie. Hij heeft zich in een loden dauw geworteld, die zo in zijn wezen is doorgedrongen dat hij er meervoudig moordenaar door is geworden. Of hij al gek was toen ik hem ontmoette, maakt me niet uit en kan me niet vrijpleiten. Ik beschouw mezelf als medeplichtig aan vele moorden, niet in de laatste plaats die op Bernabé de Grâce zelf. Ja. Ik heb Rosario geholpen bij het ombrengen van zijn laatste slachtoffer: Zwaan met zijn krulletjes.'

De detector hield zijn hand vast als teken van solidariteit en goedkeuring. Nadat hij iedereen had omhelsd, draaide Upupa zich om en verliet het bloedrode huis waar hij zo van hield, om te voet richting de mysterieuze tempelierskapel te gaan, steunend op zijn oude, kersenhouten stok.

Een onherroepelijke troonsafstand, waardoor de medebroeders van streek raakten.

148

Twee dagen later kwam het groepje opnieuw bijeen in de bibliotheek.

'Het spijt me,' begon Sansevero, die ongemakkelijk heen en weer schoof. 'Soms heb ik jullie met een woord of een suggestie op het verkeerde been gezet. Maar dat kon niet anders. Ook toen ik jullie het vel papier uitdeelde met de strategie om de moordenaar te pakken te krijgen, heb ik alleen maar opgeschreven: *Rosario en Zwaan zijn dezelfde persoon. Upupa leeft nog.* Er luisterden te veel oren mee, en dan doel ik op Bernabé of Rosario. Nu ben ik er klaar voor om eventuele onduidelijkheden uit deze hele slopende periode op te helderen.'

'Dank u, excellentie,' zei Nachtegaal namens de groep. 'Twee dagen geleden hebben we de jongen begraven. Upupa heeft zich moeten terugtrekken. Mijn hoofd is nu gevuld met een kwellende mist. Als de wind en de golven impulsen zijn, is de geur een stroom. Zo voel ik me. In de war door enorme hoeveelheden raadselachtige feiten.'

'Het is waar, de kwellingen zijn net zenuwinzinkingen of ongeneeslijke ziekten,' beaamde Papegaai.

'Beste broeders,' barstte de detector uit terwijl hij zijn bruine justaucorps gladstreek. 'Bernabé was degene die ongeneeslijk ziek was. Hij had beter door een beroerte getroffen kunnen worden! Maar hij is in de hinderlaag van zijn kwaadaardige alter ego gevallen. Upupa heeft de enige juiste beslissing genomen en daarmee zijn wijsheid getoond. Anders had hij een pathetische en niet bepaald geloofwaardige rol vervuld.'

'Maar hij lijdt er zo onder,' kreunde Merel.

'Zeker. Moreel lijden is de ergste vorm van lijden die er bestaat,' antwoordde Sansevero bars. En hij vervolgde: 'Helaas is zijn kennis van de alchemie bij Bernabé en Urbain doel op zich gebleven. Hij heeft hun niet toegestaan de ware aard van hun zielen te begrijpen en heeft er – zeer hartstochtelijk – filosofische begrippen aan toegevoegd waar slechts even aan werd geroken. Er zijn vele meesters als Upupa op deze wereld. Ware kampioenen in soberheid, totdat ze ten onder gaan aan een crisis...'

'Dat verbaast me,' sprak de hertog van Rohan met een driftige beweging. 'Ik heb die man altijd graag gemogen en bovendien heeft hij me uit een zeer netelige situatie gered.'

'Daar twijfel ik niet aan. Maar in zijn taak als meester bleek hij niet altijd opgewassen tegen de kennis en de ervaring die hij heeft opgedaan.'

'Kortom,' zei de ander, 'ik moet me een horlogemaker voorstellen die niet in staat is de horloges, oftewel de hersenen van anderen uit elkaar te halen, beste prins?'

'Helaas, hertog, is Upupa een horloge. Geen horlogemaker.'

Toen richtte hij zijn ogen op de geagiteerde Broederschap en maande hen tot stilte.

'Als jullie gekalmeerd zijn, moeten jullie een beslissing nemen: namelijk of jullie je bestaan als Vogels van Salomo willen voortzetten. Ik kan jullie geen raad geven, maar alleen opheldering verschaffen over het gebulder van de afgrond waarin jullie met De Grâce ten onder dreigden te gaan.'

'Juist,' zei Sperling. 'Het weten leidt vaak tot ontsteltenis, maar het niet-weten is vreselijk. Ik vraag u daarom om opheldering over de ziekte – zoals u het noemt – van de overleden Zwaan. Het is me nog niet helemaal duidelijk.'

'De last die in zijn hart en zijn geest huisde, de zogenaamde "ubiquiteit", maar beter gezegd bis locatio of replicatio, is slechts voor een klein aantal uitverkorenen weggelegd. Eigenlijk is het een verdienste. Iets boven de norm. Het was niet toevallig dat ik al die heiligen noemde. We beschouwen ze als uitverkoren door de Schepper. Maar door wie is hij, Zwaan, uitverkoren?

Pater Sébastien heeft een korte uitdrijving opgezegd, zoals iedereen heeft kunnen horen. Hij dacht dus dat de jongen door de duivel bezeten was. Mijn vraag is dan ook: hoeveel macht schrijven we Satan toe? Net zoveel als aan God? Dat lijkt me nogal blasfemisch! Daarom zou ik – naar aanleiding van mijn onderzoeken en overtuigingen – deze vreemde gebeurtenis definiëren als "een ongewone staat van bewustzijn". Net zoals de scheidslijn die we in onze geest trekken: die tussen goed en kwaad. Ja, zo zie ik het. Maar wanneer zal de medische wetenschap in staat zijn dergelijke gevallen te behandelen? Ik voorzie dat dat heel lang gaat duren. En als het "kwaad" waar Bernabé door geveld is altijd onder de theologisch-religieuze jurisdictie zal vallen, zullen we mensen die door de duivel bezeten zijn nooit goed kunnen behandelen.'

'Ik begrijp het.' Fluiter scandeerde de woorden luid en duidelijk. 'Als we de mentale scheidslijn in Zwaan koppelen aan de bis locatio, krijgen we een dubbel ziektebeeld. Maar prins, het is u bijna meteen opgevallen...'

'De eerste dag al, toen Upupa me ontving in het huis van mevrouw Martin. Ik zag een blond wezen dat op een geest leek verschijnen en weer verdwijnen... Let wel: ik zei "dat op een geest leek", en niet "een spook" of een "losgemaakte ziel". Toen al voelde ik aan dat het een replica was. Dat fenomeen kan ik nader toelichten aan de hand van dit boek. Zoals ik al eerder gezegd heb, heb ik het door de Academie van Natuurwetenschappen in Parijs naar Raphaël Choumien laten sturen.'

149

Sansevero liet iedereen het boek zien, dat in gelig perkament was gebonden en waarop in glanzend gouden letters de titel prijkte: *Over een geval dat verwondering en consternatie teweeg heeft gebracht, een jongen die als een bezetene werd beschouwd omdat hij tegelijkertijd op meerdere plaatsen in deze stad Lepanto werd gezien.*

'Het is een verhandeling over de bis locatio, geschreven door de aartsbisschop van Lepanto, Lazzaro Opizio Pallavicini, en opgestuurd door Jacobus Martorelli, professor aan de universiteit van Napels. Mijn stellingen worden erdoor bevestigd. Terwijl de Kerk altijd zal verkondigen wat haar goeddunkt, wordt dit fenomeen – in negatieve zin – beschouwd als een middel van Satan.'

'Zeker,' zei Kolibrie. Hij sloeg met zijn vuist in zijn andere hand om zijn woorden kracht bij te zetten. 'Waarom hebt u, toen u met Upupa afspraken hebt gemaakt over zijn schijndood, Zwaan toch aangemoedigd om naar Tiffauges te gaan?'

Raimondo keek alle aanwezigen een voor een aan en bonkte toen met zijn stok op de grond. 'Dat ligt voor de hand. Alleen het duplicaat zou zijn eigen mal uit zijn hol kunnen verjagen. Want, ik herhaal het nog maar eens, Rosario heeft Bernabé in tweeën gesplitst en niet andersom. Hoe vaak hebben jullie gezien dat De Grâce plotseling verzwakt raakte, het koud kreeg of er verloren bij liep? Allemaal signalen van de afsplitsende fase.'

Kolibrie keek de prins onderzoekend aan. 'Wie was bij het eerste misdrijf degene die Perrine heeft vermoord? Bernabé of Rosario?'

'De verdorven helft die hij in zich had, maar die nog niet de naam Rosario had gekregen. Kortom, het afgesplitste gedeelte, te definiëren als het *alter*, gebruikte Bernabés brein om in zeer korte tijd de misdadige modus operandi te beramen en de aanwijzingen te construeren waardoor Hilarion als schuldige zou worden aangewezen, en later ook Urbain Boutier. Het zal hoe dan ook het bewustzijn van Bernabé zijn geweest dat alles uit het geheugen heeft gewist.'

'Excellentie de Sangro, wanneer is Rosario definitief geboren?'

'Na de ontmoeting met Prelati. Zijn vreemde verschijning en raadselachtige verzoeken omtrent de genadedolk hebben vormgegeven aan het bestaan van de kwaadaardige dubbelganger.'

Gilles Francesco Maria Prelati, die er afwezig bij zat, veerde op bij het horen van zijn naam. 'Wat wilt u nu weer van me?'

Raimondo negeerde hem. 'Omdat zijn ziel was verdord door zijn eigen belabberde leven, heeft de arme Bernabé zich laten losmaken van zijn kwaadaardige *schaduw*, die zijn meedogenloze baas en zijn vijand werd. Als de zojuist geboren Rosario vermoordde hij de smid en als Bernabé wiste hij de herinnering aan die laaghartige daad.'

'Ja, ik begrijp het,' zei Papegaai. 'Maar bij de eerste twee moorden heeft hij geen kyphi ingenomen. Toch beweerde u daarnet dat de werking van dat geestverruimende middel – dat hij regelmatig geslikt heeft – zijn geest en met name zijn herinnering heeft vertroebeld.'

'Dat klopt, en dat bevestig ik nogmaals. Maar de coëxistentie van twee entiteiten, waarbij de een alle schanddaden pleegt zonder dat de ander daar weet van heeft, had zich toch wel gemanifesteerd, ook zonder de bis locatio en het narcoticum. Maar dan veel aperter en korter.'

'Bijvoorbeeld?' vroeg Merel.

'Upupa heeft verteld dat hij De Grâce heeft leren kennen toen die bang en panisch in een boom gehurkt zat. Toen had alle aandacht al naar de jongen moeten uitgaan. Want al had hij werkelijk geen weet van de moord, als hij goed ondervraagd was geweest, had Bernabé ongetwijfeld tekenen van zwakte getoond en was er iets van zijn afsplitsing merkbaar geweest. Nu heeft hij zijn – logischerwijs waanzinnige en onlogisch genoeg perfecte – projecten tot het eind toe kunnen uitvoeren, omdat hij ongestoord zijn gang kon gaan.'

'Dus om een lang verhaal kort te maken,' zei Fluiter een tikkeltje verbitterd, 'is Rosario de macabere parodie, de kwaadsprekerij, de donkere spiegel en het negatief van Bernabé, die zich van de prins geen kwaad wist. En nu ik erover nadenk: de bijnaam Zwaan paste hem helaas maar al te goed.'

'In welk opzicht?' vroeg de detector, die zijn handen op tafel legde.

'Als een zwaan heeft hij zijn korte leven half zwemmend en half vliegend doorgebracht.'

'Uitstekende observatie,' antwoordde don Raimondo, terwijl er een glimlachje doorbrak om de vermoeide lippen van de aanwezigen. De prins bonkte weer met de metalen punt van zijn stok op de grond en Buizerd stond op. 'Waarom hebt u na het grafologische onderzoek gezegd: *de vervalser moet niet gezocht worden onder de eerlijke medebroeders van de Roos en de Vogels*? Terwijl hij, vreselijk genoeg, juist afkomstig was uit de groep?'

'Dat is duidelijk,' mengde Sperling zich erin. 'Door de raadselachtige formulering werden alleen wij, onschuldigen, vrijgepleit. Tussen de regels door werd de brenger van het kwaad aangesproken. De detector wilde, kon en mocht het tegendeel niet bevestigen. Anders zou de waarheid aan het licht zijn gekomen, maar zou degene die op een andere manier tegengehouden moest worden, gealarmeerd worden.'

Merel, die op zijn beurt ging staan, leek de groenbruine ogen van Sansevero te doorboren met de strakke blik van iemand die uit de dood was herrezen.

'Je ziet er koud, spookachtig en doodsbang uit. Zeg wat er aan de hand is en blijf rustig,' zei de prins bemoedigend.

'Neem me niet kwalijk, excellentie,' barstte hij los. 'Hoe heeft het verschrikkelijke leven van Gilles de Rais deze rotte geest beïnvloed?'

'Goede vraag. Bernabé is opgegroeid in het klooster, waar veel aandacht werd besteed aan de illustere Rebel, de gevallen aartsengel, vanwege zijn kromme ideeën over de menselijke ondergang. Toen de jongen vervolgens naar Tiffauges ging, waar een andere geest woekerde, heen en weer slingerend tussen geconsacreerde hosties en vermeende demonische daden, moet hem dat onvermijdelijk geïnspireerd hebben. Sterker nog, hij heeft hem zelfs gekopieerd als valse alchemist, door de oude tempelierskapel te schenden en er de hiërogliefen uit te nemen om de lijken te markeren. Dezelfde symbolen die de maarschalk voor andere doeleinden gebruikte.'

'Met wat u tot nu toe hebt beweerd, prins, lijkt u toch te laten doorschemeren dat u het bestaan van de Antagonist afwijst...'

'Helemaal niet. En of ik erin geloof! Maar daarom hoef ik hem nog geen menselijke krankzinnigheid toe te kennen. Het slechte is niet zo simpel. Het kan zich niet manifesteren in *duplicatio* of bis locatio. Satan schept vergissingen, onenigheid, alles wat twijfel zaait. Satan straft wie de spot met hem durft te drijven, wie hem oproept met toverkunsten of wie zich verkleedt en daardoor succes als grappenmaker heeft. Ja, beste broeders, zowel Gilles de Rais als Bernabé hield niet van Beëlzebub. Beiden hunkerden er alleen naar hem te onderwerpen of te breken. De valse tempelier heeft het alchemistische werk geparodieerd. Een picareske, macabere parodie, helaas... Waarin de androgyn een marionet van menselijke delen is geworden, de Kwintessens zeep, de dauw ordinaire urine en de Rebis het verkrijgen van een onwaarschijnlijke mannelijke vrouw!'

'Toch zijn uit de duistere hoeken van Bernabés bewustzijn de verdorvenheden tevoorschijn gekomen waarvan de Slang zelf gebruikmaakt...' wierp Reiger tegen.

'De schanddaden waar je op doelt, zijn voortgekomen uit het slechte in Rosario. Die keuze is ingegeven door vrije wil. Maar laten we die argumentatie achterwege laten. Anders verliezen we ons in een theologisch en filosofisch labyrint. De hinderlagen in de geest worden door onszelf gecreëerd. Mee eens, Reiger?' Hij keek hem veelbetekenend aan.

Iedereen kreeg het idee dat hij hem wilde opslokken. De intelligentie straalde uit zijn ogen, die nu donkergroen waren en die verhardden bij die windvlaag die tot een boodschap was getransformeerd. Of liever gezegd, tot een waarschuwing.

'Vind je niet, Reiger, dat je iets geheim hebt gehouden?' vervolgde de prins. 'Of andersom, dat een drukkend geheim bezit van je heeft genomen en je de mond heeft gesnoerd?'

150

Dat plechtige, dubbelzinnige moment hing dreigend boven het groepje en de hertog van Rohan, die te gast was gebleven. De bibliotheek leek plotseling een in rouw gehulde kathedraal. Maar er waren geen kaarsen. Geen elmsvuur, geen vonken, geen fosforescentie. Alleen duisternis, immense duisternis.

De detector slingerde zijn stok naar Airone, die hem ontweek door naar rechts te buigen. Hij leek wel een boot die door een plotselinge golf wordt opgetild.

De Vogels huiverden met vertrokken gezichten. Reiger keek alsof hij verdronk en don Raimondo werd een gloeiende vuurpot. De ruimte verzonk in een amberkleurige schemering die mysterieus trilde.

'Schoft! Nu staan we oog in oog,' voer de prins uit. 'Reiger, alias Alonso de Paredes, hier heb je het recept voor je migraine!' en hij gooide hem een vel papier toe dat door de lucht vloog en op de grond dwarrelde.

De ander keek hem als versteend aan.

'Die slechte buien die op je hoofd drukken, hebben je mond zeker afgesloten? De tijd is een moordenaar die onmogelijk het zwijgen kan worden opgelegd. Je hebt gelogen.'

De ander haalde de rug van zijn hand over zijn mond. 'Waarover, mijnheer?'

'Jij beweerde toch dat je in de nacht van 13 op 14 april 1751, tijdens je exorcistische ritueel, een meisje had zien ronddwalen in de tuin van Martin-Talla?'

'Dat klopt helemaal, dat heb ik tegen mijn meester gezegd.'

'Die heb je bedrogen. Het is allemaal een kwestie van woordkeuze. En dat is geen mening. Je hebt het moedwillig over een meisje gehad. Terwijl je een jongen die je toen nog niet kende in de tuin zag ronddolen met een blinde lantaarn. Daarna kon je hem echter makkelijk identificeren als Bernabé de Grâce. Die weliswaar vrouwelijke trekken had, maar toch echt een man was. Het meisje, Henriette Labbé, heb je nooit gezien, want die was daar de nacht ervoor.'

'Prins...'

'Hou je mond! Ook voor jou heb ik een blaadje met een mooie handtekening achter de hand. Kijk eens aan. Zie je die afdruk? Die is van de wijsvinger van je rechterhand.'

‘Onmogelijk. Ik geloof niet in uw duivelskunstjes,’ luidde Reigers glasharde ontkenning.

Bij iedereen liepen de rillingen over de rug en de hertog van Rohan liet het wijnglas waaruit hij dronk op het tapijt vallen.

‘Doe je sluier maar af, Reiger. Dankzij deze vingerafdruk heb ik kunnen reconstrueren wat je tijdens die beruchte nacht hebt uitgespookt. Toen je de jongen met de krulletjes zag, ben je hem gevolgd, met een van je alledaagse lichtjes in je hand. Hij gooide iets de bosjes in en jij ging kijken wat het was... De blinde lantaarn. Maar arme jij! De gloeiende was lekte op je wijsvinger en instinctief zette je je vingertopje op het koele afdekplaatje van de lantaarn. Daar liet je, net als Bernabé, je handtekening achter, maar dan in was.’

‘Dat is geen wetenschappelijk bewijs, mijnheer de prins.’

‘Nog niet, Reiger,’ zei Raimondo treiterend. ‘Maar vroeg of laat worden vingerafdrukken lampen, die hun licht laten schijnen op duistere moordenaars als jij en donkere geesten als die van jou.’

Er daalde een zware, afwachtende stilte op de kamer neer. Sansevero ging snel verder: ‘Broeders, Upupa heeft me niets verteld over jullie verleden. Ik heb het zelf opgediept in dezelfde verborgen schrijn als waar Bernabé het over had. Hoe het ook zij, de aantekeningen over Reiger met betrekking tot de betreurenswaardige gebeurtenis die door Étienne, de bedelaar, werd gemeld, wekten mijn wantrouwen. Als een speurhond beet ik me erin vast, en daar deed ik goed aan. Ik vond namelijk deze ivoren rozenkrans – die jou toebehoort – in de kamer van Zwaan. Reiger, volg je bij het bidden de codex van de apothekers of de voorschriften die afkomstig zijn uit je geest? Wat heeft jou, miezerige valse asceet, ertoe gedreven het schilderij van Bosch achterover te drukken, dat Bernabé – na zijn terugkeer – in de kast had verborgen? Hoewel je daarmee onderschatte aan welk risico je jezelf en je medebroeders blootstelde omdat jullie onder één dak woonden met een meervoudig moordenaar? Of hunkerde je er soms naar om, eventueel met behulp van de poeders die op het schilderij afgebeeld staan en die je in het Feniksnest hebt gevonden, krachten te verkrijgen waarvan je verstoken bent geweest?’

‘Wie zegt dat ik...’

‘Zwijg. Je hebt het hek van het sancta sanctorum van Upupa geforceerd. Ik heb stukjes gevonden van de zegels die ik op de tralies had aangebracht. Maar je bent Rosario een slag voor geweest bij het achteroverdrukken van de poeders. Toch heb je je neus gestoten. In het Feniksnest heb ik die andere kroon van granaten van je gevonden, waarmee je gebeden prevelde...’

'Waarom behandelt u me zo? Excellentie, ik...'

'Als je niet zo door lafheid gekweld was geweest na die eerste nalatigheid, hoeveel moorden had je dan kunnen voorkomen? En ook de initiatie van die arme stakker. Schrijven jullie dit aan Satan toe, Vogels? Wat een godsgeschenk om iemand die meineed pleegt tot jullie gelederen te mogen rekenen!'

Zijn stem werd steeds bijtender.

'Jij, Reiger, hebt een nieuwe wet bekrachtigd: Bernabé-Rosario doodt. Elke schande rust op jouw schouders. Ik zal je uit deze broederschap verbannen. Ik heb niets tegen Upupa gezegd om hem niet nog meer te kwellen. Hij heeft je trouwens in het Nest gezien, maar dacht dat je Rosario op het spoor was. Hoopte je dat de tijd alle wonden heelt? Nee, verrader. Ik zal je niet aangeven, want mijn handen zijn gebonden aan een plechtige eed. Maar Reiger, ga weg jij. Je hebt een diepe breuk veroorzaakt in deze broederschap. Maak dus dat je wegkomt! Broeders, trek zijn pij uit en pak het schilderij van de bruiloft in Kana, dat hij eronder verbergt. Het zou vervloeien in het greintje verstand dat hem nog rest.'

Feniks en Buizerd grepen hem vast en pakten het gestolen voorwerp van hem af, waarna ze het aan de detector overhandigden.

151

Rohan-Soubise stond op, ging achter de prins staan en raakte diens elleboog aan. Hij pakte verheugd het doek uit zijn handen en begon het te bestuderen, terwijl hij naar het raam liep dat uitkeek over de westkant van de tuin. Hij liet het tegen een van de ruiten rusten en bleef enkele minuten zwijgend staan. Ten slotte nam hij een besluit en legde het schilderij op tafel. Het zweet stroomde over zijn wangen en trok lange strepen. In een wip rukte hij zijn pruik, jasje en vest af. Toen sloeg hij zich voor zijn voorhoofd, terwijl er een glimlach rond zijn halfgeopende lippen verscheen. Heel zachtjes zei hij tegen Raimondo: 'Dit schilderij heb ik aan Upupa gegeven, toen hij me uit de nesten heeft gehaald...'

'Ik ken het verhaal,' interrumpeerde de ander. 'Trek het u niet aan. Wees niet bang, ik zwijg als het graf. De dief die u het schilderij ontfutselde, bedenk ik nu, hield u bij vergissing voor de afgezant van lord Derwentwater, Radcliffe. Want dit gevaarlijke werk, dat hem was toegestuurd door vrijmetselaar Geminiani, moest in zijn handen komen. Daar hebben we het motief van de linguïstische breinbeker. Volgens het plan had u de oplossing al moeten weten. Maar u kwam puur toevallig achter de waarheid.'

'Ach, daarom keek Mondain me dus aan alsof hij me kende! Een persoonsverwisseling... Toch voel ik me nog even verantwoordelijk,' antwoordde Rohan-Soubise met verstikte stem. 'Door mij is hier al die ellende gebeurd.'

'Helemaal niet, Soubise. Laat *Bruiloft in Kana* bij mij achter en niemand zal ooit te weten komen wat u is overkomen.'

In die woorden lag een magnetische trilling besloten. De hertog keek opgelucht.

Het groepje hoorde niets en fluisterde niets. Droefenis, die ergens al minder hevig was, druppelde de geest van de medebroeders in. Ze leken allemaal verstijfd. De detector verbrak de stilte.

'Ook de heer van Soubise heeft verteld dat het schilderij verdoofdheid en verwarring teweeg kan brengen. De kunst overschrijdt de kaders van het schilderij en roept rusteloosheid op. Ben jij het daar ook mee eens, Reiger, jij kwezel en dief?'

Reiger, die tot dan toe roerloos was blijven staan, wekte de indruk weer tot leven te komen. Hij leek nu nog meer op een hond die ze zijn bot hebben afgepakt. Hij ging rechtop staan en bekende: 'Ja, don Raimondo. Ik heb sisyfusarbeid verricht door dat vervloekte schilderij te pakken. Ik begreep dat het de kerk kon laten instorten. De wereld, zelfs... De paus zou het prettig vinden om te zien welke raadsels de gekke kunstenaar heeft geschetst; de mystieke heiden op het doek. Een doek vol met hiëratische en sinistere allegorieën... een doek dat doodt...'

'Dus jij wilde het graag aan de paus overhandigen? Wilde je een pelgrimstocht naar Rome maken? En welke garantie zou je hebben om er ontvangen te worden?' Hij liet hem nonchalant de ring zien die hij van Benedictus XIV had gekregen.

Bij het zien van dat sieraad, dat hem deed beseffen hoe miserabel zijn eigen leven eigenlijk was, leek Reiger uitgeput. Afgepeigerd. Hij leek wel iemand die in een roes was door de opium en die zijn droom in rook had zien opgaan. Toen wendde hij zich als een geslagen hond tot de Sangro en blafte:

'Dat schilderij gaat door met moorden, excellentie. Open uw ogen! Ook u riskeert uw leven.'

Trots, hooghartig en stralend concludeerde de detector: 'Een verwarde hoop vals mysticisme en lege litanieën verhindert je die klim naar God. Het is onwaarschijnlijk dat hij die de vrede en de onschuld van anderen op het spel heeft gezet...' en hij wees met zijn wijsvinger op elke Vogel, 'goddelijke genade zou wensen. Je veroordeelt jezelf tot een tegennatuurlijke ballingschap.'

Don Raimondo kalmeerde toen hij klaar was met zijn requisitoir.

Fluiter stond op en zei: 'Het licht is de waarheid, maar een sprankje licht kan verdorven zijn. Dat ben jij, Reiger. We verachten je. Zojuist hebben we een oordeel geveld over Bernabé, een arme, ongelukkige, zieke jongen die nu dood is. Maar wat ben jij? De handlanger van de stilte en bovendien een dief.'

Sansevero knikte. Daarna zond hij Reiger, terwijl die zich terugtrok, dit kernachtige oordeel achterna: 'Onmiskenbare lafaards beschouwen diezelfde lafheid als hun enige prioriteit. Geen plannen, geen ontwerpen, geen schetsen waarmee slechteriken zich wel wapenen. Lafaards zijn bang voor preliminaire confrontaties met de toekomst. Ze wachten, slap als ze zijn, de volgende dag af, de samenzweerder in hun bedrog. Helaas, Reiger, de volgende dag gehoorzaamt niet altijd en is tamelijk ongedisciplineerd. Vaak tilt hij de lamlendige naar het niveau van onbewuste moordenaar. En in jouw geval ook tot dat van dief en spion. Veel geluk!'

Zijn stem dreunde monotoon, als hamerslagen die vonkjes teweegbrengen, en de ander voelde zijn hersenen verkruimelen door die sombere, beschuldigende woorden.

De man die door de paus gezonden was had in korte tijd het masker van Rosario vernield en de smerige berg die zwaar op Reigers geest drukte omgewoeld.

152

Don Raimondo, die afscheid had genomen van de Vogels en zijn hutkoffers had gepakt, deed het doek in de leren cilinder die hij van Fluiter had gekregen. Hij ging nauwkeurig, ongehaast en zonder aarzeling te werk. Terwijl hij de achterkant van het kunstwerk vastmaakte, streek hij per ongeluk met zijn duim over de blauwe vlek op de rechterbovenhoek. Hij wreef er met zijn vingers overheen, rook eraan en duwde zijn tong ertegenaan. Hij proefde zout en koper.

'Staart van Lucifer! Het is geen vernis... het is blauw kopersulfaat!' Hij sloeg zich tegen het voorhoofd. Alsof hij een schaduw zag die binnenkort licht zou worden, streelde hij het omgekeerde schilderij als een blinde die op de tast iets onderzoekt en doorvorst. 'Wie weet wat je hieronder al zo lang verborgen houdt,' vroeg hij zich af. 'Het moet wel belangrijk zijn, als je het met zulke aardige inkt hebt beschermd...'

Met snelle passen liep hij de kruidenkast van Upupa in, stortte zich op de potjes en pakte het flesje met de zuringoplossing. 'Allemachtig! Zo zie je maar weer hoe afgeknipte nagels weer aangroeien, hoe verborgen raadsels opgelost worden...'

Hij doordrenkte een lapje met de vloeistof uit het flesje, ging de kamer weer in, kneep het doekje uit en legde het op de schrijftafel naast het schilderij. Nadat hij dat had vastgezet, knoopte hij zijn vestje los, trok het uit en liet zijn hoofd langzaam zakken, alsof het aan onzichtbare draadjes vastzat. Met het lapje depte Raimondo met ritmische vegen de achterkant van het schilderij.

De soda begon zijn werk te doen en wierp licht op de schaduw. Daar verschenen de eerste woorden in gotische letters:

Dieses Bild kostete den schwatzhaften Kuenstler das Leben

Duits! Het is maar goed dat ik vreemde talen ken, zei hij bij zichzelf. Die tekst correspondeert met stilte. Ik zal de stilte en het geheime lot lezen dat hierin besloten ligt. Ik heb de sleutel tot de stille breinbreker gevonden en zal hem een stem geven.

Hij ging door met deppen totdat de blauwe tekst in zijn totaliteit was verschenen en paste op dat hij de door Geminiani getekende viool niet beschadigde. Uiteindelijk leek de boodschap die daar stond een met bloed bevlekte mond waarvan de muilkorf was losgerukt.

Om dit schilderij werd de babbelzieke schepper vermoord.
De abt Staupitz heeft hem zo gestraft
en de Sodalitas heeft het doek verstopt.
De provoost van Utrecht heeft het ontvreemd,
Montpensier heeft zich er meester van gemaakt.
Ik heb het hem in naam van Luther onfutseld
en heb hem terecht laten stellen onder de muren van Rome.
Op dit doek staat dat wat niet onthuld mag worden.
Als mijn zoon Melchior het niet verbrandt

na mijn verscheiden, doe jij het dan
als je niet in staat bent het te weerstaan.
Georg Frundsberg

De Sangro kreeg het duidelijke gevoel dat er vele deuren tegelijkertijd voor hem opengingen en dat op de drempel van elk van hen met een vinger naar zijn bewustzijn werd gewezen. Had hij het recht de feiten te onthullen en zijn eigen hoofd te behoeden voor de vurige tong die op hem terecht was gekomen?

Dus *Bruiloft in Kana*, geschilderd door Bosch en geperfectioneerd door de suggesties die hij in de hallucinaties had gekregen, beeldde niet alleen een artistieke creatie vol boodschappen en esoterische energieën uit, maar – zoals hij wist – ook de vreselijke daad van de herschepping van een verleden dat meer dan zeventienhonderd jaar eerder was uitgewerkt. Hij kreeg plotsklaps het gevoel dat zijn voorhoofd in brand stond. Want *Bruiloft in Kana* was het middelpunt geweest van complotten die zich eeuwenlang hadden ontrold.

'Tja,' merkte hij geprikkeld op. 'Het lijkt erop dat de augustijner abt Staupitz, hoofd van de Duitse congregatie Sodalitas, belangstelling voor de zaak had. Hij zal wel opdracht hebben gegeven tot de moord op Bosch. Vervolgens raakte Philibert Naturelli, provoost van de kathedraal van Utrecht en ambassadeur van de keizer in Parijs, erbij betrokken, die het op zijn beurt overdroeg aan hertog Charles Montpensier de Bourbon. Het leven van die illustere figuur was, voor zover ik weet, één lange reeks ellende.' Hij fronste zijn voorhoofd, terwijl het verrassingseffect van zijn ontdekking langzaamaan vervaagde. 'Aan het schilderij kleefden, als een steeds terugkerende vlek, heuse samenzweringen. Ja, de lutheraan Von Frundsberg, een wrede huurlingenaanvoerder die door Montpensier was gerekruteerd, maakte hem het schilderij afhandig en liet hem zelfs doden tijdens de plundering van Rome. En smeekt nu om de verbranding van het doek...'

Dwalend over dit traject in ruimte en tijd, was de Sangro niet van plan een passieve prooi van dit apparaat annex doek te worden, dat klaarstond om zijn wil te onderdrukken en hem het recht op een vrij oordeel te ontnemen.

Ik zal een sfinx zijn, nam hij zich voor. Want in deze hele met bloed besmeurde zaak, waarin het zichtbare vermengd wordt met het onzichtbare, verheffen zich bewegingloze contouren vol ressentiment, die bijna verontwaardigd zijn als de prooi ontsnapt. Het doek heeft in deze eeuw weer nieuwe slachtoffers geëist in Clisson en blijft in mijn handen. Ik neem het in beslag.

Hij draaide het om en terwijl hij het in de leren koker deed, brabbelde hij binnensmonds: 'Meester Bosch, je bent een zeehoos. *Nou en?* zul je vragen. Het is goed dat ik je, zonder pardon en zonder overgang, hierin opsluit.'

Met die woorden deed hij de koker onverwijld dicht, stak een kaars aan, liet de zegellak boven de pit smelten en smeerde die uit langs de randen, waarna hij er met zijn ring zijn zegel in drukte.

Ten slotte fluisterde hij tegen het doek, bijna alsof hij het tegen de schilder in levenden lijve had: 'Ik eer de beeldhouwkunst en de schilderkunst. Ik heb een hechte band met die twee goddelijkheden. Uit jouw schilderij, Bosch, enig in zijn soort en een mysterieus samenraapsel van mysteries en metafysische ingevingen, ontstaat een tot de essentie teruggevoerde en tegelijkertijd ruwe persoonlijkheid; een persoonlijkheid vol kwellingen, obsessies en visioenen. Nu ik je heb gevangen als de geest in de fles, kun je kiezen: de brandstapel of mijn gezelschap...'

De prins begaf zich, met zijn groenbruine ogen op de hemel gericht, naar de uitgang, terwijl hij het *Te Deum* inzette.

EPILOOG

Raimondo de Sangro, prins van Sansevero, stond op het punt Clisson te verlaten. In de huurkoets gezeten wierp hij een laatste blik op het betoverende, bloedrode huis met het witte dak.

Zijn missie zat erop. Geen raadsel was onopgelost gebleven. Hij kon verslag uitbrengen aan Benedictus XIV.

In zijn rechterhand hield hij de leren koker waarin hij het opgerolde doek, geschilderd door de visionair Bosch, had opgeborgen. Hij hield zijn linkeroor ertegenaan. De koker zoemde als een opgeschrikte bijenkorf. Wat krioelde er toch daarbinnen?

De excentrieke vermenging van het heilige en de mysteries van de tempeliers, geforceerd verenigd tot schande van het officiële verraad? Maakte de menselijke middelmatigheid zich als een zeebeving gereed om nog één keer omhoog te komen en de nooit onthulde waarheid op te slokken, die ook nooit onthuld mocht worden?

Al met al had dit schilderij werkelijk bijgedragen tot moord.

'Staart van Lucifer!' mompelde hij. 'Ik zal niet degene zijn die de vlammenregen waardoor de oude tempeliers zijn vernietigd, weer aanwakkert. Ik zal zwijgen. Maar de stilte is net modder. Ze zal blijven druipen totdat deze oude wereld bedekt is. Maar zal het waar zijn dat de Heilige Genagelde van Golgota wil dat er een lijkwade wordt ontvouwd over zijn eigen, ware leven? Zal het slechte zaad niet wortelschieten en zal de oogst van de schande misschien ophouden met woekeren?'

Het rijtuig rolde al langzaam over het plaveisel, toen hij iemand hevig en onregelmatig op het raampje hoorde kloppen. Het was Nachtegaal, die koortsachtig riep: 'Nog een paar minuten, excellentie! Er is een wonder gebeurd! Dat compenseert al het vreselijke. Alstublieft, stapt u uit. Alle broeders zijn daar in de tuin.'

De edelman legde zijn driekante steek op de stoel en stapte de koets uit, terwijl hij de koker met het schilderij stevig tussen zijn vingers klemde.

'Wat is er nu weer?'

Het antwoord werd opgevangen door zijn groenbruine ogen. De prins van Sansevero wist uit ervaring dat het onwaarschijnlijke in het leven niet altijd een uitzondering is en dat het vreemde en het wonderbaarlijke uit dezelfde stam komen, maar toch bleef hij niet onverschillig onder deze laatste verandering.

De treurwilg die de jonge De Grâce had geplant, was teruggekeerd in zijn normale positie. Maar met zijn takken de lucht in, bijna alsof hij aan het bidden was. De onbuigzame Raimondo zette zijn rechterknie op de grond en mompelde met gebogen hoofd: 'Mijn God, dit lijkt wel een onderdrukte snik! De hartverscheurende boodschap van iemand die huilt om zijn eigen, dodelijke, lot. En die smeekt om de ontroerde genade van de Almachtige.'

Misschien waren de vreselijke God uit Genesis en de barmhartige Genagelde van Gogota afgedaald om de twee gescheiden geesten van de door rampspoed getroffen Bernabé te verenigen? Om die met elkaar te verzoenen, als twee populieren die strijden om dezelfde grond?

De prins stond weer op, zijn hart vol liefde als een goddelijk zout. Hij stond op het punt om weg te gaan, maar iets hield hem tegen. Een verrassend toeval... Naast het bloedrode huis kwam Henriette Labbé aanlopen, voorgegaan door een sneeuwwitte zwaan. Hoewel de vogel een vreemde manier van lopen had, kwamen er uit zijn snavel ongewoon lieflijke klanken...

NOOT VAN DE SCHRIJVER

In deze korte historische noot schets ik echt bestaande personages, plaatsen en zaken die in deze roman gestalte hebben gekregen. De rest is allemaal denkbeeldig.

Halverwege de achttiende eeuw regeert in Frankrijk Lodewijk XV (1710-1774), een middelmatige, niet-geliefde vorst, die onderworpen is aan zijn ministers en gunstelingen. Hij is een voorbeeld van despotisch absolutisme dat nergens toe leidt en dat achterhaald is in de nieuwe tijden die inmiddels voor de deur staan. In Versailles wordt de Bourbonse koning altijd omringd door hovelingen en kennissen van klinkende adellijke afkomst. Onder hen bevindt zich ook de jeugdvriend van de monarch, de zeer trouwe Charles de Soubise-Rohan (1715-1787), heer van Clisson, waar ons avontuur zich afspeelt.

Het dorp ligt in de buurt van het achtste-eeuwse kasteel en bevindt zich op de kruising van twee rivieren, de Sèvre Nantaise en de Moine. Midden in een vruchtbare vallei gelegen, is het een belangrijke toegangspoort van drie aangrenzende streken – Bretagne, Anjou en Poitou – waarvan het de grenzen en het verkeer beheerst. Het is al sinds de middeleeuwen een pleisterplaats voor pelgrims op hun lange tocht naar Santiago de Compostela. Hier stichten de tempeliers hun broederschappen, kerken, huizen en begraafplaatsen: de aan Maria Magdalena gewijde kapel, die in het boek wordt beschreven en nog steeds bezocht kan worden, vertegenwoordigt een oude commende van de machtige orde van de Tempel.

In de roman is het een rustig dorpje. Het kasteel, dat glorieuze tijden heeft gekend, staat er nog. Maar vijf eeuwen na de bouw heeft het intussen elk strategisch belang verloren. Bovendien verkeert het in een erbarmelijke staat: de donjon is gedeeltelijk verwoest door een aardbeving en de nieuwe eigenaar Soubise had er geen belangstelling voor. Er wonen geen vijanden meer en het officiële verhaal heeft een heel andere wending genomen. Wanneer het – veertig jaar later – opnieuw van zich laat horen, gebeurt er een ramp. Halverwege het republikeinse Nantes en de koninklijke Vendée, wordt het monarchistische Clisson getroffen door het zwaard en het vuur van de revolutionairen. Het wordt een waar bloedbad...

En over slachtpartijen gesproken: daar hebben we Gilles de Rais (1404-1440), wiens hoofd een kostbaar reliek is voor de kwaadaardige protagonisten van het boek. Als wapenbroeder van Jeanne d'Arc en vaardig strijder was hij in de middeleeuwen een opvallende figuur. Na de hevige militaire campagne tegen de Engelse bezetters verkoos hij, uit zijn vele leengoederen, het kasteel van Tiffauges, twintig kilometer van Clisson, als residentie.

Het waren donkere tijden, waarin oorlogen hoogtij vierden. Gilles voelde zich op zijn gemak op het strijdtoneel, maar was ook dol op boeken en muziek. Hij kende Latijn en de werken van de oude filosofen. Maar deze geleerde, verstandige man verloor zijn hoofd. Hij bedreef magie en satanische riten, onder leiding van de Toscaanse alchemist Francesco Prelati. Hij zette zijn denkwereld op zijn kop en begon onschuldige kinderen te offeren... Jonge slachtoffers die hij bemachtigde door verdorven bemiddelaars die hij in dienst had. Van hen was Perrine Martin de bekendste. Vanwege de verschrikkingen die ze in haar campagnes rondstrooide, noemden ze haar *La Meffraye* ('ze maakt me bang'). Ze stierf in de gevangenis. Hij werd onderworpen aan een spectaculair proces en ontroerde publiek en aanklagers met zijn spijtbetuiging. Hij stierf op zesendertigjarige leeftijd op de brandstapel. Hij is de geschiedenis ingegaan als misdadiger en als de legendarische Blauwbaard.

Is dat alles? Nee, ook hij staat in de schaduw van de alomtegenwoordige tempeliers. Gilles stamt direct af van Robert de Craon, de tweede grootmeester van de orde. Hij is ook de neef van de beroemde held Bertrand du Guesclin, Connétable van Frankrijk, die ruim een halve eeuw na de officiële uitroeiing van de orde een epigoon was van de *militia Templi*. Volgens sommige kroniekschrijvers koesterde de jaloerse erfgenaam van dat geslacht enkele geheimen van de machtige broederschap. Een moeilijk te doorgronden kennis die van generatie op generatie was overgegaan, hardnekkiger dan de Inquisitie, dan menselijke manipulatie en dan de dood zelf! Sommigen beweren dat de ondergang daar is ontstaan.

In zijn groeiende waanzin durfde Gilles zich te wagen aan de alchemie en werd hij een 'glasblazer'. Met andere woorden, hij verloor de relatie tussen lichaam en geest (zoals de ware Alchemistische Kunst die voorschrijft) uit het oog en richtte zich alleen op een aantal verwrongen aspecten: de androgynie en het verkrijgen van goud.

Een ware mislukking, die hem op één lijn stelt met de protagonist van de roman, die er niet in slaagt door te dringen tot de essentie van deze duistere, hermetische wetenschap die zo oud is als de wereld en die, al is ze dan antiek, nog steeds bestaat. Mannen werden aangespoord zich te verenigen in broederschappen (zoals de Broederschap van de Roos en de Vogels in ons verhaal) en genootschappen (bijvoorbeeld de Fedeli d'Amore, de Rozenkruisers en de Vrijmetselaars).

De alchemie, die altijd via de officiële weg is gedwarsboomd door de Kerk, niet werd begrepen of het etiket 'fantasievolle scheikunde' kreeg opgeplakt, houdt stand, ondanks boosaardige kritiek en ironische glimlachjes.

Ik wil nu even stilstaan bij de oplossing van het raadsel, die door Sansevero aan het licht kwam en die misschien irrationeel kan lijken. Dit omdat men over het algemeen geneigd is datgene af te wijzen wat schokkend is en waar nog geen bevredigende wetenschappelijke verklaringen voor gevonden zijn. Men voelt zich zekerder als iets geclassificeerd kan worden aan de hand van wat mensen normaal gesproken plegen te doen, waardoor het moeilijk wordt een verdachte of verwarrende gebeurtenis in een hokje te plaatsen.

Toch is de uitweg die onze moordenaar 'beweegt' en hem tot handelen aanzet geen nieuwtje, laat staan een verzinsel.

Halverwege de achttiende eeuw neemt de prins er kennis van door de kroniek *Over een geval dat verwondering en consternatie teweeg heeft gebracht...*, geschreven door Lazzaro Opizio Pallavicini, aartsbisschop van Lepanto en pauselijke nuntius, die hem opstuurde naar Jacopo Martorelli (1699-1777), hoogleraar Grieks aan de Universiteit van Napels; filoloog, antiquair en allesweter. Benedictus XIV zelf pakte het onderwerp aan in zijn meesterwerk (*De Servorum Dei Beatificatione*, dat wordt beschouwd als een hoeksteen van de katholieke leer), in het kielzog van de beschouwingen van Thomas van Aquino en de filosofen van de scholastiek.

Maar al zijn de theologen het momenteel niet eens over de 'manier waarop' en zijn de geleerden nog niet tot een eensluidende conclusie gekomen, het zou toch tamelijk kortzichtig zijn de mogelijkheid van een dergelijk fenomeen uit te sluiten. Vooral omdat het nog steeds wordt onderzocht door deskundigen. Zoals in het *Kerkelijk Woordenboek* wordt uitgelegd, zou het heel goed kunnen dat deze waarheid op een dag gestaafd wordt door wetenschappelijke gegevens over bepaalde omstandigheden en personen. Intussen zijn de metafysische casuïstiek van alle landen en de levens van buitengewone mannen, van wie velen gezond zijn verklaard, in de afgelopen eeuwen langzaamaan verrijkt met de getuigenissen van 'dubbele verschijningen'.

En de wetenschap? Het fenomeen is decennialang bestudeerd in het psychologisch laboratorium van de Universiteit van Californië. Bovendien hebben we volgens arts en psychotherapeut Philippe Wallon, onderzoeker bij l'Institut National de la Santé et de la Recherche Médicale (Inserm) en schrijver van geprezen verhandelingen over dit onderwerp, te maken met een 'fenomeen van grenzen'. We vinden er over de hele wereld sporen van, van culturen die gedefinieerd worden als primitief tot meer ontwikkelde volkeren. Maar in tegenstelling tot de scepsis van de gevestigde geleerden, luidt het gezichtspunt van de psychiatrie, die dergelijke zaken al jaren gedegen en respectvol bestudeert, dat het hier gaat om een heel plausibel fenomeen, omdat er een 'gat in de fysica' bestaat waardoor het zich kan manifesteren.

Vauvenargues stelt bovendien dat we niet moeten vergeten dat wat we wél weten niets is in vergelijking met wat we niet weten. En dat wat we niet weten niets is in vergelijking met wat we nooit zullen weten.

Ten slotte nog een persoonlijke anekdote. Jaren geleden had ik met pater Thomas V. Bermingham van de Fordham University in New York, die William Peter Blatty inspireerde tot het schrijven van *De exorcist*, een gesprek over moordenaars. Op een gegeven moment vroeg ik hem plotseling onbeschaamd hoe iemand de perfecte moord kon plegen. De jezuïet fluisterde me ironisch toe: '*Splitting...*' Ik heb zijn raad letterlijk opgevolgd. Ik heb niemand vermoord, maar heb wel dit vreemde verhaal opgeschreven.

In de roman komen verder voorwerpen voor die een wezenlijke macht lijken te hebben. Ze dragen boodschappen over en geven energieën door. En ze zijn niet wat ze lijken, of in elk geval niet alleen dat. Allereerst is er het schilderij *Bruiloft in Kana* van Jeroen van Aken (oftewel Hiëronymus Bosch, ca. 1450-1516), waarmee dit boek op dramatische wijze begint. Het oorspronkelijke schilderij hangt in Rotterdam, in Museum Boijmans Van Beuningen. Van de kopie ontbreekt ieder spoor. Zoals alle meesterwerken van de hallucinerende schilder, die verdacht werd van ketterij, bevat ook dit schilderij ingewikkelde, verontrustende, onorthodoxe symbolen. In zijn complexe tochten tussen het hier en nu en het hiernamaals, en tussen zonde en deugd, fantaseerde de Nederlandse schilder over de werkelijkheid, en dat maakte hem verdorven. Hij vermengde volkswijsheden met religieuze kunst, spreekwoorden en filosofische verhandelingen en combineerde hoog en laag zonder grenzen en beperkingen. Zijn occulte, monsterlijke wereld tart, ook nu nog, de dogmatische interpretaties van critici en theologen.

Toen hij stierf, in zijn huis in 's-Hertogenbosch, was de uiterst productieve, vervloekte schilder iets ouder dan zestig. Met de tijd zijn veel van zijn werken verloren gegaan. Vele gingen ten onder in de razernij van de beeldenstorm van de calvinisten, vanwege de gevaarlijke twijfels die ze overbrachten. Een groot aantal werd vernietigd tijdens militaire bezettingen of branden (maar liefst drie in Madrid alleen al); andere verdwenen in privécollecties; en weer andere eindigden onder de lens van de Inquisitie, die veel noordelijke schilders beschuldigde van een dubieuze houding die tegen de katholieke orthodoxie in ging.

Dat is ook het geval bij de kopie van *Bruiloft in Kana*, die in dit boek opduikt. Het draait in ons verhaal om het verduisterde doek dat twee eeuwen later weer opdook. Het mystieke duplicaat van het eerste evangelische wonder voegt enkele unieke bijzonderheden toe aan het oorspronkelijke schilderij van diezelfde Bosch. Bijzonderheden waaruit onomstotelijk het ware geheim van de tempeliers blijkt. Alweer zij...

Maar wie waren toch die beruchte ridders, die in het boek voortvluchtig en ergens toch alomtegenwoordig waren? Als leden van een religieus-militaire orde die in 1119 werd opgericht om heilige plaatsen en rondtrekkende pelgrims officieel te beschermen tegen ongelovigen, verrijken ze zichzelf in korte tijd, bouwen ze kerken en forten en groeien ze in aantal en belangrijkheid.

Sommige mensen beweren dat ze andere doelen voor ogen hadden, anderen vermoeden dat ze (in de orde) een aantal zaken hebben ontdekt: de Graal, de Ark des Verbonds, het Amerikaanse continent, en een universeel geslacht dat de wereld moest gaan overheersen. Dan is er nog de gewaagde hypothese van de bruid van de historische Christus (waarmee hun macht de vrucht zou zijn van een subtiele afpersing van de Kerk, die hen beschermde). Hoeveel waarheid schuilt er in die veronderstellingen? En wat is de werkelijke nalatenschap van deze occulte meesters?

De tempeliers volgen een bijzonder veeleisende Regel, die is opgesteld door Sint-Bernardus en werd goedgekeurd door de paus.

Hun laatste leider, Jacques de Molay, is in het boek de protagonist van de profetische hallucinaties. In 1314 staat hij terecht en eindigt op de brandstapel (evenals een groot aantal van zijn aanhangers).

De aanklagers, koning Filips IV de Schone en paus Clemens V, denken zo een transnationale macht die hun beiden niet zo best uitkomt, volledig te hebben uitgeschakeld.

De tijd, zo hopen ze, zal de herinnering aan die veel te rijke, veel te wijze, veel te gevaarlijke Ridders wel uitwissen... Wat een vergissing! Als ze in de toekomst hadden kunnen kijken, zouden ze geweten hebben dat er nooit een genootschap heeft bestaan dat wij, gefascineerde en beeldrijke nakomelingen, meer hebben verheerlijkt en besproken.

Waar waren we? O ja, het doek van Bosch... Het schilderij verdwijnt op dezelfde dag als waarop de kunstenaar op dramatische wijze de dood vindt. De diefstal en de moord zijn georganiseerd door een opdrachtgever die in mysteriën gehuld blijft, maar de sporen leiden naar de abt Staupitz. De augustijner Duitser, beroemd omdat hij de meester van Maarten Luther is geweest, heeft in Nederland een strenge congregatie opgericht die een nieuwe protestantse stroming zal vormen die in strijd is met Rome. Vanuit de strikte, antikatholieke kringen komt *Bruiloft in Kana* in handen van een andere Nederlander: Philibert Naturelli, die niet alleen provoost van de kathedraal van Utrecht is, maar ook de subtiele wever van internationale intriges, in zijn hoedanigheid als keizerlijk ambassadeur in Parijs. Hij zal het schilderij overdragen aan een ons bekende protagonist aan het Franse hof, hertog Charles Montpensier de Bourbon, die een leven vol kwellingen zal leiden en van militaire held van Frankrijk zal uitgroeien tot verrader van diezelfde kroon. Tijdens zijn laatste Italiaanse campagne, waarin hij aan het hoofd staat van wrede troepen huursoldaten, wordt Montpensier tijdens de plundering van Rome in 1527 getroffen door een verdwaalde kogel en gedood. Maar intussen is het schilderij alweer van eigenaar veranderd. Voordat hij naar de paus vertrok, is de hertog beroofd door zijn o, zo trouwe bondgenoot Von Frundsberg. De gewelddadige landsknecht is een strenge aanhanger van Luther. En dus is het op de een of andere manier zo dat deze versie van *Bruiloft in Kana* telkens weer op dezelfde plaatsen terugkeert en daar ook blijft circuleren. Tot hier hebben we de tekst gevolgd die op de achterkant van het doek staat, dat het onderwerp van deze roman is.

Daarna, sinds halverwege de zestiende eeuw, is er geen spoor meer van te bekennen. Het duikt pas plotseling weer op wanneer de eerste Italiaanse vrijmetselaar – musicus Francesco Xaverio Geminiani (1687-1762) – het naar de grootmeester van de Grootloge van Frankrijk, de beroemde graaf Charles Radclife (1693-1746) stuurt. Maar tijdens de reis gaat het schilderij in rook op.

De violist Geminiani was kunsthandelaar en bevond zich in 1728 in Den Haag. Lord Radcliffe nam in 1745 deel aan de expeditie van Stuart om de Schotse dynastie weer op de Engelse troon te krijgen, werd opgepakt en in de gevangenis onthoofd. Sindsdien zocht niemand meer naar het sensationele schilderij, dat volgens het boek wel weer opdook. Als een lastig lijk dat met een steen om zijn nek naar de bodem is gezonken, maar niet van plan is in het niets te verdwijnen.

Nadat het avontuur ten einde is en de zaak is opgelost, neemt de schrandere detector Raimondo de Sangro het doek in beslag. Vanaf dan is het misdadige, mysterieuze schilderij in Italië, goed beschermd in een privécollectie.

De vragen zouden onbeantwoord gebleven zijn, als er niet, zoals uit het verhaal blijkt, enkele mysterieuze, onverklaarbare moorden gepleegd zouden zijn in Clisson en Tiffauges. Die zijn zo verontrustend dat een pastoor zich tot zijn bisschop in Nantes wendt. Terwijl de plaatselijke autoriteiten maar wat stuntelen en er een waarschijnlijk onschuldig man in de cel wordt gegooid, is er iemand die er alle belang bij heeft dat de hele zaak verborgen blijft voor de nationale autoriteiten. De aard van de moorden lijkt duister, goddeloos en heiligschennend. Er is sprake van toverij, alchemie en duivelse streken...

Zo gebeurt het dat de pastoor naar de bisschop gaat en dat de bisschop de paus aanschrijft. Benedictus XIV (1675-1758), oftewel Prospero Lambertini, is ontwikkeld, oprecht en liberaal. De Bolognese paus, die wordt gewaardeerd door filosofen en wetenschappers en zelfs wordt gerespecteerd door de aanhangers van de verlichting, beschikt bovenal over een behoedzame wijsheid. Logisch denkend, sceptisch. Ook wanneer het gaat om het (schijnbaar) bovennatuurlijke. Het lezen van zijn teksten is heel stimulerend, vooral tegenwoordig. Hij was dertig jaar lang raadsman van de Index, maar had een hekel aan het domme gebruik van de censuur; hij werkte meer dan een kwarteeuw bij de Inquisitie, maar las Voltaire.

Hij was praktisch, scherpzinnig en tolerant, stond open voor nieuwe tijden, respecteerde mensen en wist hen op waarde te schatten. Zijn waardering voor Raimondo de Sangro is historisch aangetoond.

Het leek me dan ook plausibel en suggestief zo'n verlichte man contact te laten opnemen met de prins van Sansevero (1710-1771), de authentieke deus ex machina van de hele roman. De betrouwbare detector die gekozen is door de paus, is een vuurpijl die met het licht van zijn talent de Europese achttiende eeuw verlicht. Hij is uitvinder, alchemist, wetenschapper, protomedicus, geletterde, uitgever, mecenas, vrijmetselaar... maar de lijst is te lang. De geniale don Raimondo heeft talloze gebieden van de menselijke wetenschap onderzocht en zijn eigen, originele sporen achtergelaten.

Dat blijkt wel uit zijn belangstelling voor de grafologische studies (uit de zeventiende eeuw) van Camillo Baldi uit Bologna, in wiens kielzog hij bleef hangen voor het schrijven van zijn nooit uitgegeven manuscript *Over hoe de veronderstellende Kunst van het Handschrift de ware talenten van de menselijke ziel kan achterhalen, waardoor de goede en de slechte neigingen aan het licht komen.*

In zijn teksten onthult hij buitengewone ontdekkingen of wonderbaarlijke bekendmakingen die ook nu nog verbazingwekkend zijn, zoals bijvoorbeeld de buitengewone, door hem zelf omschreven *'huidranden van de vingers van mijn handen etiamsi afdrukken... Mijn vingertoppen duiden op een stevig, bestendig en aanhoudend karakter... Deze tekeningen zijn veronderstellingen over het systeem waaruit heldere aanwijzingen voortkomen als document van de mens, die niet vatbaar zijn voor vervalsingen.'* Daarmee slaagt de prins erin Malpighi te overtreffen en voelt hij de uniciteit en het belang van vingerafdrukken aan, waar pas een eeuw later door Francis Galton onderzoek naar zou worden gedaan.

Maar de meest complete getuigenis van de Sangro ligt besloten in zijn grafkapel. Deze staat achter het familiepaleis in het oude centrum van Napels en trekt jaarlijks duizenden toeristen vanwege de schatten die er te vinden zijn. Bijvoorbeeld de beroemde *Gesluierde Christus* (te vinden op de omslag) en de grafsteen met in reliëf de woorden UNIVERSAE DOMUS ('uit universeel geslacht'). Het lijkt erop dat de rode draad van het verhaal weer terugvoert naar de groenblijvende tempeliers, en zo een vrijwel ononderbroken curve maakt.

Ook nu nog raken bezoekers in vervoering door wat er te vinden is in de eigen tempel van de prins, die gekunsteld marmer leven heeft ingeblazen en zijn explosieve, vernuftige verbeeldingskracht heeft vormgegeven. Een wetenschapper van de natuur die er – als de volmaakte alchemist – altijd van hield tot de kern van de zaken door te dringen. En te ontdekken, anderen versteld te doen staan, een weerwoord te geven en te hervormen.

Dit is zijn eerste avontuur als detector.

WOORD VAN DANK

Een korte inleiding. Vanaf het moment dat ik het idee voor dit boek heb opgevat, was ik vastberaden het in het Italiaans te schrijven. Misschien omdat mijn detector een buitengewone inwoner van Italië is, die echt heeft geleefd in de achttiende eeuw. Misschien omdat de plot draait om de alchemie, de verheven kunst die ik heb geleerd uit teksten in het Latijn, de moeder van het door mij gekozen idioom.

Degene die ervoor gezorgd heeft dat ik verliefd ben geworden op de taal van Dante en Michelangelo was Rebecca, de eerste vrouw van mijn opa. In haar villa in Toscane heb ik als kind vele zomers doorgebracht. Dat ik nu nog steeds ook in het Italiaans kan denken en schrijven, heb ik vooral aan haar te danken. In alle bescheidenheid hoop ik dat ik erin geslaagd ben mijn *roman noir* te vertellen in deze moeilijke taal, die veel ouder en complexer is dan het Engels, dat altijd mijn meest geliefde idioom zal blijven.

Degene die mijn nieuwsgierigheid heeft gewekt en mijn onderzoek naar Sansevero, de protagonist van dit boek, heeft gestimuleerd, is een oude vriend van mijn vader, sir Harold Acton. Met trots beschouw ik hem als mijn leermeester op het gebied van de geschiedenis en van het leven. Ik heb hem vele jaren geleden vaak opgezocht in Villa La Pietra in de Florentijnse heuvels, en de aangename, erudiete gesprekken met die edelman in zijn museumachtige huis uit de renaissance staan me nog levendig voor de geest. Ze hebben meer bijgedragen aan de ontwikkeling van mijn geest en mijn gekwelde intellect dan vele academische colleges.

Ik ben veel erkenning verschuldigd aan alle geleerden die over de prins hebben geschreven, evenals aan de eigenaars van het Museo Cappella Sansevero in Napels, die vol toewijding en passie de graftempel verzorgen waar de Sangro de sporen van zijn magmatische vernuft heeft achtergelaten.

Ik zie het als mijn plicht mijn dankbaarheid te uiten jegens de betreurde jezuïetenpater Thomas V. Bermingham van Fordham University in New York, die enkele jaren geleden opperde het verhaal zich te laten afspelen in Bretagne en me suggesties deed over de bijzonderheden van mijn moordenaar. Ik bedank Dan Brown voor het publiceren van zijn *De Da Vinci Code* en omdat hij me onbewust heeft aangemoedigd mijn tekst, waarin ik een nieuwe waarheid omtrent de historische Christus en de geheimen van de tempeliers vertel, in druk uit te geven. De betreffende geheimen zijn opgedoken in antieke manuscripten die mijn ouders, aan wie ik veel dank en erkenning verschuldigd ben, me hebben nagelaten.

Ik moet de namen van vele anderen noemen: Daniele Vitali en Luigi Lepri (*Gigén Lîvra*), deskundigen op het gebied van het Bolognese dialect, voor de uitdrukkingen van paus Benedictus XIV; Pietro Cristini, bouwer van modelschepen en beoefenaar van de zeemanskunst; frère Louis-Marie van l'Abbaye de Fleury in Saint-Benoît-sur-Loire voor de informatie over de benedictijner orde en de oude Franse abdijen; Josephine Savarin, die me heeft ingewijd in de wonderbaarlijke wereld van de schilder Bosch; het personeel van de VVV in Clisson en de clarissen in Nantes, Massimo Cerea, Reference Librarian van de Vaticaanse Bibliotheek voor de bibliografische suggesties over paus Lambertini; pastoor Holger Milkau, decaan van de Evangelisch-Lutherse Kerk in Italië, die me bekend heeft gemaakt met de wereld van de augustijn Staupitz, meester van de grote Duitse hervormer. Een bijzonder woord van dank gaat uit naar Anthony Knowler, die als geen ander in staat is de ziel en de geest van een schrijver te verheffen met zijn aanmoedigingen, gericht op de koers van de Ster der Wijzen.

Het esoterisme is een delicaat en complex onderwerp. Om te verlichten wat het lastigst was, of ook gewoon om me op weg te helpen, waren daar, uiterst vriendschappelijk en broederlijk, Jean-Pierre Pilorge, Grand Secrétaire de la Grande Loge Nationale Française en Massimo Bianchi, Gran Maestro Aggiunto del Grande Oriente d'Italia; maar bovenal ben ik dank verschuldigd aan Vittorio Gnocchini, die *Grande Archivista* is bij dezelfde organisatie en dus verantwoordelijk is voor het historisch archief van het GOI; aan de Loggia Har Tzion Montesion 705 Oriente di Roma Obbedienza Palazzo Giustiniani, wier internetsite (www.montesion.it) een lichtbaken is; en aan Paola Foggi, dynamische *Gran Maestro* van de Gran Loggia Massonica Femminile d'Italia. Een groet aan hen allen, en driewerf applaus.

In het bijzonder gaat mijn dank uit naar verzamelaar B.V., de eigenaar van de tweede versie van *Bruiloft in Kana*, die toestemming heeft gegeven het op de omslag af te beelden en wiens verzoek anoniem te blijven door mij gerespecteerd wordt.

Van mijn vele vrienden of mensen die vrienden zijn geworden, bedank ik Danièle en François Romain, Marine Samson en Marie Hélène, mijn gids in Clisson en Tiffauges; Emile Polcher, arts; meester Seepferdchen, Beierse alchemist die me heeft begeleid op de hobbelige weg van de Koninklijke Kunst; Teresa Camerlengo (bibliothecaresse van het Institut Français de Grenoble) en Guglielmo Barbarano (ambtenaar bij Telecom Italia), vanwege de hulp bij het onderzoek tijdens mijn Parthenopeïsche verblijf.

In Napels dreigde ik door een onaangenaam ongeval mijn werk te moeten onderbreken. Dat ik snel en goed genezen ben, heb ik te danken aan Elizabeth Mary Williamson, osteopaat, en Giovanni Maria Gaeta, Member of the American Academy of Oral Medicine. Beiden zouden vanwege hun anatomische en therapeutische kennis zeer gewaardeerd worden door protomedicus Raimondo de Sangro!

Verder wil ik de volgende mensen bedanken: Moor Castles en Mary Ann, die met warme sympathie de verschillende versies van het manuscript gelezen hebben en me voorzien hebben van suggesties en constante steun; Charlotte Buteving, mijn plezierige vrouwelijke alter ego aan wie ik dit werk heb opgedragen, met de lange wandelingen langs de oever van de Sèvre in gedachten.

Bedankt, Sauver Desaint en Joseph Camphre voor het begeleiden, wakker schudden en boetseren van mijn kennis over het grensgebied tussen Hier en Elders.

Ten slotte ben ik uitgeverij Sperling & Kupfer zeer erkentelijk. Ik heb de vriendelijke directeur Carla Tanzi puur toevallig leren kennen in het vliegtuig, op de route New York-Los Angeles. Tijdens een bezield gesprekje, van haar kant gevoerd in het Engels en van mijn kant in het Italiaans, heb ik besloten dit eerste avontuur van de Prins van Sansevero in druk uit te brengen. Ik ben haar dankbaar voor haar vertrouwen en hoop dat ik haar niet teleurstel. Ook bedank ik Andrea Bonelli, creatief en veelzijdig graficus; Stefania Klein De Pasquale, veelzijdig en kundig *Foreign Rights Manager*, en haar zeer actieve collega Paola Bagnaresi. Duizendmaal dank aan de waardevolle, onvervangbare Piera Molteni, die bij haar nauwgezette redactionele correctie van de tekst ook het onzichtbare heeft gezien en zich zo heeft onderscheiden met haar geraffineerde wijsheid. En hartelijk dank aan Elisabetta Ricotti, die dit boek als zeer competente en verstandige hoofdredacteur tot aan de druk heeft gevolgd.

Als afsluiting wil ik mijn editor Edi Vesco bedanken, die me terzijde heeft gestaan met talent en een goed humeur. ‘Het lot’ heeft bepaald dat mijn manuscript in zijn handen is beland. Met zijn magische aanraking is ook het lood in goud veranderd. Als er nog wat brokjes op de bodem van de smeltkroes zijn achtergebleven, is dat geheel aan mij te wijten!